Samuel Vollenweider
Neuplatonische und christliche Theologie
bei Synesios von Kyrene

SAMUEL VOLLENWEIDER

Neuplatonische und christliche Theologie bei Synesios von Kyrene

VANDENHOECK & RUPRECHT
IN GÖTTINGEN

Forschungen zur Kirchen- und Dogmengeschichte

Band 35

CIP-Kurztitelaufnahme der Deutschen Bibliothek

Vollenweider, Samuel:
Neuplatonische und christliche Theologie bei Synesios
von Kyrene / Samuel Vollenweider. – Göttingen:
Vandenhoeck und Ruprecht, 1985.
(Forschungen zur Kirchen- und Dogmengeschichte; Bd. 35)
ISBN 3-525-55142-8

NE: GT

Vorwort

„Diese himmlischen Funken müßt Ihr aufsuchen,
welche entstehen, wenn eine heilige Seele vom Universum berührt wird..."

(F. Schleiermacher, Über die Religion. Erste Rede.
Berlin 1799, S. 30)

Die spätantike Begegnung von Platonismus – als ausgereiftester Form griechischer Philosophie – und werdendem Christentum stellt ohne Zweifel eine tiefe
Wende in der Geschichte des abendländischen Denkens dar, deren Folgen noch
unsere Gegenwart in Bann halten. Der Name der Theologie selbst begreift in
sich jene Spannung zwischen dem Evangelium Jesu Christi und der griechischen
Metaphysik, der auszuweichen nichts weniger heißt, als vom begrifflichen
Denken überhaupt Abschied zu nehmen. Die aufregende Chance einer erst
noch zu denkenden eschatologischen Ontologie, die der christlichen Theologie
auch einen fruchtbaren Dialog mit den asiatischen Religionen wie mit der
modernen Naturwissenschaft eröffnen könnte, hängt wesentlich davon ab, die
Möglichkeiten jener vergangenen Synthese von Platonismus und Christentum,
von Einem und Eschaton, wahrzunehmen.

Dazu möchte die vorliegende Arbeit einen Beitrag leisten. Die schillernde
Gestalt des Synesios von Kyrene aus dem endenden 4. Jahrhundert zeigt recht
gut die denkerischen – wie existentiellen – Schwierigkeiten einer solchen Vermittlung, aber auch deren Potential an religiöser Erfahrung, wo im Hymnus
„himmlische Funken" aufblitzen und der Kosmos für den Gottessohn diaphan
wird.

Die Arbeit wurde im Sommersemester 1983 von der Theologischen Fakultät
der Universität Zürich als Dissertation angenommen. Danken möchte ich vor
allem dem Referenten, Herrn Prof. Dr. H.-D. Altendorf, wie dem Korreferen-
ten, Herrn Prof. Dr. A. Schindler. Viel gelernt habe ich auch an einem Kollo-
quium über die Synesioshymnen an der Universität Bern mit Prof. A. Schindler,
Prof. Th. Gelzer, Dr. Klaus Koschorke und andern. Ich danke Herrn Prof. Dr.
H.-R. Schwyzer und Dr. Jürg von Ins für ihre Teilnahme am Werden dieses
Buches, Yvonne Hinnen und Reto Brunner für die Arbeit am Manuskript.
Schließlich danke ich der Emil Brunner-Stiftung in Zürich für einen namhaften
Druckkostenzuschuß und dem Verleger, Herrn Dr. A. Ruprecht, für die sorg-
fältige Betreuung der Drucklegung.

Zürich, Auffahrt 1984   S. V.

Inhalt

Vorwort 5

I. EINLEITUNG 13

(1) Entwicklung? – (2) Neuplatonismus des Porphyrios – (3) Alexandrien –
(4) Christliche Einflüsse (Greg. Naz.) – (5) Bildung und Christentum im Dion
– Exkurs: Weißmäntel und Schwarzmäntel – (6) Philosophie und Rhetorik –
(7) Die alte Weisheit (Schrift; Geistesheroen; Religion; „Siegel") – (8) Synesios
zwischen Humanismus, Neuplatonismus und Christentum (Vergleich mit
Themistios) – (9) Schau, aber kein System – Exkurs: Zur Chronologie der
Hymnen

II. DER AUFSTIEG ZUR GOTTHEIT 29

1. Abstieg und Aufstieg als Thema der Hymnen 29

   (1) Das neuplatonische Motiv – (2) Das Motiv in den Hymnen des Synesios: der
   Aufbau der Hymnen – (3) Die spätantike Hymnentradition

2. Rückzug als Reinigung 32

   (1) Wunder der Natur – (2) Tradition des Rückzugs – (3) Tempel, Berg und
   Wüste – (4) Reinigung

3. Die Hymnen als Inspiration und Opfer 37

   (1) Inspiration – (2) „Dir das deine wieder gebend" – (3) Opfer

4. Schweigen 41

   (1) Schweigen angesichts der Epiphanie – (2) Mystisches Schweigen – (3) Plotin
   – (4) Proklos – (5) Theologische Begründung im göttlichen Schweigen – (6) Augustinus: Wort und Schweigen – (7) Wort und Schweigen in der christlichen
   Theologie (Greg. Nyss.; Greg. Naz.; M. Vict.) – (8) Synesios: Lobpreis

5. Der Mittler 50

   (1) Aufstieg mit Gottes Hilfe – (2) Götter und Engel schauen Gott nicht –
   (3) Rückfall und Neuaufstieg (Plot.; Porph.; Prokl.; Chald. Or.) – (4) Christus
   der Mittler (Augustin) – (5) Christus der Mittler in der christlichen Theologie
   (Philon; Orig.; Greg. Naz.; Greg. Nyss.; M. Vict.) – (6) Synesios: vom Mittler
   – (7) Anteilhabe am Mittler („Lichtblüten") – (8) Die Mittelwesen – (9) Die Ab-
   stiegsproblematik

III. DIE GÖTTLICHE TRIAS............................... 69

A. Die Trias bei Synesios

1. Hymnus 1 70
   Exkurs: Der Sohn ist der Vater – Exkurs: „Zählen"

2. Hymnus 2 76
   Exkurs: Mutter heiliger Geist

3. Hymnus 9 81
   Exkurs: Mitte, Kreis und Sitz

4. Hymnus 5 83

5. Hymnus 4 85

6. Hymnus 3 86
   Exkurs: Ein Filioque bei Synesios?

B. Neuplatonische und christliche Trias

§ 1 *Plotin*... 89

1. Plotins Konzeption der Noogenese.................... 89
   (1) Kein „Drang" – (2)/(4) Ausgang und Rückwendung, negative Qualifizierung

2. Transzendenz des Einen.............................. 93
   (1) Relationslosigkeit und negative Theologie – (2) Emanation, Zeugung und Notwendigkeit – (3) Anwesenheit und Abwesenheit

3. „Zwei Sichtweisen" und negative Theologie – Vom Unendlichen 96
   (1) Aufstieg und Abstieg – (2) Negationen, das Unendliche und die Ambivalenz des Einen

4. Kommen des Einen in der mystischen Einung? 99
   (1) „Plötzlich": anwesende Abwesenheit? – (2) Selbstbezüglichkeit des Einen und unio mystica

§ 2 *Mythologische Theologumena*....................... 101

1. Androgynie Gottes 102

2. Die Dyas von Peras und Apeiron 102
   (1) Pythagoreische Gegensatztafeln – (2) Kosmogonie (Philon v. Byblos) – (3) Der gnostische Sophiamythos

3. Die Trias der Chaldäischen Orakel 105
   Dynamis; „Mitte"

§ 3 Porphyrios 106

1. Trias 106
   (1) Chaldäische Orakel; Sein, Leben und Denken – (2) Mitte – (3) Wille und
   Fall – Exkurs: Wille Gottes – (4) Epistrophe, „Rettung"

2. Transzendenz des Einen 111
   (1) Negativität, Notwendigkeit, Anwesenheit und Abwesenheit – (2) Das Problem des Einen

§ 4 Die Trias im späteren Neuplatonismus 113

1. Eines und Trias 113
   (1) Eines und Drei – (2) Relationslosigkeit – (3) Subordinative Triaden –
   (4) Trias als Abstieg

2. Die Trias und die Dyas von Peras und Apeiron 116
   (1) Julians Attismythos – (2) Peras und Apeiron (Proklos) – (3) Weltewigkeit

§ 5 Die christliche Trias 118

1. Nähe zum neuplatonischen Gottesbegriff 118
   (1) Trennung von Gott und Welt – (2) Unendlichkeit Gottes – (3) Monas und
   Trias

2. Kritik am neuplatonischen Gottesbegriff 119
   (1) Neuplatoniker und Arianer – (2) Keine „Minderung" – (3) Kein „Mittleres", „Wille" – (4) Keine Emanation – (5) Christliche Neuplatonismen; „Güte"

3. Die Trias als innere Bezogenheit 125
   (1) Relation – (2) Doxologie und Trias

§ 6 Rückblick auf Synesios 127
   (1) Neuplatonisches Muster – (2) Christliche Tendenzen

IV. DER ABSTIEG DES GOTTESSOHNS:
   WELTDURCHWALTUNG 131

A. Der Abstieg in den Hymnen

1. Hymnus 9 131
   Seelenfunke und Seelenauge

2. Hymnus 5 134
   Mittelwesen – Chöre

3. Hymnus 1 136
Lobpreis – „Ketten; Eschatologie" – Schöpfung und Erlösung – Seele Gottes Tochter

4. Hymnus 2 141

5. Hymnus 4 142
„Ungeteilte Zerteilung"

6. Hymnus 3 143
„Obere und untere Zeugung"

7. Hymnus 8 145
Hadesfahrt – Himmelfahrt – „Sprung"

8. Hymnus 6 151
Epiphanias: Magier und Wunderstern – Reinigung – Herakles

B. Der Abstieg der Götter und der Seelen

1. Weltdurchwaltung und Götterabstieg 155
(1) Abstieg, „Eschatologie" – (2) Analogien zu Synesios – (3) Dionysos – (4) Attis – (5) Kore, Hermes – (6) Christi Abstieg (Orig.; Amelios)

2. Der Abstieg der Seelen 160
(1) Seelenabstieg und Seelenfall – (2) Platon, Plotin, Porphyrios – (3) Jamblichos, Proklos – (4) Christentum: Abstiegsthematik (Greg. Naz.)

3. Der Götterabstieg in den "Ägyptischen Erzählungen" 164

4. Christi Abstieg als Mythos? 170
(1) Mythos im Neuplatonismus – (2) Historisierung bei Synesios

C. Die positive Wertung des Abstiegs

1. Kosmischer Lobpreis 171
(1) Christentum – (2) Heidentum (Proklos)

2. Christozentrik 173
(1) „Telescoping" – (2) Positiver Abstieg – (3) Christusabstieg und Seelenabstieg

V. DIE VOM GOTTESSOHN DURCHWALTETE WELT

V. DIE VOM GOTTESSOHN DURCHWALTETE WELT 177

A. Die Gegenmacht

(1) Dualismus – (2) Dämonen – (3) Teufel, Hyle, Physis, Ozean – (4) Dualismus und Humanismus

B. Auferstehung und Weltewigkeit

1. Auferstehung 183
(1) Synesios' Vorbehalt – (2) Der Aufstieg des Pneuma – (3) Die Pneumalehre –
(4) Auferstehung als Aufstieg

2. Weltewigkeit 187
(1) Synesios – (2) Das neuplatonische Dogma

C. Der Weg des Menschen

1. Dion 6–11: Der hellenische Weg 189
(1) Der Mensch als Mittelwesen (Rückfallmotiv; Tugendweg) – (2) Der griechische Weg der Tugend – (3) Ein Weg für die Vielen (Dion; Traumbuch) – (4) Das
Ziel aller Wege: Einung mit Gott

2. Philosophisch-theologische Hintergründe 197
(1) Der Mensch als Mittelwesen (Plot.; Porph.; Jambl.; Christen) – (2) Der
Weg aus dem Mindersein: Philosophie und Tugend oder Theurgie? (Jambl.) –
(3) Viele oder Wenige? (Porph.; Jambl.; Greg. Naz.; Aug.)

3. Humanismus 202

D. Das Priesteramt des Bischofs

1. Das Problem der Esoterik 203
(1) Wahrheit und Verkündigung – (2) Mythen als Schmuck des Wahren

2. Philosoph, Priester und König 205
(1) Synesios vor dem Bischofsamt – (2) König und Priester – (3) Einheit von
Königtum und Priestertum in Christus (neuplatonische Tugendlehre) – (4) Das
Bischofsamt als tragischer Abstieg

Beschluß 215

Zur Zitierung 221

Abkürzungen 222

Literaturverzeichnis 223

I. Einleitung

(1) Synesios von Kyrene, der adlige neuplatonische Philosoph und Hymnen-dichter, der um 410 Bischof von Ptolemais wurde, steht in eigentümlicher Weise zwischen den zwei Welten des untergehenden Griechentums und des Christen-tums[1]. Wie sein Leben, so widerspiegelt auch seine literarische Hinterlassen-schaft diese spannungsvolle Einheit der zwei geistigen Mächte jener Zeit: Neben rhetorischen, von alter Bildung und sorgfältiger attischer Sprache geformten Werken wie einer Rede über das Königtum, einem Buch über Träume und dem der Zusammengehörigkeit von Muse und Philosophie gewidmeten „Dion" stehen seine Briefe aus der Bischofszeit; seinen neuplatonischen in dorisierender Weise gedichteten Hymnen fügen sich die Christus preisenden Gesänge bruch-los ein. Von einer Bekehrung vom Heidentum zum Christentum kann keine Rede sein[2], selbst eine deutliche Entwicklung der Gedanken[3] vom einen zum andern läßt sich nicht feststellen. Wohl aber zeigt sich eine zunehmende Ten-denz, dieselben vermehrt mit Hilfe christlicher Sprach- und Denkformen aus-zudrücken[4]. Während seine frühen Werke[5] – das sophistische „Lob der Glatze",

---

[1] Knappe, lebendige Schilderung bei H. von Campenhausen, Griechische Kirchenväter, Stutt-gart [6]1982, 125–136; eine ausführliche Biographie bieten Ch. Lacombrade, Synésios de Cyrène, hellène et chrétien, Paris 1951, und, teilweise überholt, G. Grützmacher, Synesios von Kyrene, ein Charakterbild aus dem Untergang des Hellenismus, Leipzig 1913.

[2] In diese Richtung tendierten R. Volkmann, Synesius von Cyrene, Berlin 1869, bes. IV.166.253 (eine Evolution mit innerer und äußerer Notwendigkeit) und v. a. J. Stiglmayr, Synesius von Kyrene, Metropolit der Pentapolis, ZKTh 38 (1914) 509–563, der die μεταβολή τοῦ βίου von ep 79 p 144,2 fälschlich als conversio deutet (vgl. unten Kap. V A. 266). Auch G. Stramondo, Sinesio, a Peonio sul dono, Catania 1964, 9–17 redet von einer crisi spirituale . . . in un momento cruciale. Ebenso schief ist J. A. Bregmans Versuch, eine conversio zur Philosophie zum Vorbild der späteren „conversio" zu machen, Synesius of Cyrene, a case study of the graeco-roman aristocracy, Diss. New Haven 1974 = (gedruckt) Berkeley 1982; ders., Synesius of Cyrene, early life and conversion to philosophy, California stud. in class. ant. 7 (1974) 55–88. Conversio zur Philosophie setzt irgendwie einen Bruch mit dem bisherigen Lebens- und Bildungsideal voraus, vgl. A. D. Nock, Conversion, Oxford 1933, 164–186; ders., RAC 2 (1954) 107f.; H. I. Marrou, Geschichte der Erziehung im klassischen Altertum, Paris [2]1976, dt. Übers., München 1977, 389f.; ders., S. Augustin et la fin de la culture antique, Paris 1937/38, 166–186; P. Hadot, Exercices spirituels et philosophie antique, Paris 1981, 17.180. Ein derartiger Bruch ist bei Synesios nicht aufzuweisen!

[3] Vgl. das Referat bei Lacombrade, Synésios 8 und die trefflichen Darlegungen von H. I. Marrou, La „conversion" de Synésios, REG 65 (1952) 474–484.

[4] Dies bleibt festzuhalten einerseits gegen A. J. Festugière, Sur les hymnes de Synésios, REG 58 (1945) (268–277) 269 und R. Keydell, Zu den Hymnen des Synesios, Hermes 93 (1956) (151–162) 161 f., die gar keine Entwicklung mehr sehen wollen, und andrerseits gegen A. J. Kleffner, Synesius von Kyrene . . ., Paderborn 1901 und M. Hawkins, Der erste Hymnus des Synesios von Kyrene, Diss. München 1939, die Synesios als seit jeher orthodoxen Christen verzeichnen.

der neunte Hymnus und auch die Königsrede – noch ganz hellenisch formulieren, lassen die Schriften der mittleren Zeit bereits eine stärker von christlichen Impulsen her bestimmte Denkbewegung erkennen. Verschweigen die Prosawerke wie die Ägyptischen Erzählungen, der Dion und das Traumbuch noch vornehm den Namen Christi[6], die attizistische Reinheit der Sprache wahrend[7] und zugleich das Heiligste sorgsam verhüllend, so wagen die etwa gleichzeitigen Hymnen[8], die Gottheit mit den „neuen" Namen anzurufen[9]. Vollends bedienen sich die eigentlichen Christushymnen und die Bischofsbriefe christlicher Sprachformen, um gerade das Wesen der ewig gleichen, einen Wahrheit der Philosophie ans Licht zu bringen[10].

(2) Es ist hauptsächlich der Neuplatonismus des *Porphyrios,* des Schülers und Herausgebers Plotins, dem Synesios seine philosophische Formung verdankt. Nicht nur sein Traumbuch[11], das einzige eigentlich philosophische Werk, sondern ebensosehr seine Hymnen sind von Porphyrios' Exegese der Chaldäischen Orakel[12], einer theosophischen Offenbarungsschrift aus dem endenden zweiten Jahrhundert n. Chr., geprägt, wie die Forschungen von W. Theiler und P. Hadot eindrücklich erwiesen haben[13]. Die Abhängigkeit von Porphyrios zeigt sich bis in einzelne Wendungen hinein[14]; was frühere Forscher eher der Metaphysik des Jamblichos zugewiesen haben[15], weist vielmehr auf den großen

---

[5] Zur Chronologie vgl. Lacombrade, Synésios 78 f.185 samt der Tabelle am Schluß, s. auch unten Kap. III A. 369.

[6] Nicht aus apologetischen Gründen wie die alten Apologeten und noch Äneas von Gaza.

[7] Vgl. Syn ins 14 p 175,2–10 und E. Norden, Die antike Kunstprosa, Leipzig ² 1909, 405.

[8] S. unten S. 25 f. den Exkurs über die Chronologie der Hymnen.

[9] Vgl. U. von Wilamowitz, Die Hymnen des Proklos und des Synesios, SPAW.PH 14 (1907) 1, (271–295) (= Kleine Schriften, Berlin 1941, 2,163–191) 281; W. Theiler, Gnomon 25 (1953) 197; ders., ByZ (1959) 84.

[10] Es kam auch nie zu einer Resignation an der Philosophie, wie Volkmann 136.191–194 und Grützmacher 128 glaubhaft zu machen suchen.

[11] Vgl. W. Lang, Das Traumbuch des Synesios von Kyrene, Heidelberger Abh. zur Philos. 10, Tübingen 1926 = Würzburg 1979.

[12] Auf die Orakel verwiesen als Quelle auch der Hymnen des Synesios schon J. C. Thilo, Commentarius in Synesii hymnum secundum, 1, Halle 1842, 13; Wilamowitz 284; J. Geffcken, Der Ausgang des griechisch-römischen Heidentums, Heidelberg 1920, 219.317 f. A. 215 f.; R. Keydell, DLZ 62 (1941) 1116 f.

[13] W. Theiler, Die chaldäischen Orakel und die Hymnen des Synesios, SKG.G 18, Halle 1942 (= Forschungen zum Neuplatonismus, Berlin 1966, 252–301); P. Hadot, Porphyre et Victorinus, 2 Bde., Paris 1968, 1, 461–474. Auf die Verwandtschaft von Synesios' und Porphyrios' Triade (bei Aug civ 10,29) wies schon F. X. Kraus, Studien über Synesios von Kyrene, ThQ 47 (1865) 596 hin, unglücklich zurückgewiesen von C. Schmidt, Synesii philosophumena eclectica, Diss. Halle 1889, 19 f.

[14] Freilich verwendet die bei Synesios auftauchende Formel ὁ ἐπὶ πᾶσι θεός (regn 9 p 19,15; ep 41 p 58,10) nicht nur Porphyrios (H. Lewy, Chaldaean oracles and theurgy, Paris ²1978, 510; P. Hadot, Fragments d'un commentaire de Porphyre sur le Parménide, REG 74 (1961) (410–438) 434; ders., Porphyre et Victorinus 1, 89 A. 2; 113; 2,65 A. 2), sondern auch Origenes recht häufig, vgl. in Joh. 2,2,15 (SC 120, 216) und für cCels den Index von M. Borret, SC 227, 411.

[15] Vgl. Kraus 584; Volkmann IV.200; E. Zeller, Die Philosophie der Griechen in ihrer geschicht-

Nachfolger Plotins hin[16], während Synesios gegenüber der Theurgie der Jamblichschule eine auffallend kritische Haltung einnimmt[17]. Porphyrios eröffnete bekanntlich nicht nur Synesios, sondern auch Marius Victorinus und Augustinus eine Denkbrücke zur christlichen Offenbarung hin, während sein Werk „Wider die Christen" weitgehend unbekannt blieb[18]. Durch die Vermittlung des Porphyrios lernte Synesios endlich Plotins mystische Philosophie kennen, dessen letztes Wort er auch zitiert[19].

(3) Diese philosophische Schulung hat Synesios durch seine hochverehrte Lehrerin *Hypatia*[20], die im Jahre 415 der Wut des christlichen Pöbels zum Opfer fiel, in Alexandrien empfangen. Tatsächlich scheint Hypatia die Metaphysik des Porphyrios ihren eigenen exakten Forschungen zugrunde gelegt zu haben[21] und war der Theologie und Theurgie des Jamblichos recht abgeneigt[22]. Jedenfalls pflegte man in Alexandrien eine gewisse Zurückhaltung hinsichtlich der metaphysischen Spekulation des „Obern" und widmete sich stärker der astronomischen und mathematischen Propädeutik[23]. Freilich spiegelt sich hierin nicht ein eigentliches Abgehen von der neuplatonischen Metaphysik zugunsten eines

---

lichen Entwicklung, 3/2, Leipzig ⁵1923, 804 A. 1; Schmidt 14; Wilamowitz 284; K. Prächter, Richtungen und Schulen im Neuplatonismus, in: Genethliakon an C. Robert, Berlin 1910, (105–156) 144; Keydell 1941, 1114.

[16] Dies gilt neben der Trias auch für die Differenzierung von νοερόν und νοητόν (Syn hy 1,177f.; 5,23), die bei Synesios, wie Kraus 591 A. 1 richtig erkannte, noch nicht die spätere Systematisierung widerspiegelt, sondern nur auf die Unterscheidung von Subjekt und Objekt in der noetischen Welt abhebt. Genau diese „unentwickelte" Form bieten auch die Orakel (frg 1, ed E. des Places, CUF, 1971) und Porphyrios, vgl. Hadot, Porphyre et Victorinus 1, 98–101.325. Schief deutet Hawkins 91 das Paar auf die christliche Trinität. Die spätere Systematisierung führte Jamblichos durch, der auch schon die Dreiteilung zu kennen scheint, vgl. A. J. Festugière, Proclus, Commentaire sur le Timée, Paris 1966–1968, 2, 164 A. 3; W. Deuse, Theodor von Asine, Sammlung der Testimonien und Kommentar, Palingenesia 6, Wiesbaden 1973, 19; ferner J. Pépin, Eléments pour une histoire de la relation entre l'intelligence et l'intelligible chez Platon et dans le néoplatonisme, RPFE 146 (1956) 39–64.

[17] S. unten Kap. V A. 114 und ep 136 p 235–237 mit der Kritik an der Athener Schule.

[18] Vgl. P. Courcelle, Les lettres grecques en occident, de Macrobe à Cassiodore, Paris ²1948, 302f.; Lacombrade, Synésios 14; Bregman, Early life 67.

[19] S. unten Kap. III A. 37 und Kap. IV A. 267.

[20] Zu Synesios und Hypatia vgl. A. Gardner, Synesius of Cyrene, philosopher and bishop, London 1886, 14–19; Lacombrade, Synésios 38–48; J. Vogt, Das unverletzliche Gut. Synesios an Hypateia, FS K. J. Merentitis, Athen 1972, 431–437; ferner Prächter, PWK 9/1 (1914) 242–249; W. Jaeger, RGG ³3,502; E. Evrard, A quel titre Hypatie enseigna-t-elle la philosophie? REG 90 (1977) 69–74 (kein öffentlicher Lehrstuhl).

[21] Zur Porphyrios-Renaissance in Alexandrien vgl. Prächter, Richtungen 150; J. Bidez, Vie de Porphyre, Gand 1913, 135; Lacombrade, Synésios 49; R. T. Wallis, Neoplatonism, London 1972, 142; P. Hadot in Storia della filosofia, 4, hg. F. Vallardi, Mailand 1975, 381–383.

[22] Vgl. H. I. Marrou, Synesius of Cyrene and alexandrian neoplatonism, in A. Momigliano, The conflict between paganism and christianity in the fourth century, Oxford 1963, (126–150) 138f.

[23] Vgl. A. C. Lloyd, The later neoplatonists, in: The Cambridge history of later greek and early medieval philosophy, hg. A. H. Armstrong, Cambridge ²1970, (269–325) 314–316.

Rückgriffs auf einen einfachen, vorplotinischen Platonismus[24]. Vielmehr wurde die porphyrianische Dogmatik samt ihren Quellen, den Orakeln, Hermetica und Orphica, zwar nicht *weiterentwickelt,* wohl aber als *esoterische* Lehre *weitertradiert.* Die monotheistische Grundlagenphilosophie[25] war demgegenüber exoterischer, nur scheinbar einfacher Natur; sie erleichterte nun auch den Verkehr mit den zahlreichen Christen[26], ohne aber engere christlich-neuplatonische Beziehungen zu zeitigen[27]. Es ist deshalb wohl verfehlt, wenn H. I. Marrou Synesios als ersten typisch christlichen Neuplatoniker Alexandriens, der am Anfang einer zukunftsträchtigen Entwicklung steht, zu zeichnen sucht[28]. Vielmehr scheint er in dieser Zeit im Osten eine ausgesprochene Einzelerscheinung zu sein[29], wenn er den alexandrinischen Porphyrios christlich umdeutet. Was sich bei ihm an christlichen Zügen eruieren läßt, vermißt man beim spätern christlichen Neuplatonismus Alexandriens, und was in diesem als christlich behauptet werden kann, fehlt bei Synesios; die Gemeinsamkeiten gehen nicht über das porphyrianische Erbe hinaus. So ließen sich beim Philosophen Hierokles[30] aus dem 5. Jahrhundert allenfalls an christlichen Ideen die Identität von höchstem Gott und Schöpfergott[31], die creatio ex nihilo[32] und die

---

[24] So im Anschluß an Prächter auch J. M. Rist, Hypatia, Phoenix 19 (1965) (214–225) 218f.224 (vgl. ders., Basil's „neoplatonism", in: P. J. Fedwick [hg.], Basil of Caesarea, christian, humanist, ascetic, Toronto 1981, Bd. 1, [137–220] 169.181). Neben dem Verweis auf Hierokles, der angesichts der Forschungen von I. Hadot (s. unten A. 38) nicht zu halten ist, bemerkt Rist, daß Synesios Plotin so selten zitiere (216). Dies heißt aber gar nichts, man zitiert eben vornehmlich die „Alten". Zur „Einfachheit" des Synesios s. unten S. 132, 173f.

[25] Vgl. H. D. Saffrey – L. G. Westerink, Proclus, Théologie platonicienne, 3, Paris 1978, Introduction LXXVI.

[26] Vgl. Courcelle, Lettres 302f.; H. D. Saffrey, Le chrétien Jean Philopon et la survivance de l'école d'Alexandrie au 6e siècle, REG 67 (1954) 396–410; P. Canivet, Histoire d'une entreprise apologétique au 5e siècle, Paris 1957, 83–87; L. G. Westerink, Anonymous prolegomena to platonic philosophy, Amsterdam 1962, Introduction X–XXV.

[27] Dies bleibt zu betonen gegenüber Prächter, Richtungen 144–154; ders., Christlich-neuplatonische Beziehungen, ByZ 21 (1912) 1–27 (= Kleine Schriften, Hildesheim 1973, 138–164).

[28] Marrou, Synesius, bes. 138.150 („it was with Synesius, the first baptized neoplatonist, that the christian neoplatonism of Alexandria began"), vorsichtiger noch in Conversion 480f. Schon Prächter stellte Synesios neben Hierokles, Ammonios und die übrigen Alexandriner, Art. Hierokles, PWK 8/2 (1913) 1481.

[29] Soweit hat M. Cocco, Neoplatonismo e cristianesimo nel primo inno di Sinesio di Cirene, Sophia 16 (1948) (199–202.351–356) 355 recht, wenn sie den heidnisch-christlichen Synkretismus des Synesios nicht auf Hypatia zurückführen will. Hingegen geht der Porphyrioseinfluß sicher auf diese zurück, gegen Wallis, Neoplatonism 142.

[30] Vgl. Th. Kobusch, Studien zur Philosophie des Hierokles von Alexandrien, München 1976, meist im Anschluß an Prächter, Hierokles, PWK 8/2, 1479–87.

[31] Kobusch 27–42; vgl. zu Simplikios Prächter, PWK 3/1 A (1927) 207f. – Kritisch dazu I. Hadot (unten A. 38) und H. R. Schwyzer, Ammonios Sakkas, der Lehrer Plotins, RWAkW-G 260, Opladen 1983, 85–90.

[32] Kobusch 66–72. – Hierzu mit Recht kritisch M. Baltes, Gnomon 50 (1978) 260; auch A. C. Lloyd, ClR 82 (1968) 296f. und H. R. Schwyzer aaO. (A. 31) 87f.

Providenzlehre[33] behaupten – Synesios aber preist die Jenseitigkeit des höchsten Gottes und denkt emanativ, seine Providenzvorstellung hat wenig mit Hierokles gemeinsam. Hierokles' christlicher Schüler Aeneas von Gaza[34] verwirft darüber hinaus im Gegensatz zu Synesios die Seelenpräexistenz[35], spricht traditionell vom Geist als dritter Hypostase der Trinität[36] und hält an Eschatologie und Auferstehung fest[37]. Andrerseits erweist sich der Neuplatonismus Alexandriens als längst nicht so christlich, wie es scheint[38], und rät noch mehr davon ab, Synesios in eine derartige Sukzession zu stellen.

(4) Vom *Christentum* orthodoxer Prägung hat sich Synesios deutlich in den „drei Kapiteln" seines programmatischen Briefs vor der Bischofswahl abgesetzt[39]; er bezeichnet sich selbst als „fern der Kirche aufgewachsen"[40]. Überhaupt scheint seine christliche Formung wenig ausgeprägt, sichere literarische Kenntnisse patristischer Autoren lassen sich nicht nachweisen. Während ihm Origenes kaum bekannt war[41] – seine „drei Kapitel" halten lediglich *platonische*

---

[33] Kobusch 85–109. Hierokles betont zudem die Güte Gottes, ib 73–76, und Gottes Willen, ib 76–84 – dies ist alles gut porphyrianisch!

[34] Vgl. M. Wacht, Äneas von Gaza als Apologet. Seine Kosmologie im Verhältnis zum Platonismus, Theoph 21, Bonn 1969. Auch für Äneas ist der höchste Gott der Schöpfer, 42 f., er lehrt die Güte-Providenz, 44–48, die creatio ex nihilo, 67–74 und verwirft alle Emanation, 56 f.95–97.

[35] Wacht 48.124.129.

[36] Wacht 52–55, während für Synesios der Geist „zweiter" ist.

[37] Wacht 98–139 und 135.

[38] Vgl. I. Hadot, Le problème du néoplatonisme alexandrin: Hieroclès et Simplicius, Paris 1978; dies., Le système théologique de Simplicius dans son commentaire sur le manuel d'Epictète, in: Le néoplatonisme, hg. P. M. Schuhl – P. Hadot, Paris 1971, 265–279; dies., Ist die Lehre des Hierokles vom Demiurgen christlich beeinflußt?, in: Kerygma und Logos, FS C. Andresen, Göttingen 1979, 258–271. Die Verfasserin scheint weitgehend im Recht zu sein, aber die Unterschiede zu Athen sind dennoch nicht zu übersehen: (1) Alexandrien verwirft die Theurgie als Heilsweg, und (2) der „Überlieferungszufall", wonach Athen nur Platon, Alexandrien nur Aristoteles und Propädeutik tradierte, ist allzu zufällig! Warum wirkt Porphyrios in Alexandrien weit mehr nach?

[39] S. unten S. 133 (Seelenpräexistenz); 183 ff. (Auferstehung und Weltewigkeit). Gegen Kleffner 67–72 hat H. Koch, Synesius von Cyrene bei seiner Wahl und Weihe zum Bischof, Hist. Jb. 23 (1902) (751–774) 762–771 richtig die „Heterodoxie" der drei Kapitel herausgestellt. Vor der übergroßen Harmonisierung bei Marrou, Synesius 145–148 warnt mit Recht Bregman, Synesius 155–157.162 f. (= 1982, 157–162). Wallis, Neoplatonism 102–104 stellt anhand der drei Punkte den Gegensatz von Neuplatonismus und Christentum dar; ähnlich H. Dörrie, Die Andere Theologie, ThPh 56 (1981) (1–46) 23 A. 67; 42 A. 123. – Übrigens ist ep 41 eher eine Rede denn ein Brief, s. X. Simeon, Untersuchungen zu den Briefen des Synesios von Kyrene, RhetorStud 18, Paderborn 1933, 10.85.

[40] Syn ep 66 p 121,5 (= 217a) ἀπότροφος ἐκκλησίας, vgl. zum Begriff I. Hermelin, Zu den Briefen des Bischofs Synesius, Diss. Uppsala 1934, 66 f.

[41] Gegen Volkmann 195.217; Koch 765 f.; Stiglmayr 549 A. 1; Valdenberg, La philosophie byzantine aux 4ᵉ–5ᵉ siècles, Byz 4 (1927 f.) (237–268) 242; G. Bardy, Synésios, DThC 14 (1941) 2998; E. Cavalcanti, StPatr 13 (1975) 142 f.; RSLR 6 (1970) 89–92; Studi Eunomiani, OrChrA 202, Rom 1976, 121–123; vorsichtiger Grützmacher 136; Bregman, Synesius 111–113 (= 1982, 112–114). Übrigens hätte sich Synesios am Stil des Origenes gestoßen! S. ist kein „Epigone des Origenes" (so Ch. Lacombrade, LThK ²9, 1232).

Grunddogmen fest[42] –, dürfte er den ihm geistesverwandten Gregor von Nazianz gelesen und geschätzt haben[43]; fast überall, wo Christliches bei Synesios einwirkt, werden wir auf seinen Namen stoßen, ohne indes eine sichere literarische Bezugnahme aufzeigen zu können[44]. Er mag ferner Johannes Chrysostomos gehört haben als er 399–402 in Konstantinopel weilte.

(5) Der Grundgegensatz, in dem Synesios Stellung bezieht, ist denn ja niemals derjenige von Heidentum und Christentum, sondern vielmehr derjenige von griechischer *Bildung* und Barbarentum. Wenn er im „Dion" die christlichen Mönche kritisiert[45], so attackiert er nicht ihr Religionsbekenntnis[46], sondern ausschließlich ihre Ablehnung der hellenischen Paideia[47]. Im gleichen Atemzug nämlich wendet sich Synesios nach der Zurückweisung des mönchischen Barbarenwegs auch gegen die Bildungsverächter unter den heidnischen Philosophen, die er in einen Reigen mit den Mönchen stellt. Die hochmütigen, ein betontes Schweigen pflegenden Philosophen mit den weißen Mänteln *und* die ungebildeten, schwätzenden Popularphilosophen in ihren dunklen Mänteln teilen im Grunde dieselbe stumpfe, allen sicheren Wegs zum Geistigen bare Haltung mit den verachteten Mönchen.

---

[42] Vgl. unten S. 184, 186.

[43] Gregorkenntnis nehmen an Hawkins 13; Terzaghi, Synesii Cyrenensis Hymni, Rom 1939, 246 u. ö.; Theiler, Orakel 38; auch Campenhausen, Kirchenväter 125 f.127.136 vergleicht Synesios gern mit den Kappadokiern; vgl. auch Ch. Lacombrade, Synésios, Hymnes, CUF, 1978, 19 A. 4; 115; A. Garzya, Synesii Cyrenensis Epistolae, Rom 1979, 304; Wilamowitz 279f. Bezweifelt hingegen wird Gregorkenntnis bei W. Christ, Anthologia graeca carminum christianorum, Leipzig 1871, IX; Lacombrade, Synésios 31 A. 48; 171 A. 5; Bregman, Synesius 116 (= 1982, 116).

[44] Einziger recht sicherer Anklang scheint mir indes das „Ich bin besiegt!" bei der Bischofswahl zu sein, s. unten Kap. V A. 226. Dagegen bleibt bezüglich der Hymnen zumeist offen, ob die vielen Parallelen sich nicht einer gemeinsamen poetischen Tradition verdanken. Vgl. bes. Kap. II A. 174; ferner die vielen gemeinsamen Motive: Kap. II A. 25+35 (Muße und Amt).56+63 (Reinigung).249ff. (Rückfall); Kap. III A. 63 (Trias).82 (Sohn als Siegel); Kap. IV A. 21 (Seele emaniert).42 (Geistwesen).148 (Sprung).160 (Gott und Toter).164+166+173f. (Epiphanias); Kap. V A. 155 (Vermischung von Gott und Seele). Zu GregNyss vgl. bes. Kap. II A. 34.

[45] Vgl. unten S. 189ff.; zur heidnischen Kritik an der extremen Mönchsaskese s. Canivet, Entreprise 92f.109f. J. Daniélou, RSR 47 (1959) 605f. hält Theodoret aff 12 für eine Antwort auf die Kritik des Synesios in Dion 10.

[46] So noch Volkmann 188–193; Grützmacher 93f.127f.; Valdenberg 244f.

[47] W. Schmid, Zur zweiten Sophistik, Bursians Jb 34 (1906) (278–283) 281; Lacombrade, Synésios 146–149; K. Treu, Synesios von Kyrene. Ein Kommentar zu seinem „Dion", TU 71, Berlin 1958, 26; Marrou, Synesius 143–145; A. Garzya, Synesios' Dion als Zeugnis des Kampfes um die Bildung im 4. Jh. n. Chr., JÖB 22 (1973) (1–14) 11f.; vgl. unten Kap. V A. 121.

Exkurs: Weißmäntel und Schwarzmäntel

Sowohl der „Dion" als auch der diesen begleitende Brief 154 (vgl. die Ausgabe von K. Treu, Synesios von Kyrene: Dion Chrysostomos, Berlin 1959, der auch ep 154 übersetzt) bereiten der Interpretation größte Schwierigkeiten hinsichtlich der darin bekämpften Gegner. So schillernd wie die Darstellung des Synesios sind auch die Auslegungen der Exegeten. In *ep 154* werden zwei Gruppen anvisiert, die beide Synesios ob seiner Neigung zur Rhetorik tadeln und fordern, der Philosph müsse ein μισόλογος sein, p 272,2f., wie Synesios es karikierend formuliert. Die einen tragen weiße Mäntel, die andern schwarze (ἐν λευκοῖς τρίβωσι ... ἐν φαιοῖς ... p 271,9), beide verstehen sich als Philosophen (vgl. p 276,3). Die Schwarzmäntel (p 272,13–273,4) werden als Schwätzer charakterisiert, die sich besonders über das Göttliche auslassen und Synesios zu ihrem Jünger machen wollen, es sind δημοδιδάσκαλοι, p 272,18. Die schöner gekleideten Weißmäntel (p 273,5–20) dagegen pflegen ein esoterisches Schweigen (p 274,6 σιγή) und verwerfen jegliche nach außen sich ergehende Philosophie. Der *Dion* richtet sich nun gegen diese beiden Gruppen, und zwar vornehmlich gegen die Zweitgenannten, aber auch gegen die Ersteren, ep 154 p 274,6–8; vgl. Treu, Dion 5f.

Aufgrund des Dion hat man zumeist die Schwarzmäntel auf die Mönche, die Weißen auf heidnische Schulphilosophen gedeutet (z.B. Lacombrade, Synésios 148; Treu, Dion 5; Bregman, Synesius 133–135 = 1982, 130–133). Indessen zeigt sich, daß die Darlegung über die Mönche im Dion nur Kap. 7–9 umfaßt, während Kap. 10 p 259,3–262,16 nicht mehr primär gegen diese, sondern vielmehr gegen die aus „unserm Lager" stammenden Großmäuler geht, wie Dion 11 p 262,17f. klarstellt (ταῦτα [= Kap. 10] οὐ πρὸς τοὺς ἐκ τῆς ἑτέρας ἀγωγῆς μᾶλλον ἢ καὶ πρὸς τοὺς παρ' ἡμῖν σὺν ἀλογίᾳ μεγαλοφώνους, die ἑτέρα ἀγωγή ist, wie ep 66 p 121,6 (= 217a) beweist, das Christentum). Just *diese* Gruppe entspricht nun aber genau den Schwarzmänteln von ep 154: Sie sind geschwätzig (ἄβυσσος φλυαρίας p 261,2), insbesondere über das Göttliche (p 262,11f.), vermögen nicht zu denken, greifen viele Fetzen der Philosophie auf. Die Passage bezieht sich demzufolge auf heidnische Popularphilosophen, so auch Treu, Dion 88.95; P. Desideri, Il Dione e la politica di Sinesio, AAST.M 107 (1973) (551–593) 582 Anm. (aber beide Autoren reden dann inkonsequenterweise doch wieder von Mönchen). Hingegen hat die in Dion 7 p 250,14f. recht rätselhafte Wendung von den „zwei besten Geschlechtern" gar nichts mit den Gegnergruppen des Synesios zu tun (so Desideri aaO.), sondern bezieht sich, wie W. Lackner, Zu einer bislang ungeklärten Stelle im „Dion" des Synesios, Byz 39 (1969) 152–154 gezeigt hat, auf die platonischen „goldenen" und „silbernen" Geschlechter, die „Philosophen" und „Wächter", aus denen manche den Mönchsweg wählen.

Somit ergeben sich folgende Fronten: Der Dion wendet sich gegen die *heidnischen* Bildungsverächter, die in zwei Gruppierungen erscheinen: Die Weißmäntel sind esoterisierende Philosophen, die zwar die schöne Literatur nicht grundsätzlich verwerfen, aber ihren zeitgenössischen Produkten keine philosophische Dignität zubilligen (sowohl Theilers, Gnomon 25 [1953] 196, wie Bregmans, 134 [= 1982, 131], Kritik an Lacombrade, Synésios 148, ist unberechtigt), ihrem hochmütigen Schweigen stellt Synesios das schöne, zugleich offenbarende und verhüllende Gewand des Redeschmucks gegenüber (vgl. unten S. 204f.), sie sind die Hauptgegner des Dion. Ferner bekämpft er in den Schwarzmänteln vorzüglich heidnische Popularphilosophen kynischer Prägung, wie sie sich seit dem 2. Jh. n. Chr. stark ausbreiteten (vgl. D. R. Dudley, A history of cynicism from Diogenes to the 6th century A.D., London 1937, 143f.) und nun in spätantiker Zeit offenbar mehr als früher auch theologische Gemeinplätze äußern. Zu ihnen mochten *auch* christliche Mönche zählen (diese wurden gern mit den Kynikern verglichen, wie aus Julian, Basilios, Gregor von Nazianz und Asterios von Amasea hervorgeht, vgl. Dudley aaO. 203–206), aber der Dion wendet sich doch primär an nichtchristliches Publikum und nicht an die Mönche. *So geht also die Farbe des Gewandes nicht auf die Konfession,* wie ja denn auch unter Christen weiße und unter Heiden dunkle Gewänder (z.B. Lukian Peregr 15; Hieron ep 38,5:2, CSEL 54,293,1–4) im Schwange waren, vgl. Ph. Oppenheim, Das Mönchskleid im christlichen Altertum, RQ.S 28, Freiburg 1931, 69–71.222. Die Passage in ep 154 darf also nicht ausschließlich vom spätern Brief 147 her gedeutet werden, wo der Schwarzmantel (φαιὸν τριβώνιον p 259,7) als die Mönchskutte (vgl. z.B. J. Chrys virg 7,1:12, SC 125,112) dem weißen Mantel des Philosophen (vgl. Greg Naz or 25,2; PG 35,1200B) gegenübergestellt wird.

(6) So hoch Synesios die Blüte des Barbarentums schätzt[48] – die Chaldäischen Orakel, die Bibel, die Ägyptermysterien[49], endlich die herausragenden Geistesheroen alter und neuerer Zeit –, so sehr verachtet er alles nicht an dieser höchsten Weisheit partizipierende Barbarenwesen. Die Philosophie droht aber selbst zu diesem zu entarten, wenn sie sich nicht auch der Rhetorik bedient[50], um die Menschen auf dem Stufenweg der griechischen Paideia in die Höhe zu führen. In dieser Wertschätzung der *Rhetorik*[51] als eines Instruments der Philosophie schließt sich Synesios im besonderen an Dion von Prusa und an Themistios an, die beide reine Schulphilosophie wie hohle Rednerkunst zugunsten einer höheren Einheit bekämpfen[52], während auf christlicher Seite vor allem die Kappadokier, insbesondere Gregor von Nazianz, die

[48] Der Dion betont: Das Ziel von Barbarenweg und Griechenweg ist identisch, vgl. unten Kap. V A. 92.

[49] Vgl. calv 10 p 207f.; Aeg 1,1 p 64,12; 2,7 p 129,1f. (die vollendete Weisheit eint Ägyptisches und Griechisches).

[50] Zum Kampf von Philosophie und Rhetorik vgl. H. von Arnim, Leben und Werke des Dio von Prusa, Berlin 1898, 4–114; Marrou, Augustin 169–173; ders., Geschichte der Erziehung 396–400; E. L. Fortin, Christianisme et culture philosophique au 5ième siècle, EtAug, Paris 1959, 29–39; H. Dörrie, Das Gebäude spätantiker Bildung, in: Kirchengeschichte als Missionsgeschichte, hg. H. Frohnes – U. Knorr, 1, München 1974, 247–261, bes. 248–251; zu Synesios vgl. Garzya, Dion 7–11; R. Giannattasio, Unità tematica del Dione di Sinesio, Vichiana NS 3 (1974) 82–90 (betont gegen Garzya die Verklammerung von Dion 1–3 mit dem Rest); Desideri, Dione 562–570; J. Vogt, Synesios vor dem Planisphaerium, in: Das Altertum und jedes neue Gute, FS W. Schadewaldt, Stuttgart 1970, (265–311) 274f.

[51] Neben dem Dion (vgl. Treu, Dion 97) vgl. v. a. regn 1 p 5f.; astrolab 1 p 133,13–15; 3 p 137,4–7; ins 19 p 188,13ff. (vom heutigen Übelstand der Rhetorik, vgl. Ps. Long subl 44; 15,8); ep 1 p 3,1–5 (Rhetorik und Philosophie sind *eines* Vaters); ep 103 p 176,1–5.

[52] Vgl. Dion Chrys or 32,8f.; Themist or 24 p 101,18ff.; or 26 p 146–151 Downey – Norman (BT, 1965–1971), wie Synesios bekämpft er besonders in or 26 die schweigenden Schulphilosophen, p 122,3–6; 129,18f.; 130,11; 150,12; die Rede wird man kaum mit H. Kesters, Plaidoyer d' un Socratique contre le Phèdre de Platon, 36ᵉ discours de Thémistius, Louvain – Paris 1959, 191 u.ö. um 700 Jahre zurückdatieren können.

griechische Bildung und die Rhetorik für die christliche Paideia fruchtbar zu machen suchen[53].

(7) Die alte, ehrwürdige Weisheit aber ist Heiden wie Christen gemeinsam, Synesios allegorisiert die Chaldäischen Orakel[54] *und* die Bibel[55], in dieser Offenheit gegenüber beider Literatur neben den Gnostikern nur Clemens von Alexandrien vergleichbar[56]. Die hehren *Geistesheroen,* die großen Alten und Seligen, von denen Synesios ehrfurchtsvoll spricht[57], wie so viele vor ihm[58], sind des einen wie des andern Bekenntnisses[59]. Dergestalt kann er geradezu das dem Nicänum verpflichtete Christentum als *„unsere alte Religion"* bezeichnen, deutlich vom barbarischen Arianismus der Goten abgehoben[60]. In denselben Wendungen zieht er später als Bischof gegen die eunomianische Häresie zu Felde[61]. Jedenfalls ist ihm das Christentum nichts „Neues"[62]. Auf seinem

---

[53] Vgl. W. Jaeger, Das frühe Christentum und die griechische Bildung, dt. Berlin 1963, 51–64; Norden Kunstprosa 465.562–572; B. Wyss, Gregor von Nazianz, ein griechisch-christlicher Denker des 4. Jh.s, MH 6 (1949) 177–210; R. Ruether, Gregory of Nazianzus, rhetor and philososopher, Oxford 1969.

[54] Vgl. ins 4 p 151,13 ἱερὰ λόγια; oft das bezeichnende φησί, z. B. 5 p 152,8. Zur neuplatonischen Wertschätzung der alten Tradition vgl. H. Dörrie, Tradition und Erneuern in Plotins Philosophieren, in: Platonica minora, Stud test ant 8, München 1976, 375–389; ders., Entretiens 21 (1975) 266 f.

[55] Syn hom 1 f. p 279–282; dazu Grützmacher 167–169; Lacombrade, Synésios 259–261; Bregman, Synesius 164–168 (= 1982, 164–168; „Synesius telescoped the religions content of all the old cults in the christian ritual, while remaining a universalist at heart", 168).

[56] Vgl. die vier Gruppen bei Pépin, Mythe et allégorie, Paris ²1976, 260, wo Synesios neben Clemens (265–275) zu stellen wäre.

[57] Syn Dion 10 p 258,18 f. (mit Treu, Dion 88 f.); regn 9 p 20,13; ins 7 p 156,9 (Lang, Traumbuch 77 übersieht die Formelhaftigkeit, wenn er „Wer?" fragt); ep 137 p 239,12; vgl. auch unten Kap. V A. 248 von den alten Priesterkönigen; es gibt auch heute noch „von Haus aus Selige", Dion 9 p 256,2 f., nicht nur im Himmel, hy 1,470.279; die Mitglieder des Hypatiakreises als „Selige" in ep 5 p 25,20; 10 p 30,7; 16 p 37,3, und Hypatia selbst, ep 10 p 30,7; aber eigentlich gilt die Redewendung erst für Gestorbene, ep 36 p 47,1.

[58] Vgl. Plat Phaidr 235b; Dion Chrys or 12,10 (ironisierend von Zeitgenossen, vgl. 12,14); zu Plotin vgl. Theiler, Forschungen 146 f. („romantischer Rückwärtsblick"); für die christliche Verwendung vgl. PGL 821–823; Basil spir 29,71:33 (SC 17bis,502) von der Zeugenschar.

[59] Syn Dion 10 p 259,19 f.: Amus, Zoroaster, Hermes, Antonios (der Mönch!?).

[60] Syn Aeg 1,18 p 109,1 (νόμοι πατρῷοι), vgl. 107,22; 108,19 f.; 2,3 p 118,5 f.; 119,13–15 (τὰ πάτρια); vgl. Lacombrade, Synésios 103 f.und kritisch zu einer Überschätzung der Wendung Marrou, Conversion 478 („par diplomatie") und P. Lemerle, RPh 27 (1953) 229. An spätere bischöfliche Redaktion (so Geffcken, Ausgang 317 A. 195) braucht man sowenig wie bei den Hymnen zu denken.

[61] Syn ep 4 p 8–10 (= 167c–168c), bes. p 10,9 f. τοὺς καθάπερ νόμισμα τὸ δόγμα τὸ θεῖον παραχαράττοντας (vgl. PGL s.v.) < Aeg 1,18 p 108,19 f. κόμμα θρησκεύματος καὶ παραχάραγμα ἁγιστείας. Zum Eunomianerkampf vgl. auch ep 44 p 83 (= 186a); ep 66 p 112,19 (= 212ab); Grützmacher 147.261 A. 53; E. Cavalcanti, StPatr 13 (1975) 138; dies., Studi Eunomiani 110 f.; J. C. Pando, The life and times of Synesius of Cyrene as revealed in his works, PatSt 63, Washington 1940, 150–152; Bregman, Synesius 174–179 (= 1982, 171–174). Dagegen ist ep 128 p 218 f. wohl unecht, zu den bekannten Gründen (s. Grützmacher 148 A.; Lacombrade, Synésios 250, nach Tillemont) ist die äußerst negative Wertung Ägyptens (τὸ γὰρ ἔθνος θεόμαχον ἀρχαῖον καὶ πατράσιν ἁγίοις πολέμιον) hinzuzufügen (vgl. dagegen Synesios oben A. 49).

Bittgang nach Konstantinopel scheint er gar in christlichen Kirchen zu den *Märtyrern* als mit Engelswürde bekleideten Geistwesen, Göttern gebetet zu haben[63], ungeachtet aller neuplatonischen Kritik an der christlichen Märtyrer-verehrung[64]. Hingegen blieben die eigentlichen kirchlichen *Sakramente* dem spiritualistischen Platoniker, der auch alle jamblichische Theurgie ablehnte, fremd; wenn er vom *„Siegel"* spricht[65], dann meint er gewiß nicht die Taufe[66], sondern ausschließlich[67] das geistige, dämonenverscheuchende Zeichen, das der nach oben flüchtenden Seele die Himmelspforten öffnet, ein wohlbekanntes Motiv in Apokalyptik, Gnosis und Neuplatonikerkreisen[68].

(8) Fügen sich so für Synesios *drei Welten*, die humanistisch-rhetorische Bildung, die neuplatonische Philosophie und die christliche Religion in *einen* Chor ein, so gilt es, ihr gegenseitiges Verhältnis genauer zu ermitteln. Obwohl er in seiner Hochschätzung der Muse und der literarischen Bildung, in seinem Wissen um die Beschränktheit des Menschen und dem Drang, die Philosophie auch für das Volk, für die Polis fruchtbar zu machen, stark an den gefeierten Rhetor und Philosophen Themistios († 388) erinnert[69], so ist er von diesem doch tief getrennt durch seine mystische Sehnsucht, die ihn in neuplatonischer Weise nach Göttlichem suchen läßt. Themistios hingegen vertritt eine weit konventionellere, von neuplatonischer Mystik kaum berührte Philosphie platonisch-aristotelischer Prägung mit stark praktischer Ausrichtung[70]. Die ähnliche Wer-

---

[62] So die antichristliche Polemik, vgl. z.B. Porph adv Christ frg 1 Harnack (APAW.PH 1916,1), ev. auch Themist or 2 p 90,13f. D.-N.

[63] Syn hy 1,459–473 (gegen Terzaghi ist ϑεούς zu halten), seit Kraus 425–428, Wilamowitz 284 auf Märtyrer gedeutet. Andere Lösungen wie (1) wirkliche Priester oder (2) übriggebliebene heidnische Heiligtümer oder (3) christlicher Engelkult sind noch weniger befriedigend. Die Engel-werdung kennt jedenfalls auch der heidnische Synkretismus, vgl. Or Chald frg 137f. des Pl. und Hadot, Porphyre et Victorinus 1, 394 sowie unten Kap. V A. 179; Synesios nennt sie sonst nur noch hom 2 p 281,8f. rein bildlich.

[64] Vgl. J. Bidez, Kaiser Julian, dt. Hamburg 1956, 70; Canivet, Entreprise 90–92.106–109.

[65] Syn hy 1,536–539 (σύνϑημα, σφραγίς); 619–638. Vgl. unten Kap. III A. 372.

[66] So z.B. Lacombrade, Synésios 189; ders., Hymnes 43.58 A. 2; Bregman, Synesius 80f.194 (= 1982, 91f.182). Schon Kraus 424 wandte sich gegen die Beziehung auf die Taufe. Im übrigen meint Sphragis in Alexandrien seit der Mitte des 4. Jh. schon nicht mehr eigentlich die Taufe, sondern die Myronsalbung, vgl. F. J. Dölger, Sphragis, SGKA 5/3f., Paderborn 1911, 190f.

[67] Rein bildlich verwendet er συνϑήματα ep 42 p 73,8; 144 p 254,3, von der Ordination ep 66 p 108,15; 111,3, vom Bischofsamt ep 105 p 190,13.

[68] Vgl. z.B. Theiler, Orakel 36f.; E. R. Dodds, Die Griechen und das Irrationale, dt. Darmstadt 1970, 158–163 (= engl. Berkeley – Los Angeles 1966, 292–295); Saffrey – Westerink, Proclus, 2,114 A. 5.

[69] Vgl. oben A. 52; unten Kap. V A. 87.99.126.194.242f.; K. Treu, Synesios' „Dion" und Themistios, Aus der byzantinistischen Arbeit der DDR, 1, BBA 5, Berlin 1957, 82–92. Marrou, Synesius 131 hebt Synesios zu wenig von den sophistischen Literaten ab, dagegen richtig Bregman, Synesius 159f. (= 1982, 161).

[70] Vgl. W. Schmid (W. von Christ – O. Stählin), Geschichte der griechischen Literatur, HAW 7/2/2, München ⁶1924, 1011; W. Stegemann, Themistios, PWK 5/2 A (1934) 1648. Themistios scheint auch Jamblichos' Richtung abgelehnt zu haben, so deutet or 23 p 90,12f. D.-N. Zeller,

tung von Bildung und Rhetorik bei Synesios muß demzufolge im Hinblick auf seine kontemplativ-mystische Grundausrichtung erklärt werden und unterscheidet sich charakteristisch von der Haltung der Sophisten vom Schlag eines Themistios. *Grundsätzlich werden wir Synesios in der Denkbewegung des Neuplatonismus von den Archegeten Plotin und Porphyrios zu den Problemstellungen der späteren Neuplatoniker hin einzuordnen suchen. Es wird sich zeigen, daß gerade dort, wo diese sich zur Theurgie und der darin implizierten Soteriologie und Metaphysik hinwenden, bei Synesios die christliche Botschaft entscheidend die Frage nach dem Verhältnis von Erlösung und Philosophie bestimmt*[71]. Synesios denkt zwar weitgehend und bewußt in neuplatonischen Bahnen, aber läßt dabei von christlichem Geist bestimmte Tendenzen erkennen. Wir werden versuchen, derartige *Intentionen* aufzudecken, die er zwar nicht ausdrücklich expliziert, die ihn aber gleichwohl von den heidnischen Philosophen und Sophisten seiner Zeit abheben. Bei aller Schwierigkeit, seine mit Absicht schillernd gehaltenen Äußerungen zu interpretieren[72], lassen sich doch solche Tendenzen erkennen[73], die sein ganzes Werk, das auf den ersten Blick so widerspruchsvoll erscheint, doch zu einer Einheit formen: *Überall kreist Synesios irgendwie um die Idee eines göttlichen Abstiegs, dem der Aufstieg der Seele korrespondiert. Darin sind christliche Denkformen wirksam*, die explizit in der Benennung der höchsten Gottheit mit biblischen Namen faßbar sind, aber auch sonst seine Schau von Gott, Seele und Kosmos bestimmen. Diesen Sachverhalt soll eine theologische Interpretation seines Werks verdeutlichen, insbesondere im Vergleich mit den um ähnliche Problemstellungen bemühten Denkern seiner Zeit. Wir werden deshalb neben den Kappadokiern oft auf Marius Victorinus und Augustin eingehen, die beide, obgleich im Westen, wie er auf Porphyrios fußen und denselben für ihr christliches Anliegen fruchtbar zu machen suchen.

Die hierbei zentrale Leitfrage nach dem „*Christlichen*" drängt freilich zu einer theologischen Reflexion, die über Vokabelstatistiken, Quellennachweise und Motivanalysen hinaus das Bemühen der jeweiligen Theologen, das Evangelium von Jesus Christus für ihre Zeit sachgemäß zu denken, an dem solchen Anspruch allein ermöglichenden Grund selbst zu messen sucht. Ein derartiges historisch-theologisches Interesse leitet die Fragestellungen meiner Arbeit[74].

Philosophie 3/2, 801. Neuplatonisch klingt nur das Motiv der „Goldenen Kette", or 2 p 43,1–4; 32 p 203,25–204,3; 34 p 232,20f.

[71] Vgl. unten S. 50f., 56ff., 164, 174–176, 189ff., bes. 200.

[72] Vgl. Lemerle, RPh 27 (1953) 229 „horreur du mot exact, du terme technique, son goût de l' expression archaisante ou enveloppée"; A. Casini, Tutte le opere di Sinesio, Mailand 1970, 6.

[73] Ähnlich rät für die Hymnen des Proklos H. Dörrie, Die Religiosität des Platonismus im 4. und 5. Jh. n. Chr., Entretiens 21 (1975) (257–281) 277f., zu fragen, was der Dichter vermeidet, wie er auswählt, welche vorgegebenen Motive er planvoll und sinnvoll einsetzt.

[74] Damit beziehe ich Position in der nachdenklich stimmenden Auseinandersetzung zwischen H. Dörrie und E. P. Meijering in der ThR 36 (1971) 285–320 (vgl. auch VC 28, 1974, 15–28), worin der Theologe gegen den Philologen vom Historiker einen Verzicht auf systematische Fragestellungen

Dabei scheint mir die von den kappadokischen Theologen ermöglichte „neunizänische" Trinitätslehre nicht nur die am Ende des vierten Jahrhunderts geschichtlich maßgeblich gewordene Form der *Orthodoxie,* mit der sich Synesios in Alexandrien und Konstantinopel auseinandersetzt, zu repräsentieren, sondern auch exemplarisch eine *Denkbewegung* zu spiegeln, die selbst heute das christliche Kerygma angemessen als Ontologie der Relation zur Sprache zu bringen vermag. Ferner soll auch das Reden der nichtchristlichen, neuplatonischen Philosophen über Gott unter theologischen Aspekten befragt werden, inwiefern solches Gottesverständnis denn geeignet ist, christlicher Theologie bei ihrer Glaubensrechenschaft behilflich zu sein. Es versteht sich, daß unter dieser Fragestellung die Interpretation andere Resultate zutage fördern wird als bei philologisch-literaturgeschichtlicher oder philosophiehistorischer Orientierung. Was etwa in Plotins Gotteslehre unter philologischem Aspekt als Zusammenfluß verschiedener Traditionen und unter philosophisch bestimmter Befragung als Einheitlichkeit oder Widersprüchlichkeit einer um Wahrheit bemühten Dialektik erscheint, wird in theologischer Sicht zur Frage nach der Transzendenz Gottes, mithin zur Frage nach der Art und Weise der Unterscheidung von Gott und Welt.

(9) Solch kritisches Scheiden und Trennen soll uns zwar die Problematik des christlichen Neuplatonismus bei Synesios vor Augen führen, aber mehr noch sichtbar werden lassen, wie sehr sich ihm Platonismus und Christentum einen in seiner Schau des göttlichen Abstiegs[75]. Es ist ein helleres Licht, das in die Welt strahlt, in den Kosmos der Griechen – dies ist die heilige Vision des Synesios –, aber in diesem *neuen* Licht Welt, Mensch und Gott *neu* zu denken, hat er nicht unternommen. So bleibt seine Schau im Grunde völlig *undenkbar,* „ce grand dévot de l' unité n'est pas arrivé à unifier ses pensées" (Arnou)[76]. Aber diese vornehme Zurückhaltung vor einer identifizierenden Spekulation hebt ihn gleichwohl vorteilhaft ab einerseits von der die christliche Botschaft weitgehend in der neuplatonischen Metaphysik einebnenden Systematik eines Dionysios Areopagita[77] oder auch des Marius Victorinus, andrerseits von ihrer völligen

---

fordert. Es befremdet um so mehr, daß derselbe Forscher so oft und reichlich ausgerechnet A. von Harnack zu zitieren pflegt.

[75] Wir tun einerseits gut daran, immer wieder der Warnung von Wilamowitz, 286, und Jaeger, Frühes Christentum 29f. zu gedenken, Griechentum und Christentum nicht vom heutigen Standpunkt aus allzu scharf zu trennen. Andrerseits ist die theologische Differenz nicht zu übersehen. Dörrie, Andere Theologie 4–6.42ff. scheint mir indes zu weit zu gehen mit seiner These, daß die antike christliche Theologie in der Substanz vom Platonismus gänzlich unberührt geblieben sei.

[76] R. Arnou, Platonisme des Pères, DThC 12 (1933) (2258–2392) 2312. Die meisten Autoren betonen zu Recht die philosophische Unselbständigkeit des Synesios, lediglich O. Bardenhewer, Geschichte der altkirchlichen Literatur, 4, Freiburg 1924, 114 spricht von einem „nicht unbedeutenden spekulativen Talent".

[77] Von B. Brons, Gott und die Seienden. Untersuchungen zum Verhältnis von neuplatonischer Metaphysik und christlicher Tradition bei Dionysius Areopagita, FKDG 28, Göttingen 1976, eindrücklich aufgewiesen.

Separation in der Weise des Boethius[78]. Diese Zusammenschau des Synesios, deren nur selten explizierte Formelemente durchaus in ihren Intentionen faßbar werden, macht gerade seine unverwechselbare χάρις aus.

Exkurs: Zur Chronologie der Hymnen

(1) Keiner der Synesioshymnen erlaubt eine sichere chronologische Festsetzung, damit ist das Nachzeichnen einer „Entwicklung" verunmöglicht. Immerhin dürfte hy 7,29f., wie Lacombrade, Sur deux vers controversés de Synésios, REG 69 (1956) 67–72 im Anschluß an eine Akzentkorrektur Wilamowitzens (281f.) wahrscheinlich gemacht hat, auf die Zeit von 403/404 zu datieren sein.

(2) Im allgemeinen betrachtete man die seit Portus (῞Υμνοι ἐν διαφόροις μέλεσι, Paris 1568) befolgte Numerierung auch als ungefähre chronologische Reihenfolge: 9–5–1–2–3–4–6–7–8–(10) (Kraus 437f., 581.597; Volkmann 195–208; Druon; Schmid, Sophistik 282; M. Meunier, Synésius de Cyrène, Hymnes, Paris 1947, 84.36). Terzaghi, Hymni XVIII (zustimmend Keydell, 1941, 1114) hat dagegen die ältere, von der besseren Handschriftengruppe bezeugte Reihenfolge chronologisch verstanden; dagegen wandte sich richtig Lacombrade, Synésios 176 und versuchte seinerseits anhand der triadischen Vorstellungen eine Evolution zu zeichnen, um derart die Hymnen chronologisch zu fixieren, ähnlich wie schon Portus. So empfahl er die Reihenfolge 9–1–2–5–4–3–7–6–8 (Synésios 175–183, bes. 198, reservierte Zustimmung bei Bregman, Synesius 49. 66ff. 126–128 = 1982: 61. 78ff. 124). Marrou, Conversion 478 relativierte diese chronologische Reihe zu einer „progression logique" und problematisierte richtig den Evolutionsbegriff. So suchte man andere Kriterien; Lacombrade, Perspectives nouvelles sur les hymnes de Synésios, REG 74 (1961) 439–449, verwarf seine ältere Hypothese und nahm eine knappe Entstehungszeit zwischen 402 und 404 an, während er jetzt in seiner Hymnenausgabe (bes. 13–17) abermals anders gruppierte.

(3) Als Fixpunkt für eine Chronologie kommt allein hy 7 in Frage, der 403/404 anzusetzen ist. Ferner kann der lange hy 1 nicht als Einheit betrachtet werden, Synesios hat an ihm fortlaufend weitergearbeitet und ihn als Vorlage für hy 2 verwendet. Aber gegen Wilamowitz 293; Keydell 1956, 156ff. wird man nicht mit einer Redaktion erst durch den Bischof rechnen können, die dafür geltend gemachten Anzeichen sind anders erklärbar (vgl. unten Kap. II A. 28; V A. 235), der Stimmungswechsel zwischen v. 548 und 549 entspricht den typisch spätantiken „zwei Sichtweisen" und erlaubt nicht die Annahme späterer Zusätze, auch zwischen v. 645 und 646 klafft kein Abstand, das Motiv der Bezirzung durch die Materie (Trunk, Doppelgeschenk) und das Wechselspiel von 1. Person und Seele setzt sich fort. Das traditionelle Motiv des „Flecks" (549ff.) weist nicht auf die Bischofsproblematik. Im Anschluß an Wilamowitz hat Lacombrade 1961 (vgl. Hymnes 12f.38) wohl richtig zwei Editionen vermutet, deren erste den nicht als Einheit konzipierten hy 1 nicht enthalten hat. Aber andrerseits ist für hy 1 *nicht* eine über Jahre sich erstreckende Arbeit anzunehmen.

(4) In die Bischofszeit wird man am besten keinen der Hymnen verlegen (Ch. Vellay, Etude sur les hymnes de Synésius de Cyrène, Diss. Paris 1904, 19–31 weist sämtliche dem

---

[78] Vgl. Courcelle, Lettres 303; ders., La Consolation de Philosophie dans la tradition littéraire. Antécédents et postérité de Boèce, EtAug, Paris 1967, 342.

Bischof zu): die mühevolle, aller Muße und Dichtung abholde Zeit war der Muse nicht freundlich (richtig Volkmann 208; vgl. unten Kap. II A. 25); der späteste Zeitpunkt für die Christushymnen könnte die Bedenkzeit vor der Wahl gewesen sein. Wenn Lacombrade, Hymnes 43 in hy 2 „plus de confiance, sinon une totale sérénité" wahrnimmt, dann spricht diese Beobachtung just *gegen* die von Verzweiflung überschattete Bischofszeit.

(5) Obwohl von einer eigentlichen Evolution nicht zu sprechen ist, läßt sich doch eine immer stärkere christliche Formung nicht abstreiten. So vermag eine Pluralität von Indizien – christliche Begriffe, Christozentrik, Metrum (vgl. Schmid, Sophistik 282), äußere Chronologie, hingegen nicht die Reihenfolge in den Handschriften – doch eine ungefähre relative Folge zu erweisen, die nicht nur logisch, sondern auch chronologisch sein kann:

– Der früheste Hymnus ist sicher hy 9 (gegen Keydell 1956, 155). Für früh halten den Hymnus neben Lacombrade auch A. Dell' Era, Sinesio di Cirene, Inni, Rom 1968, 7 und G. Placco, Appunti sulla tradizione classica negli inni di Sinesio, AFLM 12 (1979) (243–260) 255–257.

– Hy 4 und 5 gehören metrisch zusammen; 4,31–33 weist vielleicht auf die Konstantinopelreise (Lacombrade, Hymnes 16). Das Motiv ist freilich traditionell (Prokl. hy 7,48 f.), der Rhetor Synesios bedarf immer der Überzeugungskunst. Ich möchte 4 mit seiner christozentrischen Tendenz (vgl. unten S. 142 f.) für später halten als 5, der den „Heiligen Geist" nennt.

– In die Zeit von 5 und 4 fallen auch hy 1 und 2; hy 1 teilt einerseits viel mit dem frühern hy 9, zeigt andrerseits große Nähe zum Dion und zum Traumbuch, er ist keinesfalls, auch nicht in seinen älteren Teilen, auf 395 anzusetzen (so Lacombrade, Hymnes 15). Hy 2 hat als Vorlage hy 1, ist aber soviel später nicht und niemals ein Werk des Bischofs, von Orthodoxie (Lacombrade, Hymnes 44) kann keine Rede sein (vgl. unten Kap. III A. 51). Die christliche Terminologie erlaubt keine späte Ansetzung, wie hy 5 zeigt.

– Hy 3 steht sachlich zwischen trinitarischen Hymnen und Christushymnen (vgl. schon Kraus 437 f., Hawkins 6), der Gottessohn ist einerseits im Verbund der Trias, andrerseits als Menschgewordener gepriesen. Die Hymne wird später sein als die Konstantinopelreise (gegen Lacombrade, Hymnes 68); an hy 7 erinnert, daß die Gebetswünsche nun allein an den Sohn gerichtet sind.

– Hy 6–8 gehören sachlich wie metrisch zusammen; der Anfang von hy 6 (vgl. unten S. 151) zwingt nicht anzunehmen, er sei der erste der drei, sein völlig akatalektisches Metrum (vgl. Dell'Era 17 f.) rückt ihn eher an deren Ende. Der Bischofszeit (so Lacombrade, Hymnes 14.85 f.) wird man ihn indes nicht zurechnen (zur Frage einer liturgischen Verwendung s. unten Kap. II A. 97), mag er auch in deren Nähe führen, wie die betont christlichen Motive wahrscheinlich machen. Dann könnte hy 7 der erste dieser Gruppe sein, der Nähe zu hy 3 entsprechend.

Sollten so die Hymnen größtenteils *in der Zeit zwischen 400 und 410, insbesondere zwischen 402 und 405* entstanden sein, so fallen sie in die fruchtbarste Zeit des Synesios und bezeugen erneut das *Nebeneinander von Christus vornehm beschweigender Prosa und ihn behutsam preisender Dichtung*, folglich läßt sich das eine durch das andere explizieren. Seit 405 werden die Zeiten für Kyrene unruhiger (Nomadenüberfälle), und erst recht verhindert die Mühsal des Amts das viel Zeit und Muße erforderliche Dichten.

THEMA	HYMNUS		METRUM	ZEIT	
	9		2io/anacl		calv; Dion 1–3
					KONSTANTINOPEL
				400	
					regn
TRIAS	1		an		Aeg
	5		2io/anacl		
		2	an		Dion; ins
	4		3io/anacl		
	3		4spond⌢		
	7		⌢gl	403/4	
CHRISTUS	8		⌢gl		
	6		⌢gl		
				410	BISCHOFSZEIT

II. Der Aufstieg zur Gottheit

1. Abstieg und Aufstieg als Thema der Hymnen

(1) Die neuplatonische Philosophie hat Abstieg und Aufstieg zum Grundmuster ihres Seinsentwurfes ausgebildet. Das Sein der Gottheit selbst, ihr Verhältnis zur Welt wie auch die Stufung des Kosmos läßt sich am angemessensten mit Hilfe dieses Schemas beschreiben. Dabei gründet diese Bewegung des Denkens in einer Bewegung des Seienden selbst, worin das Werden der Welt aus der Gottheit als Abstieg und umgekehrt die Rückbeziehung der Welt auf Gott als Aufstieg erscheint. Da nun auch die Seele an dieser Bewegung des Göttlichen teilhat, sind im Motiv von Abstieg und Aufstieg Ontologie und mystische Psychologie ineinander verschlungen.

Der Sachverhalt erhellt deutlich aus Plotin, der aufgrund seiner Lehre vom Einen in neuer Weise Gottheit und Weltenfülle aufeinander bezieht: Angesichts der mystischen Einung erhebt sich die Frage, wie es überhaupt dazu kommt, daß die Seele absteigt[1]. Die innerseelische Erfahrung des Aufstiegs zur Gottheit[2], die Vereinigung mit ihr sowie der Rückfall aus dieser Höhe[3] prägt die metaphysische Systematik[4]: Die Vielfalt des Seienden wird auf- oder absteigend gestuft und selbst als Resultat eines jenseits der Zeit statthabenden absteigenden Werdens verstanden[5]. So läßt sich auch der Aufstieg des Mystikers zurückführen auf die aufsteigende Rückbeziehung des Gewordenen, Verursachten auf das Verursachende[6]. Der individuelle Auf- und Abstieg gründet in einer analogen kosmischen Bewegung.

(2) Synesios macht nun diese Hauptgestalt neuplatonischen Philosophierens zur *Grundstruktur* seiner Hymnen. Tatsächlich erweist sich das Muster von Abstieg und Aufstieg nahezu durchgehend als ihr wesentlichstes Kompositions-

---

[1] Plot 4,8,1:8–11 Henry – Schwyzer (¹Paris – Brüssel – Leiden 1951–1973; ²Oxford 1964–1982). Zu Abstieg/Aufstieg sowie den „zwei Sichtweisen" bei Plotin s. unten S. 96 f.

[2] Der Aufstieg nach oben ist spätantikem Denken zugleich Gang ins Innere, ins wahre Selbst: Plot 4,8,1:1 f., vgl. bes. 1,6,9:15–22 mit der Anmerkung von R. Harder, Plotins Schriften, Hamburg 1956 ff., 1b, 375.

[3] Plot 4,8,1:8 f. πῶς ποτε καὶ νῦν καταβαίνω. Zum Rückfall vgl. unten S. 56 ff.

[4] Vgl. Harder, Plotins Schriften, 1b, 439: „die Erfahrung, daß die Rückkehr aus ihr (sc. der Versenkung) wie eine Wiederholung des Werdevorgangs ist."

[5] Zumeist beschreibt Plotin die Seinsstufen mit Hilfe dieser Denk- und Seinsbewegung, z.B. in 5,1; 3,8; systematisiert in 3,3,1:18–22 und 6,7,25:18–22, als Exercitium in 5,8,11 und 6,9,7–11.

[6] Der spätere Neuplatonismus systematisiert dieses Verhältnis in der Trias von Verharren, Hervorgang und Rückkehr, vgl. unten S. 114 f.

element, mit dessen Hilfe die traditionelle Form des Hymnus[7] umgeprägt wird: Von dessen drei Teilen – Anruf, „epischer Teil" und Bitte[8] – wird vor allem der mittlere, der Wesen und Wirken des Gottes, seine Macht und seine Taten preist[9], durch das Motiv von Ab- und Aufstieg gestaltet. Diese „epische Geschichte" der Gottheit ist aber nichts weniger als Theogonie und Kosmogonie zugleich, die Selbstentfaltung Gottes in den Stufenbau der Welt. Ebensosehr aber visiert auch der erste Teil, der Anruf, die inspiratorische Herabkunft des Gottes an, während der Schlußteil des Hymnus auf die Bitte um den Aufstieg der Seele zielt[10].

Untersuchen wir nun die einzelnen Hymnen auf das sie strukturierende Abstiegs-/Aufstiegsmotiv hin, so spiegelt dieses vor allem der *fünfte* in klassischer Weise wider: Dem Aufstieg zur göttlichen Trias durch die Weltensphären (v. 9–24) korrespondiert der Abstieg durch die Engelheere (37–58), während die Bitten (75–91) um das Aufstiegsmoment kreisen (89–91). Der *erste* Hymnus weist trotz seiner literarischen Uneinheitlichkeit dieselbe Struktur auf: Der vorbereitende Teil (12–112, bes. 37–107) wie der Hauptteil (113ff.), worin der Zugang zur Gottheit ermöglicht wird (113–143) vollziehen den Aufstieg, während der Abstieg im Lobpreis der zuvor besungenen Gottheit durch die Geschöpfe statthat (266–357), und wiederum tendieren die Bitten (504–734) auf den Aufstieg (609–645. 692–734). Der dem ersten weithin parallele *zweite* Hymnus zeigt denselben Aufriß: Aufstieg als einleitende Anrufung (28–59), Abstieg durch die Weltensphären (141–226), Bitten (266–270, 281–295). Der *vierte* Hymnus schildert den Weltzusammenhang mittels des Abstiegsmotives (1–23) und läßt die Bitten folgen. Im *neunten* schließt sich der Prooemium (1–15) und Wertepriamel (16–44) umfassenden Einleitung das Abstiegsmotiv an, die Verse 52–70 besingen den Ursprung und seine Entfaltung, 76–92 die Zerteilung des Geistes in der Welt, 93–99 berichten vom Fall der Seele in die Materie, während das Aufstiegsmotiv sich in der erflehten Rückkehr ausdrückt (100–134).

In den Hymnen 3, 6 und 7 bildet das Abstiegs-/Aufstiegsmotiv nurmehr den

---

[7] Zur Gattung des Hymnus vgl. E. Norden, Agnostos Theos, Berlin 1913, bes. 141ff.; R. Wünsch, Hymnos, PWK 9/1 (1914) 140–183; F. Heiler, Das Gebet, München [5]1923, 157–190; K. Keyssner, Gottesvorstellung und Lebensauffassung im griechischen Hymnus, WürzbStud 2, Stuttgart 1932; H. Meyer, Hymnische Stilelemente in der frühgriechischen Dichtung, Diss. Köln 1933, bes. 3–8; R. Deichgräber, Gotteshymnus und Christushymnus in der frühen Christenheit, StUNT 5, Göttingen 1967; J. M. Bremer, Greek hymns, in: Faith, hope and worship. Aspects of religious mentality in the ancient world, hg. H. S. Versnel, Leiden 1981, 193–215.

[8] C. Ausfeld, De Graecorum precationibus quaestiones, JCPh.S 28 (1903) 503–547; Wünsch aaO. 144f.; fragwürdige Kritik bei Meyer aaO. 5f.

[9] Ausfeld aaO. 525–536; Heiler, Gebet 169f.; Deichgräber aaO. 22; G. Zuntz, Zum Hymnus des Kleanthes, RhM 94 (1951) (337–342) 338–340.

[10] Vgl. zur hymnischen Form H. Strohm, Zur Hymnendichtung des Synesios von Kyrene, Hermes 84 (1965) 47–54, der „Hymnosmotiv" und „Erlösungsmotiv" als Hauptformen identifiziert; ferner Placco 247ff.258.

alles beherrschenden Horizont des eigentlichen Themas, nämlich des Kommens des Gottessohns in die Welt. Dieser ist im *dritten* Hymnus die herabsteigende göttliche Macht (1–30), an welche sich die im Aufstiegswunsch zentrierten Bitten richten (31–57, bes. 31–33, 44–49). Dieselbe Struktur weisen Hymnus *6 und 7* auf – beide namentlich an den Jungfrauensohn gerichtet –, während der *achte* Hymnus, der Höllen- und Himmelfahrt Christi besingt, wiederum ganz beherrscht ist vom Abstiegs-/Aufstiegsmotiv.

(3) Läßt so Synesios seine Gedichte von diesem Thema bestimmt sein, so sind nun umgekehrt diese Hymnen selbst Einstimmung in den großen Ab- und Aufstieg des Göttlichen in der Welt, indem sie ihrerseits als Vollzug des Aufstiegs[11] den diesem entsprechenden göttlichen Abstieg preisen. Der Hymnus selbst ist gottgewirkter *Aufstieg* zur Gottheit! In diesem Verständnis steht Synesios in dem spätantiken Aufblühen religiös-hymnischer Literatur, worin in dieser oder jener Weise der Aufstieg zum Göttlichen vollzogen wird[12]. Theologie und Philosophie selbst können als Hymnus ihre angemessenste Form finden[13]. Besonders der Hymnendichter Proklos[14] hat die Hymnen als „Lob des göttlichen Ursprungs"[15] unter der platonischen Kategorie der Angleichung an Gott verstanden[16] und die Negationen, die höchsten Akte der Erkenntnis, als Hymnus gefeiert[17]. Damit ist die Hymne in den umgreifenderen Zusammenhang des philosophischen Gebets[18], das wesentlich Aufstieg und Rückkehr zu Gott ist, hineingestellt[19].

Der Hymnus erhält derart als dem göttlichen Abstieg korrespondierender

---

[11] Vgl. Syn Dion 7 p 250,18–20: Heilige Gesänge und Symbole wehren dem Versinken in die Materie.

[12] Vgl. J. Kroll, Die Hymnendichtung des frühen Christentums, Antike 3 (1926) 258–281, bes. 271; F. Cumont, Die orientalischen Religionen im römischen Heidentum, dt. Leipzig ³1913 = Darmstadt 1975, 10f.; M. Meunier, Hymnes philosophiques, Paris 1935, 11–14; C. Schneider, Geistesgeschichte des antiken Christentums, München 1954, 2, 50–73; M. Nilsson, Geschichte der griechischen Religion, 2, HAW 5/2/2, München ³1974, 377–380.

[13] So faßt Julian seine Rede an Helios als Hymnus auf, Hel reg 3:131d4 (ed. Ch. Lacombrade, CUF, 1964).

[14] Vgl. Wilamowitz 272–277; Meunier, Hymnes philosophiques 45–114; A. M. Bonadies Nani, Gli inni di Proclo, Aevum 26 (1952) 385–409; H. P. Esser, Untersuchungen zu Gebet und Gottesverehrung der Neuplatoniker, Diss. Köln 1967, 102–108; Dörrie, Entretiens 21 (1975) 276–278; H. D. Saffrey, L' hymne IV de Proclus, prière aux dieux des Oracles chaldaïques, in: „Néoplatonisme", Mélanges offerts à J. Trouillard, Fontenay aux Roses 1981, 297–312.

[15] W. Beierwaltes, Proklos, Grundzüge seiner Metaphysik, PhA 24, Frankfurt ²1979, 291.

[16] Prokl phil Chald 2 p 207,17–25 des Places (in: Oracles Chaldaïques, CUF, 1971); vgl. Lewy 491f.; Beierwaltes, Proklos 294–305.385–390.

[17] Prokl in Parm 1191,34f. (ὕμνος διὰ τῶν ἀποφάσεων), ed. V. Cousin, Paris 1864 = Hildesheim 1961 = Frankfurt 1962.

[18] Vgl. bes. E. Hoffmann, Platonismus und Mystik im Altertum, SHAW.PH 1934f., 2, 122–158 („Das Unendliche im Lobgesang"); sowie Heiler, Gebet 200–219.284–346; Beierwaltes, Proklos 313–329.

[19] Vgl. bes. Plot 5,1,6:8–12 und A. H. Armstrong, Plotinus, in: Cambridge history 260; als Stufenweg systematisiert bei Prokl in Tim 1,211,8–212,1 Diehl (BT, 1903–1906).

Aufstieg für Synesios noch eine weitere Charakterisierung: Er ist als Preis
Gottes Einstimmen in den Lobpreis aller Seinshierarchien, wie er des öftern in
unsern Hymnen anklingt und, wie unten noch genauer auszuführen ist, diesen
ein deutlich christliches Gepräge verleiht[20].

(4) Unsere Untersuchung folgt diesem Grundschema der Hymnen, das seinerseits die theologische und philosophische Systematik wie auch die spirituelle
Erfahrungsgrundlage prägnant wiedergibt. Der *Aufstieg* (Kapitel II) mündet in
die *Schau der dreieinigen Gottheit* (III), der Abstieg (IV) lenkt durch alle
Geisterreiche auf die Person des Beters und ihre *Welt* (V) zurück und zielt in den
Bitten erneut auf den *Aufstieg* (II und V). Für die Betrachtung des Aufstiegs
werden wir uns an die ausgeführte Schilderung im ersten Hymnus halten, der in
lockerer Form die zentralen Elemente der Anabasis aneinanderreiht.

2. Rückzug als Reinigung

(1) Ein enthusiastischer Brief[21] deutet an, wie Synesios dazu kommt, seine
Hymnen zu dichten. Es ist die idyllische libysche Landschaft mit ihrer üppigen
und doch herben Fülle, ihren seelenentflammenden Wundern und ihrer para-
diesischen Natur[22], die ihre Bewohner zum Preis all dieser Herrlichkeiten
treibt, sie Hymnen „über den Feigenbaum und die Rebe" singen läßt[23] und so
auch den dichtenden Philosophen in ihren Bann schlägt. Hier fand er die
ungestörte Muße[24], nach der er sich im Bischofsamt so sehr sehnen sollte[25]. Der
Eingang des ersten und zweiten Hymnus läßt die strahlende Schönheit der Welt
auf die göttliche Fülle hin transparent werden und weckt die Sehnsucht nach
dieser[26]. Insbesondere der völlige *Rückzug* aus allen von Menschen und andern
Wesen bewohnten Gegenden läßt die Seele in die höhern Welten, die sich im
sinnlichen Kosmos abbilden, gelangen[27]. Dem Dichter ist dieser Verweischa-

---

[20] S. unten S. 171–173; vgl. S. 126, 135 ff.

[21] Ep 148 p 260–267, übersetzt und erläutert von J. Vogt, Synesios im Glück der ländlichen
Einsamkeit, MH 28 (1971) 102–108, vgl. Wilamowitz 278 A. 4, zum Naturidyll auch Lacombrade,
Synésios 27 und Volkmann 102–106 sowie ep 114 p 200,7–16.

[22] p 267,9 τὸν ἐπὶ Νῶε βίον, aber zugleich das platonische Politeia-Ideal, p 265,12 f.

[23] p 265,16–266,3 ψάλλομεν.

[24] Zentraler Begriff für Synesios σχολή, p 263,4. Vgl. ep 100 p 168,7 ff.; Dion 12 p 267,10 ff.
(Muße, idyllische Landeinsamkeit) mit Treu, Dion 105 f.

[25] Ep 41 p 58,15 u. ö. Dieser Sachverhalt spricht dagegen, daß Synesios noch in der Geschäftig-
keit des Bischofsamtes zu dichten Muße hatte, vgl. oben S. 25 f. Wir dürfen bei Synesios gewiß
davon ausgehen, daß der Preis der Muße und die Klage um deren Verlust in der Bischofszeit nicht
nur literarischer Topos, sondern wirkliche Lebenserfahrung waren. – Zum Rückzug als Flucht vor
dem Amt ep 41 p 58,11–14; vgl. zu Gregor von Nazianz Wyss aaO. 185 und M. Kertsch, Gregor
von Nazianz' Stellung zu Theoria und Praxis aus der Sicht seiner Reden, Byz 44 (1974) 282–289.

[26] Hy 1,12–36; 2,1–6; 5,1–3.

[27] Ep 101 p 170,18–171,11 (vgl. Vogt 1971,102): Wir philosophieren, . . . und haben die Einöde
als gute Gehilfin, aber keinen Menschen weit und breit. Das einzige Echo ist das eigene Denken und
Reden. Und doch: Gott ist da, im Nus vermittelt.

rakter der Weltenelemente[28] ihr Lobpreis des Schöpfers, in den er nun selbst mit seinen Hymnen einstimmt.

(2) Synesios schildert uns den Rückzug in mehreren plastischen Bildern:

„Jetzt gelange ich
45   als Bittsteller
zum erhabenen Tempel
heiliger Weihbegehung.
Jetzt gelange ich
als Bittsteller
50   zum Gipfel herrlicher Berge.
Jetzt gelange ich
in das weite Tal
der libyschen Wüste,
das Grenzland im Süden,
55   das kein widergöttlicher
Hauch verseucht,
das von keiner
Stadtmenschen Spur
geprägt ist.

60   Hier ist's wo dir die Seele
rein von Leidenschaften,
frei von Begierden,
ledig der Leiden,
ledig der Schmerzen,
65   des Zorns, des Streits,
entlastet von allem,
was das Verderben nährt,
mit reiner Zunge
und frommem Sinn
70   den versprochenen
Hymnus darbringt."   (hy 1)

Die Notwendigkeit des innern, aber auch äußern Rückzugs wird im besonderen von den der Mönchsbewegung[29] nahestehenden christlichen Theologen unterstrichen: Die äußere Wüste soll nach Basilios, den Gregoren und Johannes Chrysostomos der innern Leere entsprechen[30], die Seele der Welt entrücken[31] und sie außerhalb von Fleisch und Kosmos[32] zu sich selbst als einem Spiegel des

---

[28] Deshalb brauchen in hy 1 die v. 37–43 (himmlische Welt) nicht als spätere Autorenvariante ausgeschieden zu werden (so Wilamowitz 292; Keydell 1941, 1115).

[29] In der Sicht des Synesios: Dion 7 p 250,15 f.

[30] Basil ep 2,2 p 6–8 Courtonne (CUF, 1957–1966); J. Chrys incompr 3,281–286 (SC 28bis,210).

[31] GregNaz or 2,22:10 f. (SC 247,118) ἁρπάσαι κόσμου (vgl. 2 Kor 12,4, aber auch Plot 6,9,11:12; 5,3,4:12).

[32] GregNaz or 2,7:1–3 (SC 247,96); or 20,1:6 f. (SC 270,56) ἔξω σαρκὸς καὶ κόσμου.

Göttlichen gelangen lassen[33], ungestört von allem Äußern[34]. Der solcherart zur philosophischen σχολή par excellence gewordene Rückzug gerät nun gerade für Gregor von Nazianz und Synesios in einen heftigen Gegensatz zum in die Weltverhältnisse verstrickten Bischofsamt[35]. Von solch äußerer Verwicklung sich fernzuhalten, forderten auch die nichtchristlichen Philosophen, die freilich weniger einen äußerlichen[36] denn einen innerlichen[37], alles Untere „lassenden"[38] Rückzug, eine „Flucht"[39] aus der Sinnenwelt und eine Erhebung selbst über die Welt des Geistes und seiner Denkakte[40] anempfahlen.

(3) Es sind nun bei Synesios drei Bilder, in denen das Wesen des Rückzugs veranschaulicht wird: *Tempel, Berg* und *Einöde* (hy 1,44–59), worin die Gegebenheiten der libyschen Wüste[41] zugleich den innern Aufstieg symbolisieren.

---

[33] Or 20,1:5 ἐμαυτῷ μόνῳ συγγενέσθαι, vgl. 2,7:2f.; zum Spiegel 20,1:9ff. (SC 270,56–58); 42,24 (PG 36,488B); Syn ep 41 p 58,11–14. Der Rückzug wird gar als θεοποιόν beschrieben, or 3,1:3–6 (SC 247,242), vgl. Th. Špidlik, Grégoire de Nazianze, introduction à l'étude de sa doctrine spirituelle, OrChrA 189, Rom 1971, 32–35.

[34] In sehr ähnlichen Worten wie Synesios redet Gregor von Nyssa, Mos 2,228, op 7/1,113,11f. μετανίσταται πρὸς τὴν ἔρημον διαγωγήν, ἣν ὁ ἀνθρώπινος οὐκ ἐτάραξε βίος, vgl. ib. 2,18 p 38,20f.; 2,310 p 140,2–4.

[35] Zu Gregor vgl. de vita sua, carm 2,1,11:1940–2 und 1673 (ed Ch. Jungck, Heidelberg 1974). Bei Synesios zielen auch die Gebetswünsche um die βιοτὰ ἄσημος auf die Zurückgezogenheit, hy 9,29–32. Vgl. oben A. 24f.

[36] Vgl. Porph abst 1,35,2 (ed. J. Bouffartigue – M. Patillon, CUF, 1977f.) ὅση δύναμις ἀποστατέον τῶν τοιούτων χωρίων, ἐν οἷς καὶ μὴ βουλόμενον ἔστι περιπίπτειν τῷ πλήθει, mit Verweis auf die alten Weisen, 1,36,1; vgl. Dion Chrys or 20.

[37] Z.B. Numenios frg. 2 p 43f. des Places (CUF, 1973) ἐρημία θεοπέσιος; Plot 6,9,11:12f. ὥσπερ ἁρπασθεὶς ἢ ἐνθουσιάσας ἡσυχῇ ἐν ἐρήμῳ καὶ καταστάσει γεγένηται ἀτρεμεῖ (vgl. P. Hadot, Plotin ou la simplicité du regard, Paris ²1973, 141ff.); Prokl theol Plat 2,11 p 64,11ff. S.-W.

[38] Das berühmte ἄφελε πάντα Plotins (5,3,17:38) ist geradezu als mystisches Exercitium zu verstehen (5,8,9:7–16, vgl. 11:4). Und wiederum entspricht das „Lassen" (ἀφιέναι, ἀφελεῖν) des Mystikers dem Sich-Entziehen des Höchsten: οὐ δεηθεὶς οὗτος (der Eine) τῶν ἐξ αὐτοῦ γενομένων, ἀλλὰ πᾶν καὶ ὅλον ἀφεὶς τὸ γενόμενον (5,5,12:41f., vgl. 6:20f.; 7:19), von der Trinität GregNyss Maced, op 3/1,115,2 κάτω ἑαυτῆς ἀφιεῖσα. Alles außer Gott muß man zurücklassen (6,8,15:21f.; 19:4; 21:25f.), vgl. W. Beierwaltes, Plotin, über Ewigkeit und Zeit, Frankfurt 1967, 77f. Der wohl Porphyrios zuzuschreibende Parmenideskommentar verknüpft demzufolge das „Lassen" mit der negativen Theologie: ⟨Porph⟩ in Parm 10,8f. p 96 Hadot (in: Porphyre Bd. 2), vgl. 10,2.

[39] Nach dem klassischen Wort Platons, Theait 176b, vgl. später M. Aurel 8,48,3f.; Clem protr 4,63:5 und bes. 12,11:1f.; paed 1,5,21:2; 6,43:4 (Fliehen zu Gott). Bei Plotin wird die „Flucht" zum zentralen Begriff, φυγὴ μόνου πρὸς μόνον, 6,9,11:51, vgl. Dörrie in: Kirchengeschichte ...280– 282. Wie der Mystiker „flieht", so entzieht sich ihm auch das flüchtige Gute, 6,7,28:26–29. Porphyrios fordert die Flucht aus dem Körper, Marc 10 p 16,13 Pötscher (PhAnt 15, Leiden 1969); regr frg 10 p 38,4 Bidez (in: Vie de Porphyre, Appendix) u.ö.; ähnlich Syn ins 8 p 158,16; hy 9,104 ὅτε κυμάτων φυγόντες / βιοτησίων; nicht anders als orthodoxe Theologen: J. Chrys incompr 1,362ff. (SC 28bis); GregNaz or 40,19 (PG 36,384A). Hierokles läßt die Flucht aus der Sinnenwelt der vorzeitlichen Flucht aus der Geisterwelt entsprechen (nach dem im Neuplatonismus viel zitierten Empedokleswort, FVS 31 B 115,13b φυγὰς θεόθεν καὶ ἀλήτης), in CA 22,5 p 95,23f. Koehler (BT, 1974) τὴν ἄνωθεν φυγὴν τῇ ἀντιστρόφῳ φυγῇ ἰᾶσθαι.

[40] Plot 6,7,35:7; 41:14f. und dann Prokl theol Plat 1,25 p 111,15 τὸ νοεῖν ... ἀφίησιν.

[41] Ep 148, vgl. oben S. 32.

Literarkritische Operationen sind deshalb völlig unangebracht[42]. Den Doppelsinn der „Wüste" wiesen wir schon oben auf[43], er wird besonders durch die psychologisierenden Verse 60–71 nahegelegt. Der Tempel kann sich auf Heiligtümer der Bauern dieser Gegend beziehen[44], läßt aber zugleich die reiche spätantike Tempelsymbolik durchschimmern[45]: Im Grunde ist der Kosmos selbst der Tempel der Gottheit und mahnt dergestalt zu frommer Gesinnung und Reinigung[46]. Der Gang durch die verschiedenen Hallen des Heiligtums wird zum Bild für den Weg der Seele zu Gott[47]. Im besonderen erweist sich deshalb der Geist als Tempel des höchsten Gottes, wie Synesios selbst im Anschluß an Porphyrios ausführt[48]. Endlich ist auch der Berg auf das Aufstiegsmotiv hin durchlässig[49], er bildet die Welt ab[50] und ist traditionell Stätte von Offenbarungen[51]. So vollziehen der Gang in den Tempel, auf den Berg und in die Wüste den äußern wie innern Rückzug und bereiten die heilige Darbringung des Hymnenopfers vor.

(4) Das Ziel dieses Rückzugs ist die *Reinigung* der Seele vom Untern, von Körper und niedern Affekten[52]. Eigentlich ist es nur dem Reingewordenen verstattet, der göttlichen Reinheit zu nahen, ihrer innezuwerden: μὴ καθαρῷ

---

[42] Wilamowitz 292 f. will hier drei Parallelfassungen unterscheiden, wobei der Tempel erst der Bischofszeit entstammt, ähnlich auch Festugière, Hymnes 273; Theiler, Gnomon 25 (1953) 197; Keydell 1956, 161. Kritisch hinsichtlich einer Redaktion durch den Bischof hingegen Nissen ByZ 41 (1941) 179 und Lacombrade 1961, 447 f.

[43] Oben S. 33 f., vgl. auch PGL s.v. ἐρημία, 548a.

[44] Dies legen die gewiß nicht nur privaten „Gebete und Bitten" in ep 148 p 265,16–266,3 nahe, anders Festugière, Hymnes 273.

[45] Hierzu A. J. Festugière, La révélation d' Hermès Trismégiste, 2, Paris 1949, 233–238; J. Pépin, Théologie cosmique et théologie chrétienne, Paris 1964, 289–291; PGL s.v. ναός, 897f. Der Hintergrund von σηκοί hy 1,46 wird auch durch die übertragene Verwendung in Or Chald frg 178 (... ἀβάτοις σηκοῖς διανοίας) gestützt, vgl. unten A. 48.

[46] Cic somn Scip 15,7. Vgl. besonders die für Synesios so wichtigen Autoren Dion Chrys or 12,33 f.; 36,36 und Porphyrios, abst 2,46,1; antr 12 p 14,22 (Buffalo-Edition, Arethusa monographs 1, New York 1969), und Themistios or 20 p 5 f. D.-N.; ferner Salustios 15,2 (ed. G. Rochefort, CUF, 1960); Prokl in Tim 1,124, 16; Marin Procl 19 p 36,5 C.; Greg Nyss nativ (PG 46,1128C) und Synesios selbst, ep 41 p 58,4.

[47] Plot 6,9,11:17–31 (bis zum Adyton gelangen); 5,1,6:12–15; vgl. vom Moseszelt GregNaz or 28,31:2–7 (SC 250,170); GregNyss Mos 2,164–167, op 7/1,87,19; 88,20–22; J. Daniélou, Platonisme et théologie mystique, Paris ²1953, 182–189. Nicht unerwähnt bleiben darf die jüdische Apokalyptik (ae Hen 14.71) und Mystik mit ihren Hekalot, vgl. I. Gruenwald, Apocalyptic and Merkavah mysticism, ASGU 14, Leiden – Köln 1980, 32–46.98ff.

[48] Plot 6,7,35:7–19; Porph Marc 19 p 24,15f. Pötscher, vgl. 11 p 16,27–18,3 (dazu E. des Places, Porphyre, Vie de Pythagore, lettre à Marcella, CUF, Paris 1982, 91); Syn Dion 9 p 256,18f. (mit Treu, Dion 82); 5 p 248,9; calv 7 p 204,1f.; ep 151 p 269,9f.

[49] In der Exodusallegorese Philon post 13–15; GregNaz or 28,2f., bes. 3:2–5 (SC 250,104); GregNyss Mos 2,157f. p 84,20–22; Špidlik, Grégoire 44–46.

[50] Die alte Idee des Weltbergs, vgl. die Artikel in RGG, LThK, RAC, ThWNT 5, 475–486.

[51] Ex 19f.; 1 Kö 19; Mk 9,2–10 parr; Apg 1,12; Test Lev 2,5 Apc Abr 13,4f.; syr Bar 13,1; 21,2; Asc Jes 2,8, aber auch Hesiod, theog 1f.; vgl Festugière zu Corp herm 13,1, t. 2, 200–203 A. 1.

[52] Syn hy 1,60–71; 2,19.290. Auch für Proklos bewirken die Hymnen eine Reinigung, hy 4,4 (ed. E. Vogt, KPS 18, Wiesbaden 1957).

γὰρ καθαροῦ ἐφάπτεσθαι μὴ οὐ θεμιτὸν ᾖ[53], denn so will es das Weltgesetz, daß sich nur Gleiches zu Gleichem gesellt[54]. Der Aufstieg selbst hat im Vollzug der kathartischen Tugenden statt und wirkt diese Reinigung sukzessiv[55]. Eben um jenes hohen, schwer erreichbaren Zieles willen zögerte Synesios so sehr, das Bischofsamt auszuüben, denn wie sollte der noch Unreine heilige Handlungen begehen[56]! Gerade an diesem Punkt aber wird die Frage drängend, ob nun die Katharsis in letzter Hinsicht vom Menschen selbst zu vollziehende Aktivität ist oder in einer göttlichen Aktion, worin der Mensch allererst zur Reinheit befreit wird, gründet. Hierin scheiden sich ältere philosophische Aufstiegsethik und spätantikes Erlösungsverständnis, bei Porphyrios und Synesios läßt sich das Ringen dieser zwei Grundauffassungen gut beobachten.

Der platonischen Philosophie war die Katharsis, der alten Religion schon immer höchst bedeutsam und in der Orphik als Seelenrettung gewertet, die Loslösung vom Körper und die Emporführung der Seele zum Wahren und Guten[57]. Insofern war sie Tugend, philosophische Arete par excellence und eigenstes Tun des Menschen. Noch Plotin hält eisern daran fest[58]. Porphyrios aber, wiewohl er die vollgültige Katharsis noch allein in der Philosophie begründet wissen will[59], läßt schon eine durch Theurgie vollzogene Reinigung wenigstens der untern Seelenteile zu[60]. Jamblichos endlich begreift die in der Theurgie zustande kommende Reinigung konsequent als von oben her erfolgendes Werk der Götter[61], welche darin die Gleiches zu Gleichem gesellende Verähnlichung selbst bewirken[62].

Im christlichen Raum hat besonders Gregor von Nazianz die Notwendigkeit

---

[53] Plat Phaid 67b bei Synesios zitiert in ep 41 p 66,11f.; 137 p 239,13; Dion 9 p 257,15, vgl. astrolab 1 p 133,12f. und Plot 6,9,3:26f.

[54] Vgl. Treu, Dion 85; Syn ins 7 p 158,9 (mit Terzaghi z.St.). Dasselbe Prinzip für den sich Gott Nähernden in Corp herm 11,20 p 155,12f. Nock – Festugière (CUF, 1946ff.); Porph Marc 19 p 24,12ff. P.; ders. bei Prokl in Tim 1,208,7f., vgl. Plot 3,7,5:10–12.

[55] Syn Dion 9 p 256,19–258,11. Dazu unten S. 198f., 207f.

[56] Syn ep 41 und 137, wie GregNaz or 2,71:9f. (SC 247,184): καθαρθῆναι δεῖ πρῶτον, εἶτα καθάραι, vgl. 2,74:8f. p 186 und unten Kap. V A. 223 und 226.

[57] Locus classicus Plat Phaid 67c: Katharsis als Chorismos, vgl. Plot 3,6,5:13–29.

[58] Plot 1,2,3:8; 4:2f. u.ö. Vgl. R. Arnou, Le désir de dieu dans la philosophie de Plotin, Rom ²1967, 201ff.; M. de Gandillac, La sagesse de Plotin, Paris ²1966, 64.241; J. M. Rist, Eros and psyche, Toronto 1964, 180 und v.a. J. Trouillard, La purification plotinienne, Paris 1955, bes. 202: „A la notion chrétienne de rédemption s'oppose l'idée néoplatonicienne de purification."

[59] Porph sent 32 p 22–35 Lamberz (BT, 1975) über die höhern Tugenden, zu denen die kathartischen zählen; Synesios schöpft direkt aus dieser Schrift, vgl. Dion p 257,16–20 mit sent p 26,4–11; zu Porphyrios ferner unten Kap. V A.273 und A. Smith, Porphyry's place in the neoplatonic tradition, Den Haag 1974, 148.

[60] Porph regr frg 2 p 27,21f.; 7 p 35,14f. Bidez, vgl. Smith, Porphyry 130–135.158; F. Romano, Porfirio di Tiro, Catania 1979, 137f. und unten S. 199f. zur Theurgie.

[61] Jambl myst 3,31 p 176,3–13; 178,6ff.; 2,11 p 97, 13–17.

[62] Jambl myst 5,20 p 227,17; 3,18 p 145,14; vgl. zur chaldäischen Grundlage F. W. Cremer, Die chaldäischen Orakel und Jamblich de mysteriis, BKP 26, Meisenheim 1969, 130–136.

der Reinigung, worin nur das Reine dem Reinen zu begegnen vermag, betont[63]. Erst hieraus kann wahre Theologie entspringen und das Licht des Geistes dem göttlichen Lichte nahekommen, wie es dem Gesetz von Gleich zu Gleich entspricht[64]. Auf der andern Seite verdankt sich ebendiese Katharsis allein der in Christus zustande gekommenen Reinigung[65], Christus ist die Autokatharsis, die in der Taufe beziehungsweise durch den Heiligen Geist vermittelt wird[66]. Hierin genügt er dem Gesetz des Gleichen[67]. Indes erweisen sich die zwei Gedankenkreise – selbstvollzogene oder im Gotteswirken gegründete Reinigung – oft recht wenig aufeinander bezogen[68], wie wir es anderweitig bezüglich der Themen „Schweigen" oder „Schöpfung" antreffen werden. So bleibt es auch bei Synesios in der Schwebe, ob er dem philosophischen Gedanken der Selbstreinigung treu geblieben ist oder aber die ihm wichtige gottgewirkte Katharsis, wie sie sich in den Ägyptischen Erzählungen und den Hymnen findet[69], als wesenhafte Begründung des eigenen Reinwerdens gefaßt hat.

3. Die Hymnen als Inspiration und Opfer

(1) ˙ „Schon treibt es mich,
    anzuheben
    mit heiliger Dichtung.
    Schon umdröhnt
    göttliche Stimme meinen Sinn."   (hy 1,108–112)

---

[63] GregNaz or 27,3:7 (SC 250,76) wie Didym trin 1,19:3 p 128,12f. Hönscheid (BKP 44, Meisenheim 1975). In 20,4:8f. (SC 270,62) liest man: καθαρτέον ἑαυτὸν πρῶτον, εἶτα τῷ καθαρῷ προσομιλητέον, vgl. ib. 5:1–4 = or 39,9 (PG 36,344B); carm 1,1,1:8ff. (PG 37,399); or 23,11:4 (SC 270,302); 32,12 (PG 36,188C.189C), ferner Špidlik, Grégoire 73ff.; J. Plagnieux, S. Grégoire de Nazianze théologien, Paris 1951, 81–108, bes. 104f. (allerdings mit fragwürdiger Unterscheidung von der neuplatonischen Kathartik, 90–95); Arnou, Platonisme 2375–79.2387 (auch ohne dem späten Neuplatonismus gerecht zu werden). Vgl. sodann Basil spir 9,23 (SC 17,326–328); GregNyss Mos 2,154f., op 7/1,83,7–22.

[64] GregNaz or 20,1:20–23 (SC 270,58); 32,15 (PG 36,189D); 40,5 (364B); 38,13 (325B).

[65] Joh 15,3; 13,10; Hb 1,3; usw.

[66] Or 40,29 (PG 36,400C); 2,39:4–6 (SC 247,140); carm 1,1,9:69–99 (PG 37,462f.); vgl. unten Kap. IV A. 174.

[67] Or 38,13 (PG 36,325B) Christus ist τῷ ὁμοίῳ τὸ ὅμοιον ἀνακαθαίρων. Zum Prinzip vgl. or 30,21:7–10 (SC 250,272) und die antiapolinarische Christologie.

[68] Vgl. mit der in der vorletzten Anm. genannten Stelle das nur wenigen wahre Reinigung verheißende μόλις in or 2,74:8f. p 186 und 78:3f. p 192. Die Themata des „Schweigens" und der „Vielen" sind damit angeschnitten, dazu unten S. 48–50, 201. Ähnlich spannungsvoll steht die göttlich verheißene Reinheit neben der selbst vollzogenen bei Basil spir 22,53:27ff. (SC 17,442).

[69] S. unten S. 154, 169.

„Lausche dem Gesang der Zikade,
die morgenfrischen Tau trinkt!
Sieh, wie mir die Saiten erklingen,
ungeheißen, und eine göttliche Stimme
umschwirrt mich gar rundherum[70].

Welch Lied wird mir gebären nun
der göttliche Geburtsschmerz?"   (hy 9,45–51)

Es ist eine alte dichterische Tradition, die Synesios wieder aufleben läßt, wenn er seine Gesänge als göttliche Eingebung versteht[71]. Die Prooemien der homerischen Epen lassen die Musen selbst durch den Dichter das ihrige künden[72] und auch die Lyrik kennt die selbsterklingenden Saiten wohl[73]. Ihre besondere Bedeutung aber gewinnt die Inspiration dort, wo vom Göttlichen selbst geredet werden soll.

So sind die alten Bücher, für Synesios etwa die Bibel und die Chaldäischen Orakel, als durchwegs inspiriert anzusehen[74]. Aber auch jüngere Bücher, wie die Schriften Plotins, kamen nach Porphyrios nur unter göttlicher Mitwirkung zustande[75]. Synesios beruft sich für sein Werk „Über die Träume" auf höhere Eingebungen[76] und schöpft auch für andere Schriften aus mantischen Träumen[77]. Dies darf nicht erstaunen im spätantiken Klima, wo ja gerade der Neuplatonismus alle Arten von Mantik wieder aufs höchste preist[78].

In ganz außerordentlichem Maße aber bedarf es des göttlichen Beistandes, ja der Inspiration, wo das eigentliche Geschäft der Theologie vollzogen wird. Der alte Brauch des Anrufens des Gottes vor schwierigen Unternehmungen, insbesondere beim Reden über ihn[79], meint nun sein wirkliches Sich-selbst-Erschlie-

---

[70] Zum Text s. Theiler, Orakel 34 A. 3 (nach Thilo).

[71] ὀμφά ist homerisch, Il 2,41; vgl. hy 1,642; 4,31; ep 154 p 276,20f. Zur Zikade und ihrem inspirierenden Gesang vgl. Hawkins 66f.; Terzaghi 281; zu ergänzen durch Themist or 21 p 21,22 D.-N. und bes. Clem protr 1,1:2 Die Zikaden preisen den Weltenschöpfer, reihen sich in den kosmischen Lobgesang ein!

[72] Vgl. auch Hesiod theog 30–34; PsLong subl 13,2; dazu Keyssner, Gottesvorstellung 9–14.

[73] Z.B. Alkaios hy Apoll frg 307 Lobel – Page; Kallim hy Apoll 16; Anacreontea 23; s. auch Hawkins 32.

[74] Syn hom 1 p 280,8f.19f. (ἐν γὰρ ἔπνευσε πνεῦμα καὶ εἰς προφήτην καὶ εἰς ἀπόστολον). Die Chaldäischen Orakel sind ihm aber ebenso inspiriert, oben Kap.I A.54, vgl. ⟨Porph⟩ in Parm 9,11f. p 92 H.

[75] Porph Plot 23,19f. Henry – Schwyzer; vgl. von Proklos Marin Procl 23 p 41,15 und 33 p 60,8 Cousin.

[76] Syn ep 154 p 271,7; 276,10ff. und Lacombrade, Synésios 150f.

[77] Syn ins 14 p 175,2ff. mit Terzaghi z. St. gegen Lang, Traumbuch 22.

[78] Z.B. Jambl myst 3,27 p 166,15; 167,2: Die wahre Mantik stammt nicht aus unserer eigenen Verfaßtheit, sondern ist von oben gewirkte Inspiration, vgl. 10,3f. p 287,19ff. Auch für Julian sind Hymnen inspiriert, ep 89b:302a p 169,27ff. Bidez – Cumont (CUF, ³1972).

[79] Plat Tim 27c; Phil 25b; leg 893b; ep 8:352ef. u.ö.; Plot 5,1,6:8–12 mit Harder, Plotins Schriften, 1b, 501; Syn regn 3 p 8,4–6, vgl. 25 p 56,10f. mit Garzya, Sinesio, sul regno, Neapel 1973, 83 A. 3; catast 1,3 p 285,10.

ßen im theologischen Denken[80]. Gotteserkenntnis vollzieht sich nur im Lichte des göttlichen Lichtspenders[81]. Wiederum steht auf christlicher Seite Gregor von Nazianz solchen Gedankengängen sehr nahe, wo er darum betet, die göttliche Trinität oder der Heilige Geist möge der theologischen Rede beistehen[82], ist es doch ein Wagnis, ja Verwegenheit, über Gott zu sprechen[83]. Hierbei ist weder für die neuplatonischen Philosophen noch für die christlichen Theologen an eine wirkliche Ausschaltung des menschlichen Geistes durch die göttliche Kraft zu denken, sondern vielmehr an Erleuchtung, worin sich das Erkennen nicht allein menschlicher Reflexion verdankt. Abermals sehen wir Synesios in einem allgemein spätantiken Verständnis gründen, wenn er seine Hymnen als göttlich inspiriertes Reden auffaßt.

(2) So gibt im Hymnus als zu Gott hinanführender Gottesgabe der Mensch lediglich zurück, was er empfangen hat:

„Dir das deine wieder gebend,
denn was ist nicht dir, o Herr!"[84]   (hy 1,143f.)

Es ist wiederum eine weit verbreitete, zutiefst religiöse Idee, die Synesios hier ausdrückt[85]. Das Verständnis des Hymnus als Zurückgeben der Gottesgabe ist ein wichtiger Zug des hermetischen Schrifttums und kehrt bei Proklos wieder[86]. Christlicherseits haben vor allem Basilios und Augustin den Lobpreis und das Gebet als Gottes eigene Kraft verstanden[87].

---

[80] Numenios frg 11,9f. des Pl.: Gott wird angerufen, auf daß er ἑαυτοῦ γνώμων, Interpret seiner selbst sei, vgl. Prokl theol Plat 1,1 p 7,23–8,1 (mit Parallelen Saffrey – Westerink 131 f.); Julian Hel reg 18:141d; 19:142c; 25:145de.

[81] Syn hy 1,259f. φωτοδότας/φωτὸς νοεροῦ, vgl. ep 154 p 275,16f.; Proklos in der vorherigen Anm.; Plot 5,3,17:34–36 und 6,7,41:1ff. Ähnlich tönt es auf christlicher Seite in der Exegese von Ps 36,10 („in deinem Lichte schauen wir das Licht"), z.B. Basil spir 18,47:12–17 (SC 17,412); GregNaz or 31,3:18–22 (SC 250,280); vgl. Philon praem 45.

[82] GregNaz or 28,1:12–16 (SC 250,100–102) Die Gottheit wird angerufen (vgl. or 2,1:4–6, SC 247,84–86 und GregNyss Mos 1,3 p 2,18f.) und um Inspiration angegangen, vgl. or 30,1:2f. p 226 sowie 41,5 (PG 36,436C.437A). Im Lied: carm 1,1,1:22f. (PG 37, 400); 1,1,3:36 (410). Vgl. in unserem Zusammenhang noch Basil spir 1,2:55f. (SC 17,256); MVict Ar 4,21:15f.; 3,6:2f.15–17 (CSEL 83).

[83] GregNaz carm 1,1,1:8 (PG 37,399) θαρσαλέως ῥήξω λόγον, vgl. Julian Hel reg 19:142c τολμητέον.

[84] τὰ σὰ σοὶ πάλι δούς. / τί γὰρ οὐ σόν, ἄναξ;

[85] 1 Kor 4,7; Epiktet 4,1,103; Plot 5,3,7:3–9; Philon imm 5–7.

[86] Corp herm 13,18f. p 208,12–15 N.-F.; 5,11 p 65,1f.; Prokl phil Chald p 206,19–24 des Pl.: „Die Seele wird zum Hymnensänger des Göttlichen, indem sie die unsagbaren Siegel, die ihr der Vater beim Hervorgang ins Sein einpflanzte, vorweist. So beschaffen sind die geistigen und unsichtbaren Hymnen der emporsteigenden Seele." – Vgl. auch E. Thomassen, The structure of the transcendent world in the Tripartite Tractate (NHC 1/5), VC 34 (1980) (358–375) 364.366ff.371.

[87] Bei Basilios ist der Lobpreis letztlich vom Heiligen Geist selbst gewirkt, spir 26,63:23–41 (SC 17,474), vgl. 16,38:61–65.88–103 p 382ff. und 18,46:10–36 p 410. Für Augustin vgl. bes. conf 10,2,2 p 210,14f. Skutella (BT, ²1969) ... neque ... tu aliquid tale audis a me quod non mihi tu prius dixeris, vgl. soliloqu 2,6,9:2 p 13,6 Fuchs – Müller (Zürich 1954) und J. Nörregaard, Augustins Bekehrung, Tübingen 1923, 203. Besonders deutlich erscheint die confessio als gottgeschenkt in

(3) „Dem König der Götter
flechten wir einen Kranz,
ein unblutiges Opfer,
ein Trankopfer von Versen."(hy 1,8–11)

Als Gott dargebrachte Gabe wird der Hymnus zum *geistigen Opfer*[88] und der Dichter zum Priester, der den Aufstieg zu Gott vollzieht[89]. Abermals vereinen sich hier griechische und orientalische Ströme[90]. Altes Testament und Frühjudentum haben bereits Lobpreis und Bekenntnis als Opfer aufgefaßt[91], und so schließlich Augustins Verständnis seiner Confessiones als Opfer ermöglicht[92]. Umgekehrt hebt im griechischen Denken mit Theophrast ein Fragen nach wahrer Frömmigkeit entsprechenden Opfern an[93] und wird endlich zum Streitpunkt zwischen Porphyrios und Jamblichos. Während letzterer alle Arten von Opfer als für den mystischen Aufstieg förderlich dartut, lehnt Porphyrios die blutigen Opfer streng ab und will allein die unblutigen, vornehmlich geistigen akzeptieren[94]. „Allein der Weise ist Priester"[95], und demgemäß ist ihm genau wie für Synesios der Hymnus des Aufsteigenden ein Opfer[96]. Anzumerken ist,

---

conf 11,2,3 p 264,27–29 sacrificem tibi famulatum cogitationis et linguae meae, et da, quod offeram tibi.

[88] Vgl. hy 1,84f.102–107.362–366 ἐπὶ σᾶς σεπτᾶς / ἱερηπολίας / ὁσίαις εὐχαῖς / ἐπιμελπομέναν (sc. ψυχάν); ep 5 p 19,18f. ἀποθύσαντες ὕμνους τῷ θεῷ χαριστηρίους ὥσπερ εἰώθειμεν; catast 2,6 p 293,18 Eucharistie als βωμὸς ὁ ἀναίμακτος.

[89] „φιλόσοφος ἱερεύς", ep 62 p 103,11, vgl. Lacombrade, Synésios 175.234; C. Bizzochi, Gli inni filosofici di Sinesio interpretati come mistiche celebrazioni, Greg 32 (1957) (347–387) 348f.372; vgl. unten A. 95 zu Porphyrios.

[90] Allgemeines zur Opferspiritualisierung (aber meist nur am „unblutigen Opfer" interessiert): Terzaghi 67f.; H. I. Marrou, A Diognète, SC 33bis, 110f.; J. Behm, ThWNT 3, 186–190; Nilsson, Geschichte 2, 253f.401.443f.; E. Ferguson, Spiritual sacrifice in early christianity and its environment, ANRW 23/2 (1980) 1151–1189; sowie die neutestamentlichen Kommentare zu Rö 12,1.

[91] Zum A.T. vgl. G. Bornkamm, Lobpreis, Bekenntnis und Opfer, in Apophoreta, FS E. Haenchen, Berlin 1964, 46–63; zum Frühjudentum bes. 1QS 9,4f. („Hebopfer der Lippen") u.ö.; Test Lev 3,8; Test Gad 7,2; PsSal 15,3; 2 Makk 10,7; Hb 13,15; usw.

[92] Aug conf zitiert öfters Ps 115,17 (sacrificium laudis): 5,1,1; 8,12,1; 9,1,1 und bes. 10,34,53 p 249,17f. etiam hinc tibi dico hymnum et sacrifico laudem sacrificatori meo. Vgl. Basil spir 26,62:13–20 (SC 17,472) vom im Heiligen Geist dargebrachten Lobopfer (Ps 49,14), vgl. 63:31; ferner P. Courcelle, Recherches sur les confessions de s. Augustin, Paris ²1968, 14–17.

[93] Peri eusebeias, bes frg 9; 19, ed W. Pötscher, PhAnt 11, Leiden 1964; vgl. auch Dion Chrys or 13,35.

[94] Porph abst passim, bes. 2,45,4; Jambl myst 5,1–25; 6,1–4.

[95] Porph Marc 16 p 22 P. μόνος οὖν ἱερεὺς ὁ σοφός, vgl. abst 2,49f. und bereits SVF 3,544.604.608; M. Aurel 3,4,4; Sextus sent 429. Ebenso versteht Hierokl in CA 1,18 p 13,5ff. Koehler (BT, 1974) den Weisen als Priester und demzufolge das Gebet als reines Opfer, vgl. Kobusch, Hierokles 164–168; Norden, Agnostos Theos 343–346 (Apollonios von Tyana). Nicht zu vergessen ist Horaz, carm 3,1,2–4: Der Dichter ist Musenpriester, das Lied das Opfer.

[96] Porph abst 2,34,3 verbindet Hymnus, Opfer und Aufstieg: „Die mit Gott Verbundenen und ihm gleichartig Gewordenen bringen ihm ihren eigenen Aufstieg als heiliges Opfer dar, weil es uns Hymnus und Errettung ist.", vgl. Julian Hel reg 44:158a; Prokl hy 5,12f. ἀλλὰ καὶ ἡμετέρην ὑποδέχνυσο, πότνια, θυηλὴν εὐεπίης; dazu Esser, Gebet 41–46.102–108.

daß für den Bischof Synesios seine Hymnenopfer wohl rein privaten Charakters waren und nicht im christlichen Gottesdienst Verwendung fanden; selbst die eigentlichen Christushymnen waren noch immer zu esoterisch und dem Kirchenvolk auch sprachlich unzugänglich[97]. Im Kreise von Gleichgesinnten mögen sie die geistige Erhebung gefördert haben, ohne daß sie nun explizit für solche und aufgrund solcher Zusammenkünfte komponiert worden wären[98].

4. Schweigen

(1) Dem äußeren Rückzug und der inneren Reinigung folgt der Ruf an den Kosmos, in seinem Tönen innezuhalten, zu schweigen.

> „Andächtig schweigt
> Äther und Erde,
> es halte inne das Meer,
> 75 es halte inne die Luft.
> Verstummt,
> ihr flinken Wirbelwinde,
> verstummt,
> ihr tosenden Wogen der Brandung,
> 80 ihr strömenden Flüsse,
> ihr felsentsprungenen Quellen[99].
> Schweigen erfülle
> die Weiten des Alls
> während des Opferns
> 85 dieser heiligen Hymnen.
> In die Erde versinke
> das Schlangengewimmel,
> in die Erde versinke
> die geflügelte Schlange[100],
> 90 der Dämon der Materie,
> Umwölker der Seele,
> der den Trug liebt[101]
> und den Gebeten
> seine Welpenbrut entgegenhetzt."   (hy 1,72–94, vgl. 2,28–50)

---

[97] Gegen Lacombrade, Hymnes 4f.10f.85, der solches für wahrscheinlich hält. Der Titel der Handschrift V („Hymnen auf die heilige Trias und auf verschiedene Herrenfeste") besagt nichts, da er eher nur aus dem *Inhalt* der Hymnen, welche die Trias oder aber Epiphanias (6) und Auffahrt (8) preisen, gebildet ist. – An liturgischer Verwendung zweifelt auch R. C. McCail, JHS 113 (1980) 234.

[98] Hier geht Bizzochi, Inni 368–381 entschieden zu weit, er übersieht den schillernden Charakter der Mysteriensprache in den Herkulianosbriefen und faßt die Einweihungstermini zu wörtlich auf. Man könnte eher an eine meditierende Lebensgemeinschaft um Synesios denken.

[99] Zur Übersetzung s. Terzaghi 74.

[100] Vgl. unten Kap. V A. 21.

[101] Vgl. Lacombrade, Hymnes z. St.

Im Angesichte der Gottheit zu schweigen ist alter religiöser Brauch[102]. „Der Herr ist in seinem heiligen Tempel. Vor ihm schweige alle Welt" heißt es im Jerusalemer Kultheiligtum, und ein Gleiches gilt für die griechische Gottesverehrung: εὐφημεῖτε[103]! Auf diesem Wege findet das Schweigegebot Eingang in den Hymnus und löst sich teilweise von seinem angestammten Sitz im Leben, der Stille angesichts der Epiphanie des Gottes, ab, indem nun das Schweigen das Lied des Dichters zu Gehör bringen will[104]. Zumeist aber hält sich auch hier die religiöse Verwurzelung, indem ja der Hymnus das Kommen des Gottes selbst Ereignis werden läßt und insofern das Schweigen vor Gott auch heißt, dem Gottessänger stille zu lauschen. Ebendies findet sich in den als Vorbilder des Synesios in Betracht kommenden Hymnen des Mesomedes[105] und des Corpus hermeticum[106].

(2) Diese hymnische Tradition erhält nun aber eine besonders prägnante Bedeutung, wo sie zusammentrifft mit einer ausdrücklich theologischen Konzeption des Schweigens, nämlich wo dieses das Wesen der Gottheit selbst umschreibt. Die Erhabenheit Gottes läßt sich dergestalt am angemessensten als überweltliches Schweigen erfassen, und der zu Gott hin strebende Mensch entspricht diesem, indem er selbst innere Ruhe und Stille walten läßt. Im Folgenden seien einige Textzusammenhänge vorgeführt, in denen das traditionell-hymnische Schweigen im Rahmen des göttlichen und mystischen Schweigens auftaucht und in enger Beziehung zum bereits oben dargestellten „Rückzug" und „Lassen" steht.

(3) *Plotin* fordert an berühmter Stelle die zu Ruhe und Reinheit gelangte Einzelseele auf, die Allseele anzuschauen[107]. Schweigend sei ihr aber sowohl der „Wirbel" des eigenen Körpers als auch der ganze umgebende Kosmos – Erde,

---

[102] Literatur zum „Schweigen": O. Casel, De philosophorum graecorum silentio mystico, RVV 16/2, Gießen 1919, bes. 111–157; G. Mensching, Das heilige Schweigen, RVV 20/2, Gießen 1926; ders. in RGG ³5,1605f.; A. Hamman, ANRW 23/2 (1980) 1226f.; H. Koch, Ps. Dionysius Areopagita in seinen Beziehungen zum Neuplatonismus und Mysterienwesen, FChLDG 1/2f., Mainz 1900, 108–134; P. M. Schuhl, La fabulation platonicienne, Paris ²1968, 134–137; Kl. Schneider, Die schweigenden Götter, eine Studie zur Gottesvorstellung des religiösen Platonismus, Spudasmata 9, Hildesheim 1966, 68–99; und bes. Thilo, Commentarius, Bd. 2.

[103] Hab 2,20; vgl. Zeph 1,7; Sach 2,17; Am 6,10; Jes 41,1; Ps 76,9f.; Homer Il 9,171; Aristoph nub 297, Ach 241; Eurip bacch 1084f.

[104] Kallim hy Apoll 17f.; Horaz carm 3,1,2 favete linguis (nach Terzaghi 73f.); Theokrit 2,38f.

[105] Mesomed hy Hel 1–6, ed. E. Heitsch, Die griechischen Dichterfragmente der römischen Kaiserzeit, AAWG.PH 49 = Bd. 1, Göttingen 1961, Nr. 2/2, p 25; vgl. ders., Drei Helioshymnen, Hermes 88 (1960) (139–158) 144f. Synesios kannte Mesomedes sicher, vgl. Wilamowitz 278.

[106] Corp herm 13,17 p 207 N.-F. (nach Terzaghi 73f.). In ein ähnliches Klima gehört der magische Helioshymnus, PGM 3,198ff. (Bd. 1 p 40 Preisendanz) = Heitsch, 1, Nr. 59/5 p 183. v. 1–8; dazu Heitsch, Helioshymnen 151ff. Hier wie im gnostischen Hymnus an die Trinität (PapOx 15, 1922, 1786 = Heitsch, 1, Nr. 45/2 p 159–161) hat der Aufruf zum Schweigen bereits seinen Grund im göttlichen Schweigen.

[107] Plot 5,1,2:11–17, vgl. dazu M. Atkinson, Plotinus, Ennead V. 1, Oxford 1983, 29f. Der frühe Basilios nimmt die Stelle auf, vgl. im Anschluß an Jahn und Henry H. Dehnhard, Das Problem der Abhängigkeit des Basilius von Plotin, PTS 3, Berlin 1964, 8.47–49.

Meer, Luft und Himmel. Der ontologische Grund dieser dem Aufstieg förderlichen Allruhe wird später ausdrücklich genannt: Auch das höchste Eine weilt als ganz bei sich seiendes in transzendenter Ruhe, und um dessentwillen sei auch das Gebet an dieses kein Worteschwall[108]!

(4) Dasselbe Motiv, das hier bei Plotin nur kurz anklingt, findet sich ausgebreiteter bei Proklos und Augustin. Als deren gemeinsame Vorlage hat W. Theiler *Porphyrios* erschlossen, der gewiß auch für Synesios als eine Vorlage – unter andern! – in Frage kommt[109]. Interessanterweise ist von Porphyrios auch ein Hymnenzitat überliefert, worin heiliges Schweigen angesichts des Gottes Apollon geboten wird[110]. In der spätantiken Religiosität verschmelzen demnach das hymnische Motiv – Schweigen beim Kommen des Gottes – und das Aufstiegsmotiv – Schweigen des Untern, des Kosmos und damit ermöglichter Aufstieg – wieder und bezeugen ihren gemeinsamen Ursprung im „heiligen Schweigen".

Proklos[111] läßt wie Synesios dem innerlichen Rückzug das Schweigen der äußern Welt folgen[112], worin das All auf die noetische Einheit hin transparent wird und endlich die Anbetung der wahren Sonne jenseits der Geisteswelt ermöglicht. Der Wiederabstieg läßt die beglückte Seele sodann den Schöpfer des Alls preisen – womit in deutlichster Weise mystisches Schweigen und Hymnus verknüpft sind[113]. Umgekehrt wahren die Weltelemente in seinem Helioshymnus Schweigen, wie der Gott selbst erscheint: „Das Getöse der aneinander prallenden Elemente / kommt zur Ruhe, wenn du erscheinst, aus dem unsagbaren Erzeuger."[114]

---

[108] Ib. 6:8–13.

[109] W. Theiler, Porphyrios und Augustin, SKG.G 10, Halle 1933 (= Forschungen 160–251) 66f., aufgrund seines Arbeitssatzes, S. 4, zustimmend R. Beutler, Porphyrios, PWK 22/1 (1953) (275–313) 307. Unsere Synesiosstellen bezieht Theiler nicht ein, jedenfalls erhärten sie Porphyrios als Quelle für das hier behandelte Motiv des Schweigens – so fragwürdig die Hypothese Theilers im übrigen bleiben muß.

[110] Porph phil or bei Euseb praep 3,13,5 (GCS 43/1,152f.) = G. Wolff, Porphyrii de philosophia ex oraculis haurienda librorum reliquiae, Berlin 1856 = Hildesheim 1962, 126f., v. 58–61, nach Terzaghi 169. Die Epiphanie ist hier die Geburt des Gottes – und d. h. wohl auch seine Emanation, denn „Springen" wird zum Emanationsterminus, vgl. unten Kap. III A. 55.

[111] Prokl theol Plat 2,11 p 64,11 ff. S.-W. Vgl. die „Windstille" p 65,2 und mal 21,27 p 201 Boese (Procli tria opuscula, Berlin 1960). Deutlich entspricht das Schweigen des Mystikers dem Schweigen des Göttlichen in prov 31,11–14 p 140f. Boese.

[112] Die „Ruhe vor den Affekten" gleitet wie bei Synesios fugenlos hinüber in die Ruhe von Luft und All, p 64,17. Äußerer und innerer Lärm entspringt dem θόρυβος ἐκ τῆς γενέσεως, Plot 3,4,6:6 nach Plat Phaid 66d; Tim 43b.

[113] Ib. p 65,5–15 νοερὰ ὑμνῳδία, vgl. 3,7 p 29,9. Der Lobpreis ist *der* Ort, wo christliche Einflüsse möglich sind, vgl. Saffrey – Westerink, 2, 123 A. 7; 124f. A. 14. Andrerseits läßt hier gerade die überhaupt im Hymnus und Gottespreis wurzelnde Tradition des Schweigens an christlicher Herleitung zweifeln, vgl. auch die obige hermetische Passage und endlich Synesios selbst, dem auf das Schweigen auch der Lobpreis folgt.

[114] Prokl hy 1,13f. Vogt. Wie im oben A. 110 zitierten Orakelhymnus erscheint auch hier die Epiphanie als Emanation.

(5) Dies Schweigen von Seele und Kosmos wurzelt nun letztlich im Schweigen des göttlichen Urgrunds selbst, ist seine nächste Entsprechung und Mimesis. Synesios läßt die höchste dreieinige Gottheit durch einen Wall des Schweigens vom übrigen Kosmos abgetrennt sein:

> „Auf, laß das Untere ertönen,
> das Obere aber soll Schweigen verhüllen." (hy 9,74 f.)[115]

Auch in seinem spätern Christushymnus ist das Ziel des Auffahrenden der σιγώμενος οὐρανός, der in Schweigen gehüllte Himmel (hy 8,61)[116]. Zwar ist Gott Wort, Sprache und Schweigen zugleich[117], aber letzteres umschreibt sein Wesen doch angemessener, und demzufolge ist auf menschlicher Seite das Schweigen, ja esoterisches Verhüllen des Göttlichen geboten[118]. Augenfälligste Quellen stellen für diese Gedankenkomplexe sicher die Chaldäischen Orakel[119] und die gnostische σιγή dar, aber dahinter strömt ein breiter Fluß antiken Denkens über die Jenseitigkeit und Relationslosigkeit Gottes.

Für Plotin, der indes den gnostischen Begriff σιγή meidet[120], sind alle göttlichen Hypostasen – Eines, Geist und Seele – nur dann wirklich bei sich, in ihrem wahren Sein, wenn sie in Ruhe verharren[121]. Auch ihr schöpferisches Wirken gegen unten ist in Wirklichkeit nicht lautverursachende Aktivität, sondern in Schweigen gehüllte Schau[122]. Demzufolge entspricht dem Schweigen des Höchsten das Schweigen des Mystikers, sein wortloses Gebet[123]. Auch Porphyrios, dem Gott als der über allem Seiende nicht benennbar ist, will ihn in übervernünftigem, nicht mehr selbstbewußten Schweigen geehrt wissen[124] – σιωπῇ προσκυνείσθω τὸ ἄρρητον[125]! Endlich geht Proklos diesen Weg konsequent weiter und denkt das höchste Eine als selbst jenseits des Schweigens,

---

[115] Dieselbe Struktur des Innehaltens, Zurückschreckens, Schweigens angesichts des Göttlichen in hy 1,113 ff. (vgl. unten S. 50 ff.); 9,71–73; vgl. bes. GregNaz carm 1,2,14:124–126 (PG 37,765) ἵστασο . . . εἶκε . . . ἔμπαλιν ᾠδῆς ἵσταμαι. Vgl. auch Horaz, carm 3,3,69 ff.

[116] Vgl. hy 5,22–25; Theiler, Orakel 9 f.; Kraus 570–579.

[117] Hy 5,65, vgl. 2,80–86.

[118] Dazu unten S. 203 f.

[119] Theiler, Orakel 9 f.; Lewy 397 f.77 f.; s. bes. Or Chald frg 16 „götternährendes Schweigen der Väter", auch frg 1,9; Corp herm 10,5 p 115,12–14 ἡ γὰρ γνῶσις αὐτοῦ καὶ θεία σιωπή ἐστι καὶ καταργία πασῶν τῶν αἰσθήσεων; dazu Festugière, Révélation 4, 133.

[120] Anders dann Porphyrios (s. unten) und Jambl myst 8,3 p 263,6.

[121] Plot 5,1,6:12 f. (Eines); 5,3,7:12–18 (Geist); 3,8,6:10–40 (Seele).

[122] Plot 5,3,12:35 f. vom Einen, aber die Einheit von Theoria, Hesychia und Poiesis gilt für alles Sein: 3,8,4–6; 5,8,7:24 ἀψοφητί; 3,7,12:2 f., vgl. J. N. Deck, Nature, contemplation and the One, a study in the philosophy of Plotinus, Toronto 1967; Beierwaltes, Plotin 274; D. J. O'Meara, Gnosticism and the making of the world in Plotinus, SHR 41/1 (1980) 365–378.

[123] Die Einung mit dem Gott ist ἀψοφητί, 5,8,11:4–7; vgl. 5,5,8:3 f.; 5,1,2:11–17; 6:13; 5,3,12:35 f., vgl. auch Heiler, Gebet 236.289; Nilsson, Geschichte 2, 529 f.714.

[124] Porph abst 2,34,2; in Parm 2,20–23 p 70 H. (διὰ σιγῆς).

[125] Euagrios Pontikos bei Sokr HE 3,7 (PG 67,396B), vgl. schon Basil spir 18,44:18 (SC 17,404).

ἐπέκεινα σιγῆς[126], welcher völligen Unerkennbarkeit des Göttlichen nicht inkonsequent die Pistis eher denn die Gnosis innewird[127].

(6) *Augustin* hat diesen ganzen Traditionsstrom in seiner Schilderung des Ostiaerlebnisses vor Augen[128], wobei als literarische Quellen die oben beigebrachte Plotinstelle oder ein nicht erhaltener Porphyriostext bestimmt werden können[129]. Auch hier verstummen innere[130] und äußere Welt, um den mystischen Aufstieg zu ermöglichen, und gleichermaßen ist „Ruhe", Schweigen als Ziel anvisiert[131]. Dennoch wird gerade in diesem Text deutlich, wie der Christ die platonische Überlieferung umformt[132]. Entspricht noch das beredte Schweigen der Weltelemente – si quis audiat, dicunt haec omnia: non ipsa nos fecimus, sed fecit nos qui manet in aeternum – his dictis si iam taceant... – ihrem Verweischarakter im proklischen Text[133], so führt doch die Fortsetzung in entschieden andere Richtung. Dem Schweigen der Welt und der Seele entspricht nun nicht göttliches Schweigen, sondern vielmehr göttliches Reden, das Wort Gottes – ut audiamus verbum eius. Der mystische Aufschwung zielt auf das unmittelbare Reden des göttlichen Wortes selbst, dessen Offenbarsein. Tatsächlich wird bei Augustin das göttliche Schweigen zugunsten *Gottes Worthaftigkeit* überschritten und ruft demzufolge auch auf menschlicher Seite nach einem analogen Reden vom Göttlichen anstatt seines Beschweigens[134], ohne daß

---

126 Prokl theol Plat 2,11 p 65,13 (mit Saffrey – Westerink z. St.); vgl. 3,7 p 30,7 f.; Beierwaltes, Proklos 364–366 (negatio negationis); H. J. Krämer, Gnomon 46 (1974) 461.

127 Prokl theol Plat 1,25 p 109,24–112,24, vgl. Saffrey – Westerink, 1, 159 A. 1; Beierwaltes, Proklos 321.365; C. Zintzen, Die Wertung von Mystik und Magie in der neuplatonischen Philosophie, WdF 436 (1977) (391–426) 423; J. M. Rist, Plotinus. The road to reality, Cambridge 1967, 241–245.192 f.

128 Aug conf 9,10,25 p 200,14–201,9 Sk. Vgl. dazu P. Henry, La vision d'Ostie. Sa place dans la vie et l'oeuvre de s. Augustin, Paris 1938, 17–20; A. Mandouze, „L'extase d'Ostie", possibilités et limites de la méthode de parallèles textuels, AugM 1, Paris 1954, 67–84, bes. 75–77; A. Solignac, Oeuvres de s. Augustin, les confessions, BAug 13 f., Paris 1962, Bd. 1, 194–197; Bd. 2, 553.

129 Für Porphyrios plädierten Theiler, Porphyrios und Augustin 66 f.; ders., Gnomon 25 (1953) 120; Beutler, Porphyrios 307; für Plotin Henry aaO. 19; Courcelle, Recherches 166 A. 2; 297 f.

130 Zu „cui sileat tumultus carnis" vgl. Seneca ep 56,5: dum intus nihil tumultus sit.

131 Neben conf 1,1,1; 4,10,15.11,16.12,18; 6,16,26; 9,4,11 (requies) bes. auch die Gott und Schweigen zusammenfügenden Stellen: 4,12,19 p 67,28 f. Christus ruft, ut redeamus (!) hinc ad eum in illud secretum, unde processit (πρόοδος!) ad nos; 1,18,29 p 22,25 f quam tu secretus es habitans in excelsis in silentio deus solus magnus; 1,20,31 p 24,11 f vestigium secretissimae unitatis . . .

132 Das Folgende akzentuiert die Unterschiede zur neuplatonischen Vorlage anders denn die oben genannten Autoren. Das augustinische Verbum darf gegen Henry, Vision 20 nicht einfach aus Plot 5,1,12:20 hergeleitet werden.

133 Prokl theol Plat 2,11 p 64,18 f.

134 Vgl. zum Verhältnis von Wort und Schweigen bei Augustin A. Schindler, Wort und Analogie in Augustins Trinitätslehre, HUTh 4, Tübingen 1965, 148: Gott „will, daß über ihn gedacht – und geredet – wird, und daß er auch bereit ist, die Schwäche des menschlichen Redens zu verzeihen. Dies beides unterscheidet das augustinische Reden von Gott grundsätzlich vom neuplatonischen Theologietreiben."

die Uneigentlichkeit menschlichen Redens dabei aufgehoben würde[135]. Zu Beginn der Confessiones fragt Augustin, wie man über den Höchsten reden kann,
wo ihm ja nicht Sprechen, noch aber auch Schweigen entspricht. Der Schluß
ergibt sich: et vae tacentibus de te, quoniam loquaces muti sunt, „aber wehe
denen, die da schweigen wollten über dich, wo auch die Redseligen noch
Stumme sind!"[136] Und so ist zu *reden* – confiteri! – um der Barmherzigkeit
Gottes willen: sed tamen sine me loqui apud miseriocordiam tuam[137]. Das
Schweigen gehört also betont letztlich nur auf die menschliche Seite, und auch
hier hat es allein sein Recht, wo ein Schwatzen über Gott abzuwehren ist, damit
Gottes Wort selbst vernehmbar werde[138].

Die Ostiaschilderung verweist bereits auf Buch 11 mit seiner Meditation über
das dem zeitlichen Silbenklang enthobene göttliche Wort, das aeternum in
silentio verbum[139], auf welches hin alles Geschaffene transparent ist[140]. Es gilt,
selbst still zu werden, um dem göttlichen Wort den Weg zu ebnen[141]:

Der *Inhalt* des in der vorliegenden Passage anvisierten göttlichen Verbum ist
einerseits das Schöpfertum Gottes in seinem Wort – denn auf den Schöpfer
verweisen die zur Ruhe kommenden Kreaturen –, andrerseits wohl die göttliche
Zusage, Verheißung des jetzt nur allzu kurz empfangenen seligen Schauens für
die Ewigkeit – ut talis sit sempiterna vita, quale fuit hoc momentum intelligen-
tiae, cui suspiravimus. Damit klingt schon ein weiteres kritisches Element an,
nämlich die erst eschatologisch zu gewinnende Seligkeit und die dorthin führen-
de via humilitatis. Jedenfalls weist die Schilderung des Ostiaerlebnisses eine
Spannung von immer zu hörendem göttlichem Wort (aufgrund des auf den
Schöpfer verweisenden Schweigens der Kreaturen) und blitzhaftem seligen
Schauen auf, welche auf die kritische, am Verbum interessierte Umformung des
neuplatonischen Motivs durch Augustin zurückzuführen ist.

---

[135] Vgl. serm 117,5,7 und 10,5 (PL 38,665.670) sowie die denkwürdige Sentenz: Verius enim
cogitatur deus quam dicitur, et verius est quam cogitatur, trin 7,4,7:14f. (CCL 50,255), dazu G.
Huber, Das Sein und das Absolute, Basel 1955, 158f.

[136] Conf 1,4,4 p 4,9f. in J. Bernharts Übersetzung, München 1955. Nur für den zweiten Teil des
Satzes ist Plot 6,7,34:29 eine Sachparallele.

[137] Conf 1,6,7 p 5,10ff.

[138] Vgl. conf 9,10,24 p 200,10–13: Dem strepitus oris nostri wird das göttliche Wort entgegengesetzt. – Zu solchem wohl angemessenen Schweigen in heutiger Sicht vgl. D. Bonhoeffer, Wer ist und
wer war Jesus Christus? Ges. Schriften 3, München 1960, 167 = Furche Stundenbücher 4, Hamburg
1962, 9: „Das Schweigen der Kirche ist Schweigen vor dem Wort." Auch nach außen ist dementsprechend Arkandisziplin zu üben, Widerstand und Ergebung, Neuausgabe, München 1970,
306.312.

[139] Sine strepitu syllabarum, 11,3,5 p 267,13; 11,6,8 p 269,15.

[140] Clamant quod facta sint, p 267,19; vgl. p 268,21f. te laudant haec omnia creatorem omnium,
dazu das Material bei E. P. Meijering, Augustin über Schöpfung, Ewigkeit und Zeit, PhP 4, Leiden
1979, 21–23.27–36.

[141] 12,16,23 p 308,12–18 ut quiescant ad se verbo tuo ... ne tu sileas a me (Ps
27,1). tu loquere in corde meo veraciter; solus enim sic loqueris. Vgl. J. Chrys scand, wo auf das dem
Fürwitzigen abgenötigte Schweigen die Sprache der Schöpfung die alldurchwaltende Pronoia
erweist, 4,14 und 5,3 (SC 79, 88.92).

Zwar kennt wohl auch das neuplatonische Denken ein zur Ruhe, zum Schweigen Kommen der Seele, in dem sodann das Obere sich vernehmbar macht[142], aber im Grunde nur in der Absicht, hinwiederum zu einem noch höheren Schweigen hinanzuführen. Grundsätzlich gilt die Prävalenz des Schweigens vor allem Wort: „Wenn derjenige ‚Logos' heißt, der den weit Unaussprechlicheren (als er selbst) zur Erscheinung bringt, so muß vor diesem Logos das eben diesen Logos ins Sein bringende Urschweigen sein."[143] Alles Reden vom Höchsten ist eigentlich Schweigen[144].

Dieser Gott negativ als Schweigen bestimmenden Theologie stellt die christliche Überlieferung Gottes Prädizierung als *Wort* entgegen (Joh 1,1!). Gottes Wort ist gerade als Schweigen brechendes Ereignis zu verstehen. So kann Christi Kommen als Aufhebung eines allerfüllenden Schweigens interpretiert werden, wie die neutestamentlichen Revelationsformeln und Ignatios erweisen[145]. Dieser Neuschöpfung entspricht aber schon die Welterschaffung, worin das Schöpferwort das Urschweigen durchbricht[146]. Indem dies Wortereignis als Entfaltung verstanden wird, kann es selbst in die innergöttliche Sphäre verlegt werden, worin dem Vater das Schweigen, dem Sohn (und Geist) das Wort zugeteilt werden: Marius Victorinus[147] folgt diesem Schema, ältere Entwürfe

---

[142] Plot 5,1,12:18–21 „Es gilt auch hier, die sinnlichen Laute fortzutun und das Wahrnehmungsvermögen der Seele rein zu bewahren und bereitzuhalten, um die obern Klänge zu hören", ἀκούειν φθόγγων τῶν ἄνω (angeregt von Plat Krit 54d, vgl. Harder, Plotins Schriften, 1b, 508). Ähnlich Prokl in Alc p 44,14–17 Westerink (Amsterdam 1954, mit der Paginierung Creuzers): „Aber wenn wir vom genesiurgischen Wirbel rein geworden und in einer Windstille unser Leben in den Hafen bringen – dann wird uns nämlich der Nus erscheinen und gleichsam zu uns reden (οἷον φθέγγεται), und dann läßt uns auch der seine Sprache vernehmen, der zuvor in Schweigen verharrte und in der Stille doch anwesend war.", vgl. ders., in remp 2,243,24–27 Kroll (BT, 1899–1901).

[143] Prokl phil Chald 4 p 210,21–23 des Pl. εἰ ὁ ἐκφαίνων ἀρρητότερον ὄντα λόγος ὀνομάζεται, δεῖ πρὸ τοῦ λόγου τὴν τὸν λόγον ὑποστήσασαν εἶναι σιγήν.

[144] Vgl. Plot 6,7,34:29; Porph Marc 26 p 30,14f. P.: Der Nus als Lehrer μετὰ σιγῆς μὲν φθεγγόμενος τὴν ἀλήθειαν.

[145] Rö 16,25f.; Kol 1,26; Tit 1,2f.; Diogn 8,9ff. – Ign Magn 8,2 λόγος ἀπὸ σιγῆς προελθών, vgl. Ign Eph 19,1. Schillernd ist SapSal 18,14f., vgl. auch Corp herm frg 23,4 (Bd. 4 p 2 N.-F.). Nach Clem protr 1,10:1 wird das Schweigen des Zacharias (Lk 1,20) als μυστικὴ σιωπή durch das Kommen des Logos Christus, das Evangelium abgelöst. In all diesen Texten ist das Kommen des Wortes positiv, als errettender göttlicher Akt (teilweise gar eschatologischer Art) erfaßt, im Unterschied zur diesbezüglich ambivalent eingestellten Gnosis, die einerseits der Sige einen weit höhern Rang als dem Logos zuteilt, andrerseits aber die schweigenbrechende Offenbarung Gottes sowohl innerhalb des Pleroma wie im Kosmos preist.

[146] In Entsprechung zum Schweigen der Urzeit (Gen 1,1–3; PsPhilon ant 60,2) von der Endzeit 4 Esr 7,30f. (antiquum silentium, vgl. 6,39f.); syr Bar 3,7; vgl. Apc Joh 8,1. Diese Texte machen eine einseitige Ableitung der Dialektik von Schweigen und Wort allein aus der Gnosis oder aus der stoischen Konzeption des Logos endiathetos und prophorikos unwahrscheinlich.

[147] Der Vater ist silentium, der Sohn, wie er aus dem Vater heraustritt, verbum, effatum. Aber die Präexistenz des Sohns im Vater läßt auch diesen als non silens silentium, sed vox in silentio, als potentia, occultus motus, und demgemäß den Sohn als iam vox erscheinen, ad Cand 17:13; 30:22–25; Ar 1,59:8–10; 13:30f.; 55:32–35; 3,7:22ff.; 16:15. Die Trinität ist Verborgenheit, Schweigen und wird offenbar im Heraustreten des Sohns, hy 3,200–212. Vgl. den Kommentar von P. Hadot,

vom Logos endiathetos und prophorikos mit der porphyrianischen Metaphysik
kontaminierend, und gelangt so wieder in die unmittelbare Nähe der subordinativen Gliederung der göttlichen Hypostasen und damit einer Prävalenz des
Schweigens vor allem Wort. Die *positive* Wertung des schweigenauflösenden
Wortes droht hier wider Willen unterzugehen. Konsequenterweise hat ja gerade
Plotin, dem das Wort mit Diskursivität und Zerteiltheit zusammengeht, das
vollkommene Erschaffen des Untern durch das Obere als Schweigen, Theoria
gelehrt[148] und dementsprechend das Brechen solchen Schweigens als Fall ver-
standen: Der Fall der Zeit aus der Ewigkeit erweist sich als Unruhe und
Bewegung, die die obere Ruhe erschüttert[149]. Dagegen gilt bei Juden und
Christen dem das Schöpfungswerk gründenden Gotteswort das Jubeln der
Kreaturen, wie auch der Ankunft des Logos auf Erden Preis entgegenklingt[150].

(7) Es ist gut verständlich, daß dies im Christusereignis offenbare Trium-
phieren des göttlichen Worts über das Schweigen und die darin gründende
Möglichkeit des Menschen, dem Sein Gottes angemessener im Reden von ihm
zu entsprechen denn in seinem Beschweigen[151], in der patristischen Theologie
nur mit Zögern nachvollzogen wurde. Die wohlbegründete Jenseitigkeit und
Unsagbarkeit Gottes war immer wieder Anlaß, die Perlen nicht den Säuen
vorzuwerfen und vielmehr nur den Reinen das Reine zu verkünden. Besonders
Gregor von Nyssa hat aufgrund des ὑπὲρ λόγον εἶναι des Göttlichen dessen
Unsagbarkeit unterstrichen und so in der Auslegung von Prediger 3,7 („Schweigen hat seine Zeit, und Reden hat seine Zeit") das Reden mit den Gott immer nur
uneigentlich offenbarenden Wirksamkeiten korreliert, während seiner wahren
Wesenheit das mystische Schweigen entspricht[152]. Von einem Übersteigen des
Schweigens durch das Wort kann hier keine Rede sein, Reden ist Silber, Schwei-
gen ist Gold[153]! So scheint er geradezu die auch von ihm energisch in der
Öffentlichkeit propagierte angemessene Sagbarkeit Gottes als Trinität wieder

---

SC 69 und E. Benz, Marius Victorinus und die Entwicklung der abendländischen Willensmetaphysik, FKGG 1, Stuttgart 1932, 139.

    148 Vgl. oben A. 122.

    149 Plot 3,7,11:6 ff. mit Beierwaltes, Plotin 244; ähnlich wie die das von Sige bestimmte Pleroma
erschütternde Unruhe beim Fall der Sophia im valentinianischen System, Iren 1,2,1 ff. Überhaupt
bildet auch hier der Übergang von der Sige zum Nus den Beginn des „Schöpfungswerks". Zum
gnostischen „Lärm der Welt" vgl. H. Jonas, Gnosis und spätantiker Geist, 1, Göttingen ³1964,
119 f.

    150 Vgl. unten zum Lobpreis S. 136 f., 171–173.

    151 In der zeitgenössischen Theologie pointiert vorgetragen von E. Jüngel, Gott als Geheimnis
der Welt, Tübingen ³1978, bes. 347–357, wo allerdings das Schweigen allzu sehr als Verschweigen
gefaßt ist.

    152 GregNyss hom 7 in Eccl, op 5,409,8–416,10, bes. 415,17–23 οὐκοῦν ἐν τοῖς περὶ θεοῦ
λόγοις, ὅταν μὲν περὶ τῆς οὐσίας ἡ ζήτησις ᾖ, καιρὸς τοῦ σιγᾶν, ὅταν δὲ περί τινος ἀγαθῆς
ἐνεργείας ... τότε λαλεῖν, vgl. auch E. Mühlenberg, Die Unendlichkeit Gottes bei Gregor von
Nyssa, FKDG 16, Göttingen 1966, 183–188. Zur Unterscheidung von Gottes Usia und seiner
weltzugewandten Wirksamkeit (Dynamis, Energeia) vgl. unten S. 155 f.

    153 GregNyss in Cant, op 6,86,7–12 (Prov 10,20; Cant 1,11).

völlig zu relativieren, wenn er dieselbe als nur akzidentielle Bestimmung der gänzlich unsagbaren Wesenheit Gottes denkt und so im Schweigen übersteigt[154]. Das orthodoxe Theologumenon der Unerkennbarkeit der göttlichen Wesenheit bedroht hier das in Christus statthabende worthafte Offenbarsein Gottes. Indes erweist gerade die kappadokische Theologie ein waches Bewußtsein für das spannungsvolle Verhältnis von Reden und Schweigen über Gott. In der Frage der Verkündigung der Gottheit des Heiligen Geistes gelangte *Basilios* zu seiner bekannten Verhältnisbestimmung von unbedingt öffentlichem Kerygma und schweigend zurückzuhaltendem Dogma[155], während *Gregor von Nazianz* darüber hinaus dieses Schweigen als Verschweigen problematisierte und seine Ablösung durch das Reden auf göttliche Setzungen selbst zurückführte[156]. Der stufenweisen Offenbarung des göttlichen Wesens[157] in der Heilsgeschichte soll ein vorsichtiges Zur-Sprache-Bringen des bisher Geborgenen entsprechen[158]. Obwohl nun derselbe Theologe reichen Gebrauch von der Mysterienterminologie macht[159] und ein Reden allenfalls erst nach einer in Schweigen vollzogenen Reinigung zulassen will[160], wird er doch dahin gedrängt, den

---

[154] GregNyss tres dii, op 3/1,56,11 ff.: Die trinitarischen Relationen umschreiben nur Gottes πῶς ἐστι, aber nicht sein τί ἐστι (wie auch θεός nicht Gottes Usia definiert, comm not, op 3/1,21,20–22,1). Dieser Bestimmung entspricht die von K. Holl, Amphilochius von Ikonium in seinem Verhältnis zu den großen Kappadoziern, Tübingen 1904, 220 festgestellte Tendenz zur Einheit in der Trinität des Nysseners.

[155] Basil spir 27,66 f. (SC 17,478–488), bes. 66:56 f. p 484: ἄλλο γὰρ δόγμα, καὶ ἄλλο κήρυγμα. τὸ μὲν γὰρ σιωπᾶται, τὰ δὲ κηρύγματα δημοσιεύεται. Dazu H. Dörries, De Spiritu Sancto. Der Beitrag des Basilius zum Abschluß des trinitarischen Dogmas, AAWG.PH 3/39, Göttingen 1956, 23–28.121.128.181 f.; ders., Basilius und das Dogma vom Heiligen Geist, in: Wort und Stunde, 1, Göttingen 1966, 118–144, bes. 127–130; vor einem Mißverständnis des Schweigens als Verschweigen warnt H. D. Altendorf, ZKG 79 (1968) 399–403. Gegen Dörries' Deutung stellt sich B. Pruche, ΔΟΓΜΑ et ΚΗΡΥΓΜΑ dans le traité Sur le S. Esprit de s. Basile, StPatr 9 (1966) 257–262; ders., SC 17bis, 79–110.478 f. Vgl. unten Kap. V A. 209. – Auch Philon läßt sich trotz der alle Sprachkraft übersteigenden Schöpfungsherrlichkeit doch aufgrund der Gottesliebe vom Schweigen zum Reden bewegen (οὐ μὴν ... ἡσυχαστέον, ἀλλ' ἕνεκα τοῦ θεοφιλοῦς καὶ ὑπὲρ δύναμιν ἐπιτολμητέον λέγειν, op 5). Vgl. ähnlich Orig in Joh 5,8 (SC 120,388).

[156] GregNaz or 31,25–27 (SC 250,322–330); or 2,35:8 (SC 247,134); or 41,6 (PG 36,437 AB); 42,13 (473A–C); 43,68 f. (588 f.); carm 1,1,3:15–23 (PG 37,409 f.); ep 58 (GCS 53,52–54). Vgl. auch Holl, Amphilochius 140 A. 2; A. von Harnack, Lehrbuch der Dogmengeschichte, Tübingen ⁴1909, 2,292 f. Anm.; J. de Ghellinck, Un cas de conscience dans les conflits trinitaires sur le S.Esprit, Patristique et moyen age 3 (1948) 311–338; ferner unten Kap. V A. 210.

[157] Die Begriffe πρόοδοι, ἐκλάμψεις in or 31,26:15 f. klingen geradezu nach Emanationsvorgängen, die hier vergeschichtlicht werden.

[158] Darin entspricht der göttlichen Oikonomia das menschliche οἰκονομεῖν τοὺς λόγους (Ps 111,5) in der Verkündigung, vgl. or 43,68 (PG 36,588A.C); 42,14 (473C).

[159] Vgl. Plagnieux, Grégoire 116–130 und z.B. or 28,2:35–39 (SC 250,104).

[160] Der Eingang der Theologischen Reden, or 27,3–5, vgl. or 3,7:13 ff. (SC 247,252)! Das Schweigen (or 32,13 f., PG 36,189AB) gründet in der schwer zu erkennenden Wesenheit Gottes (or 32,15, 192A; or 28,1:4 ff.). Bei schwierigen Themen bricht Gregor gern ab (wie Syn hy 9,75!): τὰ πλείω σιγῇ σεβέσθω, or 45,22 (653B), vgl. or 29,8:29 p 192. Die Wurzel des Übels liegt in der den Geist umhüllenden Körperfinsternis, or 28,12:17 f. p 124; 30,17:14–16 p 262; carm 1,2,14:21 f. (PG 37,457), vgl. auch Špidlik, Grégoire 147–151 und Plagnieux 320–332, bes. 332: „Le silence est le

Kairos des Redens in göttlicher Ökonomie begründet zu sehen und gar –
vielleicht rhetorisch überspitzt – die Ermöglichung eines freilich immer uneigentlich bleibenden Sprechens über Gott aus der Fleischwerdung Christi abzuleiten[161]. Die Offenbarung Christi, in der Bibel bezeugt und vom Heiligen Geist
gelehrt, ist endlich auch im Westen für *Marius Victorinus* Grund genug, die
arianische These von der völligen Unerkennbarkeit Gottes abzulehnen und
deshalb ein Reden über Gott als möglich darzutun[162].

(8) Im allgemeinen ist jedoch die Neuplatonismus und Christentum im Ansatz scheidende Problematik des Schweigens von den Kirchenvätern nur in
beschränktem Ausmaß reflektiert worden, und so läßt sich erst recht bei Synesios keine Umformung der Tradition des schweigenden Gottes feststellen.
Immerhin aber scheint bei ihm das Schweigegebot an den Kosmos daraufhin zu
zielen, den Hymnus, das Gotteslob laut werden zu lassen[163] und so einzustimmen in den Preis der göttlichen Herabkunft. Im Abstieg von der höchsten
Gottheit ist auch der Seele das Tönen und Lärmen der Welten nicht mehr
aufstiegshemmende Unruhe, sondern vielmehr kosmischer Lobpreis. Aber erst
eine genauere Untersuchung des doxologischen Motivs sowie auch des Verhält-
nisses von Esoterik und kirchlichem Verkündigungsamt wird zeigen, ob in
Synesios' Verständnis des Schweigens als Erhebung zum Lobgesang des Alls,
zum Hymnus, allenfalls christliche Intentionen wirksam sind[164].

5. Der Mittler

(1)   „Seliger, erbarme dich meiner,
       Vater, erbarme dich meiner,
       wenn ich wider alle Ordnung,
       wider alles uns Zubestimmte
       das deine berühre." (hy 1,113–117)

Für Synesios ist hier der Aufstieg zu Gott begründet in einer gnädigen
Zuwendung Gottes zum Aufsteigenden, worin dieser allererst seine menschliche Beschränktheit hinter sich lassen kann und Gott zu „berühren", d. h. ihm in

---

dernier mot de cette théologie et sa plus haute leçon." Aber dieser Satz gilt nur im Angesicht des
zuvor im theologischen Reden begriffenen dreieinigen Gottes.
[161] GregNaz or 37,2 (PG 36,285A, vgl. D): Trotz aller Schwäche der Worte im Theologischen
gilt: εἰ γὰρ (ὁ λόγος) σάρκα ἐδέξατο, καὶ τὸν τοιοῦτον φέρεται λόγον, wie ja denn auch erst durch
den Abstieg Christi die Erkenntnis der transzendenten Gottheit ermöglicht ist, 285B.
[162] MVict Ar 1,1:31–2:41, bes. 2:23f. possibile igitur dicere de deo et idcirco de filio, wegen Joh
1,18. Vgl. ad Cand 32:4ff.
[163] Darin steht Synesios der im Corpus hermeticum sowie den Passagen bei Kallimachos und
Mesomedes faßbaren Tradition nahe. Weiterhin zielen Rückzug und Schweigen auch bei Basilios
auf ein Preisen Gottes im Hymnus, ep 2,2:44ff. p 7f. C., zur Rezeption des plotinischen Schweigens vgl. P. Henry, Les états du texte de Plotin, Etudes plotiniennes, ML.P 20, Paris – Brüssel 1938,
171f.
[164] S. unten Kap. IV S. 171ff. sowie Kap. V S. 203ff.

mystischer Einung zu begegnen vermag[165]. Diese Sicht des zum Aufstieg verhelfenden Gottes ist keineswegs ein christliches Proprium[166].

> „Was wäre es ein Wunder,
> daß Gott, der Weltenschöpfer,
> von seinen eigenen Geschöpfen
> die verderblichen Mächte fernhält!"   (hy 1,424–427)

Die wesenhafte *Güte* der Götter äußert sich gerade auch für die Neuplatoniker in der Hilfe, die sie beim Aufstieg gewähren[167]. Proklos trifft den Sachverhalt, wenn er in seiner Polemik gegen die Christen das Verständnis von Gott als Helfer zur allen Religionen gemeinsamen Idee erklärt[168]. Die Götter gewährleisten die zwischen Errettung, Erlösung und Bewahrung, Erhaltung schillernde σωτηρία, ein gerade für Porphyrios zentraler Begriff[169]. Warnte noch Plotin davor, sich auf andere Retter als sich selbst (und die hiermit intendierte eigene Göttlichkeit) zu verlassen[170], so fragen die spätern Neuplatoniker verstärkt nach einer göttlich gewirkten Erlösung[171]. Synesios ruft in seinen Hymnen Gott vielfach als Helfer, Retter an, der seine Hand der irrenden Seele entgegenstrekken möge[172] – überall bedürfen wir Gottes[173]!

Um so dringender aber wird eine göttliche Hilfe, wo sich der Aufstieg als wider die Natur, die Welt, das Zubestimmte erweist, παρὰ κόσμον, παρὰ

---

[165] θιγγάνειν meint nicht intellektuelles Erfassen (so Plat Tim 90c; Aristot met Λ 7:1072b21), sondern mystisches Berühren, wie es Plotin oft verwendet, z.B. 5,3,10:41f.; 6,9,4:27; vgl. Syn ins 7 p 156,3; 11 p 166,17f.; Dion 8 p 254,19. Die Metapher lebt bes. bei Augustin weiter, z.B. serm 117,3,5 (PL 38,663); conf 9,10,24 p 200,8 Sk.

[166] Gegen E. von Ivánka, Zum christlichen Neuplatonismus, Schol 3 (1956) 399ff., der den von Gott ermöglichten Aufstieg bei Dionysios als spezifisch christliches Moment identifiziert, ähnlich einseitig auch Arnou, Platonisme 2368.2387f.

[167] Vgl. z.B. Porph Marc 5 p 10,9f. P.; 12 p 18,19; Jambl myst 2,5 p 79–81, bes. 81,15f.; Prokl hy 1,34; 3,1; 4,2.

[168] Prokl in Tim 3,153,8f. (mit der Bemerkung von Festugière, Traduction 4, 195 A.2) καὶ θεὸν πάντες ἄνθρωποι καλοῦσι βοηθόν.

[169] Vgl. Bouffartigue, 1, LIIIf.

[170] Plot 3,2,9:9–15; aber auch Porph abst 2,49,2 (der Philosoph πανταχόθεν σώζων ἑαυτόν) und Hierokl in CA 25,16 p 109,23–26 K.

[171] Vgl. Wallis 90.122; Zintzen, Mystik 420f; C. Andresen, Erlösung, RAC 6 (1966) 94–96; E. des Places, Etudes platoniciennes, EPRO 90, Leiden 1981, 361–371.

[172] Syn hy 9,123 χεῖρας ὀρεγνύς, von Wilamowitz 295 irrig als späterer Nachtrag des Bischofs betrachtet. Aber die Wendung von der helfenden Hand Gottes ist weiterhin bekannt (vgl. auch Theiler, Orakel 36; Strohm, Hymnendichtung 53 A.1), so Sen ep 73,15 die Götter ascendentibus manum porrigunt; Apul met 11,25,2 salutarem porrigas dexteram; Prokl hy 6,8.11; 7,45f.; dagegen vermißt Themist or 20 p 14,17 D.-N. hienieden eine solcherart helfende Hand. Für die Christen vgl. (nach Philon imm 73) Clem paed 1,5,24:3 (Jes 65,2; Rö 10,21); GregNaz or 30,4:21 (SC 250,232, endlich Synesios selbst, hy 2,296 und (von den Heroen) Aeg 1,10 p 83,13.

[173] Syn regn 5 p 12,11f. ὡς ἀπανταχοῦ δεῖ θεοῦ; vgl. Aeg 1,18 p 107,14; 2,11 p 110,11f.; ins 8 p 160,12 und oft in den Briefen, z.B. 139 p 243,13–15.

μοῖραν[174]. Synesios mag hier besonders an das durch den Seelenfall in Kraft gesetzte Band denken, das die Seele nunmehr an die untere Welt fesselt und sie mit Vergessen berückt. Die Materie hält geradezu einen Vertrag in Händen, dessen gewaltsam durchgesetztem Anspruch nur mit Mühe zu entkommen ist[175]. Dergestalt ist die Seele gefangen in den *Fesseln* des Körpers, berückt von den Zauberkünsten der untern Welt, vom Vergessen befallen – Zusammenhänge, die besonders Porphyrios herausstreicht[176].

Darüber hinaus scheint sich aber die Vorstellung des Aufstiegs zum Höchsten als wider die Natur und ihre Gesetze aus einer weitergehenden Besinnung auf den Ort des Menschen im Seinsgefüge zu speisen. Tatsächlich haben gerade die spätern Neuplatoniker die Menschenseele im Stufenbau des Seienden von den obern Welten abgerückt und ihren Rang vermindert, um so die Notwendigkeit gottgeleiteten Übersteigens ebendieses Menschseins in der Theurgie aufzuweisen[177].

Zunächst aber hat der Mensch der Weltordnung derart zu entsprechen, daß er in seinen eigenen Seins- und Erkenntnisgrenzen bleibt und sie nicht überschreitet, wie es auf heidnischer Seite besonders die alexandrinische Schule[178], auf christlicher Seite Gregor von Nazianz[179] betont hat. Synesios hat diese be-

---

174 Dasselbe Motiv von Unwürdigkeit des Menschen und helfender Hand Gottes bei GregNaz carm 1,1,34:18–21 (PG 37,516). Das Gedicht steht Synesios auch sonst nahe (Geistwesenchöre, Lobpreis, Tränen). Im übrigen ist die Spannung von Göttermacht und menschlicher Ohnmacht konstitutiv für den Hymnus, vgl. Keyssner, Gottesvorstellung 85 f.

175 Syn ins 8 p 166,11 ff.: Die Materie hält ein γραμματεῖον in Händen, hier wirkt wohl das χειρόγραφον von Kol 2,14 nach, das etwa bei PsChrys ascens 4 (PG 52,799) mit γραμματεῖον wiedergegeben wird; weniger nahe scheint die von K. Latte, CM 17 (1956) 95 beigebrachte Vorstellung des Buchs über das Leben des Menschen bei der Gottheit, z.B. Eurip frg 506 N².

176 Typisch für Porphyrios (unter chaldäischem Einfluß) ist die Verbindung von „Fesseln der Natur", „Zauberei der Materie", Vergessen und personifizierter böser Macht, vgl. Lang, Traumbuch 66 f.; Theiler, Orakel 31–33; G. Pfligersdorffer, Der Schicksalsweg der Menschenseele nach Synesios und dem jungen Augustin, Grazer Beiträge 5 (1976) 147–179. S. bes. Porph Marc 33 p 36,11–16 P.; abst 1,33,2 (samt dem üblen Doppelpaar Lust und Trübnis wie Syn hy 1,654–667); 1,28,2; 1,43,1. Zur *Zauberei* durch die untere Welt vgl. nach Plat Phaid 81b Plot 4,6,3:9 f.; 4,4,44:29 f.; zum *Vergessen* Lewy 190 A.53; O. Geudtner, Die Seelenlehre der chaldäischen Orakel, BKP 35, Meisenheim 1971, 25–27; zu den *Fesseln*, die die Seele an den Körper binden, vgl. Porph antr 14 p 16,12 f.; sent 7–9 p 3 f. L.; Jambl myst 3,3 p 106,9–12; 5,18 p 225,2 f.; Prokl hy 4,12; in Tim 3,325,12 f.; dazu Theiler, Porphyrios und Augustin 41; P. Courcelle, La colle et la clou de l'âme dans la tradition néoplatonicienne et chrétienne, RBPH 36 (1958) 72–95; ders., Connais-toi toi-même, de Socrate à s. Bernard, Paris 1974 f., 325–414; Geudtner 29 f.; P. M. Schuhl in Mélanges A. Diès, Paris 1956, 233 ff.

177 Vgl. unten S. 197 ff.

178 Vgl. Hierokl in CA 22,8 p 96,17–21; 23,11 p 97,8 f. K.; Kobusch, Hierokles 141–144. Zu Porphyrios vgl. Theiler, Porphyrios 17 f.30 und, diese „Schottentheorie" auf Ammonios Sakkas zurückführend, Forschungen 10–12.30.35.44. Dann aber auch Jambl myst 5,20 p 227,11–13 οὐ δεῖ δὴ ... ὑπερβαίνειν τὸν κόσμον καὶ τοὺς ἐγκοσμίους τάξεις, erst die Theurgie (ὑπερκοσμίῳ ... δυνάμει) überwindet diese Beschränktheit, p 228,5 f.

179 Vgl. GregNaz or 27,5:6 (SC 250,82); 29,2:25 p 180; 42,13 (PG 36,473A); carm 1,1,11:10–16 (PG 37,471); etc., dazu Plagnieux, Grégoire 231–244. Ähnlich klingt es bei Basil hex 3 (SC 26,210 =

schränkte Seinsweise des Menschen ausgeführter im weiter unten zu besprechenden Dion reflektiert[180].

(2) „Wessen Auge ist so hell,
      wessen Auge so kräftig,
      daß es sich nicht schließt
      getroffen
      von deinem Glanze?
      Unverwandt zu schauen
      dein Feuerstrahlen
      ist selbst den Göttern nicht verstattet." (hy 1,118–125)

Die an das platonische Höhlengleichnis anklingende Metapher des überstarken Lichts charakterisiert erneut das Göttliche als jenseitig und unerfaßbar. Dasselbe meint auch die von Synesios gern verwendete chaldäisch-gnostische Benennung Gottes als Abgrund[181].

Ein uraltes Wissen schimmert in unserer Hymnenpassage durch: Dem Menschen ist es nicht verstattet, Gott selbst zu schauen, er muß sonst sterben[182]. Selbst die Götter vermögen ihn nicht ins Auge zu fassen (hy 1,123–125), denn, so betont auch Proklos, es ist überhaupt keinem Seienden verstattet, das Höchste der Sonne gleich direkt anzublicken[183], ist es ja geradezu ein Seinsgesetz, daß das Untere das Obere nicht voll zu erkennen vermag[184]. Christlichem Verständnis entsprechend schreibt Synesios diese Unerkennbarkeit Gottes der gesamten göttlichen Trias zu:

„Weder die tiefströmende Zeit
wußte um diese Zeugungen,
die unsagbaren,
noch erhielt Kunde
der Greis Aion
von der ewigen Geburt." (hy 1,245–250)[185]

PG 29,61C); GregNyss in Eccl, op 5,411,19–21; 412,5f.; 415,22f.; JChrys incompr 1,182f.; 5,281f. u. ö., immer im Kampf gegen den häretischen „Fürwitz".

[180] S. unten S. 189ff.; vgl. Themist or 32 p 197,30f.; 199,12f. D.-N.

[181] βυθός: Syn hy 9,116; 1,131–133.189f.; 2,69; 5,27; Or Chald frg 18; vgl. Theiler, Orakel 10f.; Lewy 159f. A. 351; des Places, Oracles 126f. Auch die Materiewelt kann als Abgrund erscheinen (Or Chald frg 163, zit. bei Syn ins 7 p 158,4–6), weil sich oberste und unterste Welt entsprechen, vgl. unten Kap. III A. 152 und Kap. V A. 24.

[182] Vgl. Ex 33,20 (umgebogen in der Deutung Gregors von Nyssa, Mos 2,233–235, op 7/1,114,23–115,14); 19,21; Gen 32,31; Dtn 5,24–26; 1 Tim 6,16; in Joh 1,18; 5,37; 6,46 christologisch gedeutet: Allein der Sohn kann den Vater sehen und offenbaren. Vgl. auch Terzaghi 78f.

[183] Prokl theol Plat 2,11 p 64,20–23 οὐ γὰρ θέμις (wie Synesios!) ἀντώπειν οὐδὲ ἄλλο τῶν ὄντων οὐδέν. Vgl. zur Redensart Dörrie, Platonica minora 445 A. 7: „Derlei Warnungen οὐ θέμις scheinen zum Stil theologischer Unterweisung gehört zu haben."

[184] Prokl inst theol 121 p 106,11ff. Dodds (Proclus, The elements of theology, Oxford ²1963); 150 p 132,4f., als in der Taxis des Seienden begründetes Gesetz in 124 p 110,10–28.

[185] Vgl. Homer, Il 18,403f. „Kein anderer wußte es, weder von den Göttern noch von den sterblichen Menschen."

Aion, die Ewigkeit, erscheint hier, wie in einigen andern Stellen, als die nach der göttlichen Trias höchste Wesenheit[186]. Synesios steht damit zunächst wieder in chaldäisch-neuplatonischen Zusammenhängen[187]. Der Aion als ursprünglich kosmographisch Äußerstes[188] wurde in der spätantiken Religiosität zur Allgottheit selbst, oder aber, wo der Gottheit Weltjenseitigkeit zukommt, zur gleich nach Gott waltenden Größe[189]. Plotin korreliert ihn mit der zweiten Hypostase, dem Geist[190]. Seit Jamblichos aber wird die Ewigkeit vom Nus getrennt und über diesem angesetzt[191]; Proklos plaziert ihn erst in der zweiten Trias, derjenigen des Lebens, welcher die Trias des Seins vorangeht und diejenige des Nus, des Denkens nachfolgt[192]. In dieser späten Spekulation türmen sich also noch Welten über dem Aion[193]! Synesios stellt hierfür einen ersten Zeugen dar, indem er die göttliche Trias *als ganze* über die Ewigkeit erhebt. Im übrigen sei daran erinnert, daß auch für christliche Autoren die Äonen – nach Ps 144,13 – die Gesamtheit der Schöpfung gegenüber Gott repräsentieren[194].

Der Unerkennbarkeit des Einen durch das ihm Folgende ist die Idee, daß auch die *Engel* Gottes Wesen nicht zu schauen vermögen, zur Seite zu stellen.

---

[186] S. bes. Syn hy 8,67–71. Ferner sind Gottessohn oder Gottvater Erzeuger der Ewigkeit, hy 6,12; 1,162.267; 2,71; 3,11; 5,67. All dies rechtfertigt die Konjektur αἰωνογόνος in hy 1,252, wie sie S. Mariotti, SIFC 22 (1947) 225 vorschlägt.

[187] Zum Aion vgl. W. Bousset, Religionsgeschichtliche Studien, NT.S 50, Leiden 1979, 192–230; W. Scott – A. S. Ferguson, Hermetica, Oxford 1924ff., 3, 185–191; 4, 420–426; Theiler, Orakel 19f.; Festugière, Révélation 4, 152–210; Lewy 99–105.402–409; A. D. Nock, Essays on religion and the ancient world, Oxford 1972, 1, 377–396; PGL s. v. 55f.

[188] Aristot cael 279a26f.

[189] Corp herm 11,2 p 147,10 N.-F.; 11,3 p 148,8; 11,20 p 155,15 Αἰὼν γένου καὶ νοήσεις τὸν θεόν (anders Synesios!); Or Chald frg 49 = Prokl in Tim 3,14,3–10 mit Festugière, Traduction, 4, 31 Anm.

[190] Plot 3,7,6:1f.; der noetische Kosmos ist ὁ ὄντως αἰών, 5,1,4:17f., während das Eine war πρὶν αἰῶνα εἶναι, 6,8,20:25, vgl. Beierwaltes, Plotin 35–49.194f. Porphyrios scheint Plotin zu folgen, sent 44 bes. p 58,9.23f., vgl Beutler, Porphyrios 303. Dies gilt auch noch für seine Orakelexegese, wo der sich selbst ins Sein setzende Geist αἰώνιος ist gegenüber seinem präexistenten Geborgensein im Einen als προαιώνιον, Porph bei Prokl theol Plat 1,11 p 51,4–11; hist phil frg 18 p 15 Nauck (BT, ²1886 u. ö.); vgl. die Deutung von Hadot, Porphyre 1, 134f.311, dazu A. Ph. Segonds, in: E. des Places, Porphyre 193 A. 4.

[191] Jambl in Tim frg 64,11f., ed J. M. Dillon, Iamblichi Chalcidensis in Platonis dialogos commentariorum fragmenta, PhAnt 23, Leiden 1973, 176, vgl. 35; S. Sambursky, Der Begriff der Zeit im späten Neuplatonismus, WdF 436 (1977) (475–495) 482ff.

[192] Prokl theol Plat 3,16 und 18 (bes. p 56,7; 59,11f.; 60,13f.); in Tim 1,231,31–232,4; 3,13,23f. (mit Zitat von Or Chald frg 49); vgl. Dodds, Proclus 246; W. Beierwaltes, Die Entfaltung der Einheit, Thêta-Pi 2 (1973) (126–161) 131–133; J. Trouillard, La mystagogie de Proclos, Paris 1982, 173f.184f.; ders., Diotima 4 (1976) 104–108.

[193] Prokl in Tim 3,12,5–12; inst 87 p 80,22ff.; 88 p 80,27; theol Plat 3,21 p 77,23–78,10 (bes. 77,23f.); 3,27 p 93,1ff.

[194] Z. B. GregNyss Maced, op 3/1,103,14–21; Basil spir 19,49:3 (SC 17,418); in 27,66:77 p 486 und iuv 10,19f. (ed. F. Boulenger, CUF, 1965) wie Syn hy 8,67f. ἀγήρως αἰών, vgl. schon die gnostische Redeweise (PGL s. v. ἀγήρατος).

Diese besonders in Jesaia 6,2 ausgedrückte Vorstellung hat im Judentum[195] wie Christentum nachgewirkt und ist von der antiarianischen Theologie zur Erhärtung der These von der Unerkennbarkeit der göttlichen Wesenheit intensiv verfochten worden[196]. Wenn nicht einmal die heiligen Engel Gottes Wesen ergründen, um wieviel weniger der Mensch! Der zwischen Gott und Engeln klaffende Abgrund ist unvergleichlich größer denn der zwischen Engeln und Menschen[197]. Neben Johannes Chrysostomos und Didymos spricht besonders Gregor von Nazianz den Engeln die Erkenntnis und Schau Gottes ab[198].

Endlich betonen die Kirchenväter die Unerkennbarkeit nicht nur des Wesens Gottes, sondern auch seiner innertrinitarischen Zeugungen selbst für die Engel[199], welches Wissen ja Synesios dem Aion ebenfalls aberkennt (hy 1,245–250)[200]. Wir dürfen in dieser Art und Weise, wie er die Trias über alles andere Sein und Erkennen erhebt, christlichen Einfluß vermuten. – Und doch gibt er trotz aller Jenseitigkeit in seinen Hymnen Kunde von diesen innergöttlichen Bewegungen: Die schlechthinnige Unerkennbarkeit Gottes und seines Seins ist nicht letztes Wort der spätantiken, christlichen wie platonischen Theologie!

> (3) „Der Geist aber
> fällt von deiner hohen Schau,
> begrüßt freudig die dir benachbarte Welt[201],
> wo er sich doch mühte
> 130 Unerreichbares zu erreichen[202],
> zu schauen deinen Glanz,
> blendend funkelnd
> im wogenden Abgrund.
> Vom Unbetretbaren tritt er weg,

---

[195] Vgl. ae Hen 14,21 f.; hb Hen 22B1; 48A1 Odeberg; indirekt auch sl Hen 24,3; Asc Jes 10,2; 11,32; 8,7 und die rabbinischen Belege bei H. L. Strack – P. Billerbeck, Kommentar zum N. T. aus Talmud und Midrasch, 1, München ⁶1974, 783 f. (zu Mt 18,10).

[196] Vgl. die Einleitung von J. Daniélou zu JChrys incompr, SC 28bis, 40–50; JChrys scand 3 (SC 79,74–80); hom 6,2 in Is 6,1 (SC 277,212 = PG 56,137); Didym trin 1,15,52; 27,56; 36,1 H.

[197] GregNaz or 28,3:22–26 (SC 250,106); JChrys incompr 5,231 f. (mit Zitat von Ps 8,5 f.).

[198] GregNaz or 38,8 (PG 36,320B) mit Jes 6,2; or 2,76:3–5 (SC 47,188); carm 1,1,1:3 (PG 37,398). Fragend in or 28,4:14–19 p 108; 12:1–14 p 124; 32,29 (208A); carm 1,1,3:92 f. (415). Vgl. auch GregNyss Mos 2,163, op 7/1,87,11 f.; hom 6 in Cant, op 6,182,16 f.; endlich Joh. Dam exp fid 1,1:12 f. (PTS 12,7).

[199] Iren haer 2,28,6; GregNaz or 29,8:26 f. p 192; Didym trin 1,15,49 H.; Cand ad Vict 2,2:11–13.

[200] Vgl. auch Syn hy 1,228; 9,65 und Hawkins 101 f.

[201] τὰ πέλας σαίνει, v. 127. Diese Nähe ist zugleich Nähe zur höchsten Sphäre (vgl. Dion 8 p 253,5 f.) wie nach unten zur Seelenwelt (vgl. Dion 6 p 249,17, dazu unten Kap. V A. 97). Sie bietet Schutz vor dem überstarken Licht und ist ihm doch nicht ferne. Ganz entsprechend das bei Plotin und andern genannte „Ausruhen“, „freudige Absteigen“, vgl. unten A. 209.

[202] Zu ἀκίχητα κιχεῖν vgl. Homer, Il 17,75, auch Aisch Prom 184, als Redewendung häufig bei J. Chrys, z. B. sac 6,9:44 (SC 272,336 mit der Anm.); ordin 4,285 (ib. p 416); scand 7,38 (SC 79,130) μὴ περιεργάζου τὰ περιττά, μηδὲ ἀκίχητα δίωκε; ep 7;1:22 (SC 13bis,134).

135   bei der ersterstrahlenden Form[203]
      findet Halt
      die Kraft seines Blickes,
      wo er pflückt
      für deine Hymnen
140   Blüten von Licht,
      und ruhen läßt
      sein drängendes Schauen ins Unbegrenzte.
      Er gibt dir das deine wieder
      – denn was wäre nicht dir, o Herr!"   (hy 1,126–144)

Das *Motiv des Rückfalls,* das hier zur Darstellung gelangt, speist sich gewiß
aus der persönlichen Erfahrung des um den Aufstieg zur Gottheit Ringenden.
Dies hindert keineswegs, daß solches Erlebnis nun mit Hilfe von Texten, die
von ähnlichen Erfahrungen berichten, beleuchtet und daher in einer traditionellen literarischen Form geschildert wird, worin vor allem Elemente des platonischen Höhlengleichnisses dramatisiert werden[204]: Das überhelle göttliche Licht
läßt den allzu forcierten Aufstieg in einen Rückfall umschlagen und ruft nach
einem δεύτερος πλοῦς, der irgendwie doch zum Ziel führen wird[205]. Erst dieser
„ordentliche" Aufstieg vermag sodann die Spannung zwischen Transzendenz
Gottes und menschlicher Beschränktheit einigermaßen zu lösen. Für den vorliegenden Textzusammenhang, dem wir in ähnlicher Form im Dion wieder begegnen werden[206], stellt sich vor allem die Frage, ob Synesios aus einer direkten
Quelle, etwa den Chaldäischen Orakeln, schöpft, wie W. Theiler vermutet[207].

Plotin, der große spirituelle Meister, kommt in seiner Suche nach dem vom
Geist zu unterscheidenden Einen auf die Möglichkeit des Rückfalls zu spre-
chen[208]. Die zum Einen emporstrebende Seele gelangt in einen Bereich jenseits
aller Form und Gestaltung, allen gewohnten Halts beraubt gerät sie in diesem
Nichts in Panik und steigt, ja fällt erleichtert wieder ab in die untern Welten.
Der Text kommt bis in die einzelnen Wendungen hinein dem Hymnus des
Synesios sehr nahe[209], ist selbst aber zugleich kaum von einer ältern Vorlage

---

[203] Die Lesart πρωτοφαές „ersterstrahlend, ersterstrahlt" (vgl. hy 2,89) paßt besser in den
Lichtzusammenhang des Textes als das geläufigere πρωτοφανές, „ersterschienen".

[204] Zwar redet Platon noch nicht direkt vom „Rückfall", aber seine „hellen Strahlen", μαρμαρυγαί (rep 7:515c; 518ab; Phaid 99de) sind ein typisches Leitmotiv der vom Rückfall redenden Texte,
vgl. P. Courcelle, Les confessions de s. Augustin dans la tradition littéraire, Paris 1963, 49–57.

[205] GregNaz or 28,13:27 (SC 250,128).

[206] S. unten S. 190f. zu Dion 6f., bes. p 250,5–7.

[207] Theiler, Orakel 17f.

[208] Plot 6,9,3:1–10 (vgl. auch 1,6,9 und 6,9,11:45f.).

[209] Plot 6,9,3:3–10   Syn hy 1,118–142

ἀλλ' ἔστιν ἡμῖν γνῶσις εἴδεσιν ἐπερειδομένη· ὅσῳ δ' ἂν εἰς ἀνεί-   Τίνος ὄμμα σοφόν,
δεον ἡ ψυχὴ ἴῃ. ἐξαδυνατοῦσα περιλαβεῖν τῷ μὴ ὁρίζεσθαι καὶ   τίνος ὄμμα πολύ,
οἷον τυποῦσθαι ὑπὸ ποικίλου τοῦ τυποῦντος ἐξολισθάνει καὶ   ταῖς σαῖς στεροπαῖς 120
φοβεῖται μὴ οὐδὲν ἔχῃ· διὸ κάμνει ἐν τοῖς τοιούτοις καὶ ἀσμένη   ἀνακοπτόμενον.
καταβαίνει πολλάκις ἀποπίπτουσα ἀπὸ πάντων, μέχρις ἂν εἰς   οὐ καταμύσει;

abhängig. Der Zusammenhang von „sich stützen, Halt suchen", „Form" und „Gestalt", „Geist" und „Ruhen" ist ein bei Plotin immer wieder auftauchendes Motiv[210]. Auch der „konzentrierte Blick" des Geistes kehrt bei ihm häufig wieder[211], interessanterweise nicht nur im Hinblick auf das Eine, sondern sogar in der tiefsten Seinssphäre, wo das Denken infolge der Unendlichkeit der Materie ebenso wie im Einen keinen Halt findet, „denkend nicht denkt" und die Seele, darob in Furcht geraten, gerne wieder aufsteigt[212] – hier entsprechen sich oberste und unterste Welt einmal mehr.

Der solcherart abgebrochene Aufstieg ruft nach einem erneuten Begehen des Weges, in allmählicher Angleichung der Seele an das ersehnte Ziel bestehend, einer Ordnung folgend, verbunden mit der Übung in den Tugenden[213]. Hinsichtlich dieses Stufenweges ist Plotin optimistisch, daß er zum Ziel führt: „Fasse Selbstvertrauen – dann schaue unverwandt!"[214]

αἰσθητὸν ᾔκῃ ἐν στερεῷ ὥσπερ ἀναπαυομένη. οἷον καὶ ἡ ὄψις κάμνουσα ἐν τοῖς μικροῖς τοῖς μεγάλοις ἀσμένως περιπίπτει.

Plot 1,6,9:24.30

ἀτενίσας ἴδε...
δεῖ ἐπιβάλλειν τῇ θέᾳ

Ἀτενὲς δὲ δρακεῖν
ἐπὶ σοὺς πυρσοὺς
θέμις οὐδὲ θεοῖς.   125
Πίπτων δὲ νόος
ἀπὸ σᾶς σκοπιᾶς
τὰ πέλας σαίνει,
ἀκίχητα κιχεῖν
ἐπιβαλλόμενος.   130
προσιδεῖν αἴγλαν
ἀκάμαντι βυθῷ
ἀμαρυσσομέναν.
Ἀβάτῳ δ᾽ ἀποβὰς
ἐπὶ πρωτοφαὲς   135
εἶδος ἐρείδει
ὄμματος ὁλκάν·
ὅθεν αἰνύμενος
ἐπὶ σοὺς ὕμνους
ἄνθεα φωτός,   140
ἀοριστοῖσαν
ἀνέπαυσε βολάν,
τὰ σὰ σοὶ πάλι δούς.

[210] ἐρείδειν, ἐπερείδειν im Zusammenhang des Seins zwischen Nus und Einem: 3,8,9:8; 6,6,13:12; im Zusammenhang mit εἶδος – das dem Nus zugehört! – 3,7,12:35; 5,5,7:21 ff.8 f.; in 6,4,2:10 ἐρείδειν neben ἀναπαύεσθαι, vgl. 6,9,3:9 und 10 (ἀσμένως).

[211] ἐπιβολή (vgl. Syn v.142) 2,8,1:40 ἀθρόως ... ἡ ἐπιβολή und 41 εἴδη, 3,7,1:4 τῆς ἐννοίας ἀθρωτέραις ἐπιβολαῖς; 3,8,9:21 f. ἐπιβολὴ ἀθρόα neben ἐρείδειν; 4,4,1:20 ἐπιβολὴ ἀθρόα ἀθρόων und in der Noogenese 6,7,35:21 ἐπιβολή und παραδοχή. Das „Sehen" auch in 5,5,7:8 f. und 6,9,3:9 ff. ὄψις κάμνουσα. Vgl. zu allen Begriffen das Lexicon Plotinianum, hg. J. H. Sleeman – G. Pollet, Leiden – Louvain 1980; ferner O. Becker, Plotin und das Problem der geistigen Aneignung, Berlin 1940, 3.14–20; Rist, Plotinus 49–51; G. O'Daly, The presence of the One in Plotinus, in: Plotino e il neoplatonismo in oriente e in occidente, Rom 1974 (159–169) 168.

[212] Plot 2,4,10:31–35 (vgl. 10:3–5) die Seele versucht ἐπιβάλλειν τὸ εἶδος; 6,6,3:27–34 ἐπιβάλλων τι πέρας; vgl. 4,3,10:9.

[213] Dies ist das Thema von 6,9–11. Die Seele muß wie das Eine formlos (ἀνείδεος) werden, 5,1,7:19 f.; 6,7,33:21. Die Tugendübung führt zum Ziel, vgl. unten S. 197 und Hadot, Plotin 89–95.

Auch *Porphyrios* weiß um das Versagen des Geistes, das höchste Göttliche zu erfassen[215] und läßt schon Pythagoras einen Aufstiegsweg lehren, der den Rückfall endlich zu überwinden trachtet[216]. Diese Heimkehr ist wie bei Plotin der geordnete Pfad der Tugenden, der ontologisch begründete Stufenweg zum Höchsten.

In seiner Orakelexegese kommt *Proklos* auf den Rückfall zu sprechen[217]. Die Unmöglichkeit, das höchste Eine denkend zu ergreifen, wirft den Aufsteigenden wieder auf die unteren Ebenen des Geistes zurück[218]. Es läßt sich aber aus diesem Text keineswegs erschließen, daß das Motiv des Rückfalls bereits in den Chaldäischen Orakeln enthalten gewesen wäre[219]. Das von Proklos zitierte Orakelfragment erweist sich vielmehr als recht optimistisch gehaltene Anleitung zum rechten Nichtdenken des Höchsten mittels der „Blüte des Geistes"[220]. Erst Proklos interpretiert diese Anleitung zur Schau mit plotinischem Begriffsmaterial[221]. Weil nun aber anzunehmen ist, daß Plotin die Orakel gar nicht gekannt hat[222], kann trotz einiger terminologischer Gemeinsamkeiten zwischen ihm und den Orakeln[223] die Orakelstelle erst später vom Rückfallmotiv her

---

[214] Plot 1,6,9:23ff. (vgl. Plat Theaet 148c9) θαρσήσας περὶ σαυτῷ ... ἀτενίσας ἴδε ... ἐπιβάλλειν τῇ θέᾳ. Vgl. unten Kap. V A. 97 (und 179) zu Synesios.

[215] ⟨Porph⟩ in Parm 9,20–25 p 94 H.: Es fehlt uns die δύναμις εἰς ἐπιβολὴν (vgl. Plotin und Synesios!) τοῦ θεοῦ, weil er über allem Denkvermögen ist.

[216] Porph vit Pyth 46f. p 42,11–43,6 N. = p 58,6–21 des Places (CUF, 1982), nach Theiler, Porphyrios 62f. τῇ ἄφνω καὶ ἀθρόως (vgl. Plotin!) μεταβολῇ.

[217] Prokl phil Chald 4 p 209–211 des Pl.; vgl. Theiler, Orakel 17f.; Festugière, Révélation 4, 132–135; zur Abwehr eines allzu steilen Aufstiegs ferner Koch, Dionysius 118f.

[218] Prokl phil Chald 4 p 210,7f. εἰς δευτέρας φέρονταί τινας νοεράς ⟨φύσεις⟩.

[219] So Theiler aaO.

[220] Or Chald frg 1 (aus Damaskios): „Es gibt ein gewisses Intelligibles, das du mit der Blüte des Verstands denken mußt. Denn wenn du deinen Verstand hinneigst und jenes (das Intelligible) denkst, wie wenn du etwas Bestimmtes dächtest, so wirst du es nicht denken. ... Man darf überhaupt jenes Intelligible nicht mit Ungestüm denken, sondern mit des Verstandes feiner Flamme. ... Dieses sollst du nicht geradezu denken (χρεὼ δὴ τοῦτο νοῆσαι / οὐκ ἀτενῶς 7f.), sondern das reine Auge deiner Seele abgewandt haltend den leeren Verstand zum Intelligiblen ausstrecken, um es zu erfahren; denn es befindet sich außerhalb des Verstandes." (Übersetzt von Lewy ²106.)

[221] Prokl p 210,2ff. ἐπερείδειν, ἐπιβολαί ... κατά τι μέτρον εἴδους καὶ γνώσεως ἐπιβλητικῶς ... ἐπιβάλλειν ... ἀπολείπειν wie Porphyrios. So übrigens auch die von Theiler, Orakel 17f. verzeichnete Passage aus Damaskios, dub et sol 106, Bd. 1, 274,27–275,7 Ruelle (Paris 1889 = Brüssel 1964), mit Furcht, erfreutem sich im Untern Niederlassen, Fall und Ausruhen, während die ἀδιόριστος βυθία auf die Orakel weist.

[222] Dodds, Die Griechen und das Irrationale 152 (= engl. Ausgabe 285f.); des Places, Oracles 9; Hadot in Lewy ²709–711; anders Theiler, Forschungen 41; ders., Das Unbestimmte, Unbegrenzte bei Plotin, RIPh 24 (1970) (290–298) 295, der gar auf Kenntnis der Orakel bei Ammonios Sakkas zurückschließt. Theiler ist gezwungen anzunehmen, Plotin habe recht viel aus den Orakeln geschöpft, was Dodds aaO. richtig ausschließt: Plotin kann diesen Texten nicht einen solchen Offenbarungscharakter zugebilligt haben. So argumentierte auch schon J. C. Thilo, Commentatio de coelo empyreo, Halle 1839f., 1, 13.

[223] In unserem Zusammenhang: (1) ἀτενές, ἀτενῶς: Aber das Wort im Zusammenhang mit der

beleuchtet worden sein. Da sich nun bei Synesios schon eine Verschmelzung von plotinischen und chaldäischen Begriffen feststellen läßt[224], darf Porphyrios als der erste angenommen werden, der die Orakel deutet und so als Quelle für Synesios, Augustin und Proklos in Frage kommt[225]. Gerade Porphyrios hat diese schmerzliche Erfahrung des Rückfalls gewiß sehr intensiv und häufig durchlitten und sie wohl recht ausführlich beschrieben im Zusammenhang der Rückkehr der Seele zu Gott[226]. Aber hält sich Porphyrios noch immer an den philosophischen Weg des Aufstiegs, so führt für Proklos erst die Theurgie zum ersehnten Ziel. Gott ist der völlig Verborgene, Unzugängliche[227], und der Weg zu ihm passiert notwendigerweise alle Zwischensphären und Zwischenwesen[228]. Da sich das Obere dem Nächstunteren immer abgeleitet mitteilt, kann aufgrund dieser alldurchwaltenden Methexis selbst der aller Partizipation Enthobene berührt werden[229], wenn nur der Stufenweg recht begangen wird. Deutlich wird hier die Frage nach dem „Mittler", den Mittelwesen zentral[230].

(4) Eine christliche Interpretation des mystisch-neuplatonischen Motivs von Rückfall und neuem Aufstieg läßt sich wiederum bei *Augustin* präzis erfassen[231]. Der stufenweise erfolgende Aufstieg mündet ein in ein kurzes, verzück-

---

Schau ist auch sonst oft bezeugt, LSJ s.v.; Plot 5,8,10:12; 6,2,8:6; 6,8,19:10–12; (2) ἄνθος: Oft in den Orakeln und bei Plotin 6,7,32:31 und verbal als v.l. 5,3,6:14, vgl. G. O'Daly, Plotinus' philosophy of the self, Diss. Shannon 1973, 86, aber die Wendung ist überhaupt recht verbreitet, s. unten A. 277. (3) „Denkend nicht denken": Plot 2,4,10:30f. wie Or Chald frg 1, läßt sich aus dem Ansatz eines übervernünftigen Höchsten, dem ein das Denken überschreitendes Denken entspricht, ableiten, vgl. auch H. J. Krämer, Der Ursprung der Geistmetaphysik, Amsterdam 1964, 388–397.

224 Chaldäisch sind Syn hy 1,123 ἀτενές, 124 πυρσοί, 132 βυθός, 134 ἀβάτῳ δ'ἀποβάς (vgl. unten A. 227), 140 ἄνθεα φωτός.

225 Mit Hilfe seines eigenen Arbeitssatzes sollen hier Theilers Ausführungen präzisiert werden.

226 Vgl. Porph Plot 11,11–19 von den Suizidabsichten und 23,7–17 von der Schwierigkeit der Einung mit dem Höchsten. Zur innern Spannung des Porphyrios vgl. H. Dörrie, Porphyrios' Lehre von der Seele, Platonica minora, (441–453) 453 (= Entretiens 12, 186f.); Smith, Porphyry's place XVII.54.79f. 146f.150.

227 Der höchste Eine ist ἐν ἀβάτοις ἀποκέκρυπται καὶ πάντων ἐξῄρηται τῶν ὄντων, Prokl theol Plat 2,6 p 42,9f.; vgl. 1,3 p 14,6; 1,11 p 55,5; 1,20 p 95,23 sowie 2,11 p 65,14f. Gott als ἅγιος ἐν ἁγίοις τοῖς νοητοῖς ἐναποκεκρυμμένος θεοῖς. ἄβατος (vgl. Syn hy 1,134) ist Orakelwort, frg 178, aber auch sonst häufig, z.B. Euseb Triak 12 (GCS 7,229,29); vgl. PGL s.v.

228 Zu den Mesotetes s. Beierwaltes, Proklos 72–81.

229 Prokl inst 123 p 108,5–110,9; 162 p 140,32–142,3.

230 Proklos wendet gegen die Christen ein: καὶ μέγιστόν ἐστι τῆς ἐπιστήμης ἔργον, τὸ τὰς μεσότητας καὶ τὰς προόδους τῶν ὄντων λεπτουργεῖν, in Tim 3,153,13–15; vgl. dazu Festugière, Traduction, 4, 195 A.2; H. D. Saffrey, Allusions antichrétiennes chez Proclus, RSPhTh 59 (1975) (553–563) 559. Daß es hierbei um göttliche Zwischenwesen geht, erhellt schon aus Jambl myst 1,5f. p 16,6–20,19.

231 Aug conf 7,17f.,23f. Zu dieser und den folgenden Stellen vgl. Theiler, Porphyrios 62f.; ders., Gnomon 25 (1953) 118f.; P. Henry, Plotin et l'occident, Louvain 1934, 78–119; Courcelle, Recherches 157–167, bes. 166f.; ders., Confessions 44–57; ders., La première expérience augustinienne de l'extase, AugM 1, Paris 1954, 53–57; Solignac, 2, 698–703; F. E. Van Fleteren, Augustine's ascent of the soul, AugStud 5 (1974) (29–72) 58–61; Dörrie, Andere Theologie 41.

tes Schauen des ewigen Gottes, aber der Anblick läßt sich nicht festhalten, die Seele sinkt in die sattsam bekannten Welten zurück und es bleibt ihr nur die verzehrende Erinnerung. Das Thema der „vaines tentatives d'extases plotiniennes" (Courcelle) kehrt bei ihm häufig wieder und darf als neuplatonisch induzierte und reflektierte persönliche Erfahrung insbesondere der Mailänder Zeit gelten. „Obwohl du, Gott, nie von uns weichst, finden wir doch so schwer zu dir zurück!"[232] Im Diesseits vermag er zwar zu bleiben, will es aber nicht, im Überirdischen will er dagegen ruhen, kann es aber nicht[233]: „Mane si potes; sed non potes!" Der Überweltlichkeit Gottes gegenüber versagt alle Geisteskraft; das Irdische, die nach unten zerrende cupiditas reißt zurück[234]. Daß dieser Rückfall aber auch als erlösendes Zur-Ruhe-Kommen beschrieben wird[235], erinnert an Plotin und Synesios und läßt vermuten, daß Porphyrios sich ähnlich ausgedrückt hat – wohl unter Einbezug des im Chaldäerfragment und Plotin 6, 9, 3 fehlenden überstarken Lichtes, das sich bei Synesios wie Augustin findet[236]. Die Erkenntnis Augustins, daß entgegen seinen Jugendhoffnungen[237] die selige Schau erst dem jenseitigen, eschatologischen Leben erschlossen ist, hat ihn nun aber zu einer grundlegend anderen Erfassung des Weges zu Gott geführt. Es ist das Geheimnis der via humilitatis, die den Weisen verborgen, den Niedrigen offenbar ist[238]. Von der transzendenten Gottheit fällt der Blick auf den humilis mediator Christus, der nun selber zum Weg wird[239]. Gerade dies wird den neuplatonischen Philosophen vorgeworfen, daß sie wohl das ferne Ziel anvisieren, aber den sichern Weg dorthin nicht finden, den Weg, der aus eigenen Kräften ohnehin nicht zu begehen ist. Augustin gesteht den Philosophen sogar ein Ahnen um den wahren Weg zu, indem ja auch sie nach dem *Mittler* suchen[240]

---

[232] Conf 8,3,8 p 159,22 f. Sk. et nusquam recedis, et vix redimus ad te.

[233] Conf 10,40,65 p 260,1 f. hic (ἐνταῦθα) esse valeo nec volo, illic (ἐκεῖ) volo nec valeo, miser utrubique! Vgl. überhaupt p 259,22–260,2.

[234] Aug trin 8,2,3:28–40 (CCL 50,271).

[235] Aug trin 15,6,10:46–53 (CCL 50A,472f.) ... ad ipsius nostrae mentis secundum quam factus est homo ad imaginem dei velut familiariorem considerationem *reficiendae laborantis intentionis* (ἐπιβολή!) causa ... refleximus. Wie bei Plotin und Synesios wendet sich der Blick ab vom Höchsten und ruht im Geist.

[236] Dies spricht doch an dieser Stelle für Theilers Porphyriosthese, während Courcelle, Confessions 49 andere als neuplatonische Quellen zu bestimmen sucht (Philon), in AugM 55 bestreitet er das Rückfallmotiv gar auch für Porphyrios.

[237] Vgl. das „bald" in solil 1,14,24:3; 25:2; 26:1 F.-M. Die Rückfallthematik findet sich auch in den Frühschriften, aber noch nicht mit dem Hauch der Resignation, z. B. beat vit 4,35:273–5 (CCL 29,84); solil 1,13 f.,23 f.

[238] Conf 7,9,13 p 137,10. Vgl. 7,9,14 und 7,18,24 (auf den Rückfall folgend!).

[239] Conf 7,18,24 p 146,23 ff. Zum Bild von Weg und Ziel – vgl. hinsichtlich der beata vita etwa Sen vit beat 1,1 f.: decernatur itaque et quo tendamus et qua – s. conf. 7,20,26, bes. p 149,25; 7,21,27; trin 4,15,20 (CCL 50,187 mit weitern Stellen im Apparat, wobei die Jugendwerke das Motiv ohne antineuplatonische Spitze verwenden). Klassisch formuliert Augustin den christologischen Sachverhalt: Deus et homo; quo itur deus, qua itur homo, civ 11,2:35 f. (CCL 48,322); vgl. serm 92,3 (PL 38,573); 141,4 (777).

[240] Conf 10,42,67 p 260f.; civ 9,15 (CCL 47,262f.); vgl. J. Pépin, Les deux approches du

– aber aufgrund ihrer superbia verfallen sie den täuschenden Mittelwesen, den Dämonen und Teufeln – den Theurgengöttern! – und verschmähen den Fleischgewordenen. Demgegenüber ist ihm Christus der verax mediator zum ewigen Gott.

(5) Die im Rückfallsgeschehen sich ihr Recht einfordernde Jenseitigkeit Gottes[241] wird im christlichen Denken demzufolge immer durchkreuzt von der neutestamentlichen Offenbarung Gottes in Christus, der solcherart als „Weg", „Form", „Bild" und „Mittler" Gott selbst erschließt[242]. Wie sich dieser grundlegende Gedanke *im Zusammenhang des Rückfallmotivs* bei den patristischen Theologen durchsetzt, soll im folgenden kurz skizziert werden. Schon *Philon* kommt des öftern auf das Zurückfallen angesichts der göttlichen Strahlenfülle zu sprechen[243]. Die Lösung der hierin gegebenen Spannung ist ihm einerseits eine göttliche Kraftzufuhr, die, wenn nicht die Essenz, so doch die Existenz Gottes erkennbar werden läßt[244], oder aber spezifisch die Gewährung eines Führers zur Verhinderung eines verwegenen, unseligen Aufstiegs, nämlich des göttlichen Worts, das den nur geschaffenen Geist zum ungeschaffenen führt[245]. Deutlich ist eine Mittlerfunktion des göttlichen Logos intendiert.

Der Christ *Origenes* läßt den transzendenten Gott in der Offenbarung seines herabkommenden Sohnes der Welt begegnen. Freilich erweist sich dessen Inkarnation nur als äußerste, letzte Stufe der kosmischen Deszendenz, die sogleich im Sinne höherer Gotteserkenntnis zu überspringen ist[246]. In dieser Hinsicht hält *Athanasios* viel konsequenter an der Menschwerdung des Logos fest, die allererst den transzendenten Vater erschließt[247], wie auch für *Basilios*

---

christianisme, Paris 1961, 127–130; E. TeSelle, Porphyry and Augustine, AugStud 5 (1974) (113–147) 123–133.144 (allerdings wird man die Idee der falschen Mittler kaum Porphyrios zuschreiben dürfen).

[241] Vgl. z.B. die Exegese von Ps 17,12 LXX bei Orig Cels 6,17; GregNaz or 28,12 (SC 250,124); Didym trin 1,15,52 H.; GregNyss Mos 2,164 op 7/1,87,18f. Gern damit verbunden wird Ex 19ff.; 33,21ff. erklärt. Zur augustinischen Mosesdeutung vgl. Solignac, 1, 690.

[242] Gott erschließt sich selbst, vgl. z.B. Philon spec leg 42; all 101; post 13.16; fug 164; Iren haer 4,20,9–11 (SC 100,654–668); Clem strom 5,11,71:5; 5,12,82:4.

[243] Vgl. Courcelle, Confessions 50f.; Theiler, Untersuchungen zur antiken Literatur, Berlin 1970, 484f. Zu beachten ist die Verwendung von προσβολή (wie Plotin 5,5,7:8) in spec leg 1,37; praem 39.

[244] Philon praem 36–40: „Gott der Vater und Retter, erkannte das wahre Drängen und Sehnen und erbarmte sich, gab Kraft dem Sehen und hielt seinen Anblick nicht neidisch zurück."

[245] Philon migr 170–174.191–193. Der „Führer" wird in Ex 33,15 erbeten.

[246] Orig Cels 6,17:14–44 (SC 147,220–222): Der Transzendenz und Verborgenheit Gottes (Ps 17,12! Seine Strahlen ‹vgl. oben A. 203› als Dunkel – für die Schwachen!), die nur selten erkannt wird, folgt die Mt 11,27 verkündete Offenbarung, worin Finsternis und Verhüllung aufgehoben werden. In 4,15:22–27 (SC 136,218–220) scheint der Abstieg des Logos vor allem den „Vielen" zugute zu kommen. Den Aspekt der Inkarnation als letzter Phase einer kosmischen Deszendenz hat v. a. W. Elert, Der Ausgang der altkirchlichen Christologie, Berlin 1957, 271–274 betont.

[247] Athan inc 43,23ff. p 242 Thomson (OECT, 1971): καὶ ἐπειδὴ ἀναβλέψαι οὐκ ἠδυνήθησαν (sc. die Menschen) εἰς τὴν ἀόρατον αὐτοῦ δύναμιν, ließ sie Gott sein Wesen im Sichtbares

der im Geist erkannte Sohn oder der Heilige Geist selbst den Vater offen-baren[248].

Gregor von Nazianz betont in seiner Exodusallegorese die Überweltlichkeit Gottes und deutet den „Rücken Gottes" in Ex 33,23 auf seine uns zwar noch knapp erreichende, aber bereits Gottes eigentliche Wesenheit verbergende Epi-phanie[249]. Angesichts des ungeheuerlichen Gottesabgrunds wird die Seele von einem Schwindel überwältigt[250] und fällt von der hohen Schau ab[251]. Erscheint in den genannten Texten nur ansatzweise eine positive Lösung der Spannung – so etwa, indem der Felsen, auf dem Moses steht, um Gott zu schauen, Christus selbst symbolisiert[252], oder indem der Glaube eher denn die Vernunft das übervernünftig Seiende zu erfassen vermag[253] –, so weist Gregor anderwärts doch in aller Deutlichkeit auf die Menschwerdung als Ermöglichung positiver Gotteserkenntnis, ja Gottesvereinigung hin. Nur weil Christus gekommen ist, hat sich der Schlund zwischen Gott und Mensch geschlossen, hat sich das Unvermischbare gemischt[254].

Bei *Gregor von Nyssa* läßt sich ein derart christozentrischer Ansatz wie bei seinem Namensvetter nicht aufspüren. Die Begrenztheit des Menschen ange-sichts der Unendlichkeit Gottes, sein Schwindeln in dieser Höhe, seine Furcht

---

wirkenden Logos-Christus schauen. Vgl. 54,12f. und schon Iren haer 4,6,6 (SC 100,448–451) und 4,38,1 (p 947).

[248] Basil spir 9,23:9–12 (SC 17,328); 18,47:1–23 p 412; 26,64 p 476; ep 226,3:34–36 p 27 C.; vgl. Dehnhard, Problem 44f. mit dem Hinweis auf Euseb und Marcell. Der drohende subordinatiani-sche Zug in obigen Stellen wird durch spir 22,53 p 440–442 gemildert.

[249] GregNaz or 28,3 (SC 250,104–106). In 28,19f. werden die Gott als tremendum offenbaren-den Schriftstellen gesammelt.

[250] Or 28,21:15–20 p 144; vgl. 28,31:15. Das Motiv, schon platonisch (s. LSJ s. v. ἰλιγγιᾶν), findet sich auch wieder bei Gregor von Nyssa (s. unten A. 255) und Chrysostomos, incompr 1,208.221.257.

[251] Or 28,13:22ff. p 108, καμνεῖν erinnert an Plotin, oben A. 209. Selbst Paulus fand keinen Stand, 21:23f., erst ein δεύτερος πλοῦς, 28,13:27f., erschließt Gott aus den ὁρώμενα. Die Rückfallpassage in or 38,8 (PG 36,320A) verwendet plotinische Begrifflichkeit: Der Nus hat nichts, wo er steht, καὶ ἀπερείσηται ταῖς περὶ θεοῦ φαντασίαις, indem er Gott ἄπειρον, ἀνέκβατον, ἄναρχον nennt.

[252] In Anklang an 1 Kor 10,4: Or 28,3:5–7 p 104 μόλις εἶδον θεοῦ τὰ ὀπίσθια. καὶ τοῦτο τῇ πέτρᾳ σκεπασθείς, τῷ σαρκωθέντι δι᾽ ἡμᾶς λόγῳ. Vgl. (ohne Rückfallzusammenhang) Greg Nyss Mos 2,245–248, op 7/1,119,4–120,4 und Basil spir 26,2:9–13 (SC 17,470–2) mit der Deutung des „Orts", worauf Moses stehen kann, auf den Heiligen Geist.

[253] Or 28,28:41–44 p 164. Vgl. Proklos (oben A. 127) und Chrysostomos (unten A. 266).

[254] Or 39,13 (349A): Die Menschwerdung hat statt, ἵνα χωρηθῇ ὁ ἀχώρητος διὰ μέσης σαρκὸς ὁμιλήσας ἡμῖν ὡς ⟨ἐκ?⟩ παραπετάσματος, ἐπειδὴ καθαρὰν αὐτοῦ τὴν θεότητα φέρειν οὐ τῆς ἐν γενέσει καὶ φθορᾷ φύσεως. διὰ τοῦτο τὰ ἄμικτα μίγνυται (trotz Plat symp 202d); vgl. or 37,3 (285B): Erst sein Abstieg ermöglicht die Erkenntnis der transzendenten Gottheit, sonst hätte sie keiner, wohl nicht einmal Moses, geschaut, (vgl. auch or 32,16:192B). Damit ist das χάσμα (Lk 16,26) von Gott und Mensch aufgehoben, indem die christologische Einung im Geist offenbart ist. „Denn sonst wäre es meinem Wesen nicht möglich gewesen, mich Gott zu nähern", carm 1,1,9:55 (PG 37,461). Vgl. Špidlik, Grégoire 87–111, der gar eine Entwicklung feststellen will, X.49f.153–155.

und sein Zurückfallen sind ihm wohlvertraut[255]. Allein Schweigen mag diesem Ungeheuren gerecht zu werden. Unvermittelt in das göttliche Licht zu schauen ist nicht Sache des Menschen[256]. Wohl aber vermag er – gut neuplatonisch – in seinen Tugenden die göttliche Überweltlichkeit abzuspiegeln, wie ja das Abbild das Urbild auszudrücken vermag[257]. Im „Leben des Moses" fehlt zwar ein eigentliches Rückfallmotiv, dafür aber kommt hier ein Abstieg des Göttlichen in das vom Dornbusch (Ex 3) symbolisierte Fleisch in Betracht, der dem vom Körper behinderten Aufstieg entspricht[258]. Die Dornbuschszene will lehren, wie man „innerhalb der Strahlen der Wahrheit" verweilen kann[259]. Zudem läßt Gregor den Unsichtbaren gleichwohl im Spiegel der Kirche als dem Leib Christi sichtbar werden[260]; und daß der Vater nur durch den Sohn im Geiste zu erfassen ist, ergibt sich aus der trinitarischen Theologie[261]. Allein der Mittlergedanke ist bei ihm nicht grundsätzlich im Gegenüber zur Transzendenz Gottes reflektiert, welcher Tatbestand ebenso für *Johannes Chrysostomos* gilt. Auch ihm ist die unmittelbare Gotteserkenntnis ein Unmögliches, und selbst Gottes gütige Herablassung verbreitet sogar unter Engeln Furcht und Schrecken[262]. Der göttlichen Strahlenfülle vermag der Blick nicht standzuhalten[263]. Die Lösung der Spannung wird aber nur ansatzweise aus Joh 1,18 gewonnen, wonach Sohn und Geist den Vater wahrhaft erkennen und offenbaren[264]. Im übrigen ist es auch nur die Existenz, nicht aber die Essenz Gottes, die dem Menschen faßbar wird[265], wodurch der Glaube gegenüber der Erkenntnis eine Prävalenz gewinnt[266].

---

[255] GregNyss hom 7 in Eccl, op 5,410,19–416,10, bes. 413,13–414,9 Rückfall und Schwindel (vgl. oben A. 250); 415,2f.9 Furcht, wie Plotin (oben A. 209) und J. Chrys (unten A. 262).

[256] GregNyss hom 3 in Cant, op 6,90,6ff., bes. 11 ἀτενῶς ἰδεῖν φύσιν οὐκ ἔχει, die Begriffe sind bereits wohlbekannt (Syn hy 1,123).

[257] Ib. p 90,14ff.

[258] GregNyss Mos 2,27–30, op 7/1,41,13–42,9.

[259] Ib. p 39,21–26.

[260] GregNyss hom 7 in Cant, op 6,253,20–257,5, vgl. 386,4–9.

[261] GregNyss trin, op 3/1,13,13–17.

[262] JChrys incompr (SC 28bis) passim. Die φρίκη v. a. 3,341–346; 1,312; vgl. die Einleitung von Daniélou, 30–39. Die Unerträglichkeit gilt selbst für seine (anthropomorph, nicht schon christologisch zu verstehende) Synkatabasis, 3,157–193.266–337; 1,314f.; vgl. scand 3,2f. (SC 79,74).

[263] μαρμαρυγαί 3,160 (vgl. oben A. 204), ἀτενὲς ἰδεῖν 4,231.233 (vgl. oben A. 209 und 223).

[264] Incompr 4,234ff.; 5,32ff.311ff. Dem „Niemand sah je den Vater" folgt kein σιγᾶν, 5,42f. Die sich selbst offenbare und erkennende Trinität, 3,53–59 – vgl. z. B. GregNaz or 23,11:1–4 (SC 270,302); 25,16:31f. (SC 284,198) – ermöglicht über den Sohn Erkenntnis der Gottheit – aber nur ὅσον ἡμεῖς χωροῦμεν, 5,315; vgl. auch scand 3,5 (SC 79,76).

[265] Incompr 5,366ff. gegenüber der kritischen Eunomianeranfrage: οὐκ οἶδας οὖν ὃ σέβεις; Johannes scheint sich hier direkt auf Basilios, ep 234,3 p 43f. C. zu stützen, der dieselbe Antwort auf dieselbe Frage gibt unter zusätzlicher Betonung des Sachverhalts, daß auch der Sohn nach Joh 1,18b nur Existenz und Wirkweise, nicht aber Gottes Essenz erkennbar werden läßt. Ähnlich argumentieren Philon und der Nyssener.

[266] Incompr 2,434–454 u.ö., vgl. bes. Basil ep 234,2 und 235,1 p 43f. C.; ferner GregNyss in Cant p 87,7; Proklos (oben A. 127) und GregNaz (oben A. 253).

Für den auf Porphyrios fußenden *Marius Victorinus* endlich ergibt sich die Erfaßbarkeit Gottes aus jener Selbstbegrenzung der obersten Fülle[267], aufgrund welcher der Sohn als forma und imago dei kraft seiner Homousie den Vater erkennen läßt[268].

(6) Die Thematik des den Aufstieg zur Gottheit brüsk beendenden Rückfalls und die hieraus resultierende neue Aufstiegsbewegung zur geistig-erkenntnismäßigen Erfassung oder mystisch-ekstatischen Vereinigung mit dem Urgrund hat sich als recht verbreitet im Umkreis von neuplatonischer und kappadokischer Theologie erwiesen, wobei der Vorgang vor allem mit plotinischen Begriffen umschrieben wird. Synesios bildet diesbezüglich keine Ausnahme. Vor dem in seinem Glanz verborgenen Gott[269] fällt die Seele zurück, gerät wieder in den Sog des Unteren[270] und müht sich erneut um den Aufstieg[271]. Der Ort, von dem aus nunmehr das Höchste anvisiert wird, ist die „ersterstrahlende Form", der *Sohn* also[272], der dem durch die Formen strukturierten Nus Plotins entspricht[273]. Ob nun aber der Sohn hier als der noch in der obern Sphäre wesende verstanden wird – damit wäre er deutlich subordinativ gefaßt – oder aber als der bereits nach außen in den Kosmos hinein wirkende und derhalben im Abstieg das Unsichtbare im Sichtbaren offenbarende, läßt sich nicht sicher sagen. Der Zurückfallende kommt neuplatonischerseits in der zweiten Hypostase, christlich im absteigenden oder gar schon inkarnierten Sohn zum Stillstand. Wie noch genauer zu zeigen sein wird, zielt für Synesios die Erzeugung des Sohns ohnehin bereits auf die Kosmosdurchwaltung[274], weshalb die Deutung auf den weltimmanenten Gottessohn doch näher liegt; auch der Schluß des Abschnitts („Dir das deine wieder gebend – denn was ist nicht dir, Herr") meint doch die nach dem Rückfall auf die Gottheit hin transparente Weltenfülle, die im Sohn ihr Sein hat.

(7) In ihm pflückt der Dichter *„Lichtes Blüten"*. Wie der Zusammenhang

---

[267] MVict Ar 1,31:20f., vgl. dazu Hadot, SC 69, 796.

[268] MVict Ar 3,6:5–7; hy 1,72f.; in Phil p 85,6–21 Locher (BT 1972) (= PL 8,1207C), dazu Benz, Marius Victorinus 109f. Wie vom Vater der Sohn und von diesem der Geist ausgeht, so offenbart der Geist den Sohn und dieser den Vater, hy 3,196–198; vgl. Basilios oben A. 248 und Athan Serap 1,32 (PG 26,605C, s. Hadot, SC 69, 1086).

[269] Vgl. auch hy 1,158f.165.196–198. Für die Wendung hy 1,134 ἀβάτω δ'ἀποβάς vgl. Or Chald frg 178 ... ἀβάτοις σηκοῖς (vgl. hy 1,46) διανοίας, und die Proklosstellen oben A. 227. Synesios eint hier vollendet Orakel- und Klassikersprache: Soph Oed Col 167 ἀβάτων ἀποβάς (Terzaghi 77). Vgl. dieselbe Mischung bei den „Lichtblüten", unten A. 277.

[270] Vgl. bes. hy 1,529f.603–608; Dion 6f.

[271] Vgl. mit wohlbekannter Begrifflichkeit hy 1,590–592 und 697f. ψυχὰν.../ νοεραῖς ἀνόδοις / ἐπιβαλλομέναν, worauf sogleich die Bitte um göttliches Licht folgt.

[272] Dem πρωτοφαὲς εἶδος entspricht 5,42; 9,64 πρωτόσπορον εἶδος. Vgl. Theiler, Orakel 16 und schon Wilamowitz 294. Übrigens denkt auch Origenes Christus als ἰδέα ἰδεῶν, Cels 6,64:26 (SC 147,340). – Zu πρωτοφαές vgl. hy 2,89 πρωτόγονον καὶ πρωτοφαῆ vom Sohn; zur Protophanes-Tradition s. bes. Abramowski, ZNW 1983, 118ff.

[273] Vgl. Syn ins 4 p 149,18; zur Tradition z. B. Plat Parm 132b; Plot 5,9.

[274] Z. B. hy 1,406–427; vgl. unten S. 80, 85f.

nahelegt, ist dabei zunächst an die Hymnen selbst zu denken[275]. Aber zugleich klingt die gesamte neuplatonische Lösung der Rückfallspannung mit, denn die Erkenntnis des Höchsten wird bereits in den Orakeln durch „des Geistes Blüte" vollzogen[276]. Was über dem Nus ist, kann nicht durch den Nus, sondern nur durch seine allerhöchste Qualität[277], die bereits über ihn hinausweist, erkannt werden[278]. Die Orakel reden sogar ausdrücklich vom „Pflücken der Blüten"[279]. In ähnlicher Weise, aber wohl unabhängig von den Orakeln, weil der Logik der Sache gemäß, ist auch für Plotin das Eine nur im Über-sich-selbst-Hinausgehen des Geistes erkennbar[280], im Sinne eines „vorgängigen Denkens" oder „Berührens", das der mit dem Denken des Nus gesetzten Zweiheit von Selbigkeit und Differenz entgeht[281]. Porphyrios, der die Konzeption des „vorgängigen Denkens" systematisiert[282], könnte damit die Rückfallsproblematik zu lösen versucht haben, wie aus Proklos zu erschließen ist, bei dem die „Blüte" als Organ höchster Erkenntnis grundsätzlich reflektiert wird[283].

So klingt bei Synesios eine um die höchste Erkenntnis bemühte philosophisch-mystische Tradition an, die er nun dichterisch geschickt aufnimmt. Die Erkenntnis des höchsten Gottes – die immer zugleich auch Vereinigung mit ihm bedeutet – ist im Sohn und seinen Gaben gegründet, als deren vornehmste die Hymneninspiration gelten kann[284]. In dieser Teilhabe am Sohn wird die Gottheit – bei all ihrer Verborgenheit jenseits des Geistes – offenbar und im Lobpreis auch sagbar. Denn im Sohn vollzieht sich der gottesgemäße Abstieg

---

[275] Syn hy 4,5 στεφανώσομεν σοφοῖς ἄνθεσιν ὕμνων, womit auf Pindar Ol 9,48 ἄνθεα δ᾽ ὕμνων angespielt wird (LSJ s. v.; Terzaghi 221).

[276] Or Chald frg 1,1 ἔστιν γάρ τι νοητόν, ὃ χρή σε νοεῖν νόου ἄνθει. – Vgl. zur Thematik Theiler, Orakel 20; Hawkins 89; Lewy 168 f.; Lacombrade, Hymnes 49 A. 1.

[277] Solcherart ist der Begriff „Blüte" schon längst verwendet worden (vgl. LSJ s. v.; Lewy 168 A. 384): Hom Il 9,212 v. l.; Aisch Prom 7 τὸ σὸν γὰρ ἄνθος, παντέχνου πυρὸς σέλας; Ag 743; Soph Trach 999; Lukrez 1,900 „Blume des Feuers". Plotin braucht deshalb in 6,7,32:31 nicht von den Orakeln abhängig zu sein, s. oben A. 223, gegen Theiler, Das Unbestimmte 293.295. – Synesios verwendet im Sinne von „feinster Qualität" auch das bes. von Pindar geschätzte ἄωτος, hy 5,11; 4,33; 1,599 (vom Haupt). Zum Ganzen vgl. auch Thilo, Commentarius 1, 21 f.

[278] Prokl phil Chald 4 p 210,10–12 τὰ ὑπὲρ νοῦν wird nicht διὰ νοῦ erkannt. Deshalb bedarf es des ἄνθος τοῦ ἐν ἡμῖν νοῦ, in Alc 247,10–248,4 W.

[279] Or Chald frg 37,14 „Feuerblüten pflückend", vgl. 49,2, auch 34,2.5; 35,3.

[280] Plot 3,8,9:13 ff., bes. 9:22 f.: Das Eine ist erkennbar aufgrund eines ἐν ἡμῖν ὅμοιον, indem der Geist über sich hinausgeht, οἷον ἑαυτὸν ἀφέντα, 9:29–32; vgl. 11:17–23 das ἴχνος τοῦ ἀγαθοῦ. In Zusammenhang mit der Rückfallproblematik betont Plotin, es sei καθαρῷ τῷ νῷ τὸ καθαρώτατον θεᾶσθαι καὶ τοῦ νοῦ τῷ πρώτῳ, 6,9,3:26 f. Vgl. dazu und zum Folgenden J. M. Rist, Mystik und Transzendenz im spätern Neuplatonismus, WdF 436 (1977) (373–390) (= Hermes 92,1964,213–225) 373 (mit Verweis auf Plot 5,3,14:14–19; 6,7,35:21–23); ferner unten S. 100 f.

[281] 5,3,10:42 f., vgl. 5,5,8:22 f. τῷ ἑαυτῷ μὴ νῷ das Eine geschaut.

[282] Vgl. Porph sent 26 p 15,8 f. L.; in Parm 2,20 (cj); MVict Ar 4,19:15; 1,33:12; dazu Hadot, Porphyre 1, 117 ff.483 f.

[283] Prokl phil Chald 4 p 209,17; 211,5; bes. 210,12; vgl. Rist, Mystik 373. 376–379; Beierwaltes, Proklos 279 A. 23.376 f.; O'Daly, Presence 169 und bes. Trouillard, Mystagogie 103–108.

[284] Vgl. oben S. 37–39.

und Aufstieg, während der menschliche Aufstieg in unseligem Absteigen endet. So wendet sich der Blick von der aufsteigenden Seele weg zur göttlichen Bewegung selbst, wie sie in den folgenden zwei Kapiteln zu untersuchen ist. Erst hier wird sich weisen, inwieweit Synesios sich einem christlichen Verständnis des Mittlers nähert.

(8) Gewinnt der Gottessohn für Synesios dergestalt entscheidende Bedeutung, so hindert dies keineswegs die Anerkennung, ja Ehrung anderer *Mittler*[285]. Augustin hat völlig sachgemäß das Forschen der neuplatonischen Philosophen nach dem Weg zu Gott als Suche nach den hierzu hilfreichen Mittlern, Mittelwesen beschrieben, die in der Theurgie systematisch vollzogen wird. Es sind die Hierarchien der Geistwesen, die zwischen dem Göttlichen und dem Irdischen vermitteln, wie es traditionell besonders den Daimones zukommt[286]. Die genaue Kenntnis dieser Wesenheiten und das stufenweise Angehen immer höherer Ordnungen macht die Essenz des theurgischen Aufstiegs aus. Auch Synesios kennt diese Geistwesenhierarchien[287] und kommt auf ihre Mittlerfunktion zu sprechen: Als „englische Fährmänner" nehmen sie seine Hymnenopfer und Gebete entgegen und tragen sie in die obersten Welten empor[288], als Schutzengel verhelfen sie selbst zum Aufstieg und nehmen sich der Gebete an[289]. Es scheint, daß jeder Seele gute und böse Geleiter zugeteilt sind[290]. Mit der Vorstellung solcher zugeloster Geister steht Synesios einerseits in neuplatonischer Tradition[291], während er andrerseits gewiß auch jüdisch-christliche Überlieferungen aufgreift, worin die Engel als Gebetsmittler oder Schutzengel in Erscheinung treten[292]. Gerade die im orthodoxen Christentum durchaus

---

[285] Vgl. Wilamowitz 285f. – Zu Augustin s. oben A. 240.

[286] Seit Plat symp 202de das Daimonion als ἑρμηνεῦον καὶ διαπορθμεῦον; Xenokrates frg 23 Heinze (Leipzig 1892 = Hildesheim 1965); Plut def or 10:415a, etc.; vgl. Minuc Octav 26,12. Die τάξις τῶν δαιμόνων ist διαπορθμεύουσα, Jambl myst 1,5 p 17,6f., vgl. überhaupt 1,5f. p 16,6–20,19; die Mittelstellung der Geistwesen betonen auch Salustios 13,5; 16,2; Prokl in Tim 3,155,16–18 mit Dodds, Proclus 295 (zu inst 184); vgl. oben A. 228–230 zu den Mesotetes; Hierokl in CA 4,1 p 21,1 K. (Daimones als Mitte); 3,1 p 17,23; 4,5 p 22,13–15 (Heroen als Mitte); vgl. auch Theiler, Forschungen 30 (Ammonios Sakkas); Kobusch, Hierokles 45f. und unten S. 178f.

[287] S. unten S. 134f.

[288] Syn hy 1,102–107 πρόπολοι πορθμεῖς, vgl. 1,459f.466–471; 2,51–59.

[289] Hy 2,264–280; vgl. z. St. Terzaghi 199; Theiler, Orakel 36, der auch auf Prokl phil Chald 1 p 206,6f. verweist.

[290] Aeg 1,8 p 78,5–11.

[291] Ausgangspunkt ist der individuell zubestimmte Daimon, Heraklit FVS 22 B 119; Plat Tim 90ac; Epiktet 1,14,12–14; M. Aurel 2,12; 5,27 mit Theiler, Marc Aurel, Zürich 1951, 309f. Bes. der für Synesios wichtige Poprhyrios kennt diese Wesen, regr 5 p 32f. B. bonus deus vel genius, und ein malus, der zu versöhnen ist; abst 2,38,3 die Fergendämonen bringen die Gebete zu den Göttern und deren Weisungen zu uns; vit Plot 10,15–30; antr 12 p 14,18 und 35 p 35,27 Geburtsdämonen (vgl. Plat leg 729c; 879d), die – negativ gesehen, p 32,30! – zu versöhnen sind. Vgl. auch F. Cumont, Les anges du paganisme, RHR 72 (1915) (159–182) 177f.; J. Michl, Engel, RAC 5 (1962) 72; ferner P. Boyancé, Les deux démons personnels dans l'antiquité grecque et latine, RPh 9 (1935) 189–202.

[292] *Gebetsvermittler* (vgl. Porph in A. 291!): Tob 12,15 LXX; ae Hen 99,3; gr Bar 1,4; Apc Joh 5,8;8,3–5; die Stellen bei Michl, Engel 72.163 und J. Daniélou, Les anges et leur mission, Cheveto-

bewahrte Funktion der Vermittlerengel warnt davor, hierin eine Konkurrenz zum Gottessohn selbst als Mittler par excellence zu sehen. Diese Wesen gründen ja für Synesios im welterfüllenden Sohn und ihre Mittlung kann so von diesem selbst übernommen werden[293]. Ja, auch die zu sich gekommene, wahre Seele übt die Vermittlung von Oberem und Unterem aus[294]. Von einer irgendwie zentralen soteriologischen Bedeutung der Mittlerengel ähnlich derjenigen der Theurgenwesen kann bei Synesios keine Rede sein.

(9) Der Rückfall und der wieder neu zu vollziehende Aufstieg verwies uns bei Synesios auf die Ab- und Aufstiegsbewegung des Gottessohns selbst, woran die gottsuchende Seele nun zu partizipieren vermag. Darin wird ein zentrales Strukturmoment des neuplatonischen Rückfallmotivs deutlich, indem der seelische Rückfall das jenseits der Zeit statthabende Werden des Vielen aus dem Einen nachvollzieht. Der „unbegrenzte Blick" (ἀοριστοῖσα βολά, hy 1,141 f.) erweist sich als Korrelat der dem Einen entspringenden Unbegrenztheit und Unendlichkeit, die neuplatonischem Denken gemäß zur Bildung der zweiten Hypostase, dem Geist führt[295]. Ebenso schimmert bei Plotin selbst der *noogenetische Bezug des Rückfalls* durch, indem der das Eine berührende Blick *die* Kraft darstellt, die nachmals zum Geist, zum Denken wird[296]. Das „vorgängige Denken", welches das Höchste zu streifen vermag, ist auch bei Porphyrios und Marius Victorinus die aus dem Einen nach außen entlassene Bewegung, deren Begrenzung schließlich den Nus ins Sein führt[297]. Endlich ergibt sich aus Damaskios eine deutliche Analogie von Rückfall und Entstehen des Vielen – zunächst der ersten Trias – aus dem Einen[298]. Andrerseits weist die Rückfallter-

---

gne ²1953, 105–107 sind zu ergänzen durch Test Ad 1,10; Apc El 24 = 1,25 Rosenstiehl; hb Hen 15B2; ferner Orig Cels 5,4:9–11 (SC 177,20); 8,36:21f. (SC 150,254), ohne Konkurrenz zum Hohepriester Christus; GregNaz carm 1,1,7:26 (PG 37,440) mit der Bemerkung von P. Gallay, Grégoire de Nazianze, Poèmes et lettres, Paris 1941, 133 A. 1. Zu den *Schutzengeln* allgemein Michl 74f.163; Daniélou 92–110; PGL II H 10. GregNyss Mos 2,45f., op 7/1,45,21–46,12 weiß von zugeteilten Engeln wie Dämonen.

[293] Syn hy 3,8f. Christus kam zu den Sterblichen als Spender (Fährmann) des Lichtquells, das er selbst ist (v. 12f.) θνατοῖσιν πορθμεύτας / ἦλθεν φωτὸς παγαίου, auch das unpersönliche Mittlerband (2,196f. συνοχὰ πορθμευομένα, vgl. z. B. Prokl in Alc 20,12) wurzelt im Sohn.

[294] Syn ins 14 p 176,11–13 ὅσα παρὰ νοῦ δέχεται, μόνη γενομένη (sc. ἡ ψυχή), παρέχεται τοῖς ἐστραμμένοις ἐπὶ τὰ εἴσω, καὶ τὰ παρὰ τοῦ θείου πορθμεύει. Dabei steht ihr der ihr verwandte θεὸς ἐγκόσμιος, ein Engelwesen bei, p 176,13f. (vgl. hy 5,39; ins 2 p 147,11–13; 12 p 167,12f.), der dieselbe Natur und Funktion wie sie hat, es muß ein Schutzengel gemeint sein. Die „innerweltlichen Götter" sind *im* Kosmos wirkende Wesen und in der neuplatonischen Geisterlehre wohl bekannt, vgl. Salustios 6,2; A. D. Nock, Sallustius, concerning the gods and the universe, Cambridge 1926, LVII–LX; auch Porphyrios kennt sie, antr 9 p 10,25f.; dann Jambl myst 5,20 p 227,2.12f.; 8,8 p 271,11.

[295] Dies ist dem Scharfblick Theilers nicht entgangen, Das Unbestimmte 292.295.

[296] Plot 6,7,35:19–33 Die Bewegung des Geistes nach oben, die intuitiv das Eine schaut mit dem, was hernach zum Denken wird, ᾗ δυνάμει ἔμελλε νοεῖν, vgl. unten Kap. III A. 173f. Ebenso verweist die ὄψις in 6,9,3:9 auf die Noogenese, vgl. 5,3,11:12 und unten Kap. III A. 98.

[297] Vgl. oben A. 282.

[298] Vgl. oben A. 221.

minologie auch auf den *Seelenfall* hin, wie aus Plotin und Synesios erhellt[299].
Diese zwei Abstiegsbewegungen (Noogenese und Seelenfall), die im Rückfallmotiv mitklingen, sind nun ins Auge zu fassen.

---

[299] Plot 6,9,3:7–9, worin der platonische Phaidrosmythos anklingt, 246c. Bei Synesios ist (mit
Wilamowitz 294) auf den Fall der Seele in ins 16 p 163,14f. zu verweisen: Die Seele καταπεσοῦσα
δέ, ἀχλυοῦται καὶ ἀοριστεῖ καὶ ψεύδεται, ähnlich wie Plot 3,9,3:10–14. Daß im System Valentins
die platonischen μαρμαρυγαί (s. oben A. 204) im Zusammenhang mit dem Fall der Sophia genannt
werden (bei Didym trin 3,42: PG 39,992BC), erweist erneut die Motivverwandtschaft von see-
lischem Rückfall, Seelenfall und kosmischem Fall (vgl. G. Quispel, Gnosis als Weltreligion, Zürich
1951, 86–91). Wie bei Plotin und Synesios ist auch hier die Rede von einem zur Ruhe bringen des im
Unendlichen zerfließenden Dranges, Hippol ref 6,31,2 (GCS 26,158,21.26) ἵνα ... ἀναπαύσῃ;
Iren haer 1,3,5 (SC 264,58), vgl. auch unten Kap. V A. 97.

III. Die göttliche Trias

Der Aufstieg der Seele durch alle Seinssphären kommt erst in der Schau der göttlichen Trias zur Ruhe, welche Synesios meist zunächst als welterfüllende und zugleich weltenthobene Einheit, dann aber als sich hypostatisch entfaltende Dreiheit preist. In dieser göttlichen Wende von Monas zu Trias schlägt die Aufstiegsbewegung wiederum in eine von Gottheit wie betrachtendem Geiste vollzogene Abstiegsbewegung um.

Gedankenfolge und Sprache weisen deutlich auf die neuplatonische Trias hin, wie sie Porphyrios in seiner Deutung der Chaldäischen Orakel dargelegt hat. Synesios aber tauft diese Dreiheit auf den Namen des Vaters, des Heiligen Geistes und des Sohnes. Steht er hierbei in einer bereits gängigen Identifizierung platonischer Dreiheiten mit der christlichen Trinität[1], insbesondere der Deutung der plotinischen Hypostasen von Einem, Nus und Seele auf Vater, Sohn und Geist[2], so fällt um so mehr die eigenartige Stellung des Geistes als zweite Wesenheit auf – schon Augustin hat in seiner Notiz über die Dreiheit des Porphyrios erstaunt festgehalten: non postponit, sed interponit, und den Unterschied zur vertikalen plotinischen Trias herausgestellt[3]. Vergleichbar mit Synesios ist nur der ebenfalls auf Porphyrios fußende Marius Victorinus, der aber neben der Reihe Vater-Geist-Sohn ebensosehr die traditionelle Ordnung Vater-Sohn-Geist mit der neuplatonischen gleichsetzt. Umgekehrt scheint auf heidnischer Seite der Plotinschüler Amelios den johanneischen Logos mit der Weltseele, also der dritten Hypostase, zu identifizieren[4].

Im Folgenden sollen zuerst die triadischen Partien der Hymnen des Synesios vorgeführt werden[5], um darauf die von ihm aufgenommene Tradition gerade im Hinblick auf ihre Implikationen zu prüfen, ob sie eine derartige Verschmelzung

---

[1] V.a. in der Deutung der „Drei" in PsPlat ep 2:312e auf die Trinität seit den Tagen der Apologeten, vgl. H. Dörrie, Der König, Platonica minora 390–405; Saffrey – Westerink, Proclus, 2, XX–LIX.

[2] Z.B. Euseb praep 11,20 (GCS 43/2,46), vgl. F. Picavet, Hypostases plotiniennes et trinité chrétienne, AEPHE.R 1917, (1–52) 36f.; Theodoret aff 2,82–86 (SC 57,161f.); Kyrill cJul 1 (PG 76,552f.); 8 (916–920), vgl. Picavet 44–49; R. Arnou, La séparation par simple altérité dans la „trinité" plotinienne, Greg 11 (1930) 181–193; ders., Platonisme 2324.2327–30; E. P. Meijering, Cyril of Alexandria on the platonists and the trinity, Ned ThT 28 (1974) 16–29.

[3] Aug civ 10,23:18f. (CCL 47,296), vgl. unten A.227.

[4] S. unten S. 160.

[5] Die gewählte Reihenfolge der Hymnen will nicht chronologisch sein, sondern nur σαφηνείας ἕνεκα.

mit christlichem Denken überhaupt zuläßt[6]. Dabei erhebt sich vor allem die Frage, inwieweit Synesios die ihm überkommenen Gedankenkomplexe umformt und dadurch einem christlichen Verständnis der Dreieinigkeit Gottes dienstbar macht.

A. Die Trias bei Synesios

1. Hymnus 1

(1) Synesios preist zunächst mit Hilfe der affirmativen und negativen Theologie die eine Gottheit (144–201), sodann das Heraustreten der zwei Hypostasen (202–253)[7]. Weil die *Monas* immer schon die Trias in sich birgt[8], spiegeln manche paradox klingende Gottesprädikate bereits die innertriadischen Verhältnisse.

> „Aller Väter
> Vater, Selbstvater,
> Vorvater, Vaterloser,
> selbst sein eigener Sohn." (145–148)

Das Paradoxon eint in der Monas, was sich triadisch als Verhältnis von Vater und Sohn bestimmen läßt[9]. Ähnlich sind die Paare „Zeuger und Erzeugtes" (191 f.), „Wurzel und Zweig" (183), „männlich und weiblich" (185, vgl. 5,63 f.), „Erleuchter und Erleuchtetes" (192 f.) zu verstehen[10]. So kann die Monas auch Attribute empfangen, die sonst nur *einer* Hypostase zukommen, etwa die Sohnprädikate „Ewigkeitserzeuger"[11], „Weisheit" (156 f., vgl. 205.402 f.), „Same des Alls"[12]. Im Grunde wird aber Gottvater überhaupt nie als Wesenheit für sich, abgetrennt von den zwei andern, in den Blick gefaßt, sondern immer nur als der die ganze Gottheit repräsentierende[13]. Demzufolge zielt die Anrufung des Vaters immer schon auf die zwei andern, insbesondere auf den Sohn. In Entsprechung hierzu kann die Gottheit in den nicht von der Trias handelnden Partien unbefangen als eine angerufen werden.

---

[6] Es gibt zu denken, daß sich Augustin einer Identifizierung der Trinität mit der Trias Sein – Leben – Denken versagt hat. Aus wohl weniger christlicher Theologie verpflichteten Voraussetzungen hat im übrigen auch Dionysios Areopagita die Trinität nicht mit diesem ihm von Proklos her wohlvertrauten Ternar gedeutet, vgl. Brons, Gott und die Seienden 129.325; W. Beierwaltes, Identität und Differenz, PhA 49, Frankfurt 1980, 55.

[7] Parallel der 2. Hymnus: v. 60–86 von der Gottheit, 87–226 von den Hypostasen.

[8] Theiler, Orakel 16: „Was auseinandergelegt den einzelnen Personen der Gottheit zukommt, kann auch von ihrer Einheit ausgesagt sein; die Trias ist ja Monas."

[9] Zu αὐτοπάτωρ vgl. GregNaz carm 2,2,7:254 (PG 37,1571) von Apollon!

[10] Zu „männlich" und „weiblich" vgl. unten S. 102, zum „Licht" oben Kap. II A. 81.

[11] S. oben Kap. II A. 186.

[12] 183 σπέρμα τὸ πάντων, vgl. M. Vict hy 1,14.

[13] Dahinter steht die Idee der *Entfaltung*, wie sie einerseits in den ältern christlichen Trinitätsentwürfen (Logos endiathetos und prophorikos), andrerseits bei Porphyrios begegnet.

Exkurs: Der Sohn ist der Vater

Die Stelle hy 1,145–148 (sowie 191 f. und 2,101–103) leitet sich aus der *Selbsterzeugungstradition* her, vgl. dazu A. Dieterich, Eine Mithrasliturgie, Leipzig 1921 = Darmstadt 1966, 155 f.; Norden, Agnostos Theos 229–231.237; Hadot, Porphyre 1, 275.299 Anm; J. Whittaker, Entretiens 21 (1975) 193–230. Schon orphische Tradition redet vom Äther als Vater und Sohn, Mutter und Tochter zugleich, Orph frg 30 p 101 Kern (Berlin 1922) = SVF 2,1078. Ähnlich wie Synesios klingen Jambl myst 8,2 p 261,13 (vgl. 10,6 p 292,10) αὐτοπάτωρ, αὐτογόνος, μονοπάτωρ und das Orakelwort bei Didym trin 3,9 (PG 39,792; vgl. Terzaghi 201 f.) αὐτὸς ἐὼν γενέτης τε καὶ υἱός. In größter Nähe zu Synesios steht aber wiederum Marius Victorinus, der ebenso die porphyrianische Selbsterzeugung (Porph hist phil frg 18 p 15,3–14 N., wozu unten A. 229) umsetzt: Der Geist ipse pater, ipse filius fuit, Ar 1,57:8 f., vgl. ad Cand 18:5 und 1,64:27 sibimet filius erat; vgl. auch Hadot, SC 69,967 zu 3,15:12–15. In hy 1,64 steht Christus anstelle des Vaters, vgl. hy 3,125; Ar 1,37:26 f. Iesus pater est omnium operum; in Eph 3,15 (ex quo omnia paternitas) p 169,22–35 L. nam et Christus pater omnium, quae creata sunt.

Hier klingt nun aber schon eine von der Autogeneration zu unterscheidende Linie an, die die Vaterschaft des Sohns nicht als dessen eigene, sondern vielmehr als die all der Werke oder Erzeugungen aus ihm deutet. So ist auch Syn hy 8,11.29 von Christus zu verstehen: σέ, πάτερ, πάι παρθένου, wo „Vater" auf seine göttlich-schöpferische Natur, „Sohn" aber auf seine menschliche Natur als Jungfrauensohn Bezug nimmt. Eine derartige *Bezeichnung Christi als Vater* ist recht häufig, vgl. Jes 9,5 MT LXX v. l.; Diogn 9,6 mit H. I. Marrou, SC 33 bis, 192 A. 3; 2 Clem 1,4; Clem paed 3,12,101:1 υἱὲ καὶ πατήρ (nach Terzaghi 76); vgl. PGL 1051a; zu ergänzen durch die schöne Stelle Meliton pass 9:58 f. Hall (OECT, 1979) von Christus: καθ᾽ ὃ γεννᾷ, πατήρ. καθ᾽ ὃ γεννᾶται, υἱός, wozu O. Perler, SC 123,141 f. Im Verhältnis zum Geschöpf ist der göttliche Sohn Vater, Clem paed 1,6,42:3, so wie die Weisheit als Tochter Gottes zugleich für die Menschenseelen Erziehung und Wissen säender Vater ist, Philon fug 51 f. Und insofern der Sohn Vater der Schöpfung ist, wird Gottvater selbst – zum Großvater, PsAthan dial trin 1,8 (PG 28,1129A)!

Insgesamt speisen sich die Prädikate der Gottheit in v. 144–201 aus einer reichen Tradition; Begriffe wie „Vater, Same, Licht, Quelle, Jenseits, Urprinzip, Zahl, Eins und Alles" sind spätantiker Literatur wohlbekannt[14].

(2) Mit Vers 202 erfolgt der Übergang von der im Vater zentrierten Gottheit zur Trias[15], der durch Emanationen (χύειν, seltener ῥεῖν), Zeugungen (τίκτειν, μαιεύεσθαι, γεννᾶν), Sprossen (βλαστάνειν)[16] oder einfach als Offenbarwerden (φαίνεσθαι) verbildlicht wird. In diesem Geschehen jenseits aller Zeit werden drei Wesenheiten offenbar: Der jenseitige Vater, der zugleich die Gottheit als ganze repräsentiert; eine mittlere, zweite Kraft; endlich der Sohn, der sich selbst zur untern Welt hinbewegt. Der vorliegende Hymnus handelt v.

---

[14] Reiches Material bei Terzaghi und Theiler, für die christliche Seite im PGL. Für 149 ἐν ἑνὸς πρότερον ist nicht an Jamblichos – so Kraus 583 f.; Schmidt 15 –, sondern an Porphyrios zu denken: Hadot, Porphyre 1,471 f.; für 175 ἀριθμῶν ἀριθμός vgl. Hierokl in CA 20,12 p 87,21 K.

[15] Das „denn" in 202 (σὺ γὰρ ἐξεχύθης) begründet die Implikation des Ausgefalteten.

[16] Erinnert sei an das Bild des Weltbaums. Vgl. zu βλαστάνειν auch Jambl myst 3,20 p 148,11 f.; Lacombrade, Hymnes 102 A. 3.

219–235 von dieser mittleren Kraft, mit v. 236 geht der Dichter über zum Sohn[17].

Die Erzeugung des Sohns aus dem Vater erfolgt mittels der ἰότας („Wille"), die selbst ihr Sein gewinnt in dieser Hervorbringung als eine *mittlere Wesenheit,* μέσα φύσις (220 f.)[18]. Damit erst ist nun auch der Vater als Vater des Sohns konstituiert[19]. Diese mittlere Kraft ist der Wille des Vaters zum Sohne und damit gleichzeitig dessen Hervorbringen, ὠδίς[20]. Sie steht zwischen Vater und Sohn, ist demnach ein τι μέσον (234) und die Grenze, der ὅρος der zwei andern[21]. Letzterer Ausdruck erinnert zwar an die in der neuplatonischen Trias zentrale Funktion der Grenze (Peras, Horos), meint aber kaum mehr denn die in der zweiten Hypostase begründete Unterschiedenheit von Vater und Sohn[22], insofern sie „zwischen" Vater und Sohn west[23].

```
210   „Ich preise dich, Einheit,
       ich preise dich, Dreiheit,
       eins bist du als drei,
       drei bist du als eins.
       Solch geistige Teilung
215    hält ungetrennt
       das Getrennte.
       Du ergießest dich zum Sohn
       durch den weisen Willen.
       Der Wille selbst
220    entsproßte, als mittlere,
       unsagbare Wesenheit.
       Dies allem Seienden Vorangehende
       ist nicht recht zu benennen
```

---

[17] So teilen auch Dell'Era und Lacombrade ein, anders Terzaghi 94–96, dessen Vorstellung vom Willen, der zugleich den Vater und den Sohn erst hervorbringe, schief ist. Die Verse 215–226 sind auch nicht als späterer Einschub auszuscheiden (so Terzaghi), dazu liegt kein Grund vor, richtig Keydell 1956, 157 A. 3 nach Nissen 180, Mariotti, SIFC 19 (1942) 4; vgl. auch Cavalcanti, Studi Eunomiani 128. Auf die falsche Fährte mögen 238 ὠδίς = der Sohn und 243 ἰότας σὺ δ᾽ ἀεί vom Sohn (s. unten A. 33) geführt haben. Hingegen handeln 202–209 gewiß von der ganzen Gottheit (die Anrede von 202 wird aufgenommen) und nicht etwa vom Geist (so Theiler, Orakel 11.17).

[18] βλάστησε 220, deutlicher noch etwa 2,106–110 und 4,9 καὶ φήνασα φάνη μεσσοπαγὴς νοῦς.

[19] 251 f. ἅμα πατρὶ φάνη / ⟨αἰωνογόνος⟩; 240 f. αὐτὸς ἐφάνθης / ἅμα πατρὶ φανεὶς / ἰότατι πατρός.

[20] 227.239; 2,9; 4,6; vgl. unten A. 33.286; Kap. IV A. 93.

[21] 229–231 ὅρος εἶ φυσίων / τᾶς τικτοίσας / καὶ τικτομένας.

[22] Genauso wie im Seelenbereich das Pneuma ὅρος von Unkörperlichem und Körperlichem ist, ins 6 p 155,6.

[23] Denn πέρας und ὅρος eignen in der neuplatonischen Trias erst dem dritten Moment, der Bewegung zurück zum Einen. Deshalb dürfte unsere Stelle vielmehr direkt aus der traditionellen Mittelstellung der Weltseele zu erklären sein, die gelegentlich mit ὅρος umschrieben wird, τῶν ἀγενήτων ἐστὶ καὶ τῶν γενητῶν ὅρος, Prokl in Tim 2,1,16, vgl. Jambl de anima bei Stob 1,49,32 p 365,27 Wachsmuth (Berlin 1884), welche Mitte nun ihrerseits genau der obern chaldäischen Dynamis entspricht, sie ist μέση τοῦ παράγοντος καὶ τῶν παραγομένων, theol Plat 3,8 p 31,21 S.-W. Vgl. unten bei A. 226 f.203.331.

           als zweites aus dir,
225   nicht recht zu benennen
           als drittes aus dem ersten.
           Heilige Geburtswehen,
           unsagbare Geburt,
           Grenze bist du der Naturen,
230   der zeugenden
           und der erzeugten.
           Ich verehre des Geistigen
           verborgene Ordnung,
           ein Mittleres faßt Raum,
235   ist doch nicht darin einbeschlossen."[24]   (hy 1,210–235)

Betont warnt der Text in v. 222–226 davor, diese Kraft ein untergeordnetes
„zweites" oder gar „drittes" zu nennen[25]. Zu fragen ist, inwieweit Synesios an
dieser Stelle speziell gegen die Eunomianer polemisiert, wie es E. Cavalcanti
wahrscheinlich zu machen sucht[26].

Exkurs: „Zählen"

Neuplatonisches Philosophieren will nur dem höchsten Gott das ihm folgende nicht
zugezählt wissen, so Porph hist phil frg 18 p 15,8–12 N. μὴ ... συναριθμεῖσθαι (vgl.
Theiler, Orakel 7 A. 4; Hadot, Porphyre 1,121); auch In Parm 9,5–8 p 92f. H. (wozu
Hadot, Porphyre 2,93 A. 3; Lewy 81 A. 54) scheint diese Regel nicht überschritten, wo
von Theologen (Chaldäische Orakel!) die Rede ist, die zwar den höchsten Gott nicht die
Trias transzendieren lassen, ihn aber doch über die Zahl erheben (ἀναίρειν ἀριθμόν)
und demzufolge verbieten, ihn Eines zu nennen (vgl. 2,13f. „Eins" als uneigentlich).
Hadot möchte diese Regel auf die ganze Trias beziehen, weil in OrChald frg 31 erst der
zweiten Trias zugestanden wird, daß durch sie „das Intelligible gemessen wird" (vgl.
Lewy 107: Die erste Trias „is regarded as an unmeasurable unity"). Dennoch fließt auch
die obere Trias aus einer Monas und einer Dyas (vgl. Lewy 107f.) und wird demzufolge,
wenn nicht gemessen (vgl. Plotin 5,5,4:13f. das Eine als μέτρον ... οὐ μετρούμενον), so
doch gezählt. Das Nichtzählen gilt nur für das Eine, d. h. im Sinne Porphyrios': Das Eine
kann sowohl der Trias zugezählt als auch nicht zugezählt werden (vgl. Hadot selbst,
Porphyre 1,98.286; Entretiens 12, 1966, 135). Der diesem verpflichtete Marius Victori-

---

[24] Der Text Terzaghis ist verschiedenerorts zu verbessern, vgl. Dell'Era und Lacombrade.

[25] Gegen die übliche Lesung (so auch Terzaghi, Dell'Era) ist 222 τὸ προούσιον ὄν nicht transitiv
abhängig von βλάστησε und auf den Sohn bezogen. Vielmehr handeln 222–226 immer von der
ἰότας. Das προούσιον ὄν nimmt richtig zum folgenden Satz Lacombrade, Hymnes 111 (im
Anschluß an die Hs V) und E. Cavalcanti, RSLR 6 (1970) 85f.; Stud Patr 13 (1975) 138–140; Studi
Eunomiani 114–117 (nach Corsini). Die Unmöglichkeit einer subordinierenden Abspaltung wird
auch in v. 235 gemeint sein (cj κατατάχθέν Volkmann).

[26] E. Cavalcanti, Y a-t-il des problèmes eunomiens dans la pensée trinitaire de Synésius? StPatr 13
(1975, = TU 116) 138–144; dies., Studi Eunomiani 106–128. Vgl. auch Arnou, Platonisme 2327 und
Bregman, Synesius 75f. (= 1982, 88): Die Stelle wehre einer „subordinationist form of emanation,
against tritheism". Demgegenüber scheinen Theiler, Orakel 11 A. 1 und Hadot, Porphyre 1,470f.
nur an Neuplatonisches zu denken.

nus redet von Sohn und Geist klar als von zweitem und drittem, Ar 1,3:38–40; 38:28–31, trotz aller Homousie, hy 3,141–144 (Vater primum ὄν, Sohn ὄν secundum, Geist ὄν tertium, vgl. Ar 4,7:27–29; Benz, Victorinus, 132 f.), wohingegen das oberste Eine – vor der Entfaltung – als nec numero unum, sed ante numerum unum (Ar 3,1:26–30) benannt wird. Entsprechend zählen auch die spätern Neuplatoniker in der Trias, Prokl in Tim 1,389,24–28 (der Vater ist erstes, die Mutter zweites, der Nus drittes), vgl. 371,15 f. und inst theol 101 p 90,24–31, dafür konnte man sich auf PsPlat ep 2:312e berufen.

Auf christlicher Seite – vgl. R. Arnou, Unité numérique et unité de nature chez les pères, après le concile de Nicée, Greg 15 (1934) 242–254; Holl, Amphilochius 244 f.; Henry, Etats 183 f. – wurde, worauf sich Cavalcanti beruft, gegen Eunomios' Zählen der Hypostasen τάξει wie φύσει (Eunom apol 25, PG 30,861B–D; vgl. Basil spir 6,13:17–20, SC 17,286–288) polemisiert. Indes wird auch hier ein Zählen zugestanden, zwar nicht φύσει, wohl aber τάξει und (!) ἀξιώματι (Basil Eun 3,1 f., PG 29,653B–660D); d. h. eine συναρίθμησις wird zugelassen, aber keine ὑπαρίθμησις (ib. 660A; spir 17,41–18,47 p 392–414; ep 90,2:24 p 196 C.; 214,4:17 f. p 205). Im Prinzip soll entweder gar nicht (ὑπὲρ ἀριθμὸν ἔστω τὰ ἀνέφικτα, spir 18,44:13 f. p 404) oder aber fromm gezählt werden (εὐσεβῶς ἀριθμείσθω τὰ ἅγια, ib 18,44:18 f. p 404), alles andere ist Hellenenirrtum. Auch GregNaz läßt an wenig klarer Stelle (or 31,17–20, SC 250,308–314; vgl. or 41,9, PG 36,441B) ein συναριθμεῖν zu. GregNyss wehrt ein πληθυντικῶς ἀριθμεῖν (trin, op 3/1,6,9; Maced p 92,31–93,14) ab, nicht aber ein Zählen, das keine ἐλάττωσις, παραλλαγή impliziert (p 100,19–26).

Synesios scheint dem christlichen Verständnis, wonach in der Trias gar nicht oder nur fromm zu zählen ist, weit näher zu stehen als dem Neuplatonismus, der das Zählen nur für das höchste Eine verwirft. Aber da er zur Entstehungszeit des ersten Hymnus noch kaum über genaue Kenntnis der innerchristlichen trinitarischen Detaildiskussion verfügte, dürfte es verfehlt sein, bei vorliegender Stelle an spezifisch antieunomianische Polemik zu denken. Dennoch tendiert er hier deutlich zu einer die Hypostasen im Sinne des kirchlichen Homousios interpretierenden Trias[27], die so neuplatonischerseits nicht aufzuweisen ist[28]. In denselben Zusammenhang, nun aber christlich wie neuplatonisch wohlbekannt, verweist seine Abwehr eines die Einheit zerreißenden Trennens der göttlichen Wesenheiten. In den Hymnen[29] wie in den Prosawerken[30] wird des öftern

---

[27] Weniger wahrscheinlich ist, daß die Stelle wie bei M. Vict Ar 1,31:38–40 gegen ein zeitliches Mißverstehen der triadischen Entfaltung polemisiert, wodurch der *eine* Entfaltungsprozeß mit seinem zugleich-ins-Sein-treten von Geist und Sohn zu einem Nacheinander verzerrt würde.

[28] Übrigens wird hier auch προούσιος, das bei ⟨Porph⟩ in Parm 10,25 nur dem höchsten Gott zukommt, der zweiten Hypostase zugesprochen (bei M. Vict ist nur der Vater „vorseiend", ad Cand 2:28; 3:7; 14:23; 15:2). Aber aufgrund der plerophoren Hymnensprache ist hierauf nicht zuviel Gewicht zu legen, vgl. auch unten zu hy 5,71 f.

[29] Syn hy 1,208.214–16.254–69; 5,24 Trias als ἄτομος τομά vgl. M. Vict Ar 1,41:31–35 neque scissione neque deminutione filius natus est, also eine inseparabilis separatio, 1,42:34 f.; 55:21. Gegen eine falsche Teilung z. B. auch GregNaz or 31,8 (SC 250,290–292) ἀμέριστος ἐν μεμερισμέ-νοις ἡ θεότης (7); 40,42 (PG 36,417CD) gegen eine ἄδικος κατατομή; 41,16 (452A) γλῶσσαι (vgl. Syn hy 1,257; αἱ θεότητα τέμνουσιν; carm 1,1,2:14.27 (PG 37,403) τμῆξις θεότητος; vgl. 1,1,3:58 f. (412) und Arnou, Platonisme 2339; ferner unten A. 318.

gewarnt vor solchem gottlosen Analysieren. Denn dies Zerteilen führt immer schon in die untern Welten[31].

> „Wer erkühnt sich zu solcher Teilung
> im Unaussprechlichen?
> Gottloser Fürwitz
> blinder Sterblicher,
> Sprachspielereien!"   (hy 1,254–258)[32]

(3) Mit Vers 236 wendet sich der Blick zum Sohn.

> „Unsagbarer Sproß
> des unsagbaren Vaters
> geboren durch dich selbst,
> durch die Geburt
> erscheinst du selbst,
> erschienen zugleich mit dem Vater
> aufgrund des Willens des Vaters –
> der Wille aber weilt ewig
> bei deinem Vater."   (hy 1,236–244)

Das innergöttliche Werden zielt ganz auf den *Sohn,* der deshalb – nicht wenig verwirrend – auch selbst „Wehen" und vielleicht gar „Wille" genannt wird[33], weil das Wesen des sonst so prädizierten Geistes ausschließlich im Hervorbringen des Sohns, der ihm in keiner Weise untergeordnet wird, besteht. So entfaltet sich die Monas zur Trias.

(4) Von den Geheimnissen der göttlichen Trias geht der Dichter nun über zu den untern Welten, indem er nicht wie zumeist dem Weltenschöpfen des Sohns nachfolgt, sondern durch die ewigen Lobpreis singenden himmlischen Chöre absteigt – nicht ohne zuvor abermals die Unangemessenheit menschlichen Erfassens des Göttlichen gegenüber dem gottgespendeten Lichte selbst ins Gedächtnis zu rufen (254–265).

---

[30] Syn regn 9 p 19,6–8 Gott ist „gut" wird von allen bekannt, selbst dort, wo seine reine und unteilbare Natur zerteilt wird. Dion 10 p 262,11 f. gegen ein τὸ θεῖον ... σπαράττειν durch ἄτομοι ὑπόνοιαι; σπαράττειν erinnert an die Zerteilung des Dionysos (s. dazu unten S. 157 f.); vgl. auch Damask dub et sol 106 (1,274,29 f. R.): Es ist ἐννοιῶν σπαραγμός, wenn das Eine triadisch zerteilt wird (wohl gegen Porphyrios); vgl. auch Jambl Pyth 33,240 p 129,1 Deubner (BT, 1937) διασπᾶν τὸν ἐν ἑαυτοῖς θεόν, Olymp in Phaed p 87,1 Norvin (BT, 1913) τὸν ἐν ἡμῖν Διόνυσον διασπῶμεν.

[31] Prokl inst 61 p 58,16–21 εἰ γὰρ μερίζεται, πρόεισιν εἰς πλῆθος. εἰ δὲ τοῦτο, πορρωτέρω γίνεται τοῦ ἑνός.

[32] Mit Theiler, Orakel 11 ist wohl τομάν zu lesen.

[33] 238 ὠδὶς διὰ σέ scheint durch 239 διὰ δ᾽ὠδῖνος / αὐτὸς ἐφάνθης präzisiert. In 243 folge ich Wilamowitzens Konjektur (so auch Dell'Era) ἰότας δ᾽ ἐσαεί und verstehe den Vers als Rückbezug auf die „mittlere Wesenheit", wohingegen bei der (ebenfalls konjizierten) Lesung ἰότας σὺ δ᾽ ἀεί der Sohn eindeutig als Wille angesprochen wäre, wofür Cavalcanti, RSLR 6 (1970) 86–92 plädiert. Wie immer man entscheidet, zeigt sich ein klares Gefälle, worin der Sohn die Prädikationen der zweiten Hypostase aufsaugt; dies entspricht der ganz auf den Sohn hin zentrierten Seinsweise des Geistes.

Die Struktur der Gottheit als Dreiheit in Einheit und Einheit in Dreiheit wurde 207–216 klar dargestellt. Keine Zweiheit (Dyas) schiebt sich zwischen Monas und Trias, sondern indem Gott aus sich heraustritt – und damit erst Vater des Sohnes wird –, gestaltet sich dieses Heraustreten zum Sohn selbst als sein Wille und konstituiert so die Dreiheit[34]. Im Unterschied zur neuplatonischen Trias ist das ins Sein-treten des Sohns nirgends als Rückwendung zum Urprinzip gefaßt, vielmehr ist das Hervorkommen des Sohns allein auf weitern Abstieg ausgerichtet: Seine Emanation zielt ganz auf die Schöpfung unterer Welten[35].

2. Hymnus 2

(1) Der dem vorangehenden in weiten Teilen parallele Hymnus preist zunächst die im Vater als Monas zentrierte Trias (60–86) und sodann die zur Trias entfaltete Gottheit (87–140). Im Unterschied zu 1 werden nun christliche Begriffe verwendet. Der Geist wird nicht mehr direkt angerufen (wie in 1,227f.) und ist entsprechend noch stärker auf den Sohn ausgerichtet.

> „Ich preise den Sproß,
> den erstentsprossenen,
> ersterstrahlenden.
> 90 Ruhmreicher Sproß
> des unsagbaren Vaters,
> dich, Seliger, preise ich
> mit dem großen Vater,
> und dem väterlichen Geburtsschmerz,
> 95 der dich hervorbrachte,
> diesem fruchtbaren Willen,
> dem Urprinzip der Mitte,
> dem Heiligen Geist,
> Zentrum des Erzeugers,
> 100 Zentrum des Sohns.
> Selbst Mutter,
> selbst Schwester,
> selbst Tochter,
> sie gebar
> 105 die verborgene Wurzel.

---

[34] So kann die Einheit als Dreiheit und umgekehrt angerufen werden, hy 1,210–213, vgl. M. Vict hy 1,5f. „tu cum quiescis pater es, cum procedis filius,/ in unum qui cuncta nectis, tu es sanctus spiritus." Das „tu" bezieht sich (gegen Hadot, SC 69,1060) auf die ganze Gottheit (erst ab v. 7 wird der Vater eigens angerufen), gemäß der bei Didymos klassisch formulierten Regel: ὁ δὲ βοῶν πρὸς θεὸν πρὸς τὴν τριάδα βοᾷ. εἷς γὰρ θεὸς ἡ τριάς (comm 7,15 in Ps 29,9 p 72 Kehl), vgl. Greg Naz or 31,12:17f. (SC 250,298).

[35] 1,402ff. σέθεν ἐκπροθορών (vgl. 4,4; 9,69), ἵνα πάντα ... ἐφέπῃ.

Denn damit der Vater
zum Sohn entströmt,
findet dies Strömen
selbst ein Entstehen,
110   steht nun in der Mitte,
Gott aus Gott
um Gott des Sohnes willen.
Und durch dies ruhmvolle
Ausströmen des unsterblichen Vaters
115   fand wiederum
der Sohn ein Entstehen."

(2) Der *Sohn*, öfters als γόνος[36], ja πρωτόγονος[37], κόρος[38], und christlich παῖς θεός[39] und λόγος[40] benannt, ist ähnlich wie im ersten Hymnus charakterisiert.

Die *zweite Hypostase*, wiederum „Geburtsschmerz des Vaters" (95), heißt nun – der ἰότας von hy 1 entsprechend – γόνιμος βουλά, hat wieder die Mitte inne zwischen Vater und Sohn (97–99.110), wird nun aber deutlich auch als weiblich bezeichnet – Mutter, Schwester, Tochter (102f.)[41] – und ist das Strömen vom Vater zum Sohne (πρόχυσις) selbst (108.115); sie hat ihr Sein ganz um des Sohnes willen[42]. Vor allem aber: sie ist der Heilige Geist, ἁγία πνοιά (98).

Obwohl eine recht breite frühchristliche Tradition dazu neigt, den Heiligen Geist als weibliches Prinzip, als Mutter des Sohns zu fassen, dürfte Synesios, weitgehend unabhängig davon, eher aufgrund der einleuchtenden Identifizierung von Einem und Gottvater einerseits sowie von Nus und Sohn andrerseits die noch freie zweite Wesenheit dem Hagion Pneuma zugeeignet haben. Hinzu

---

[36] 87.90.124.164.226, vgl. schon Homer Il 6,191: „wie er ihn nun als den starken Sproß eines Gottes (θεοῦ γόνον) erkannte."

[37] 88. Parallelen bei Terzaghi 175–177; PGL 869b; 1199b. Der Name ist vom Syn ep 139 p 243,16 im Plotinwort (Porph Plot 2,26f.) genannten zu unterscheiden, da im Sterbewort eher πρωτογόνον (ersterzeugend) statt πρωτογόνον (ersterzeugt) zu lesen ist, vgl. H. R. Schwyzer, Plotins letztes Wort, MH 33 (1976) (85–97) 89 nach Igal. In den ultima verba geht es nicht um Hypostasenspekulation.

[38] 100, wie Plotin vom Nus, s. unten A. 114.

[39] 112, zu παῖς, der in fast allen Hymnen vorkommt, vgl. PGL s.v. und GregNaz carm 1,2,14:121 (PG 37,765); Porphyrios bevorzugt den Ausdruck in seinem Traktat wider die Christen, vgl. J. M. Demarolle, VC 26 (1972) 122.

[40] 130.135, sonst nie so benannt in den Hymnen, vielleicht um allen subordinativen Klang (vgl. Dion 8 p 253,8–10), den der Logos etwa bei Plotin hat (z.B. 3,2,2:17f.; 5,1,7:42f.), zu vermeiden, vgl. hierzu J. Trouillard, La médiation du verbe selon Plotin, RPFE 146 (1956) 56–73; E. Früchtel, Weltentwurf und Logos, zur Metaphysik Plotins, PhA 33, Frankfurt 1970.

[41] Als Mutter = Schwester = Tochter entspricht sie dem Sohn, der zugleich Vater ist, vgl. oben zu hy 1 und unten den Exkurs „Mutter Heiliger Geist", S. 55f.

[42] 106–109! Dem ἵνα entspricht das διά 111, „wegen, um willen", das vielleicht vom διά in 113 „durch, infolge" zu unterscheiden ist. διά mit Akk. kann bei Synesios beide Bedeutungen haben, vgl. W. Fritz, Die Briefe des Bischofs Synesius von Kyrene, Leipzig 1898, 147f. mit dem Hinweis auf ep 41 p 57,20.

kommt, daß die traditionelle Verbindung von Heiligem Geist und Leben[43] einen Brückenschlag zur ebenso vornehmlich als Lebenskraft wirksamen Weltseele beziehungsweise zur in Farben der Weltseele gezeichneten obern Dynamis der chaldäischen Trias nahelegte[44].

Exkurs: Mutter Heiliger Geist

Die Identifizierung des Heiligen Geistes mit einer weiblichen Wesenheit war im semitischen Sprachhorizont mit seiner femininen ruaḥ angelegt und gefördert durch eine Zeichnung der christlichen Trias analog den verbreiteten Vater-Mutter-Sohn-Triaden, vgl. H. Usener, Das Weihnachtsfest, Bonn [2]1911, 118–120; H. Leisegang, Pneuma Hagion, Leipzig 1922, 64–67.81–92; S. Hirsch, Die Vorstellung von einem weiblichen pneuma hagion, Diss. Berlin 1927; P. Gerlitz, Außerchristliche Einflüsse auf die Entwicklung des christlichen Trinitätsdogmas, Leiden 1963, 123–150, bes. 127 (alle genannten Werke verzeichnen den Sachverhalt erheblich im Sinne einer Ableitung der christlichen Trinität aus den Göttertriaden); G. Kretschmar, Studien zur frühchristlichen Trinitätstheologie, BHTh 21, Tübingen 1956, 21 f.; viel Material bei A. Orbe, La teología del Espíritu Santo, Estudios Valentinianos 4, Rom 1966, bes. 69–116.687–706, der auch auf Synesios (92–95) und Victorinus (110–112) verweist. Sodann PGL s. v. πνεῦμα IX G 11b:1104a.

Bekannt ist v. a. das Hebräerevangelium: ἄρτι ἔλαβέ με ἡ μήτηρ μου τὸ ἅγιον πνεῦμα (frg 5, E. Klostermann, klT 8, [3]1929, 7; E. Hennecke-W. Schneemelcher, Neutestamentliche Apokryphen, 1, Tübingen [4]1968, 108), von Origenes gedeutet (in Joh 2,12,87 f.; SC 120,262 f.) auf das Tun des Willens des Vaters durch den Heiligen Geist, der so zur Mutter Christi wird, oder aber auf die Seele als Mutter Christi (hom 15,4:21–26 in Jer, SC 238,122; vgl. hom 2,6 in Cant, SC 37 bis, 126; sel in Gen 41, PG 12,124C). Hieronymus erwähnt richtig das feminine Geschlecht von ruaḥ (in Mich 2,7,5/7:306–320, CCL 76,513), betont aber: in divinitate … nullus est sexus (in Is 11,40,9/11:77–86, CCL 73,459). Rabbinischer Theologie gehören Heiliger Geist und Schechina eng zusammen, vgl. A. Marmorstein, Studies in jewish theology, Oxford 1950, 130–132.

Reichlich begegnet der weibliche Heilige Geist in gnostisierendem Milieu, so OdSal 36,3; Valentinianer bei Iren haer 1,5,3 (SC 264,82), wo der mater-Sophia-spiritus sanctus auch eine medietas zukommt, 1,5,4:78 p 84; vgl. weiter Hippol ref 6,31,2 (GCS 26,158,25) von der Syzygie Christus-Geist sowie 6,35,3 p 164,19 und 36,6 p 166,12 f. von der Mutter-Sophia-Heiliger Geist als Mutter Jesu (der Vater ist der Demiurg!). Ähnliche Vorstellungen gibt es bei den Markosiern (Iren 1,21,3; SC 264,298; vgl. auch 1,11,1; 1,12,3; 1,15,2); Ophiten (Iren 1,30,1; SC 264,364), im Apokr Joh p 21,20; 35,19; 75,11 Till; im Evang ver, NHC 1/3,24,9–14, wo der „Busen" des Vaters als

---

[43] Joh 6,63; 1 Kor 15,45; 2 Kor 3,6; PGL s. v. πνεῦμα IX B 6: 1099b und s. v. ζωή II E 4: 595a; vgl. GregNaz carm 1,1,33:4 (PG 37,514) σὸν ἅγιον πνεῦμα ζωὴν πάντεσσι χορηγεῖ.

[44] Vgl. Picavet, Hypostases 47 f.; Arnou, Platonisme 2331 f.; Dehnhard, Problem 26.49–51. Deutlich läßt Kyrill Plotins Weltseele mit ihrer δημιουργικῇ τε καὶ ζωτικῇ ἐνέργεια dem Heiligen Geist entsprechen (cJul 8, PG 76,924AB), vgl. Theodoret aff 2,85 (SC 57,162). In der Gnosis ist der Heilige Geist als „Zoe" und „Mutter aller" wohlbekannt, Iren 1,15,3 (SC 264,242); Apokr Joh 38,10–12 Till (TU 60, 1955, [2]1972).

Heiliger Geist an die Chaldäischen Orakel mit ihrer Zusammenstellung von Kolpos und Hekate denken läßt, z. B. frg 32. Undeutlichere Bezüge zeigen die Thomasakten (Neutest. Apokr. 2,306); zu manichäischen Vorstellungen ib. 1,268.

Vor allem aber deutet auch Marius Victorinus den Heiligen Geist als Mutter, Ar 1,56:36–58:36 (mit Hadot, SC 69,870f.874f.), bes. 58:12f. sanctum spiritum matrem esse Iesu et supra et deorsum. Ihm ist die mater auch virgo, 1,57:7, vgl. Hadot, Porphyre 1,275 A. 6f.299; ähnlich Julian matr deor 6:166ab: die Göttermutter ist zugleich παρθένος ἀμήτωρ καὶ Διὸς σύνθωκος καὶ μήτηρ θεῶν. An die Mutter-Schwester-Tochter von Syn hy 2,101–103 erinnert ferner die gnostische Megale Apophasis, „sich selbst Mutter, Vater, Schwester, Gatte, Tochter, Sohn, Mutter, Vater", Hippol ref 6,17,3 (GCS 26,143,9–11).

All diesen Versuchen, den Heiligen Geist als weibliche Größe zu verstehen, ist anzulasten, daß sie die christliche Trinität ganz und gar von welthaften Verhältnissen her entwerfen. Dies gilt auch noch für die schöne Stelle bei Clem quis dives 37,1f. (GCS 17,184, vgl. Geffcken, Ausgang 317 A. 216), wo aus der Agape die Mutterschaft Gottes als seine der Kreatur zugewandte Wesenheit abgeleitet wird: ἔστι δὲ καὶ αὐτὸς ὁ θεὸς ἀγάπη καὶ δι' ἀγάπην ἡμῖν ἐτεάθη (?). καὶ τὸ μὲν ἀρρητὸν αὐτοῦ πατήρ, τὸ δὲ εἰς ἡμᾶς συμπαθὲς γέγονε μήτηρ. ἀγαπήσας ὁ πατὴρ ἐθηλύνθη.

Es erstaunt angesichts dieses Materials nicht, daß Synesios den Heiligen Geist als weibliche, den Sohn ins Sein bringende Größe auffaßt, und analog dazu nicht von πνεῦμα, sondern von πνοιά spricht. Die πνοή der Stoa als weltdurchwaltende Lebenskraft[45], die übrigens auch Synesios unabhängig von der zweiten Hypostase als unpersönlichen Kraftstrom beschreibt[46], wurde schon im frühen Juden- und Christentum mit dem Hagion Pneuma identifiziert[47]. Auch für Synesios entspringt dieser unpersönliche Lebenshauch der obern Dynamis, der ἁγία πνοιά, und wird vom Sohn in den Kosmos zerteilt[48].

(3) Der Sohn selbst vermittelt wiederum zwischen der Gottheit und den untern Welten.

---

[45] Häufig auch bei Plotin, z. B. 2,3,7:17f. σύμπνοια μία ... ἐν τῷ παντί, vgl. Theiler, Forschungen 137. Personifiziert als Zeus erscheint diese Hauchkraft in Orph frg 21a p 92 Kern Ζεὺς πνοιὴ πάντων.

[46] Z. B. in Aeg 2,7 p 128,6 σύρρουν τε οὖν καὶ σύμπνουν (sc. der Kosmos), vgl. ins 2 p 147,1f. und Henry, Etats 204. Ebenso hy 1,408–416. 331; 2,74–79.194; 5,56–58, wo nicht die zweite Hypostase, sondern die im Sohn wirksamen Weltdurchwaltungskräfte gemeint sind, gegen Cavalcanti, StudPatr 13 (1975) 142; Studi Eunomiani 121. Auch in hy 1,169 πνευματοεργέ geht es um diesen Lebensstrom, wie das folgende ψυχοτρόφε zeigt, nicht um den Heiligen Geist (so Lacombrade, Hymnes 110). Vgl. unten A. 66 und Kap. IV A. 31.

[47] Gut alttestamentlich, vgl. Gen 2,7 (πνοὴ ζωῆς) und E. Schweizer, ThWNT 6 (1959) 451. In Apg 2,2; 17,25; 1 Clem 21,9; Athenag leg 7,2 bahnt sich die Identifizierung von πνοή und ἅγιον πνεῦμα an, vgl. PGL 1106b; deutlich dann bei Theoph Autol 1,7, wo der Heilige Geist identisch ist mit der weltdurchwaltenden πνοή (vgl. 1,5; 2,13), ebenso PsClem hom 16,16,4 und 13,19,3 (GCS ²42,225.202), PsAthan trin 2,23 (PG 28,1193A).

[48] Analog leitet sich bei Victorinus der vitalis spiritus (Ar 4,12:1ff.), die vis potentiaque vitalis (4,11:8) von der obern vita (bei ihm identifiziert mit dem Logos) her.

„Obwohl hervorgesprungen
verweilt der Sproß im Vater
und wiederum durchwaltet er draußen,
was dem Vater gehört,
bringt herab den Welten
Lebensfülle von dort,
woher er selbst sie empfing,
der Logos, den ich preise
zusammen mit dem großen Vater." (hy 2,123–131)

Hier läßt sich nun auch eine der wenigen Stellen finden, wo sich schon in der
höchsten Trias eine *Rückwendung* (Epistrophe) des Sohns zum Vater vollzieht:
προϑορὼν δὲ μένει / γόνος ἐς γενέταν (123 f.)[49]. Im allgemeinen aber erweist
sich die nach neuplatonischer Systematik auf jeder Ebene statthabende Epistrophe für Synesios als nahezu bedeutungslos, weil er schon die Funktion der
zweiten Hypostase nicht mehr als eine aus der ursprünglichen Einheit sich ins
Unendliche vergießende Bewegung versteht, die erst wieder in der begrenzen-
den Epistrophe ihre Umkehr findet und damit die erste Trias bildet, sondern
vielmehr als göttliche Entfaltung, die in einer Sphäre der Vollkommenheit
verbleibt[50]. Diese Annäherung an ein christliches Trinitätsverständnis – von
wirklicher Orthodoxie kann freilich keine Rede sein[51] – äußert sich neben der
christlichen Benennung der Personen auch in der betonten Prädizierung des
Heiligen Geistes als ϑεὸς ἔκ τε ϑεοῦ / διὰ παῖδα ϑεόν (111 f.), die – an ähnlicher
Stelle wie in hy 1 die Absage an das Zählen (222–226) – gewiß die im vierten
Jahrhundert geläufige Bekenntnisformel ϑεὸς ἐκ ϑεοῦ aufnimmt.

Andrerseits aber waltet eine durchgehende Analogie zwischen der Erzeugung
des Sohns aus dem Vater und der Hervorbringung der Welt aus dem Sohn. Der
Vater ist die erste, der Sohn die zweite Wurzel (136–144), als ob die Zeugung des
Sohns bereits auf das Weltentstehen hinziele – all dies erinnert an ältere christli-

---

[49] Wilamowitz 284 A. 2 erinnert richtig an Joh 1,1 πρὸς τὸν ϑεόν. Wieder ist Victorinus zu
vergleichen, der Joh 1,1 auf die zwei Zustände des Logos deutet (Ar 1,5:4–6), in principio/gremio ist
er im Vater, ad/circa deum (πρὸς τὸν ϑεόν) ist er in actu. Weitere Victorinstellen bei P. Hadot,
Marius Victorinus, Christlicher Platonismus, Zürich 1967, 368 A. 94. Jedenfalls geht es auch hier
nicht primär um eine Rückwendung, sondern eher um ein ἐνεργείᾳ – Sein des Logos, vgl. z. B.
Markell Anc frg 52 Klostermann (GCS ²14,194,10–16). Zum „Heraustreten und doch im Obern
verblieben sein" vgl. unten A. 70 (Proklos). – Übrigens deutete schon Origenes (in Joh 2,2,17f.: SC
120,216–218) das „bei Gott" von Joh 1,1 als Epistrophe, s. Arnou, Platonisme 2334f.; H. Crouzel,
Théologie de l'image de Dieu chez Origène, Théol 34, Paris 1956, 85 f.

[50] Gegen Hadot, Porphyre 1, 472f. darf also nicht zu schnell der Geist bei Synesios als „désir
d'engendrer, le moment de l'infini, de l'inachèvement" verstanden werden.

[51] Davon, daß Synesios sich hier als ein „scrupuleux interprète de la doctrine orthodoxe" erweise
(so Lacombrade, Hymnes 63 A. 2, vgl. 19.44 und offenbar zustimmend E. de Places, RPh 53, 1979,
340), kann angesichts seines Verständnisses des Geistes und der Emanationen (auch der Welt!) keine
Rede sein. Vgl. unten S. 121 f. und die richtige Bemerkung von Meunier 223 zu hy 3: „L'Esprit-Saint
reste toujours, contrairement à l'orthodoxie catholique, le médiateur entre le Père et le Fils." Falsch
ist also auch Bregmans Behauptung, Synesios' Trinität sei orthodox (175 = 1982, 172).

che Theologumena, die am Ende des vierten Jahrhunderts nurmehr als häretisch gelten konnten[52].

3. Hymnus 9

(1) Die knappe triadische Partie im frühen Hymnus 9 läßt sich recht gut aus denjenigen von 1 und 2 erklären.

> „Er – selbstentsprungener Anfang,
> Lenker und Vater des Seienden,
> ungeboren, hochthronend
> 55 über Himmelshöhen,
> sich freuend seines unvergänglichen Ruhms
> ruht Gott unerschütterlich,
> der Einheiten reine Einheit,
> der Monaden erste Monas.
> 60 Allerhöchste Einheitlichkeiten
> einte und brachte sie hervor
> in einem Gebären hoch über allem Sein,
> woraus sie selbst entsprang
> durch die ersterzeugte Form,
> 65 und selbst unaussprechlich aus sich strömend
> formt sie eine dreigipflige Kraft:
> Als Quelle über allem Seienden
> krönt sie sich mit der Schönheit der Kinder,
> die aus der Mitte strömen
> 70 und um die Mitte kreisen."

Verse 52–70 handeln vom höchsten Wesen, deutlich abgegrenzt von der mit 71–75 eingeleiteten Wendung zu den untern Welten. Hierin entspricht die Passage dem allgemeinen Aufbau der Synesioshymnen, worin die Trias immer deutlich vom Untern abgesetzt ist. Zunächst preist der Dichter die Gottheit als väterliche Monas (52–59)[53], als Quelle[54], die sich in die Dreiheit ergießt. Die aus ihr „entsprungenen"[55] Hypostasen, die παῖδες[56], sind ihr als „Einheiten, Mo-

---

[52] Vgl. unten A. 73 sowie W. S. Crawford, Synesius, the hellene, London 1901, 75. Das allgemeine Problem gut umrissen bei G. Florovsky, The concept of creation in s. Athanasius, StPatr 6 = TU 81 (1962) 36–57. Indes scheinen Gedanken der Welterzeugung auch noch bei GregNaz carm 1,1,4:68 (PG 37,421) κοσμογόνος νοῦς oder GregNyss Maced, op 3/1,97,31f. διὰ τοῦ υἱοῦ τὰ πάντα γεγεννῆσθαι ἐμάθομεν durchzuschimmern, vgl. unten S. 123f.

[53] Der Text handelt nur von *einer* Monas, wie Hawkins 93–95 richtig gegen Kraus 583f. und Schmidt 14f., die hier zwei Monaden sehen, klarstellt.

[54] Beliebtes Bild des Höchsten, vgl. Plot 1,6,9:34–43; 6.9.9:1f. und bes. 3,8,10:3–10: Aus dem Einen als Quelle entströmt die Geisteswelt. Or Chald frg 37,2f.: „Die Ideen sprangen alle aus einer Quelle hervor.", vgl. frg 30; M. Vict Ar 4,31:34f.; hy 1,47–49: Der Vater ist die Quelle, der Sohn der die Welt bewässernde Strom. Vgl. auch PGL s. v. πηγή; Hawkins 109.

[55] Die Metapher des Sprungs schon im homerischen Apollonhymnus von der Geburt des Gottes: ἐκ δ' ἔθορε πρὸ φόωσδε (119). Vgl. Or Chald frg 37,3; 42,1; Prokl hy 1,19 ἐξέθορεν Φοῖβος, M.

naden, Einheitlichkeiten" immer schon immanent und entfalten sich nun in einer noch über allem Sein statthabenden Geburt.

(2) Wenig klar scheint v. 64, wonach sich die Monas διὰ πρωτόσπορον εἶδος zur Trias entfaltet[57]. Es muß sich um den Sohn handeln[58], da sich aber dessen Entstehen dem Wirken einer dritten Kraft verdankt, meint der Ausdruck zugleich die dreigestaltige Form, zu der sich die Quelle ergießt. Das Verhältnis dieser zwei Hypostasen zum Urgrund erscheint nun einerseits als dessen Verherrlichtwerden – man wird an den oft bei Synesios anklingenden Lobpreis denken –, andrerseits als ein Kreisen um das Zentrum. Deutlich ist hier die Epistrophe faßbar[59], wonach sich die ins Äußere strömende Bewegung zum Anfang zurückwendet[60].

Exkurs: Mitte, Kreis und Sitz

Plotin vergleicht vielfach im Anschluß an eine akademisch-pythagoreische Tradition das Eine mit dem Mittelpunkt eines dem Intelligiblen gleichgesetzten Kreises, 6,8,18:3ff.; 3,8,8:36–38; in 3,7,6:1f. ist der Geist περὶ τὸ ἓν καὶ ἀπ' ἐκείνου καὶ πρὸς ἐκεῖνο (11:4 πρὸς ἕν); vgl. 4,4,16:23–31 und Theiler, Plotins Schriften, 2b,414; 4b,520f. zu 3,7,3:19f.; ders., Einheit und begrenzte Zweiheit von Platon bis Plotin, in: Isonomia, hg. J. Mau-E. G. Schmidt, Berlin 1964, (89–109) 103f.; Krämer, Ursprung 342f.; Beierwaltes, Plotin 17f.201f.87 A. 62.101 („Die Sphäre des Intelligiblen ist ... die lichthafte Entfaltung des Mittelpunktes, des Einen, in die das Eine zwar aus sich herausgeht, aber doch in sich bleibt und durch den auf seinen Ursprung rücklaufenden Kreis auch im Entsprungenen bei sich ist."); P. Aubin, Le problème de la „conversion", ThH 1, Paris 1963, 172–174 („le mouvement circulaire sera la parfaite illustration de l'epistrophè vers soi-même"), und schon Zeller 554f. Für Porphyrios ist MVict Ar 1,60:1–31 gesichert, wo die Bewegung der Linie weg vom Punkt in summo vertice zum

---

Vict Ar 1,50:22 unum proexsiluit; Theiler, Orakel 15. Zu Synesios vgl hy 4,4; 2,123.137. Dem Hervorsprung entspricht der Rücksprung, vgl. unten zu hy 8 S. 150. Bei GregNaz erscheint die Trias als ἓν ἔξαλμα τῆς λαμπρότητος, or 40,5 (PG 36,364B).

[56] Dies ist mit Hawkins 107f. festzuhalten gegen Terzaghi 282f.; Keydell 1956, 153f. und bes. Theiler, Orakel 20f., der, wohl an Or Chald frg 37 denkend, die παῖδες für die Ideen hält. Die „Ideen" aber haben für Synesios nahezu keine Bedeutung, wohl aber die Hypostasen, welche die „dreigipflige Kraft", die sonst dunkel bliebe, bilden. πηγή meint den Vater, dem προθοροῦσα 63 entspricht θορόντων 69. Das δέ in 67 sollte nicht überbetont werden, vgl. z. B. 2,10.120.123; 4,10.

[57] Das διά schillert zwischen „wegen" und „durch", vgl. oben A. 42, darf aber nicht wie bei Hawkins 95–97.139–141 auf das orthodoxe „per filium" gedeutet werden.

[58] Vgl. hy 25,42, wo πρωτόσπορον εἶδος eindeutig auf den Sohn geht (vgl. 5,27f. mit 41f.), wie auch die ähnlichen Begriffe in 2,88f.; 1,35; vgl. oben Kap. II A. 272. So auch Hawkins 98–100; Theiler 16; Lacombrade, Hymnes 98.103 A. 1. Für die spezifische Bedeutung von εἶδος vgl. zu hy 3 (μορφή) sowie Hadot, SC 69, 763f. zu species bei M. Vict Ar 1,19:30ff. und Hawkins 99f. mit Verweis auf Athan Ar 3,6 (PG 26,332C).

[59] Vgl. Syn ins 5 p 153,12f. die Geraden ἐκ κέντρου ῥυεῖσαι καὶ εἰς τὸ κέντρον συννεύουσαι. Bei Synesios ist aber immer auch das Bild des Tanzes, des Reigens, der lobsingenden Chöre mitzuhören.

[60] Vgl. κέντρον 1,151; 5,70.

Kreis gewendet wird, so daß sie sich a patre et in patrem et in patre exiens, incedens, simul existens vollzieht, das Eine aber ist quasi in centro, 4,24:35; vgl. Hadot, SC 69,878; ders., Porphyre 1,316.323, mit Verweis auf Damask dub et sol 117 (1,301,28–302,1 R.). Zu Proklos vgl. Beierwaltes, Proklos 125 („Geist ist Kreis"). 165–239 (Kreis als Bild auch der Seele um den Geist); H. J. Krämer, Gnomon 46 (1974) 457 f.; J. Trouillard, Übereinstimmung der Definitionen der Seele bei Proklos, dt. WdF 436 (1977) (307–330) (= RSPhTh 45, 1961, 3–20) 314 f.; zu Kabbala und Indien G. Scholem, Schechina, in: Von der mystischen Gestalt der Gottheit, Frankfurt 1977, (135–191) 189.

Zur Vorstellung des Höchsten als Mittelpunkt gesellt sich gern diejenige seines „Sitzes" (ἕδρα, ἱδρῦσθαι), so hier in Syn hy 9,54–57, vgl. regn 9 p 19,9 τοῦ θεοῦ τὴν ἐν τῷ εἶναι ἕδραν. Dahinter steht das konkrete Bild vom Thron, Tempel Gottes als seiner ἕδρα (LSJ s.v., vgl. Aisch Ag 596; noch in der Allegorese des auf der Sonnenbarke thronenden Gottes bei Jambl myst 7,2 p 252,8). Platon redet von den verschiedenen „Wohnsitzen" des Seienden, vgl. E. Hoffmann, Platonismus und christliche Philosophie, Zürich 1960, 244 f.250–252.299. Der höchste Gott hat die πρώτη ἕδρα, PsAristot de mundo 6:397b25; Plot 6,8,7:7; Method symp 11 hy 24,123 (SC 95,320); und so fährt Gott über dem Untern einher (ἐποχεῖσθαι), Numenios frg 2,16 des Pl.; Plot 1,1,8:9; 6,7,17:34 f.; 5:24 (von der Seele wie Syn ins 7 p 157,10, womit die Idee der „Vehikel" der Seele berührt ist). Für Porphyrios vgl. vitPlot 23,11 f. (das Eine ὑπὲρ δὲ νοῦν ... ἱδρύμενος); abst 1,57,3; 2,52,4. Proklos schreibt den höhern Hypostasen einen Selbstand zu, ἑδράζουσιν ἐν ἑαυταῖς, inst 64 p 60,29, vom Einen 26 p 30,7. Die Verbindung von Kreis und Sitz findet sich bei MVict Ar 4,24:35: das Eine sitzt quasi in centro alles Seienden, wofür Hadot, SC 69,1036 auf Syn hy 9,57 und Corp herm 16,7 p 234 N.-F. verweist. Auch das Bild des Sitzes kann auf alle Welten angewendet werden, indem das je Untere dem je Obern als Stoff oder Sitz dient, MVict Ar 3,1:4–7. Bei Syn hy 3,60 ist der Vater παιδὸς κρηπίς, während umgekehrt bei Plot 5,5,3:5 der höchste Gott auf der κρηπίς des Geistes thront.

Mit v. 76 geht der Dichter zu den untern Welten über und folgt dem Abstieg des als Nus verstandenen Sohnes[61].

4. Hymnus 5

(1) Der Aufstieg zur Gottheit führt in diesem Hymnus entgegen dem üblichen Muster zunächst zur sich als Trias offenbarenden Monas (25–36), wohingegen die alles in sich fassende Einheit erst im Gefolge eines Abstiegs, worin auch das Unterste noch am göttlichen Strome partizipiert, gepriesen wird (59–72). Diese im Vater (v. 90!) gründende Monas birgt in sich Vater *und* Mutter, Männliches *und* Weibliches (63 f.) und somit wiederum die Trias[62].

---

[61] In hy 8,53 und vielleicht 5,19.46 ist der Sohn der Nus, wogegen in 3,29 f. die Trias sich über den Nus erhebt. Sind die τοκῆες 9,82 f.95 gar der Vater und die Mutter (die zweite Hypostase!) des Sohns? Vgl. auch unten Kap. IV A. 13.

[62] Mit der μονὰς ἀμβρότων ἀριθμῶν, / προανουσίων ἀνάκτων, „Einheit unverweslicher Zahlen, Herren vor allem Seienden" 71 f. sind wohl die höchsten Wesen *nach* der Trias gemeint,

(2) 25   „Eine Quelle, eine Wurzel
           strahlt als dreifach leuchtende Gestalt,
           denn wo der väterliche Urgrund,
           da ist auch der ruhmvolle Sohn,
           aus dem Herzen geboren,
     30   die weltenbildende Weisheit,
           und es erstrahlt
           des Heiligen Geistes einendes Licht.
           Eine Quelle, eine Wurzel,
           hoch hält sie eine Fülle von Gutem
     35   und den Sproß, der über allem Seienden
           in lebensschaffendem Drängen glüht."

Wieder entfaltet sich die Einheit zur Dreiheit[63], die christliche Namen trägt.
Der Heilige Geist ist wie bei Marius Victorinus und Augustin „einendes Licht"
(ἑνοτήσιον φέγγος, 31 f.), sachlich seiner Mittelposition entsprechend[64]. Der
Sohn ist die weltenerschaffende Weisheit[65] und wohl auch der von Lebenskräf-
ten erfüllte Sproß[66]. Diese glühende Lebensfülle haben die neuplatonischen
Philosophen gern im Wortspiel von ζωή und ζεῖν der geistigen Welt zugeeignet[67].

---

parallel zu 69 f., wo die Gottheit auch Kosmos und Seiende in sich umfängt (vgl. 1,174 f. μονὰς εἷ
μονάδων, ἀριθμῶν ἀριθμός, die Engel als ἄνακτες in 1,723; 5,40, in 20 gar der Kosmos, wozu
Thilo, 1,40–42. ἄνακτες für Geistwesen ist Orakelsprache, vgl. Porph phil orac p 144 f. Wolff
v. 12.17, und altes Wort für die Götter, vgl. LSJ s. v., bes. Aisch Hik 524 Zeus ἄναξ ἀνάκτων, vgl.
222. Plerophor werden sie „vorseiend" genannt, was man eher nur der Trias zugestehen möchte.

[63] V. 25 f. = 33 f. μία παγά, μία ῥίζα / τριφαὴς ἔλαμψε μορφά, vgl. unten A. 310 sowie M. Vict
Ar 1,50:4 tripotens in unalitate spiritus; 4,21:26 τριδύναμος est deus; GregNaz or 31,26:16 (SC
250,326) τὸ τῆς τριάδος φῶς ἐκλάμπει (aber ökonomisch!); 40,34 (PG 36,408C) τὸ τρισσὸν φῶς
καὶ ἀμέριστον; 44,3 (609B) φῶς ... τριλαμπές; carm 1,1,3:43 (PG 37,411) εἷς θεὸς ἐν τρισσοῖς
ἀμαρύγμασιν κόσμον ἑλίσσων; v. 46 (von der Taufe) τρισσὴ γὰρ θεότης με φαεσφόρον ἐξανέτει-
λεν. Vgl. unten A. 218.

[64] Vgl. Syn hy 1,220 f.234; 3,54; M. Vict hy 1,4 der Geist als patris et filii copula, der alles
verbindet; 3,98 unitor omnium; 3,138 f.242–6 conexio; sodann Augustin vom vinculum caritatis. –
Julian preist Helios als die alles einende Mitte – aber vertikal, deutlich Traditionen von der Weltseele
aufgreifend –, Hel reg 5:132d/133a; 8:134d2–4; 13:138d3 f. μεσότης ἑνωτικὴ καὶ συνάγουσα τὰ
διεστῶτα; 15:139b6 ff.; 18:141d–142a; vgl. G. Mau, Die Religionsphilosophie Kaiser Julians,
Leipzig 1907, 38–40.59.

[65] Vgl. Syn hy 1,204–206.402 f.; 6,15; 4,11; aber 1,218 f. ist die ἰότας σοφά der Geist.

[66] V. 34–36, die, falls nicht ganz unpersönlich zu verstehen, doch auf den Sohn und nicht auf den
Geist gehen (mit Hawkins 109 A. 1; Keydell 1956, 154, gegen Theiler, Orakel 13). Obwohl die
Prädikate sehr nach der neuplatonischen Dynamis klingen, durchwaltet bei Synesios allein der Sohn
die Welt (5,56–58 meinen nicht den Geist). βλάστα heißt auch in v. 90 sowie 3,10.54 der Sohn,
während in 2,109.116 damit keine Hypostase, sondern das „ins Sein treten" gemeint ist. Vgl. auch
PGL s. v. (von Christus).

[67] Zu ζεῖν vgl. A. Oepke, ThWNT 2 (1935) 877 f. Plotin verwendet es vom Leben des Geistes,
6,7,12:22 f.; 6,5,12:9 (vgl. Porph sent 40 p 48,11 L.) οἷον ὑπερζέουσαν ζωῇ; Proklos vom
Götterleben, in Crat 126 p 75,7 Pasquali (BT, 1908) ζωαὶ ... ζέουσαι; in Alc 249,5 W., vgl. die bei
Theiler, Orakel 13 genannten Damaskiosstellen. – ὑπερούσιος wird sonst nur vom Allerhöchsten
verwendet, Porph in Parm 2,11; sent 10 p 4,10 L.; Salustios 5,3; von den Henaden Prokl inst 115 p

Unklar bleibt, ob der Sohn hier mit dem großen Nus von 19 und 46 gleichzusetzen ist oder ob sich die Trias etwa als in „seliges Schweigen" gehüllt über den Weltstufenbau erhebt, durch v. 22–24 vom Untern abgesetzt.

5. Hymnus 4

„Mit der heiligen, aus sich selbst erzeugten Quelle
jenseits aller unsagbaren Einungen
wollen wir bekränzen mit weisheitserfüllten Hymnenblüten
den unsterblichen Gott, den herrlichen Sohn Gottes,
den Einziggeborenen, entspringend aus dem einzigen Vater.
Ihn brachte hervor der unaussprechliche Geburtsschmerz des väterlichen Willens,
als Sohn aus dem unerkennbaren Schoße.
Der Geburtsschmerz brachte ans Licht die Zeugungsfrüchte des Vaters,
und trat damit selbst ins Licht als in der Mitte wesender Geist –
die Entströmten aber verbleiben gleichwohl in der Quelle.

Weisheit des väterlichen Geistes, Strahl der Schönheit,
dir, der erzeugten, gewährt es der Vater, hinwiederum zu zeugen." (hy 4,1–12)

Die selbsterzeugte Gottheit[68], im Vater zentriert, entfaltet sich so zur Dreiheit, daß *zugleich* mit dem ins Sein-treten des Sohns auch die zweite Hypostase entspringt[69], ohne daß die beiden sich vom Vater trennen[70]. Der Sohn – υἱός – wird christlich als „Einziggeborener aus einzigem Vater" gepriesen[71]. Der Geist, wiederum weiblich als „Geburtsschmerz, väterlicher Wille" (βουλὰ πατρικά) gefaßt, ist selbst Mitte von Vater und Sohn, er bleibt wie immer blaß, unpersönlich – als väterlicher Wille hat er sein Sein nur im Hervorbringen des Sohns[72]. Dieser ist der Weltdurchwaltende, dem auch – „zusammen mit der

---

100–102; 118 p 104; in Tim 1,131,18; 371,11; in remp 1,266,25; in Alc 14,5; etc. Synesios von der Quelle: hy 9,62.67. Zu ὁρμή vgl. unten A. 88.90.191.

[68] V. 1 παγὰ αὐτολόχευτος, vgl. PGL s.v.; Terzaghi 220f. An die porphyrianische Selbsterzeugung ist v. a. zu denken, vgl. unten A. 229.

[69] Die Vielfalt der termini ist beachtenswert: θρώσκειν 4; χυθέντες 10; τεχθείς 12; „erschienen" 7–9.

[70] V. 10 ἐν παγᾷ δὲ μένουσι καὶ χυθέντες, es sind hiermit nicht nur die καρποί, sondern insgesamt die Hypostasen gemeint, richtig Lacombrade, Hymnes 115f. gegen Terzaghi 215f.; Theiler, Orakel 15; Meunier 225. Vgl. oben hy 2,123f. mit A. 49 sowie Prokl in Tim 1,209,28f. θαυμαστὸν οὖν τινα τρόπον καὶ προῆλθε πάντα καὶ οὐ προῆλθεν. οὐ γὰρ ἀπεσπάθη τῶν θεῶν, eine Regel für alle in ihrer Epistrophe zum Ursprung zurückbezogenen Seinsebenen.

[71] 4 μόνον ἐκ μόνου πατρὸς παῖδα θορόντα, vgl. z.B. Euseb vit Const 1,32,2 (GCS ²7,31,20f.) οἳ δὲ τὸν μὲν εἶναι θεὸν ἔφασαν θεοῦ τοῦ ἑνὸς καὶ μόνου μονογενῆ παῖδα; PsChrys nativ (PG 56,387) μόνος ἐκ μόνου μονογενής; ferner PGL s.v. μονογενής B: 881a und μόνος A: 883a. Sachlich und terminologisch identisch ist hy 2,111f. vom Geist θεὸς ἔκ τε θεοῦ διὰ παῖδα θεόν, vgl. oben S. 80. Die (frühere) Vorstellung von den zwei παῖδες (hy 9,68) scheint hier fast korrigiert zu sein.

[72] Vgl. Vellay 49: „Ainsi il n'est pas, à proprement parler, une personne agissante de la Trinité, mais la loi mystérieuse de cette union indissoluble."

Quelle" – der Hymnus gilt; in Analogie zu seiner eigenen Erzeugung zeugt er die unteren Welten[73].

6. Hymnus 3

(1) Der kaum frühe und wohl schönste trinitarische Hymnus ist ganz an *Christus* gerichtet. Dessen obere Geburt (4f.), worin die „unsagbaren Willenskräfte des Vaters" an den Geist erinnern, entspricht der untern[74]. Christus ist Offenbarer, „Fährmann" des Lichtes der Quelle, ja vielmehr dieses selbst und leuchtet als Strahl mit dem Vater[75]. Indem ihm „Licht und Geist und Seele" entspringen, scheint die Trias als über dem Nus seiend begriffen zu sein[76]. Wiederum hat der *Geist* seine Stellung in der Mitte von Vater und Sohn:

> „(Ich besinge) auch den mitthronenden Geist,
> in der Mitte von Wurzel und Sproß." (hy 3,53f.)

Das σύνθωκος dieses Verses erinnert sowohl an die von Julian besungene Göttermutter[77] als auch an christliche Wendungen vom mitthronenden Geist[78].

(2) „Sei gegrüßt, o Quell des Sohns,
       sei gegrüßt, o Gestalt des Vaters;
       sei gegrüßt, o Grund des Sohns
       sei gegrüßt, o Siegel des Vaters;
       sei gegrüßt, o Kraft des Sohns,
       sei gegrüßt, o Schönheit des Vaters;
       sei gegrüßt, o reiner Geist,
       Mitte von Sohn und Vater;
       schicke mir zusammen mit dem Vater den Geist,
       den Gewährer göttlicher Gaben
       daß er mir die Seelenflügel netze." (hy 3,58–68)

Die siebenfache Akklamation richtet sich immer derart invers an eine der Personen, daß ihr Sein als durch die je andere Person relational bestimmt wird[79].

---

[73] V. 12 σοὶ τεχθέντι πατὴρ ἔνευσε τίκτειν, der Kosmos ist erzeugt (6,13 κοσμογόνος, vgl. 5,35f.), wie auch die Geistwesen als Emanationen aufgefaßt sind, 1,289f.; vgl. die Rede vom Sohn als „Same" der Welten, hy 4,13; 2,142f.; von der Monas 1,150.183; 2,70; vom Seelenfunken 1,559.597.

[74] Vgl. unten S. 143f., wo auch Teile des Hymnus übersetzt sind.

[75] V. 8f.12f., vgl. Joh 1,9, ferner F. J. Dölger, Sonne und Sonnenstrahl als Gleichnis der Logostheologie des Altertums, Antike und Christentum 1, Münster 1929 = ²1974, 271–290.

[76] V. 29f. ἐκ σῶν βλάστησεν κόλπων / καὶ φῶς καὶ νοῦς καὶ ψυχά, vgl. Lacombrade, Synésios 193 und oben S. 85 zu hy 5,22–24.

[77] Julian matr deor 6:166b1 Διὸς σύνθωκος, ebenso 11:170d3 und 20:179d5 ὦ τοῦ μεγάλου Σύνθωκε καὶ Σύνθρονε Διός. Vgl. Theiler, Orakel 13.

[78] Vom Geist redet Basil spir 6,15:72 (SC 17,296) als σύνθρονον καὶ ὁμότιμον, vgl. GregNaz or 32,5 (PG 36,180B) der Geist als συμφυὲς καὶ σύνθρονον καὶ ὁμόδοξον καὶ ὁμότιμον.

[79] Zum χαίροις vgl. A. Baumstark, Chairetismos, RAC 2 (1954) 993–1006; Keyssner, Gottesvorstellung 132.

Manche Prädizierungen entstammen traditionellen Vorstellungen, so der Sohn als Schönheit des Vaters[80], als Gestalt[81] oder als Siegel[82]. Auffällig sind insbesondere v. 66–68, worin der Sohn zusammen mit dem Vater um den Heiligen Geist gebeten wird. Handelt es sich hier um ein Filioque[83]?

Exkurs: Ein Filioque bei Synesios?

Ein Vergleich von hy 3,65–68 mit den übrigen triadischen Partien zeigt deutlich, daß wir es mit einer „ökonomischen" Fassung des vom Vater her durch den Sohn der Welt vermittelten Geistes zu tun haben. Dieser tritt ja immer nur um des Sohnes willen hervor und wirkt in ihm seine lebenserschaffenden, welterhaltenden Werke. Darauf weist auch hier seine Funktion des „Benetzens", ἄρδειν. Plot 2,9,3:3 verwendet das Wort von der ihr Licht weiter nach unten spendenden Weltseele. In 6,7,33:27 soll das oberste Gute den nach ihm trachtenden, verdorrenden Liebhaber benetzen, womit die traditionelle Idee der Seelennahrung für den Aufstieg (ἄρδειν und αὐξάνειν) berührt ist, Plat Phaidr 251bc; 246e v.l.; Philon leg all 1,64; vgl. M. Harl, StPatr 8 (1966) 387 A.1. Auch bei Synesios klingt hier das Bild des zu stärkenden Seelengefieders an. Den Christen (vgl. PGL s.v. ἐπάρδω, ἐπαρδεύω) ist die Seelennahrung Fleisch und Blut Christi, d.i. Glaube und Hoffnung, vgl. Clem paed 1,6,37:3 (von der Kirche); Orig Cels 6,44:8 (SC 147,288); Euseb eccl theol 1,20,32 (GCS ²14,86,18). Besonders an Synesios erinnert Basil spir 9,22:22 (SC 17,324): Der Geist ist es, οὗ πάντα ἐφίεται τὰ κατ' ἀρετὴν ζῶντα οἷον ἐπαρδόμενα τῇ ἐπιπνοίᾳ καὶ βοηθούμενα πρὸς τὸ οἰκεῖον ἑαυτοῖς, plotinisch gefärbt auch nach Dörries, De Spiritu Sancto 54 A. und Dehnhard 72. Eine entsprechende, nun aber christologische Umdeutung der Weltdurchwaltungstradition findet sich außerdem bei Euseb eccl theol 1,31,7 p 73,10 und 2,17,6 p 121,13.

Im Ausdruck „Gewährerin göttlicher Gaben" ist zudem eine christliche Tradition faßbar, worin Geist und Geschenk zusammengesehen werden, im Anschluß an Apg 10,45; 2,38; 11,17; 8,20, auch Hb 6,4; Barn 1,2; vgl. dazu PGL s.v. δωρεά (gern von der Taufe). So kennt auch Basil spir 24,55: 27f. (SC 17,450) keine Gabe in der Welt, die nicht vom Heiligen Geist stammt: οὐδὲ γάρ ἐστιν ὅλως δωρεά τις ἄνευ τοῦ ἁγίου πνεύματος εἰς τὴν κτίσιν ἀφικνουμένη, vgl. 24,57:1–9 p 452 (der Geist als δῶρον παρὰ τοῦ θεοῦ). Auch Augustin versteht den Geist als donum, trin 15,17ff.; conf 13,9,10 p 334,27f. Sk.

Aber noch näher an Synesios führt die origenistische Tradition, wo Geist, Geschenk und „Filioque" verbunden sind: Orig princ 1,3,7 p 60,19f. Görgemanns-Karpp (TzF 24, Darmstadt 1976, Paginierung nach GCS 22) sed hoc, quod „donum spiritus" dicitur, ministratur per filium et operatur per deum patrem; vgl. in Joh 2,10,76f. (SC 120,256);

---

[80] Vgl. Plotin vom Nus 5,5,12:9–40; 5,8,13:11–15; Theiler, Forschungen 156 mit A.122.

[81] Zu μορφά vgl. durchgehend Victorinus vom Sohn als forma (Phil 2,6!), z.B. Ar 1,22:28ff. der Sohn als forma, εἶδος (vgl. oben zu hy 9, S.82), μορφή; auch in Syn hy 5,26 bildet sich eine τριφαὴς ... μορφά. Vgl. Theiler, Orakel 18 und Or Chald frg 144f.

[82] σφραγίς meint auch eine Gestaltgebung, Formung; vgl. Philon fug 12 ἡ σφραγίς, ᾗ τῶν ὄντων ἕκαστον μεμόρφωται, vom Logos op 25; vgl. Theiler, Orakel 18; Dölger, Sphragis, Paderborn 1911, 66–69. Zur Tradition von Christus als Siegel seit Joh 6,27 vgl. GregNaz or 30,20:21 (SC 250,268) und 38,13 (PG 36,325B) Christus als σφραγίς, εἰκών, ὅρος (also auch umgrenzend!) und λόγος; vgl. carm 2,1,14:39f. (PG 37,1248) der Vater ist Wurzel und Quelle, der Sohn σφράγισμα; vgl. Didym trin 1,16,29f. H. und PGL s.v. A 2f.: 1355b.

[83] So Wilamowitz 295; Grützmacher 130 A.2.

Euseb eccl theol 3,6,1–3 (GCS [2]14,163f.). Von daher erweist sich das ökonomische Filioque als eine Konsequenz des subordinatianischen Schemas, worin der Geist vom Vater über den Sohn in die Welt strömt. Auch in der nizänischen Theologie ließ man im Anschluß an Joh 20,22; 16,7 den Geist als Geschenk von Vater *und* Sohn in die Welt kommen, vgl. Athan Serap 1,20 (PG 26,580 A); Epiphan ancor 71 (GCS 25,71,1 und 89,21f.); ferner GregNyss diff ess = [Basil] ep 38,4:22–26 C. Bestätigt wird der ökonomische Charakter dieses Filioque durch Kyrill, ep 55,30 (ACO 1,1,4 p 60,23f. = PG 77,316D = p 128:24–26 Wickham (OECT, 1983) Der Geist ἐκπορεύεται καθάπερ ἀπὸ πηγῆς τοῦ θεοῦ καὶ πατρός, χορηγεῖται δὲ τῇ κτίσει διὰ τοῦ υἱοῦ (mit Zitat von Joh 20,22). So wird den kyrillischen, antinestorianischen Wendungen (z. B. auch Pulch 2,51, ACO 1,1,5 p 56,9 = PG 76,1408B δι'ἀμφοῖν) richtig ein Filioque abgesprochen durch Harnack, DG 2,303 A. 4, vgl. 288 A. 2 und J. Meyendorff, La procession du S. Esprit chez les pères orientaux, ReʘC 2 (1950) 158–178, bes. 164.177; vgl. auch ThCamelot, ib. 181–183; V. Rodzianko, „Filioque" in patristic thought, StPatr 2 (1957) (295–308) 301; G. L. Prestige, God in patristic thought, London [2]1952, 249–254.

Es ist demnach das Synesios zugrunde liegende Schema, wonach sich die je höhere Hypostase nur über die je niedere den untern Welten erschließt, das ihn an dieser Stelle dazu führt, den Geist von Vater *und* Sohn zu erbitten; von einem Filioque kann keine Rede sein[84]. Auch griechischer Theologie ist die von Vater *und* Sohn ausgehende ökonomische Sendung des als Geschenk geschauten Geistes in die Welt wohlbekannt. Synesios läßt nun aber wiederum vollauf den Sohn ins Zentrum treten, der „zusammen mit dem Vater" den Geist schenken möge (vgl. Joh 15,26a). So scheint die einzige Passage, worin der Heilige Geist überhaupt als eigene Wesenheit irgendwie ad extra wirksam wird, wiederum ganz auf den Sohn zu verweisen[85]. Die von der neuplatonisch-origenistischen Tradition her implizierte Subordination ist durch die in v. 58–68 entfaltete relationale Parataxe mit ihrer Christozentrik ansatzweise durchbrochen.

B. Neuplatonische und christliche Trias

Die folgenden Ausführungen wollen die von Synesios in seinen Hymnen aufgegriffene Konzeption der göttlichen Trias in Kürze zur Darstellung bringen. Da Synesios nicht ein Ideen trennender, sondern vielmehr harmonisierender Denker ist, muß umgekehrt nun die Aufmerksamkeit insbesondere darauf gerichtet sein, inwieweit neuplatonisches und christliches Denken über die als Trias geschaute Lebendigkeit Gottes zueinander dennoch in einem Spannungsverhältnis stehen. Der Einstieg bei Plotins Entwurf der Noogenese und ihren theologischen Implikationen soll die Grundproblematik verdeutlichen, obwohl

---

[84] Sowenig wie bei Victorinus, vgl. gegen Benz 129 richtig P. Henry, JThS 1 (1950) 44.
[85] Die sich nur auf hy 3,58–68 stützende Schlußfolgerung von Cavalcanti, Studi Eunomiani 123f. und StPatr 13,143, wonach der Heilige Geist „come il grande centro degli Inni di Sinesio" erscheine, ist demnach ganz irrig.

hier noch nicht von einer eigentlichen Trias die Rede sein kann. Die daselbst eingeflossenen Traditionen müssen anhand einzelner Motive erhellt werden, um sodann die Systematisierung der Denkansätze bei Porphyrios und den spätern Neuplatonikern ins Auge zu fassen. Endlich ist auf die Kritik der christlichen Theologen an der sich darin ausdrückenden Gottesvorstellung und auf ihre eigene – nicht immer genug sich vom „Neuen" bestimmt sein lassende – Lehrbildung von der Trinität einzugehen.

§ 1 PLOTIN

Im Gefüge der konsequent durchgeführten Einslehre Plotins wird die alte, der platonischen Akademie entstammende und mit pythagoreischen Elementen verschmolzene Prinzipienlehre weit strenger als bisher für die um das Verhältnis des Höchsten zu dem ihm Nachgeordneten kreisende Denkbemühung fruchtbar gemacht[86]. Die theologische Frage ist hiermit präzis gestellt: Wie kommt es zum Werden aus dem überseienden Einen?

1. Plotins Konzeption der Noogenese

(1) Plotin scheint sich einerseits der Vorstellung zu versagen, wonach sich das Höchste aufgrund eines *Drangs* oder *Willens* zur Vielheit entfalte. Ein derartiger zwischen dem Einen und dem Vielen vermittelnder Drang würde nämlich das Eine selbst als in Unvollkommenheit zur Wirksamkeit nach außen gedrängtes qualifizieren[87]. Überhaupt kann von Triebhaftigkeit solcher Art erst auf der Ebene der Seele die Rede sein, nicht aber in der intelligiblen Welt, geschweige denn beim Ersten[88]. Auch in der Abhandlung „Vom Willen des Einen" wird derselbe streng nur auf das Sichselbstsein des Ersten, nie aber auf das Entstehen der Seinsebenen nach ihm bezogen[89]. Bei Synesios faßbare Vorstellungen wie „Wille", „Mittleres" scheint Plotin konsequent zu vermeiden. Dennoch schimmert eine derartige Tradition, die von einem Drängen zur Weltschöpfung weiß, auch bei ihm durch[90].

(2) Plotin hat sich immer wieder dieser alten Frage, wie denn das *Eine* zum

---

[86] Bes. instruktiv Krämer, Ursprung 312–337 und, teilweise kritisch dazu, Th. Szlezák, Platon und Aristoteles in der Nuslehre Plotins, Basel – Stuttgart 1979, 52–119.

[87] Plot 5,3,12:28–40: Jede προθυμία, ὁρμή ist, weil ein μεταξύ zwischen Einem und Vielem bildend, zu verwerfen.

[88] ὁρμή ist stoischer Terminus für Trieb, SVF 2,458 p 150,22f.; 2,986 = Plot 3,1,7; für Plotin nur in der Seele, nicht aber im Geist wirksam, 4,7,13:3f.15; 6,2,8:22; 4,3,12:2.

[89] 6,8, wo die gefährliche Passage 9:45 durch 13:55–59 entschärft wird. Vgl. auch Rist, Plotinus 83.

[90] Der Regel in 3,3,1:9 entspricht die Rede vom ὁρμᾶν des Geistes als seinem Suchen nach dem Einen, 5,3,11:4. ὁρμή ist in der Stoa von der Weltschöpfung verwendet, M. Aurel 9,10,1; 7,75 ἡ τοῦ ὅλου φύσις ἐπὶ τὴν κοσμοποιίαν ὥρμησεν, vgl. Dion Chrys or 36,55 ἐπόθησε ... ὥρμησεν ἐπὶ τὸ γεννᾶν sowie A. 67.88.191.

Vielen werde, der quaestio vexata seines eigenen Denkens, gestellt[91]. Bei aller Uneigentlichkeit diesbezüglicher Aussagen[92] lassen die verwendeten Metaphern doch die Problematik genug deutlich werden[93]. Soweit das Heraustreten des Geistes nicht nur als Ausfluß göttlicher Fülle und Lichtverstrahlung erscheint, ereignet sich dasselbige in einer Bewegung von zwei Momenten: Eine der ursprünglichen Einheit noch einverwobene Herausbewegung wird in Rückbindung zum Einen geformt, begrenzt und damit als von Andersheit bestimmte Hypostase[94], nämlich als Nus konstituiert[95]. Dabei bleibt unklar, ob diese Rückwendung – ἐπιστροφή – ihre Vorgabe bereits in einer derartigen Bewegung innerhalb des Einen selbst hat[96].

Erst diese Bestimmung des Unbestimmten durch das unbestimmbare Eine begründet die Geformtheit und Ordnung der intelligiblen Welt[97]. In Verknüpfung von aristotelischer Psychologie und platonischem Sonnengleichnis kann diese Gestaltwerdung auch als Formung eines ungeprägten, unendlichen Sehens durch das zu seinem Objekt werdende Eine beschrieben werden[98].

Von Interesse für unsern Zusammenhang ist insbesondere Plotins Charakterisierung dieser ersten „unendlichen" Bewegung als eine Art unbewußten, vorhellen Drangs[99]. Paradoxerweise sucht ja dies Verlangen gerade dasjenige, wovon es sich wegbewegt und erst in seiner als Begrenzung und Formung statthabenden Rückwendung wieder erlangt[100]. Extremen Ausdruck findet diese negative Wertung des ersten Hervorgangs in der – nicht frühen! – Schrift 3,8,

---

[91] Plot 5,1,6:1–8, vgl. E. Bréhier, La philosophie de Plotin, Paris ²1968, 40–45; H. R. Schwyzer, Plotinos, PWK 21/1 (1951) (471–592) 569; ders., MH 1 (1944) 92; Hadot, Plotin 89; usw.

[92] Dies ist gegen E. von Ivánka, der hierin dem Philosophen „Hybris" vorwirft, zu betonen, Plato Christianus, Einsiedeln 1964, 88–92.453–55.475. Dagegen schon K. Kremer, Die neuplatonische Seinsphilosophie und ihre Wirkung auf Thomas von Aquin, Leiden 1966, ²1971, 156f.307f.

[93] Vgl. Beierwaltes, Plotin 14–20.

[94] ἑτερότης als einziges μεταξύ 5,1,6:48f.53; vgl. zum Begriff Dörrie, Platonica minora 202f.; Rist, Plotinus 218f.; ders., The problem of „otherness" in the enneads, in: Le néoplatonisme, 77–87. Vgl. unten A. 170f.

[95] S. bes. 5,1,6; 6,7,16:18f.; 2,4,5:33f. ὁρίζεται δέ, ὅταν πρὸς αὐτὸ (das Eine) ἐπιστραφῇ; 5,5,5:16–19 οἷον ὀλίγον προβεβηκός ... μεταστραφὲν δὲ εἰς τὸ εἴσω ἔστη καὶ ἐγένετο οὐσία.

[96] Es ist strittig, ob Plotin in 5,1,6:18 und 7:5f. redet vom sich zum Einen wendenden Geist (so etwa Theiler, Das Unbestimmte 296; ders., Von der unbegrenzten Form 469; Szlezák 70 A. 227) oder vom Einen selbst (so Harder, Plotins Schriften, 1b, 501; Hadot, RHR 64, 1963, 94–96; ders., Porphyre 1,320f.; Aubin, Conversion 376; Henry – Schwyzer²; Rist, Plotinus 268 A. 44; widersprüchlich J. Igal, EM 39, 1971, 130–7).

[97] 5,1,7:23–26 ὅρος, στάσις, ὁρισμός, μορφή; vgl. Szlezák 107.

[98] 5,1,7:6; 5,3,11:1–5 ὄψις οὔπω ἰδοῦσα; 3,8,11:1f.; 5,4,2:6; 6,7,16:14 βλέπειν ἀνοήτως; zur ὄψις ἀτύπωτος (5,3,11:12) vgl. Or Chald frg 144 und Synesios oben Kap. II A. 296; vgl. auch Szlezák 58–62.111; Armstrong, Cambridge history 241.

[99] 5,3,11:4 ὁρμᾶν; 5,3,11:12; 10:49 ἔφεσις und πόθος τις; in 5,6,5 wird das Sehen – s. A. 98 – als Sehen-wollen expliziert; 6,7,16:20 πληροῦσθαι; 17:32 ζωή; 35:24ff. ἄφρων, μετυσθείς, κόρος (vgl. unten A. 116–118).

[100] Vgl. J. Trouillard, La procession plotinienne, Paris 1955, 81: „L'Esprit ... se constitue ... dans l'effort qu'il fait pour rejoindre sa pré-perception implicite de l'Un", vgl. ders., Purification 106f.

wo sich das Ins-Sein-treten des Geistes als Folge seiner gleichsam selbstverges-
senen Schlaftrunkenheit ereignet[101]. Besser wäre es ihm, nicht dies Zweite
werden zu wollen[102]! Der Weggang vom Einen erscheint demgemäß als in
unseliger Irrung aktualisierte Andersheit[103]. Tatsächlich waltet im Nus eine Art
von Wille zu sich selbst, der gerade, indem er doch letztlich nur das Eine sucht,
in Vereinzelung und Abfall gerät[104]. In exakter Analogie hierzu wird die Epistrophe zurück zum Einen zur das Sein bewahrenden Rettung[105].

(3) Dergestalt zeigt sich in der Noogenese, insbesondere in deren erstem
Moment – der δύναμις νοοποιός[106] – sowohl der positive Aspekt einer göttlichen Ausstrahlung als auch der negative eines Abfalls von der ursprünglichen
Einheit[107]. Ebenso klingt in der Deutung dieser anfänglichen Abstiegsbewegung als intelligible Materie[108] im Begriff ihrer Unbegrenztheit auch ein dunkles
Element mit[109]. Diese *negative Qualifizierung der Noogenese* rührt augen-
scheinlich von der Übertragung des Seelenfallmotivs auf den ersten Hervorgang
her[110]. So wie auf der Seelenebene dieselben zwei Bewegungen – das Unbe-

---

[101] 3,8,8:30–36 ἀλλ'ἔλαθεν ἑαυτὸν πολὺς γενόμενος, οἷον βεβαρημένος, καὶ ἐξείλιξεν αὐτὸν
πάντα ἔχειν θέλων, 33 f. Zu βεβαρημένος kann ὕπνῳ ergänzt werden (vgl. Mt 26,43), so O.
Becker, Plotin und das Problem der geistigen Aneignung, Berlin 1940, 10 f. („als ob er müde
würde", vgl. Hom Il 19,165; Plat symp 203b7); Harder – Beutler – Theiler, Plotins Schriften, 3a, 23.

[102] ὡς βέλτιον ἦν αὐτῷ μὴ ἐθελῆσαι τοῦτο, δεύτερον γὰρ ἐγένετο, ib. 35 f. Zu beachten ist das
„Wollen", das bei Porphyrios und Synesios zur Bezeichnung des Hervorgangs wird; vgl. auch die
folgende Anm.

[103] Vgl. 6,9,5:29 der Geist erkühnte sich in gewisser Weise vom Einen abzustehen, ἀποστῆναι δέ
πως τοῦ ἑνὸς τολμήσας, vgl. 5:26 ἓν μὲν εἶναι βουλομένου.

[104] Vgl. oben A. 101 das πάντα ἔχειν θέλων sowie 6,6,1:10–12 und als Resultat 6,7,16:19 πάντα
ἐγένετο.

[105] 5,3,15:11 f. πᾶν γὰρ τὸ μὴ ἓν τῷ ἓν σώζεται καὶ ἔστιν, ὅπερ ἐστί, τούτῳ. Die ἀπειρία ist
vom Einen immer schon gehalten, begrenzt, 6,6,3:4–16. Dementsprechend ist das Denken βοή-
θεια, 6,7,41:1 (vgl. Hadot, Porphyre 1, 318 f.).

[106] 6,8,18:31; zum Dynamisbegriff s. unten Kap. IV A. 187–189.

[107] Zumeist wird immer nur einer der beiden Aspekte einseitig hervorgehoben, so der negative
durch N. Baladi, La pensée de Plotin, Paris 1970, bes. 47–64; vgl. ders., Origine et significance de
l'audace chez Plotin, in: Le néoplatonisme, 89–97 (und 65); die Epistrophe ist falsch auch als
„audace" interpretiert (Pensée 61). Zu negativ auch F. Heinemann, Plotin, Leipzig 1921, 297 im
Anschluß an E. von Hartmann. Umgekehrt wertet Szlezák 111 das erste Emanat zu positiv. Zwar ist
dieses noch „Eines" (ib. 65.84 f.), aber doch schon von Zweiheit überschattet!

[108] Plot 2,4; vgl. J. M. Rist, The indefinite dyad and intelligible matter in Plotinus, CQ 56 (1962)
99–107; kritisch dazu Szlezák 72–85; vgl. ferner H. R. Schwyzer, Zu Plotins Deutung der sogenannten platonischen Materie, in: Zetesis, FS E. de Strycker, Antwerpen – Utrecht 1973, (266–280)
271.

[109] Trotz 2,4,3:1–3 ὡς οὐ πανταχοῦ τὸ ἀόριστον ἀτιμαστέον, denn gerade erst, indem sich das
Unbegrenzte begrenzen läßt, ist ihm das Üble abzusprechen, wie die Fortsetzung klarstellt. Vgl. A.
H. Armstrong, Plotinus' doctrine of the infinite and its significance for christian thought, DR 73
(1954 f.) (47–58) 49, und bes. A. Charles, Note sur l' ΑΠΕΙΡΟΝ chez Plotin et Proclus, Annales de
la faculté de lettres d'Aix, 43 (1967) (147–161) 150; J. H. Fielder, Chorismos and emanation in the
philosophy of Plotinus, in: The significance of neoplatonism, hg. R. B. Harris, Norfolk – Virginia
1976, (101–120) 116 f. (die intelligible Materie Prinzip der Vielheit und Minderung).

[110] Es ist wenig hilfreich, vorschnell nur von „gnostischen Vorstellungen" zu sprechen.

stimmt- und Dunkelwerden der Seele und ihre als Erleuchtung interpretierte
Rückwendung – statthaben[111], so erweist sich auch in der Noogenese der Drang
nach unten als ein Sichselbstwollen, eine Art von Verirrung, die zu nichts
anderem denn unseliger Vereinzelung führt[112]. Der Seelenfall vollzieht gleichsam den schon im Obern angelegten „Fürwitz" nach und läßt es damit erst recht
zum Bösen kommen[113].

(4) So enthält Plotins Kosmogonie, ja Theogonie, eigentümlich dunkle Züge.
Der Kronosmythos selbst wird ihm zu einer Geschichte der obern Hypostasen,
indem er Kronos auf κόρος, zugleich „Sohn" und „Sättigung", hin deutet[114].
Der Geist hat sich so selbst in ewiger Sättigung, ohne sich je an der Fülle des
Schönen zu übersättigen[115]. Aber diese selige Berauschung am göttlichen Nek-
tar[116], die auch der Mystiker kennt[117], schlägt zugleich um in eine übervolle,
unvernünftige Bewegung, die endlich zur Formung des Nus führt[118]. Klingt
hier nicht leise die negative Bedeutung des so ambivalenten κόρος[119], die
„Übersättigung", mit, die eben weg vom Einen treibt[120]? So fällt gar auf die

---

[111] 3,9,3:8–16.

[112] Vgl. die Parallelisierung in 4,8,6:1–6 und bes. 5,1,1:4, wo sich der Fürwitz der Seele auf die
πρώτη ἑτερότης zurückführt. Vgl. zu dieser 5,1,4:35 ff.; 6:53 und Trouillard, Übereinstimmung
324 A. 72. Es ist τὸ βουληθῆναι ἑαυτῶν εἶναι 5,1,1:5, vgl. 4,8,4:10 ff.; 3,7,11:16 (εἶναι αὐτῆς);
4,4,3:1–3; in 4,8,4:11 ein Ermüden wie oben A. 101 vom Geist. Zur Seelenfallthematik vgl. ferner
Beierwaltes, Plotin 244 ff., zum Verhältnis zur Geistwerdung auch Trouillard, Purification 201.203.
– H. Jonas, The soul in gnosticism and Plotinus, in: Le néoplatonisme, 43–53, übersieht den
Zusammenhang. Vgl. ferner Armstrong, Cambridge history 242–245 und Ivánka, Plato Christianus
80–84.

[113] Der plotinischen Konzeption steht Numenios nahe, der schon den Demiurgen in seinem
Wirken nach unten sich selbst vergessen läßt, frg 11,18 f. des Pl., bis er sich endlich zurückwendet.
Freilich spielt sich dies immer noch auf der Seelenebene ab, vgl. Krämer, Ursprung 63–92, bes. 91 f.
(auf Xenokrates zurückgeführt). – Zur Negativität des obersten Hervorgangs in der indischen
Mystik vgl. R. Otto, West-östliche Mystik, Gütersloh ³1979, 196.

[114] 3,8,11:38–42; 5,1,4:9 f.; 7:30–36; 5,8,13:4; vgl. Theiler, Plotins Schriften, 3b, 380; vgl. oben
A. 38 zu Synesios. – Plotin deutet in 5,8,12 f. die Göttertrias Uranos – Kronos – Zeus auf seine drei
Hypostasen Eines – Geist – Weltseele, vgl. P. Hadot, Images mythiques et thèmes mystiques dans
un passage de Plotin, FS J. Trouillard 205–214; ders., Ouranos, Kronos and Zeus in Plotinus'
treatise against the gnostics, in: Neoplatonism, FS A. H. Armstrong, London 1981, 124–137, bes.
129 ff.

[115] 3,5,9:18 f.; 5,9,8:8; 5,8,13:4; vgl. Szlezák 108 und unten A. 238 zu Porphyrios.

[116] 6,7,35:23–27, nach Plat symp 203b, vgl. W. Theiler, Diotima neuplatonisch, AGPh 50 (1968)
(29–47) (= Untersuchungen 502–518) 44: „die unbegrenzte Liebe wird entdeckt."

[117] Vgl. 5,8,10:32 ff.

[118] 6,7,16:15–20, wieder nach Plat symp 203b.

[119] Vgl. den hervorragenden Aufsatz von M. Harl, Recherches sur l'origénisme d'Origène: La
satiété de la contemplation comme motif de la chute des âmes, StPatr 8 = TU 93 (1966) (373–405)
376 f.

[120] Tatsächlich deutet Plotin die Symposionstelle in 3,5,7:1–25 und 3,5,9:7 auf den Seelenfall,
vgl. Harl aaO. 401 und Gandillac, Sagesse 125 f., genau wie Orig Cels 4,39 (SC 136,284–286) von
Adams Fall. Die negative Bedeutung von κόρος als Ursache für den Seelenfall auch Orig princ 1,3,8
p 62,17; 63,1 G.-K.; Prokl mal 12,11–13 p 193 Boese. – Der „Schlaf" von symp 203b7 geht in
3,8,8:34 gar auf das Eine, s. oben A. 101.

herrliche Überfülle[121] des Einen der Schatten des Werdens des Untern, des Strömens nach außen – aufgrund derselben Notwendigkeit, die auch die Seele in die Tiefe hinabzusteigen zwingt[122].

2. Transzendenz des Einen

(1) Die von uns eigens beleuchtete Linie der negativen Qualifizierung des Werdens des Geistes aus dem Einen soll nun aber keineswegs Plotin als einen das Sein der Welt bedauernden Pessimisten charakterisieren. Es ist ausschließlich die unendliche Differenz Gottes zu den Welten nach ihm, die so deutlich deren Minderwert und Bedürftigkeit ans Licht bringt, wohingegen Plotin sonst unter Absehung dieser Differenz in glühenden Farben den auf das Höchste hin transparenten Kosmos zu preisen weiß. Geht es aber um das Sein des Einen selbst, so kann dieses nur in seiner Unterschiedenheit von allem anderen zur Sprache gebracht werden. Es ist schlechthin ohne Zuwendung nach unten, unbedürftig[123], allein und frei von allem nach ihm[124], will mit keinem andern zusammen sein[125], sondern gerade als von allem Untern ersehnt, verhält es sich selbst nicht nach unten[126], hat keine Relation zu dem nach ihm[127]. So kann es in Wahrheit auch gar nicht zu einem wesenhaften Abstieg ins Untere kommen, vielmehr nur zu einer Aufstiegsbewegung des Untern zum Obern – denn nur als Nichtabsteigendes ist das Eine frei und mächtig[128]. Die ältere griechische Denkform, die zur Unterscheidung anhält zwischen der weltabgewandten Wesenheit

---

[121] οἷον ὑπερερρύη καὶ τὸ ὑπερπλῆρες αὐτοῦ πεποίηκεν ἄλλο (den Nus). τὸ δὲ γενόμενον εἰς αὐτὸ ἐπεστράφη καὶ ἐπληρώθη ... καὶ νοῦς οὗτος, 5,2,1:8–10; Beierwaltes, Plotin 13f. „das Eine ist als überseiende Über-fülle notwendig Quelle oder Ursprung", zum Geist als πληροῦσθαι 16 A. 17; vgl. auch ders., Proklos 131; Wallis 64f.

[122] In 4,8 entspricht der notwendige und doch schuldhafte Seelenabstieg (5:27ff.) dem Werden des Geistes aus dem Einen (6:1f.). Vgl. die Frage in 6,6,1:1f., ob schon Vielheit eine Apostasis vom Einen sei, und die Regel 11f.: ἢ δ' ἔξω πορεία μάταιος ἢ ἀναγκαία. Hadot aaO. (oben A.114) 135f. scheint mir das Ausströmen aus dem Einen zu positiv zu bewerten.

[123] 5,5,12:40–49, vgl. Theiler, Plotins Schriften, 3b, 412 „charakteristisch antik – unchristlich"; ders., Forschungen 158; Heinemann, Plotin 292; A. H. Armstrong, Platonic Eros and christian Agape, DR 79 (1961) (105–121) 113 (= Plotinian and christian studies, London 1979, IX); Dodds, WdF 436,66; Wallis 64.88.90.

[124] μόνον καὶ ἔρημον τῶν ἄλλων 5,5,13:6f. (Plat Phileb 63b).

[125] 5,5,4:12f.; vgl. 6,7,37:31.

[126] 6,9,8:35f. das Eine ἡμῶν οὐκ ἐφίεται, wohl aber wir nach ihm, insofern ist es nichtanwesend anwesend, ib. 8:33–45; 7:29; 4:24–28. Es liebt nur sich selbst, 6,8,16:12–14, vgl. 15:1ff. und Theiler, Plotins Schriften, 4b,386. Rist, Eros and psyche 78ff. scheint zu vergessen, daß im Gegensatz hierzu Agape gerade auf das Andere, Fremde, Untere zielt.

[127] 6,8,8:9–13 πρὸς οὐδέν, die σχέσις ist erst unter dem Einen, 6,1,30:21f.; vgl. 9:25–27. Das Eine ist mit sich selbst zufrieden, 6,8,13:42.46f.

[128] 6,4,16, vgl. 6,8,10:30–35 καὶ τὸ ἀδύνατον ἐλθεῖν πρὸς τὸ χεῖρον οὐκ ἀδυναμίαν σημαίνει τοῦ μὴ ἥκοντος ἀλλὰ παρ' αὐτοῦ καὶ δι' αὐτὸν τὸ μὴ ἥκειν, denn dies ist die ὑπερβολὴ τῆς δυνάμεως ἐν αὐτῷ. All dies folgt der aristotelischen Regel, met Λ 9:1074b26f. δῆλον τοίνυν ὅτι τὸ θειότατον καὶ τιμιώτατον ... οὐ μεταβάλλει. εἰς χεῖρον γὰρ ἡ μεταβολή. Vgl. Aubin, Conversion 191–193: „Tout ἐπιστροφή vers l'inférieur marque finalement une imperfection." (192).

Gottes und seiner ihn nur uneigentlich offenbarenden Zugewandtheit in den weltdurchwaltenden Kräften, ist hier konsequent ausformuliert.

Derart ist das Eine – auch schon uneigentlich – zunächst negativ zu bestimmen[129]. Es ist „über-gut", gut nur für die andern, aber nicht in seinem eigenen Sein[130]. Zwar läßt sich vom Einen negativ *und* positiv reden[131], kommt es aber zum Streit, welche Sprache das Gemeinte eher einholt, so ist es die Negation[132]. Der spätere Neuplatonismus denkt durchaus in Plotins Bahnen, wenn er aufgrund der Analogie der größern Unähnlichkeit die Negation der Affirmation überordnet[133], um endlich in der negatio negationis den Gipfel allen Denkens über das Jenseitige zu erklimmen[134].

(2) So ereignet sich das Entstehen des Untern aus dem Einen derart, daß dieses selbst hievon in keiner Weise betroffen wird. Die von Plotin aufgegriffenen Bilder meinen durchaus eine Art von *Emanation*[135], sofern sie nur nicht als Verringerung der Substanz des Höchsten selbst mißverstanden werden[136]. Das

---

[129] 5,3,14:6f. καὶ γὰρ λέγομεν ὃ μὴ ἔστι. ὃ δέ ἐστιν, οὐ λέγομεν, von Kremer, Seinsphilosophie 474 irrig mit Bonhoeffers „Gott mitten im Leben jenseitig" zusammengeworfen. Bonhoeffer meint aber die absconditas dei am Kreuz! – Zu Plotin vgl sodann 2,9,1:7f.; 6,8,8:6–8; 3,8,10:29f.; ferner ⟨Porph⟩ in Parm 9,27 p 94 H. und GregNyss tres dii, op 3/1,43,19ff.

[130] 5,5,13:1ff.; 6,9,6:55–57 sowie 40f. οὐχ ἑαυτῷ, τοῖς δ᾽ἄλλοις ἀγαθόν; 5,3,11:23–25; 6,7,38:3f. sein Gut-sein nur ein σημαῖνον. Zur „Güte" vgl. unten A. 264.343ff.365.

[131] Die positive Redeweise eher der negativen übergeordnet bei A. H. Armstrong, The architecture of the intelligible universe in the philosophy of Plotinus, Cambridge 1940, 1–28, bes. 44.109; J. M. Rist, Theos and the One in some texts of Plotinus, MS 24 (1962) (169–180) 180; F. P. Hager, Der Geist und das Eine, Bern 1970, 237–255, bes. 255; auch Szlezák 155–160.

[132] 5,5,6:12ff. ἀπόφασις τῶν ὅλων; ἄρσις. Vgl. Huber, Sein 18; W. Beierwaltes, Plotins Metaphysik des Lichtes, WdF 436, 92.

[133] Systematisch Prokl in Parm 1075,17–24: „Wie es gerade eine Ursache von Allem gibt, so sind auch die Negationen (ἀποφάσεις) Ursachen der Affirmationen (καταφάσεις)... Denn alle Affirmation entspringt der Negation, deren Ursache wiederum das Eine als vor allem Seiende ist." Vgl. Beierwaltes, Proklos 329–343; Saffrey – Westerink, 3, LVIII: Die Affirmation führt nur bis zu den Henaden, die Negation aber zum Einen. Zur Negation als Rückwendung und Aufstieg s. J. Trouillard, L'un et l'âme selon Proclos, Paris 1972, 88f.133–145; ders., Théologie négative et psychogonie chez Proclos, in: Plotino e il neoplatonismo, (253–264) 255f.

[134] Koch, Dionysius 212; Beierwaltes, Proklos 357–366; A. H. Armstrong, The apprehension of divinity in the self and cosmos, Studies XVIII, 189f.; ders., The escape of the One, StPatr 13 (1975) 77–89 (= Studies XXIII); ders., Negative theology, DR 95 (1977) 176–189 (= Studies XXIV).

[135] H. Dörrie, Emanation. Ein unphilosophisches Wort im spätantiken Denken, Platonica minora 70–88 (= Parusia. FS J. Hirschberger, 1965, 119–141) ist anzulasten, daß er nicht die ganze Fülle der Emanationsterminologie – z. B. χεῖν – einbezieht. Unter dem Vorbehalt der Uneigentlichkeit der Bilder (οἶον!) und der Nichtverringerung des Ersten schätzt Plotin „Emanation" durchaus, ῥεῖν 5,1,6:6f.; 3,2,2:7f.; 5,3,12:40; 5,2,1:8f.; 5,5,5:22f.; χεῖν 5,2,1:14–16 (schwieriger Text), 3,8,10:3–5; 6,8,18:18; zum οἶον vgl. 6,8,13:47–50. In analoger Weise wird auch die Lichtmetapher verwendet. Schön verweist Dörrie, Platonica minora 369 auf C. F. Meyers Brunnengedicht. Vgl. ferner Schwyzer, Plotinos 570; Krämer, Ursprung 339; Szlezák 111f.; dürftig J. Ratzinger, Emanation, RAC 4 (1959) 1219–28.

[136] 6,9,9:3. „Plotinus is generally an acute critic of his own metaphors", Armstrong, „Emanation" in Plotinus, Mind 46 (1937) (61–66) 61 (= Studies II); vgl. ferner Hoffmann, Platonismus und Mystik 32–51.

Eine gibt sich selbst immer nur so, daß es seine Eigenart, seine grundsätzliche Abgewandtheit bewahrt[137]. Insofern bedingt gerade seine Fülle und Freiheit, daß es selbst das Untere nur akzidentiell hervorbringt[138]. Denselben Sachverhalt bringt auch die Metapher der *Zeugung* zum Ausdruck[139], worin die Vollkommenheit des Höchsten eine ewige Erzeugung des Geistes impliziert[140], aber ausschließlich unter dem Zeichen einer nur einseitigen Liebe des Erzeugten zum Erzeuger[141]. Das Zeugungsverhältnis begründet immer schon ein Mindersein des Erzeugten gegenüber dem Erzeuger[142]. Da eine Relation des Einen zum Untern nicht statthaben darf, gründet dessen Entstehen durchaus auf einer mit dem Sein des Einen selbst gesetzten Notwendigkeit[143].

(3) Gottes *Anwesenheit* im Reiche des Seienden erweist sich demzufolge vielmehr als seine *Abwesenheit*[144]. Zwar wohnt er allem transzendent inne[145] – obwohl dies zumeist vom Untern nicht entsprechend erkannt wird[146] –, aber diese seine Anwesenheit ist zutiefst uneigentlich, weil er seinem Wesen entsprechend allem Seienden enthoben ist; sie ist als *von immer noch größerer Abwesenheit bestimmte Anwesenheit* zu denken.

---

[137] Das οὐκ ἔμεινεν ἐκεῖνο ἐφ᾽ ἑαυτοῦ, τοσοῦτον δὲ πλῆθος ἐξερρύη 5,1,6:6f. ist durch 5,2,2:25f. präzisiert: ἐκεῖνος ἐφ᾽ ἑαυτοῦ μένων ἔδωκεν.

[138] Die Kontroverse Voluntarismus gegen Naturalismus/Pantheismus scheint unfruchtbar, solange die vorausgesetzten Begriffe (Freiheit, Natur, „Pantheismus") nicht geklärt sind. Gegen die Verfechter der letzteren Ansicht (Zeller 550f.; Henry, RNSP 33, 1931, 338f.; Armstrong, Architecture 111; Wallis 61–67) wandten sich v.a. Trouillard, Purification 119f.; ders., Procession 3f.76f.80 (differenzierter in Mystagogie 21–27, vgl. auch in seiner FS S. 5–10); Rist, Plotinus 66–83; vermittelnd Bréhier 177f.; H. R. Schlette, Das Eine und das Andere, München 1966, 173; Armstrong selbst in der Cambridge history 239–241.

[139] 5,3,16:3–5. Vgl. Picavet, Hypostases 26: „La génération des choses offre une procession descendante."

[140] 5,1,6:37–39 τὸ δὲ ἀεὶ τέλειον ἀεὶ καὶ ἀίδιον γεννᾷ, von Arnou, Platonisme 2336; Theiler, Forschungen 24 und Gerlitz 65 mit Origenes verglichen (vgl. 6,8,20:27).

[141] S. oben A. 123.126.

[142] 5,1,7:38–42; 5,3,16:5–16; 3,8,9:42–44 und 5:17ff.; vom Verhältnis ποιοῦν – ποιούμενον 5,5,13:37f.; 5,8,1:30f., nach Plat Phileb 27b, zitiert bei Prokl in Tim 1,259,27–29. Vgl. Schlette 73f.85–87.169–171; Theiler, Forschungen 154; Wallis 60; A. H. Armstrong, The plotinian doctrine of ΝΟΥΣ in patristic theology, VC 8 (1954) (234–238) 234.

[143] 2,9,3:8–12 ἀνάγκη (vgl. Prokl. in Tim 1,372,33–373,3); 2,9,8:21–25 ἔδει; 6,7,8:12–14 ἐξ ἀνάγκης; vgl. oben A. 139f.; ferner Ivánka, Plato Christianus 455; verfehlt Kremer, Seinsphilosophie 12f.323; dagegen richtig Kobusch, Hierokles 79 A. 70.

[144] Plot 6,4 und 6,5; vgl. 6,8,16:1ff. πανταχοῦ καὶ οὐδαμοῦ; 3,9,4:3–6. Die Idee von Wesen und derivierter Dynamis (s. unten Kap. IV A. 187ff.) wird schon bei Philon, post 20; confus 136, auf Abwesenheit und Anwesenheit (οὐδαμοῦ καὶ πανταχοῦ) übertragen, vgl. Theiler, Forschungen 107; zu Plotin ferner Arnou, Désir 145–181, bes. 162ff.; Rist, Eros and psyche 80f.; ders., Plotinus 215; Beierwaltes, Plotin 19f.

[145] 5,4,1:6–8, gemäß der Regel 6,4,11:20f. ἔστι γὰρ καὶ παρεῖναι χωρὶς ὄν.

[146] 6,9,4:24–28 und 7:29 πᾶσι σύνεστιν οὐκ εἰδόσι, aber das συνεῖναι ist uneigentlich: 6:50f. οὐδὲ τὸ συνεῖναι δεῖ προσάπτειν, ἵνα τηρῇς τὸ ἕν. Vgl. 6,9,8:41f. ἡμεῖς ἀεὶ μὲν περὶ αὐτόν ... οὐκ ἀεὶ δὲ εἰς αὐτόν. Gegen die Gnostiker 2,9,6 betont er die Parusia des Einen im Kosmos.

3. „Zwei Sichtweisen" und negative Theologie – Vom Unendlichen

(1) Es ist allein und ausschließlich die überragende Transzendenz des Einen, die alles andere Sein in den Schatten von Minderung und Veräußerung taucht. Im besonderen erscheint so die erste Bewegung in die Tiefe als Abgang von jener seligen Einheit. Umgekehrt aber ist Plotins Weltschau von „freudigem Optimismus"[147] bewegt, er schaut gut griechisch im Kosmos die Schönheit und Ewigkeit des Göttlichen. In welchem Verhältnis stehen diese widerstrebigen Bestimmungen, diese „zwei Sichtweisen"[148], zueinander?

Kein Zweifel, negative und positive Wertung hängen engstens zusammen mit den das Sein grundlegend beherrschenden Bewegungen von Abstieg und Aufstieg[149], deren erste vornehmlich negativ, als Zerteilung, Verringerung und Fall, deren zweite aber positiv als Rückkehr, Einung und Rettung geschaut wird. Im Hinblick auf die Gottesvorstellung wird die *Aufstiegsbewegung* denkbar, sagbar und schließlich auch vollziehbar sowohl mit Hilfe der apophatischen (negativen) wie der kataphatischen (affirmativen, analogen) Theologie. Letztere läßt alle Seinssphären auf das sie erschaffende Göttliche hin transparent werden, dergestalt, daß die Geordnetheit, Lichtheit, Einheit des Seienden verweist auf ein solches allererst Begründendes, zu dem sich der Philosoph aufzuschwingen vermag. Diese grundsätzlich positiv wertende Sichtweise wird durch die apophatische Theologie bestätigt, ja überboten. All ihre negativen Termini übersteigen das Seiende auf seine Quelle hin, ohne es selbst schon abzuqualifizieren[150]. Die negative Wertung entzündet sich erst genau an dem Punkt, worin es zum *Abstieg* kommt und die im Blick vom Obern zum Untern hin aufklaffende Differenz von Einem und Seiendem nun dies letztere als minderes qualifiziert. So fällt insbesondere auf die allererste Äußerung des Einen, auf den Anfang seiner Wege ins Viele der Schatten jener Privation, die am Ende der ganzen Kette als Nichts, als verschlingende Materie west. Deutlich ist diese Schau von der Erfahrung des Mystikers geprägt, den der Aufstieg ins Licht, der unbegreifliche Abstieg aber in die Entfremdung führt[151].

---

[147] H. F. Müller, Plotinos über die Vorsehung, Ph 72 (1913) 357.

[148] Von vielen Autoren beobachtet, allerdings meist auf die Unterscheidung einer objektiv/ontologischen und einer subjektiv/soteriologischen Sichtweise hin akzentuiert, vgl. Zeller 527; Bréhier passim, bes. 23f.149f.; H. R. Schwyzer, Die zwiefache Sicht in der Philosophie Plotins, MH 1 (1944) 87–99; ders., Plotinos 548–550; H. J. Blumenthal, Plotinus' psychology, Den Haag 1971, 1–6; Beierwaltes, Identität und Differenz 33–35; R. Ferwerda, L'incertitude dans la philosophie de Plotin, Mn. 33 (1980) 119–127; kritisch Krämer, Ursprung 373ff.420f.

[149] Vgl. oben S. 29, unten Kap. IV A. 237 und C. Carbonara, La filosofia di Plotino, Rom 1938f., 1, 9–14; 2, 372–378, der aufgrund der Uneigentlichkeit des Abstiegs Plotins Philosophie ausschließlich aufsteigend darstellt.

[150] Nach E. R. Dodds, Tradition und persönliche Leistung in der Philosophie Plotins, dt. WdF 436, (58–74) 72 sind gerade die Negationen „Pluszeichen an Erfahrung". Vgl. auch P. Hadot, Apophatisme et théologie négative, in: Exercices spirituels 185–193, bes. 187f.

[151] Vgl. Plot 4,8,1:8–11 und oben Kap. II A. 3.

(2) Es ist demnach von entscheidender Bedeutung, die *Negationen* Plotins in diesem Gefüge von positiv gewertetem Aufstieg und negativ gewertetem Abstieg zu beurteilen. Ersterem entspricht die apophatische Theologie, die auf das Eine zielt, letzterem aber die Negativität der Materie, deren Urbild bereits im ersten Ausgang wirksam ist. Plotin kann bekanntlich das höchste Eine und die unterste Hyle mit denselben negativen Termini umschreiben[152]. Wenn er nun das Eine als *„Unendliches"* prädiziert, so ist dieses Unendliche streng von der Unendlichkeit der intelligiblen Materie, der Urbewegung ins Äußere zu unterscheiden und keinesfalls als irgendwie „Irrationales" zu interpretieren[153]. „Irrational" ist ausschließlich das Unendliche des Urhervorgangs, das zusammen mit seinem Gegenteil, der Grenze (Peras), alles Sein *unterhalb* des Einen durchwaltet[154]. Dies Unendliche ist durch seinen Gegenpol, das lichthafte, formende Peras, dem der Aufstieg zugeeignet wird, als irgendwie dunkel, irrational, chaotisch qualifiziert. Die negative Begrifflichkeit (Un-endliches) hindert keineswegs eine Qualifizierung gerade per privationem! Umgekehrt ist das Unendliche des Einen[155] grundsätzlich dieser Polarität enthoben und gewinnt in solcher Apophasis als das in seiner Mächtigkeit nicht Begrenzte, als alle Begrenzung übersteigende Überfülle[156] positive Wertqualität. Dies grenzenlose Eine wirkt so zugleich Grenze, Maß, Form[157] *und* die Unbegrenztheit der intelligiblen Materie, der Dynamis noopoios. Die Unbegrenztheit, Unendlichkeit der letztern aber ist, wie die dahinter wirksame Tradition der unbestimmten Zweiheit nahelegt[158], negativ qualifiziert im Sinne jener schlechthinnigen Formlosigkeit, die im Griechen den horror infiniti wachruft[159].

---

[152] Zur Äquivokation von Einem und Hyle vgl. Schwyzer, Plotinos 568; ders., Platonische Materie 280; Schlette 151 f.155; Wallis 58.91; Theiler, Einheit 109: „Geist und Seele sind ... eingespannt zwischen einem doppelten Nichtseienden." Eines wie Materie sind ἄπειρον (6,7,32:15 / 2,4,15:10; 1,8,3:13; 6,6,3:32 und die folg. Anm.). Vgl. auch oben Kap. II A. 212 und zu spätern Platonikern unten Kap. V A. 24. – Insbesondere die obere, intelligible Materie „possesses by its very indeterminacy a kinship with the One", Rist, Indefinite dyad 105.

[153] So z.B. Heinemann, Plotin 253; Theiler, Das Unbestimmte 290: Plotin begann im kaiserzeitlichen Rom „den faszinierenden Gedanken zu verfolgen, es sei das Höchste irrational, unbestimmt und unbegrenzt", vgl. ders., Diotima 44 (= Untersuchungen 516); Einheit und Zweiheit 108.

[154] Vgl. unten S. 102 f.; zur Unendlichkeit der intelligiblen Materie vgl. 2,4,15:10–20 und oben A. 109.

[155] Zum Unendlichen s. unten S. 116 f. und 118 f.

[156] Plot 6,9,6:11 f. τῷ ἀπεριλήπτῳ τῆς δυνάμεως αὐτοῦ; vgl. 5,5,10:21 f. und 11:1; 6,7,32:15 neben andern Negativa, wie in 33:30–38 (Formlosigkeit). Vgl. schon Clem strom 5,12,81:6: Das Eine ist unendlich, weil es keine Grenze hat.

[157] Plot 5,5,4:13 f.; 6,7,17:18; Schwyzer, Plotinos 562; Beierwaltes, Proklos 58.

[158] Vgl. unten S. 102 f. Gegen Szlezák 65.111 würde ich die ἀόριστος δυάς von 5,4,2:7 f. (vgl. 5,1,5:14 f. und Aristot frg 23 R.³ = p 116 Ross) doch auf die Bewegung *weg* vom Einen ins Viele deuten, gleichsam als Zielrichtung dieser Bewegung, während die in der Rückwendung erfolgende *Formung* durch Eines und Dyas die Nuswelt hervorbringt; vgl. auch Schwyzer, Platonische Materie 271 A. 24; Sweeny, Greg 38 (1957) 527 A. 35; Krämer, Ursprung 337 A. 533.

[159] Auch Rist, Plotinus 24–37 rät – freilich aus sehr andern Erwägungen als den hier entfalteten –, das „infinite" des Einen vom „indefinite" des (werdenden) Geistes zu unterscheiden.

Gerade die Negationen der apophatischen Theologie erweisen derart die größere Entsprechung des Einen zu Licht, Einheit und Form denn zur Unbegrenztheit, Irrationalität und Finsternis der Dynamis noopoios, des Urausgangs[160]. Aber nur im Aufstieg, der in der lichtenden, formenden Epistrophe des Nus zum Ursprung paradigmatisiert ist! Im Abstieg dagegen entläßt das in sich harrende, sich allem verweigernde Eine aus sich als seine erste Entsprechung im Reiche des Seienden die irrende Unbegrenztheit, die jeglicher Lichthaftigkeit des Geistes vorangeht und in sich schon alle Finsternis der untern Materie birgt. So besehen, scheint sich in der Sicht des Einen eine nicht auflösbare *Ambivalenz*[161] durchzuhalten, wonach sich sein Wesen gegen außen *zugleich* in der positiven Werthaftigkeit des Lichten wie in der negativen des Chaos kundtut und offenbart. Diese Amphibolie neuplatonischen Gottesverständnisses entspricht exakt jenem Sachverhalt, den christliche Theologie als die *Ambiguität der Offenbarung Gottes im „Gesetz"* umschreibt.

Über solche *Zwiespältigkeit*[162] hinaus vermag apophatische Theologie nie und nimmer zu führen[163]. Vollziehen ihre Negationen, dem Gesetz der je größern Unähnlichkeit gehorchend, die Differenz Gottes zur Welt nach, so erschließen sie einerseits dem Aufsteigenden eine immer beseligendere Einheit und Lichtung, die dem Seienden von seinem Urgrund her zuströmt. Zugleich aber heben ihre Negationen diesen Urgrund von allem Seienden genau in der Weise ab, wie die in denselben Negationen umzirkelte chaotische Irrbewegung des Seins weg vom Einen dessen absolute Transzendenz vor einer Bezogenheit auf eben dies aus ihm Entsprungene zu bewahren sucht. Die wertmäßig abqualifizierte, privative Negativität des Urausgangs ist, wie insbesondere der Unendlichkeitsbegriff zeigt, terminologisch fast nicht von der apophatischen Negativität des Einen zu trennen, weil jene als allererste Entsprechung aus dieser entströmt. Über diesen das Eine vom werdenden Sein trennenden Abgrund hinaus vermag sich selbst die alle Kataphasis, alle Einheit und Lichthaftigkeit übersteigende apophatische Theologie in ihrer Operation mit den Negationen nicht emporzuschwingen. Das grundsätzlich negativ bestimmte und gleichwohl nicht bestimmte Eine bleibt ambivalent.

Und doch berichtet Plotin davon, wie ihm solche Zwiespältigkeit umschlägt

---

[160] Hierin ist L. Sweeny, Infinity in Plotinus, Greg 38 (1957) (515–535.713–732) 722 f. zuzustimmen, „that the grecian notion of peras remains supreme and is accepted without question".

[161] Schlette 86 f.188 will hier unsachgemäß eine Eindeutigkeit schaffen, wenn er von „Metapositivität" des Einen spricht und verwundert fragt, warum eigentlich Plotin von ihm nicht überhaupt positiver rede.

[162] Um einen eigentlichen Dualismus handelt es sich hierbei aber in keiner Weise, Plotin wehrt sich entschieden gegen ein „zweites Prinzip". Dennoch droht immer die „Gefahr eines sekundären Dualismus infolge des dezidierten Monismus", Szlezák 108.

[163] Dieser Sachverhalt problematisiert die unkritische Verwendung der negativen Theologie in der christlichen Gotteslehre. Vgl. dazu die bestechenden Ausführungen von Jüngel, Gott als Geheimnis der Welt 316 ff.

in eine unendlich beseligende Eindeutigkeit: Jenseits aller Negativität kommt es zur mystischen Ekstase, zur Einung mit dem Urgrund.

4. Kommen des Einen in der mystischen Einung?

(1) Die Überweltlichkeit des Einen läßt dieses allem andern entzogen im Jenseits verharren und gerade in keiner Weise nach unten kommen. Dennoch ist die Frage zu stellen, ob nicht in der mystischen Einung ein Kommen des Einen statthat, worin es so an sich Anteil gibt, daß es zu der ihm entgegeneilenden Seele herabkommt. Plotin weiß davon zu berichten, daß im ruhigen, sich seiner selbst begebenden Warten des Geistes „plötzlich" das Eine in paradoxer Weise „kommt", „erscheint" und an seinem Über-Leben, Über-Licht Anteil gibt[164] – ein unendliches Wunder[165].

Plotin selbst interpretiert dies „Kommen" indes sogleich als ein längst schon Anwesendsein des Einen, als seine uns zuvor nur verborgene ewige Parusia[166]. Dann wäre die mystische Ekstase lediglich die Bewußtwerdung jener Seinsdialektik von Anwesenheit und Abwesenheit, die wir als immer noch größere Abwesenheit bei noch so großer Anwesenheit zu bestimmen suchten[167]. Eine wirkliche Teilgabe des derart allem Seienden entrückten Einen an sich selbst vermag aber diese Denkform ganz und gar nicht zu erklären[168]. Plotin läßt ja deutlich werden, daß das in der unio mystica statthabende Umschlagen der immer größern Abwesenheit des Einen in seine selig erfüllende, alle Abwesenheit aufhebende Anwesenheit sich nicht einer Aktivität des Nus, worin dieser sich zur höchsten Einheit aufschwingt, verdankt, sondern vielmehr gerade einem „Lassen" des Noetischen[169], einem Warten, worin es zur gänzlich kontingenten Einung mit dem Einen kommt, die just nicht mehr der seelisch-geistigen Eigendynamik des Mystikers entspringt.

So bleibt zu fragen, ob Plotins mystische Erfahrung nicht als ein seinem System nicht integrierbares Moment, worin sich ein Kommen Gottes ereignet, zu deuten ist.

---

[164] Vgl. v. a. 5,3,17:28–31; 5,5,8:2–13; 6,7,34:8f. und 36:18f.; auch in Porph Plot 23,7–17 als Folge eigener Anabasis *und* göttlichen Erscheinens (ἐφάνη, ἔτυχε). Hingegen handelt die schöne Passage 5,8,9:7–16 nur von der Epiphanie Gottes als des intelligiblen Kosmos in der Seele, vgl. Rist, Plotinus 209–211.

[165] 5,5,8:23f. θαῦμα, das aber schon 25ff. und 5,5,9 wieder wie das „Kommen" (unten A. 166) relativiert wird. Zum „Wunder" vgl. ferner 6,9,5:29f. das Eine als Wunder; 3,8,10:14–17 das Werden der Einheit zur Vielheit als Nicht-wunder und doch ein Wunder (vgl. 10:32); ähnlich Prokl theol Plat 2,7 p 43,23f.; GregNyss hom 7 in Eccl, op 5,415,2 ὦ τοῦ θαύματος!

[166] 6,7,34:8f.; 5,5,8:13–16.23f.; 6,9,8:33–35; analog auch 5,8,9:27f.; gerade umgekehrt Seneca ep 73,16.

[167] S. oben S. 95f.

[168] Die Schwierigkeit, mit Hilfe dieser Denkform das plötzliche Einswerden zu erklären, übersehen Rist, Plotinus 212.215.225; ders., Eros and psyche 80f.181; O'Daly, Presence 161–164.

[169] 5,3,17:37f.; 5,5,6:17–21; 6,7,35:1ff. Vgl. oben Kap. II A. 40.

(2) Diese Teilgabe des Einen an sich selbst hat oberhalb der den Nus erst konstituierenden Andersheit statt[170]. Obgleich damit die in der intelligiblen Welt waltende Polarität von Identität und Differenz[171] weit übersprungen ist, ereignet sich keine totale Verschmelzung in der Weise, daß es zum Verlust aller Wahrnehmung dieser Einheit selbst kommt[172]. Plotin deutet im Gegenteil sogar an, daß die Einung mit dem Einen gerade in der *Selbstbezüglichkeit* des Einen ermöglicht ist, in welcher dasselbe nachmals zum Geist wird[173]. Der Philosoph versucht nämlich auch sonst gelegentlich, die Lebendigkeit und Fülle des Einen in sich selbst als seine Selbstgewahrsamkeit zu denken, die zwar bereits in den noogenetischen Abstieg hinüberweist, aber dennoch nicht schon in der Abstiegskategorie selbst reflektiert wird[174]. An eben dieser Selbstbezüglichkeit des Einen scheint der Mystiker oberhalb aller Seinsderivation, jenseits allen intelligiblen Werdens Teil zu gewinnen. *Derart ließe sich die Einung mit dem Einen „henologisch" begründen*[175]!

Allein, der Gedanke einer *nicht schon negativ als Abstieg zu bewertenden Relationalität des Einen, die wesensmäßige Teilhabe an ihm selbst ermöglicht,* kann im Rahmen plotinischer Metaphysik nicht systematisch expliziert werden[176], ohne diese in ihren Grundfesten zu erschüttern. Noch weniger ist solche Relationalität als henologische Vorgabe eines Kommens Gottes ins Untere,

---

[170] 6,9,8:32–35; vgl. oben A. 94; ferner Arnou, Désir 247 und 212–214; Beierwaltes, Identität und Differenz 35 f. („Ent-differenzierung"); Rist, Otherness 83 f.; wobei mit Szlezák 74 A. 240 die Stelle 5,1,4:38 f. nicht in diesen Zusammenhang gehört.

[171] ἓν πολλά, ἓν πανταχοῦ, ταυτότης καὶ ἑτερότης; Einheit von Nus, Noesis und noeton, 5,3,5:43–48; 10:24–28; 15:10–20.

[172] H. R. Schwyzer, „Bewußt" und „unbewußt" bei Plotin, Entretiens 5 (1960) (343–378) 376 f., verweist auf 5,8,11:23: Diese Selbstwahrnehmung ist Einsatzpunkt der Abstiegsbewegung, „das erste dunkle Gefühl von sich selbst, das der Geist bei seiner Entstehung gewinnt. Sie ist eine Vorstufe der τόλμα, des Fürwitzes, mit dem sich die Seele von der obern Welt trennt, weil sie sich selbst gehören will." – Der Versuch von K. O. Weber, Origenes der Neuplatoniker, Zet 27, München 1962, 94 A. 1.109 f. Plotin hier in Widersprüchen befangen zu sehen, wird mit Recht von Szlezák 12 A. 18 zurückgewiesen.

[173] 6,7,35:21 f.32 f.; vgl. oben Kap. II A. 296.

[174] 6,7,39:1 f. ἁπλῆ τις ἐπιβολὴ αὐτῷ πρὸς αὐτό (Kirchhoff, Theiler; αὑτόν Hss; H.-S.) und 19 f. ἁπλοῦν ... οἷον κίνημα, ... οἷον ἐπαφή (beide Termini auch von der mystischen Einung!); vgl. 6,8,16:19–21.24–27 νεῦσις, πρὸς αὐτὸν οἷον ἐνέργεια, 31–35 ἐγρήγορσις, ὑπερνόησις; vgl. auch Wallis 59. – Vielleicht gehören hierhin auch 5,1,6:18 und 7:5 f., vgl. oben A. 96. – Hingegen scheint Plotin die gröbere Idee eines eigentlichen, geradezu reflexiven Selbstbewußtseins des Einen nur früh vertreten zu haben (5,4,2:15–19; vgl. Harder, Plotins Schriften, 1b, 454 f. nach Becker; Beierwaltes, Plotin 17 A. 19; Hadot, Porphyre 1, 483 f.; Szlezák 87 A. 270).

[175] In diese Richtung weisen Trouillard, Procession 79; ders., Purification 98.102 f.; ders., Le néoplatonisme, in: Histoire de la philosophie 1, Encyclopédie de la Pléiade, Paris 1969, 892 und O'Daly, Presence 164–169; ders., Self 93 f.

[176] Insofern ist die Rede von „theistischer Mystik" (so Rist, Plotinus 228; Armstrong, Cambridge history 263) verfehlt, hier hat Pl. Mamo recht, Is plotinian mysticism monistic? in: Significance of neoplatonism, 199–215; aber die Zaehnerschen Kategorien wären überhaupt zu hinterfragen.

worin er die aufsteigende Seele in seine Einheit entrafft, denkbar. Gleichwohl sei hier die Frage aufgeworfen, ob Plotin nicht in der unio mystica die Erfahrung eines Kommens des an sich selbst Teil gebenden Einen, einer „Gnade", andeutet, die er „hernach"[177] im System seiner eigenen Theologie nurmehr zu interpretieren vermag als Gottes seit je waltende Anwesenheit oder aber als bereits in den Schatten der Noogenese getauchte Selbsterfassung des Einen[178]. Jedenfalls erstaunt es nicht, daß der Ansatz einer derartigen Selbstbezüglichkeit des Einen bei den Neuplatonikern nach Porphyrios zugunsten einer konsequenteren Systematik ganz fallengelassen worden ist, wie ja diese auch nicht mehr aus eigenem Erleben von der höchsten Einung[179] noch vom allerersten Werden aus dem obersten Einen zu reden wissen.

(3) Endlich wird in der mystischen Erfahrung erneut die Thematik des Abstiegs aus solch seliger Höhe akut. Die Teilhabe des Mystikers an der Selbstgewahrsamkeit des Einen weist diesen unter der Hand wieder ein in die noogenetische Abstiegsbewegung, in die ungewollte Abkehr vom Einen zurück in die Welt von Geist und Seele[180]. Die Noogenese erweist sich als grundlegendes *Abstiegsparadigma* nicht nur für den einem allzu heftigen Höhenflug nachfolgenden Rückfall[181], sondern ebenso für den offenbar unvermeidlichen Abstieg des „ordentlich" aufgestiegenen Mystikers. Wir stoßen erneut auf die tief ambivalente, sich allem Seienden immer wieder entziehende Wesenheit des Gottes Plotins.

§ 2 MYTHOLOGISCHE THEOLOGUMENA

Während Plotins Denken sich außerordentlich bemüht, mythologisch-synkretistische Elemente zu umgehen, und dieselben bei ihm nur peripher durchschimmern, nimmt die ihm folgende Philosophie – wie schon die seiner Vorläufer – in reichem Maße derartige Vorstellungen gerade auch in der Triadenlehre auf, deren wichtigsten Bausteinen kurz nachzugehen ist.

---

[177] 5,3,17:21ff., bes. 26–28.

[178] Man wird daher zögern, Plotins System, besonders seine Einslehre, vornehmlich aus der mystischen Erfahrung herzuleiten, wie es etwa Geffcken, Ausgang 47; Schlette 43f.218; Rist, Eros and psyche 87–112 tun; vgl. die umsichtigen Überlegungen bei Szlezák 210.203f. Die Ekstatik, die bei Plotin wirklich erst zuallerletzt kommt (Dörrie, Platonica minora 371.463), formt nicht das Ganze um.

[179] Vgl. Dodds, Proclus XXIII; Rist, Mystik 381–383; ders., Eros and psyche 95.190; ders., Plotinus 192f.

[180] Vgl. bes. Plot 4,8,1:1ff., oben Kap. II A. 3f. – Gute Bemerkungen zum „sentiment d'étrangeté" des Menschen in unterer *und* oberer Welt bei P. Hadot, Les niveaux de conscience dans les états mystiques selon Plotin, JPNP 77 (1980) (243–266) 264ff.

[181] Zum „Rückfall" s. oben Kap. II S. 56ff., bes. 65ff.

1. Androgynie Gottes

Gern hat man sich die schöpferische Lebendigkeit Gottes in seiner Männliches und Weibliches einenden Natur veranschaulicht und dafür die alten religiösen Traditionen der Vater- und Muttergottheiten aufgegriffen[182]. Die verbreitete Vorstellung der göttlichen Androgynie gestaltet sich derart um zum Bild der die Welt als Kind erzeugenden und gebärenden zweigeschlechtlichen Gottheit[183] und prägt die *göttliche Familie* als Trias aus[184]. Die Monas schließt demzufolge immer schon als Einheit von Männlichem und Weiblichem[185] die Trias in sich ein, wie bei Synesios deutlich wurde.

2. Die Dyas von Peras und Apeiron

(1) Schon im alten Pythagoreertum hat man die auch in der Androgynie geschauten Urprinzipien des Seins auf das Paar von „Peras", „Grenze", und „Apeiron", „Grenzenloses", zurückgeführt und nachmals in der Alten Akademie spekulativ systematisiert[186]. Von besonderem Interesse sind die darin vollzogenen Wertungen, wie sie in den pythagoreischen Gegensatztafeln faßbar

---

[182] Vgl. dazu Norden, Agnostos Theos 228–231; R. Reitzenstein, Poimandres, Leipzig 1904, 38–46; W. Bousset, Kyrios Christos, Göttingen ²1921 = 1965, 309–316; ders., Hauptprobleme der Gnosis, ib. 1907, 333–338; J. Kroll, Die Lehren des Hermes Trismegistos, Münster 1914, 51–54; C. M. Edsman, Schöpferwille und Geburt, Jac 1,18, ZNW 38 (1939) 11–44; Theiler, Orakel 7.16; A. Orbe, Hacia la primera teología de la procesión del Verbo, Estudios Valentinianos 1, Rom 1958, bes. 289–362; Hadot, Porphyre 1, 299; J. Whittaker, The historical background of Proclus' doctrine of the ΑΥΘΥΠΟΣΤΑΤΑ, Entretiens 21 (1975) 193–230; G. Scholem, Schechina, das passiv-weibliche Moment in der Gottheit, in: Von der mystischen Gestalt der Gottheit, Frankfurt 1977, 135–191, bes. 155–160.

[183] Vgl. die orphischen Texte, frg 21 a 4 p 91 Kern mit H. Strohm, Über die Welt, Aristoteles, Werke 12/2, Berlin ²1979, 351; frg 21 a p 93 K. = Varro bei Aug civ 7,9:60 (CCL 47,194), wonach Jupiter progenitor genetrixque deum ist; frg 81 p 154 K.: Phanes ist θῆλυς καὶ γενέτωρ; frg 54 p 130 f. = FVS 1 B 13; Orph hy 10,18 (ed. W. Quandt, Dublin – Zürich ⁴1973) πάντων μὲν σὺ πατήρ, μήτηρ an die Physis; ib. 1,186; Corp herm 1,9 p 9,16 N.-F. ὁ δὲ νοῦς ὁ θεός, ἀρρενόθηλυς ὤν mit Festugière z. St.; ders., Révélation 4, 43–51; ferner Keyssner, Gottesvorstellung 26–28.

[184] Für Xenokrates ist so die Weltseele die Göttermutter, frg 15 H.; vgl. Festugière, Révélation 4, 49. Philon ebr 30; fug 109 läßt den Kosmos als Sohn aus Gott als Vater und der Sophia als Mutter entstehen. In Corp herm 1,8 p 9,13–15 wird der Kosmos aus Logos und βουλή gezeugt (vgl. Asclep 26, Bd. 2 p 330f.); dazu Festugière z. St.; ders., Révélation 4, 42f.; Benz, Marius Victorinus 310–326. Hingegen gehört nicht hierher Theoph Autol 2,10, gegen Bousset, Kyrios 315 Anm. ist die Sophia hier nicht Mutter des Logos, sondern beide treten zusammen aus Gott, richtig Gerlitz 56.

[185] Porphyrios bei Macrob somn Scip 1,6,7 p 19,25f. Willis (BT, 1970): Die Monas ist mas et femina.

[186] Nach W. Burkert, Weisheit und Wissenschaft, Studien zu Pythagoras, Philolaos und Platon, Nürnberg 1962, 261 A. 31 ursprünglich ein „vorphilosophisches Analogie- und Ordnungsdenken". Zur akademischen Systematisierung ferner Krämer, Ursprung, passim; H. Happ, Hyle, Studien zum aristotelischen Materie-Begriff, Berlin 1971, Kap. 2, bes. 256–260; Beierwaltes, Proklos 51 A. 2; J. Dillon, The middle platonists, London 1977, bes. 1 ff.

sind[187]. Während der „Grenze" positive Qualitäten wie „Gutes", „Lichtes", „Verbundenheit" und „Bewahrung" zukommen, ist das „Grenzenlose" in Zwielicht getaucht: Ihm entsprechen „Übel", „Böses", „Unvernünftiges", „Lüge", „Neid", „Finsternis", „Vielheit", „Unordnung", „Ungleichheit" und „Veränderung". Analog spiegelt sich im ersteren „Einheit" und „Männliches", im zweiten aber „Zweiheit" (Dyas) und „Weibliches". Deutlich kommt hierin die griechische Scheu vor dem Formlosen, Chaotischen, Unbegreiflichen zum Ausdruck[188]. In der Deutung auf die platonischen kosmogonen Prinzipien eignet das Begrenzende dem Wirken des Demiurgen an der ihrerseits als „unbegrenzte Zweiheit" gefaßten Urmaterie[189]. Das Zwielicht, in welches Plotins erstes Moment der Noogenese getaucht ist, entspringt deutlich der akademisch-pythagoreischen Zusammenschau von unbegrenzter Zweiheit, Materie und Bösem. In der Jamblichos zugeschriebenen „arithmetischen Theologie" entsprechen der Dyas gar Begriffe wie „Fürwitz", „Drang", „Werden", „Zertrennung", „Vergießung", „Relation" (!), „Mangel", „erster Abfall", „Unbegrenztes", „Andersheit", „Mutterschaft", „Zerteilung", „Untergang" und „Fluß"[190]. Deutlich ist hier *alles Werden als Abstieg negativ qualifiziert.*

(2) In dem Verständnis von „Grenze" und „Unbegrenztem" als kosmogonen Prinzipien dürften wohl auch alte Vorstellungen von der *Schöpfung als Urbegrenzung* einer göttlichen oder chaotischen Fülle mitklingen. Im bei Philon von Byblos überlieferten Schöpfungsbericht des Sanchunjaton wird die Welterschaffung gerade als in einer von einem Drang stimulierten Begrenzung eines grenzenlosen Chaos geschildert, worin archaische Kosmogonien des Alten Orients durchschimmern[191].

---

[187] Vgl. Philolaos FVS 44B 11; Aristot met A5:986a22–26; eth Nic 2,5:1106b29f.; Plut Is 48:370e; Porph Pyth 49f. p 44 N.; Burkert, Weisheit 45f.53–57.

[188] Vgl. im größeren Zusammenhang Elert, Ausgang 33–70: „Die Vorstellung des Unendlichen bereitet ihm (dem Griechen) Unruhe, *weil* es unbegrenzt ist ... ein Widerstandsblock gegen das Begreifenwollen der Wirklichkeit" (38), ein „Ideogramm für das chaotische Noch-Nicht der kosmischen Wirklichkeit" (67); vgl. auch Hoffmann, Platonismus und Mystik 127–135.

[189] Vgl. Plut quaest conv 719d; in der Deutung auf die böse Weltseele def or 35:428ef; vgl. F. P. Hager, Die Materie und das Böse im antiken Platonismus, WdF 436, (427–474) (= MH 19, 1962, 73–103) 430–432.466f.; Theiler, Einheit 104.

[190] PsJambl theol arithm 2 p 7,14–14,12 de Falco (BT, ²1975) und Joh Lydos mens 2,7 p 23,19–25,2 Wünsch (BT, 1908): τόλμα, ὁρμή, γένεσις, διαίρεσις, χύσις, πρός τι, σχέσις, ἔλλειψις, πρώτη ἀπόστασις, ἀόριστον, ἄπειρον, ἕτερον, Διομήτωρ, τομή, δύη, ῥύσις; vgl. Plut Is 75:381f.: δυάς, ἔρις, τόλμα; vgl. Henry – Schwyzer² zu Plot 5,1,1:4; ferner Aug conf 4,15,24 p 71f. Sk. die Dyas als natura et vita summi mali, und Festugière, Révélation 4, 50 „La Dyade fait obstacle à Dieu." Bei Amelios (Prokl in remp 2,31,22–32,9) ist die Dyas als Bewegung von Eins zu Drei: ῥύσις.

[191] Bei Euseb praep 1,10,1f. (GCS 43/1,42,21–43,6). Das Chaos ist θολερόν, ἐρεβῶδες, alles ist ἄπειρα διὰ τὸ μὴ ἔχειν πέρας. Dann aber kommt es zum welterschaffenden πόθος. Vgl. A. I. Baumgarten, The phoenician history of Philo of Byblos, EPRO 89, Leiden 1981, 105–111. – Zur Bedeutung der Grenze in Hesiods Theogonie (335.622.738) s. H. Fränkel, Dichtung und Philosophie des frühen Griechentums, München ³1962 = 1976, 117f.; zu Homer W. Schadewaldt, Die Anfänge der Philosophie bei den Griechen, Tüb. Vorlesungen 1, Frankfurt 1978, 59–61.

(3) Insbesondere erinnert aber der *Sophiamythos* in der valentinianischen Gnosis an die plotinische Noogenese und ihre platonischen Wurzeln mit demselben charakteristischen Schema eines Drangs, einer Bewegung nach unten, die aufgehalten und zurückgewendet wird durch eine begrenzende Formung[192]. Die Sophia treibt es in ihrem Wunsch[193], den Urvater zu sehen oder ihm gleich zu sein, unaufhaltsam in die Tiefe, in die Formlosigkeit[194]. Erst der Horos bringt sie zum Stillstand und gliedert sie wiederum in die göttliche Ordnung ein[195]. Hierbei spielt sich diese dem Männlichen entsprechende Formung des weiblich Ungeformten auf einer Vielzahl von Seinsebenen ab[196]. Im Grunde weist der Fürwitz der Sophia (wie bei Plotin derjenige der Seele) gar zurück auf eine Kraft, die bereits im Nus (der nach dem Urvater höchsten Wesenheit) latent wirksam ist[197]. Indem dieser Drang aber erst in der Sophia zum Ausbruch kommt, erweist sich deren Streben als ein Aufsteigen-wollen, während in der strengen Einslehre Plotins der Wunsch, sich selbst beziehungsweise alles zu sein, grundsätzlich nur abwärts gerichtet ist. Der Sophiamythos kommt indes nicht als direkte „Quelle" für Plotin in Betracht, sondern stellt eine analoge Verschmelzung zweier vom Platonismus stark geformter, aber viel weiter verbreiteter Traditionskomplexe dar, nämlich des kosmogonen Prinzipienpaars Form und Chaos sowie des Fallmotivs[198].

---

[192] „... kann es als vertretbare These gelten, daß im valentinianischen System abgesunkenes philosophisches Lehrgut altakademischer Herkunft in charakteristischer Gestaltverfremdung vorliegt", Krämer, Ursprung 253 (übrigens auch die These der kirchlichen Gnosisbekämpfer, z. B. Hippol ref 6,29,1 und 37,1). Zum Sophiamythos vgl. ferner ib. 223–264.335 f. A. 350; Quispel, Gnosis 86–89; Orbe, Theología 271–304.599–616; G. C. Stead, The valentinian myth of Sophia, JThS 20 (1969) 75–104; G. W. MacRae, The jewish background of the gnostic Sophia myth, NT 12 (1970) 86–101.

[193] ποθεῖν Iren 1,2,1 (SC 264,37); πάθος-passio und τόλμη Iren 1,2,2 p 38; verkehrte ζήτησις τοῦ πατρός p 39; ἐνθύμησις und φυσική τις ὁρμή 1,2,4 p 43 f.; 1,8,2 p 120; vgl. zum „Drang" oben A. 67.88.90.191 und unten A. 234, ferner Quispel 88; der Stoa ist die πλεονάζουσα ὁρμή = πάθος, SVF 3,459.462.479.378. „So kommt ... mit Negativität, Beschränkung, Entbehren und Begehren ein Moment der Leidenschaft innerhalb des Reiches der Intelligenzen selbst ins Dasein", Jonas, Gnosis 2, 159.

[194] Der Wunsch ist ἄμορφος καὶ ἀνείδεος, Iren 1,2,4; ἀμορφία und ἀγνωσία Clem excTheod 31,3 f. (SC 23,128); Hippol 6,30,8; 31,1.4; es droht ein Zerfließen ins Unendliche, εἰς ἄπειρον ῥεούσης τῆς οὐσίας, Iren 1,3,3 p 54 f.

[195] ἔστη Iren 1,3,3 (in Exegese von Lk 8,44) wie Plot 5,5,5:18 f.; Syn hy 2,110; Dion p 253,5 f.; vgl. auch unten A. 234.291.341; Kap. V A. 97. – Zum Horos s. Iren 1,2,2.4; Hippol 6,31,5 f.; 37,6 und Jonas, 1, 367: Der Horos ist „ein Symbol für den aus dem Ursein sich selbst dialektisch erzeugenden Dualismus". Zu Plotin s. oben A. 95.

[196] Das ἄρρεν ist μορφωτικόν, μόρφωσις, das θῆλυ aber οὐσία ἄμορφος und πρώτη ἀρχή der Hyle, Hippol 6,30,8 p 158,7–10; Iren 1,2,3 f. p 41–44; 1,4,1 p 62 f.; vgl. oben A. 194.

[197] Iren 1,2,1 (SC 264,37).

[198] Zu Plotins Übertragung des Seelenfallmotivs auf die Noogenese s. oben S. 91 f. Für den valentinianischen Mythos hält freilich Stead aaO. (A. 192) 103 das Fallmotiv für sekundär; McRae aaO. 99 f. verweist auf Evas Fall.

3. Die Trias der Chaldäischen Orakel

Schon die Chaldäischen Orakel haben in der Trias die alldurchwaltende Weltstruktur erkannt und damit die porphyrianische Interpretation der plotinischen Noogenese als explizit triadische Bewegung ermöglicht. Die Drei, seit Urzeiten die Zahl der Weltordnung schlechthin[199], wird nun von den Orakeln auf der Grundlage der göttlichen Androgynie, deren zwei Geschlechter ein drittes Wesen hervorbringen, und der pythagoreisch-akademischen Zahlenspekulation zur alle Seinssphären beherrschenden Weltformel[200]. Von den drei Triaden[201] wird die oberste aus dem Vater, seiner Dynamis und dem Nus, dem ersten Intellekt, gebildet[202]:

„Denn die Dynamis ist mit dem Vater,
der Nus aber stammt von ihm her."

Diese *Dynamis* erscheint so als mittlere zwischen Vater und Nus.

„Als mittlerer der Väter bewegt sich das Zentrum der Hekate."[203]

Als mittlere ist sie zugleich das Prinzip des Lebens[204], der Wille des Vaters[205] und heißt Hekate oder Rhea. Auf einer untern Seinsebene erscheint Hekate als die Weltseele[206]. Es liegt nahe, *die Charakterisierung der obern Dynamis weit-*

---

[199] Vgl. R. Mehrlein, „Drei", RAC 4 (1959) 269–310; Burkert, Weisheit 441 f.448; Dillon, Middle platonists 427 (Index). Viel Material bieten die folgenden Arbeiten, aber alle verfallen der Herleitung der christlichen Trinität aus alten Göttertriaden: H. Usener, Dreiheit, RhM 58 (1903) 1–47.161–208. 321–362, bes. 36–46; J. Przyluski, Les trois hypostases dans l'Inde et à l'Alexandrie, Mélanges Cumont, Paris 1936, 2, 925–933; Gerlitz 9–47.273; D. Nielsen, Der dreieinige Gott in religionshistorischer Beleuchtung, 2 Bde., Kopenhagen, 1922–1942, gerade umgekehrte Ansicht bei J. Seifert, Sinndeutung des Mythos, die Trinität in den Mythen der Urvölker, Wien – München 1954, bes. 287–313. – Zur philosophischen Triadisierung Hoffmann, Platonismus und Mystik 98–114; zur Gnosis A. Böhlig, Triade und Trinität in den Schriften von Nag Hammadi, in: The rediscovery of gnosticism 2, SHR 41/2, Leiden 1981, 617–634; ferner oben S. 78 f.

[200] Or Chald frg 22,1 εἰς τρία γὰρ νοῦς εἶπε πατρὸς τέμνεσθαι ἄπαντα. – Als Trias-Weltformel wird übrigens in der Antike erstaunlich selten Homer Il 15,189 (τριχθὰ δὲ πάντα δέδασται) zitiert, vgl. immerhin neben der Gnosis (Hippol ref 5,8,3; 20,8) Joh Lyd mens 2,8 p 27,13–16 W. (samt Philon quaest in Gen 4,8 p 147 f. Petit); PsJambl theol arith 3 p 19,12 de Falco. Bei GregNaz or 31,16:13 (SC 250,306) wird die Homerstelle als Beleg für den von Zerteiltheit bestimmten griechischen Gottesbegriff mit der Einheit der christlichen Trinität konfrontiert.

[201] Vgl. Lewy 78–83; Hadot, Porphyre 1, 257–262.

[202] Frg 4, vgl. auch Theiler, Orakel 12–15; des Places, Oracles z. St. 124. Zur Dynamis unten Kap. IV A. 187–189.

[203] Frg 50, übersetzt von Lewy ²543. Vgl. auch frg 6 und Psellos' Ekthesis p 194 des Places; ferner Festugière, Révélation 3,57: Die „Väter" sind die beiden Intellekte. Vorsichtige Zustimmung dazu auch bei Dillon, Middle platonists 394.

[204] Vgl. Lewy 455; Hadot, Porphyre 1, 265 f.

[205] Lewy 78–83.329.332, vgl. unten S. 109.

[206] Die πηγαία ψυχή ist die πηγαία Ἑκάτη, vgl. Lewy 83–105.353–366; Dodds, HThR 54 (1961) 268; Theiler, Orakel 12; Hadot, Porphyre 1, 396.

gehend aus den der Weltseele zugeschriebenen Eigenschaften abzuleiten[207]. Platon weist der Seele die Oberes und Unteres mittelnde Stellung zu[208]; bei Xenokrates wird die anima mundi mit der Göttermutter identifiziert[209]. Seele ist außerdem das Prinzip des Lebens par excellence[210]. So scheint die Dynamis der „horizontalen" Trias von der die Mitte zwischen Geist und Materie innehabenden Seele her charakterisiert zu werden[211] und hat ebenso die Funktion der Vermittlung zwischen der weltabgewandten Gottheit[212] und den untern Wesenheiten.

§ 3 Porphyrios

1. Trias

(1) Porphyrios scheint als erster die Trias der Chaldäischen Orakel systematisch zur Erklärung des Hervorgangs des Geistes aus dem Einen herangezogen zu haben[213]. Unter Verwendung des traditionellen, bei Plotin[214] auf die intelligible Welt bezogenen Ternars *Sein, Leben* und *Denken*[215] deutete er den chaldä-

---

[207] Dies hat schon Lewy 355 angedeutet, vgl. auch M. Tardieu, La gnose valentinienne et les oracles chaldaïques, in: The rediscovery of gnosticism 1, SHR 41/1, Leiden 1980, (194–237) 216f.

[208] Plat Tim 35a, vgl. unten Kap. V A. 101.

[209] Xenokr frg 15 p 164 H., vgl. Plutarchs Deutung von Isis als Weltseele; dazu Krämer, Ursprung 95f. „Mutter" ist die Seele auch bei M. Vict Ar 1,61:12–14; ad Cand 10:32f. (nutrix, generatrix). Vgl. unten bei A. 239.

[210] In unserem Zusammenhang z. B. Or Chald frg 32,1; M. Vict Ar 1,61:15ff. potentia vivificandi; Prokl inst 201 p 176,15f.

[211] W. Deuse, Der Demiurg bei Porphyrios und Jamblichos, WdF 436 (1977) (238–278) 256 A. 36 scheint sich von dieser Übertragung von der Weltseele auf die obere Dynamis – beide sind Hekate – verwirren zu lassen. – Eine analoge Übertragung findet sich in der Gnosis, worin die Sophia Weltseelezüge aufweist, Krämer 241f., und in der Kabbala, wo die Seele auf die Schechina abfärbt, Scholem, Schechina 160. Vgl. auch oben A. 23 zur Herleitung von ὅρος bei Synesios.

[212] Frg 3,1 … ὁ πατὴρ ἥρπασσεν ἑαυτόν. Vgl. L. Abramowski, Drei christologische Untersuchungen, BZNW 45, Berlin 1981, 1–17 (Phil 2,6 und Or Chald frg 3).

[213] Durch Hadot in Fortführung der Arbeiten Theilers erschlossen aus (1) den antiken doxographischen Nachrichten, (2) dem anonymen Parmenideskommentar, den er Porphyrios zuweist, (3) den neuplatonischen Textstücken bei Victorinus und (4) den bei Augustin und auch Synesios faßbaren Porphyriosstücken. Vgl. neben seinem „Porphyre et Victorinus" bes. auch La métaphysique de Porphyre, Entretiens 12 (1966) 127–157, dt. WdF 436, 208–237.

[214] Z. B. 6,7,23:22–24 und 36:12; 3,6,6:24; 5,6,6:21 ὁμοῦ ἄρα τὸ νοεῖν, τὸ ζῆν, τὸ εἶναι ἐν τῷ ὄντι; vgl. Beierwaltes, Plotin 32: „Diese triadische Selbstdurchdringung von Sein, Leben und Denken muß als vollkommener Vollzug der Dialektik des Geistes gedacht werden." Ferner Wallis 67; Armstrong, Cambridge history 246; und kritisch zu Hadot (s. unten A. 215) Szlezák 120–135. Für Apg 17,28a vgl. H. Hommel, ZNW 48 (1957) 193–200.

[215] Plat soph 248e; Aristot met Λ 7:1072b26f.; vgl. P. Hadot, Être, vie et pensée chez Plotin et avant Plotin, Entretiens 5 (1960) 107–141, wo die gnostischen Belege zu ergänzen sind, z. B. NHC 11/3,49,26–38; 8/1,15,4–7; vgl. J. M. Robinson, The three steles of Seth and the gnostics of Plotinus, Proceedings on the intern. colloquium on gnosticism, 1973, 132–142; Tardieu, Gnose 215; ders., RSPT 57 (1973) 560–564; vgl. unten A. 217f. – Wie Porphyrios (sent 26 p 15,9.12 L.) nennt auch Allogenes das Eine „nichtseiend", 47,34, vgl. zu Basilides M. Jufresa, VC 35 (1981) 2f. –

ischen „Vater" auf das als Sein (τὸ εἶναι) gefaßte Eine, die „Dynamis" auf den Hervorgang als Leben, den „Nus" auf die Rückwendung (ἐπιστροφή) als Denken[216]. Diese triadische Bewegung gründet aber ihrerseits auf einem in jedem Moment der Trias beschlossenen Enthaltensein der andern zwei Momente, derart, daß das Sein immer auch schon Leben und Denken impliziert, das Leben seinerseits aber auch Sein und Denken in sich birgt, wie auch das Denken schließlich an Sein und Leben teilhat[217]. Diese gegenseitige Implikation unter Vorherrschaft je eines Moments in der Trias versucht in eleganter Weise, die Spannung zwischen Transzendenz und Entfaltung des Einen aufzuheben. Die Monas ist derart immer schon die Trias[218]. Porphyrios scheint hierbei stoische Bewegungsmodelle aufgegriffen zu haben, um mit ihrer Hilfe die obere Welt zu beschreiben[219], wie ihm denn überhaupt die physikalische und psychologische Wirklichkeit per analogiam die (Meta-)Physik und Theologie der obern Hypostasen erschließt[220]. Deutlich entspricht das „Leben" der plotinischen Dyna-

---

Wohl zu Recht nimmt L. Abramowski, M. Victorinus, Porphyrius und die römischen Gnostiker, ZNW 74 (1983) (108–128) 110f.122–124.128f. an, der NHC-Traktat Allogenes sei von Porphyrios, der seinerseits barbelognostische Traditionen aufnehme, abhängig (gegen J. D. Turner, The gnostic threefold path to enlightenment, NT 22, 1980, 324–351, 335ff.).

[216] „Pour Porphyre, l'Intelligence se constitue par un processus triadique dont les trois moments sont l'existence, la vie et la pensée.", Hadot, Métaphysique 135f. (= WdF 436, 217). S. ⟨Porph⟩ in Parm 14,5–26 p 110–112 H. ὕπαρξις – ζωή – νόησις; M. Vict passim: exsistentia – vita – intelligentia; Syn regn 9 p 19,17 Gott ist δωρητικός von ζωή, οὐσία und νοῦς, eher an Plotin denn an Porphyrios erinnernd.

[217] M. Vict Ar 1,52:6 in unoquoque istorum tria; 1,54:8–10 ... in uno tria et idcirco eadem tria; 3,9:9–12:46 (9:7 in omnibus terna); vgl. 4,5:45; 8:24; 21:30f., als ein je Vorherrschendes 4,26:1–4 (mit Parallelen im Apparat von CSEL); in der Polemik des Proklos gegen Porphyrios, in Parm 1114:3f.: Das Erste enthalte die zwei andern κρυφίως, noch nicht διῃρημένως. Vgl. M. Vict Ar 4,21:26–28 τριδύναμος est deus, id est tres potentias habens, esse, vivere, intellegere, ita ut in singulis tria sint sitque ipsum unum quodlibet tria; ferner Hadot, Porphyre 1, 255.286ff. So redet auch der gnostische Allogenes, NHC 11/3,49,28–38; vgl. bes. Abramowski, M. Victorinus 108ff.

[218] M. Vict ad Cand 31:10–13 tria unum et unum tria et ter tria unum, vgl. Cand ad Vict 3:19–21. Vgl. bereits Or Chald frg 27 παντὶ γὰρ ἐν κόσμῳ λάμπει τριάς, ἧς μονὰς ἄρχει (= Damask dub et sol 43; 1,87,3 R.), hier deutlich die Monas als Trias, was Hawkins 84; Cocco 351–353; Ch. Lacombrade, Bulletin soc. toulous. 1976, 19 als spezifisch christlich ansehen. Nach Joh Lyd mens 2,6 p 23,9–12 zeigt das (kaum chaldäische) Orakel (fehlt bei Kroll; bei Vogt, Procli hymni als frg 2 p 33; bei des Places als frg 26) „μονάδα γάρ σε τριοῦχον ἰδὼν ἐσεβάσσατο κόσμος" deutlich, daß „die Monas in der Trias geschaut wird" (ἡ μονὰς ἐν τριάδι θεωρεῖται). – Vgl. ferner Prokl in Tim 1,21,19f. ἡ τριὰς ... κατὰ πάντα τῇ μονάδι συμφυομένη; theol Plat 3,22 p 81,6 ἑκάστη τῶν τριάδων μονάς ἐστιν ἅμα καὶ τριάς. Die Bewegung von Monas zu Trias bei MVict Ar 4,6:1–3. Vgl. Hadot, Porphyre 1, 261 „La monade première, c'était le Père lui-même, et cette monade était triadique, puisqu'elle possédait en elle la Puissance et l'Intellect."; ferner Wallis 110–118. Wieder lehrt auch der gnostische Allogenes: „And the three are one, although they are each three as individuals", NHC 11/3,49,36–38. Eine ähnliche Exteriorisation vom Einen zur Trias findet sich in NHC 1/5, vgl. E. Thomassen, VC 34 (1980) 358–375.

[219] Hadot, Porphyre 1, 225–246; ders., Etre, vie et pensée 135f.; ders., Epistrophè et metanoia dans l'histoire de la philosophie, Actes du 11ième congrès int. de philos., Amsterdam 1953/12, (31–36) 31f.

[220] Gemäß der Regel πάντα ἐνταῦθα ὅσα κἀκεῖ, „Wie oben, so unten", Plot 5,9,13:18f.; vgl.

mis noopoios, das „Denken" aber der Formung, Begrenzung dieses Hervorgangs in der Rückwendung zum Einen. Aber im Unterschied zu Plotin[221] läßt
Porphyrios schon das höchste Sein derart von dem ihm Entspringenden betroffen sein, daß der Hervorgang und die Rückwendung in jenem bereits präexistieren und sich in der Bewegung ad extra nurmehr entfalten. Plotin hat dagegen das
höchste Eine von dieser impliziten Entfaltungsstruktur, die immer schon in den
Kategorien von Abstieg und Aufstieg zu denken ist, freigehalten und lediglich
eine Art von Selbstbezüglichkeit des Einen zugestanden, dieselbe aber nicht
explizit zur henologischen Vorgabe des Hervorgangs gemacht[222]. Genau dies
begegnet nun aber bei Porphyrios, der damit die plotinische Aporie zu lösen
sucht.

(2) So wird bei Porphyrios die Trias zur Weltenformel[223], die alle Seinsebenen durchwaltet, und von der „vertikalen" Dreiheit Plotins (Eines-Nus-Seele)
zu unterscheiden ist[224]. Die von diesem noch abgewehrten mythologischen
Vorstellungen eines „Willens", einer „Mitte"[225] sollen nun den ersten Hervorgang erklären; der Dynamis der Orakel kommt genau jene Mittelstellung zu[226],
von der auch Augustin berichtet[227]. In Entsprechung hierzu schaut der Orakel-
exeget die Selbstkonstitution des Geistes als androgyn[228] sich vollziehende
Selbsterzeugung[229].

(3) Insbesondere hat aber Porphyrios das zweite Moment der Trias als Wille
nach unten aufgefaßt.

6,7,11:3 f.; systematisiert bei Prokl inst 59 p 56,28–58,2. Vgl. H. Dörrie, Porphyrios' Symmikta
Zetemata, Zet 20, München 1959, VII.174 A. 5; ders., Platonica minora 420. Auch für Plotin zeigt
sich die Dreiheit der transzendenten Welt im (zu sich gekommenen) Menschen, 5,1,10 f.; vgl.
ausführlich MVict Ar 1,32:16–78, wo die psychologische Trias die obere abbildet, vgl. 1,56:4–15
und A. Ziegenaus, Die trinitarische Ausprägung der göttlichen Seinsfülle nach Marius Victorinus,
MThS 41, München 1972, 105 A. 35; 329.

[221] Vgl. Hadot, Porphyre 1, 305.318–322.

[222] Vgl. oben S. 100 f.

[223] Mit Hadot, Porphyre 1, 337 f.; anders Zeller 704 A. 2; Smith, Porphyry 17 f. Eine solche
Triadisierung findet sich sodann auch beim Porphyriosschüler Theodor von Asine, vgl. Deuse,
Theodor 3 ff.13–19; zu Jamblichos s. Wallis 130–133.

[224] Porphyrios kennt und akzeptiert diese natürlich auch, bei Prokl in Tim 1,366,14; 440,3; hist
phil frg 16 p 14,1–9 N.

[225] Vgl. oben bei A. 87.94.

[226] Damask dub et sol 121 (1,313,6 R.; vgl. Hadot, Porphyre 1, 267 A. 9); Prokl theol Plat 3,8 p
31,21; vgl. oben A. 23 und 203.

[227] Porph regr frg 7 p 35,27–29 B. (= Aug civ 10,28) paterna voluntas; 8 p 36,15–37,6 (= Aug civ
10,23) Trias von deus pater – deus filius als paternus intellectus, paterna mens – spiritus sanctus als
horum medium; 9 p 37,7–10. Augustin beobachtet richtig den Unterschied zu Plotin. Vgl. dazu
Lewy 455 f.; P. Hadot, Citations de Porphyre chez Augustin, REAug 6 (1960) (205–244) 235 f. Vgl.
ferner ⟨Porph⟩ in Parm 9,1–5 p 90 f. H.; Prokl theol Plat 1,11 p 51,4–11; Theiler, Forschungen 178
A. 35 und oben S. 69.

[228] Hadot, Porphyre 1, 277.298; MVict Ar 1,56:14; 57:20 f., vom Logos 1,64:23–28; 51:28–43
(dazu SC 69, 856 f.); in Gal 4,4 p 42,21–43,11 L., von der Seele Ar 1,64:23–28; vgl. oben S. 102.

[229] Porph hist phil frg 18 p 15,3–14 N.: Der Nus tritt αὐτογόνως ἐκ θεοῦ, οὐκ ἀπ'ἀρχῆς τινος

Exkurs: Wille Gottes

Vgl. zur Thematik Benz, Victorinus 289–241; Edsman, ZNW 38 (1939) 11–44; Lewy 78–83.329–332; G. Schrenk, ThWNT 1,628–636; 3,43–63; Ch. Elsas, Neuplatonische und gnostische Weltablehnung in der Schule Plotins, RVV 34, Berlin 1975, 192–196; Orbe, Procesión passim, bes. 387–503.333–337; P. Nemeshegyi, La paternité de dieu chez Origène, BT.H 2, Paris 1960, 84–95; Lorenz, Arius 79–81.111 f.185.198.207 f.; Whittaker, Entretiens 21 (1975) 216–223; Wacht, Äneas 75–80; E. Thomassen, VC 34 (1980) 361 ff.370 f.; Dillon, Middle platonists 284 A. 2; PGL 302 f.; zur kabbalistischen Vermittlung von transzendentem und offenbarem Gott durch seinen Willen G. Scholem, Über einige Grundbegriffe des Judentums, Frankfurt ³1980, 38–51.

Die synkretistische Willensvorstellung dürfte sich kaum vom alttestamentlichen Willen Gottes (so Edsman 32.40), der nicht terminologisch fixiert ist und sich strikt jeglicher Hypostasierung widersetzt, ableiten lassen, noch auch von Plat Tim 29e; 30a; 41ab (vgl. Albin didask 10 p 165,1 Herrmann, BT, Plato 6, 1884). Vielmehr ist der Wille weithin austauschbar mit Kräften wie Dynamis, Sophia, Gedanke, Sinn, Leben, Drang, Trieb und meint die weltzugewandte, gern weiblich geschaute Schöpfermacht Gottes. So erscheint die βουλή in der Hermetik als Mutter des Kosmos (vgl. oben A. 184), oder als weibliche Kraft in den gnostischen Syzygien, vgl. auch Herakleon bei Orig in Joh 13,38,247 ff. (SC 222,162–164); in diese Zusammenhänge sind auch die Chaldäischen Orakel einzuordnen.

Wohl zu unterscheiden von diesen letztlich auf alte Muttergöttinnen zurückgehenden Traditionen ist der recht viel blassere biblische Begriff des „Willens des Vaters" bei christlichen Theologen, vgl. z. B. Just dial 128,4 (und 76,1; 100,4), wonach der Sohn durch Dynamis und Wille des Vaters hervorgebracht ist; Theoph Autol 2,22; Tatian 5,1; Clem protr 1,5:2; 10,110:3; 12,124:4 (Christus als Vaters Wille), gern immer in Exegese von Joh 4,34; 5,30; 6,38; vgl. paed 1,2,4:1, 3,12,98:1 (der Logos als Vaters Wille); strom 5,1,6:3. Origenes (vgl. auch Cavalcanti, StPatr 13,142 f.; Studi Eunom. 121–123) betont v. a. die im Urbild-/Abbildverhältnis gründende Identität des Willens von Vater und Sohn, in Joh 13,36,228–235 (SC 222,154–158). Zur antiarianischen Identifizierung von Sohn und Wille vgl. unten A. 325. Schillernd ist bes. M. Victorinus, der gut orthodox Christus und Wille Gottes engstens verknüpft, aber nicht identifiziert, sondern den Sohn zur Aktualität der als potentia aufgefaßten voluntas dei macht und damit in die Nähe der erstgenannten, „synkretistischen" Linie gerät, vgl. in Eph 1,1 p 124,25–125,9 L.; ad Cand 21:4–6; dazu Hadot, SC 69,958.725 („Le Fils est la volonté créatrice du Père qui se manifeste, donc qui s'actue.") Insofern *ist* der Sohn der Wille des Vaters, Ar 1,31:21–30. Bei Hierokles, z. B. in CA 1,10 p 10,26–28 oder 20,12 p 87,14 f. K., liegt kaum christlicher Einfluß vor, richtig I. Hadot, Problème 90–92, wohingegen Kobusch 76–84 Porphyrios übersieht.

Eignet dem Willensbegriff schon längst eine Tendenz „nach unten"[230], so erstaunt es nicht, daß Porphyrios denselben im Sinne der Orakel mit der plotinischen Dynamis noopoios identifiziert und ihn betont als Wille zur Viel-

---

χρονικῆς; MVict Ar 1,57:17–21; Hadot, Porphyre 1, 311 ff.; Métaphysique 136 f. (= WdF 436, 217); A. Ph. Segonds, in: des Places, Porphyre 193–195. Vgl. oben S. 71, 85.

[230] In der plotinischen Noogenese, s. oben A. 102 f.

heit, zum Abstieg deutet. Das schon bei Plotin anklingende Motiv, „alles" oder „sich selbst" sein zu wollen[231], wird auch von seinem Schüler im „Willen, alles zu sein", aufgegriffen[232]. Analog hierzu eignet dem „Leben" ebenso ein Zug in die Tiefe, ein Wille, das Untere zu beleben[233], nach außen zu zerfließen, ins Unendliche zu zerströmen[234]. Deutlicher noch als bei Plotin stößt man auf die Terminologie des *Falls*, auf die „Neigung" in die Tiefe[235]. Dieses „Drängen" nach unten[236] entspringt letztlich der ausströmenden Fülle des Höchsten[237], an der sich der Nus „sättigt"[238].

Dergestalt entläßt die – gut chaldäisch in Farben der Weltseele gezeichnete – obere Dynamis-Dyas aus sich schließlich am Ende der ganzen Kette die Materie: „Mutterschaft" und „unendlicher Drang", welche die altakademische Tradition der unbegrenzten Zweiheit in Materie wie Weltseele walten sah[239], entspringen für Porphyrios schon der obern Dynamis.

---

[231] Vgl. oben A. 101.104.

[232] MVict ad Cand 12:5–7 multa esse voluit, vgl. unten A. 235 und Hadot, Porphyre 1, 303–307 (ohne Verweis auf Plotin), bes. 307: „On peut dire que cet Un veut être Tout." Es ist ein se videre, se intellegere ac nosse velle, Ar 3,2:45 ff., womit Zweiheit geschaffen ist. So sucht der Sohn den Vater, 4,29:10–16.

[233] MVict Ar 3,10:41–43 haec voluntas est vivere facere alia; 1,51:20 ff. concupivit vivificare, was weiblich ist (vgl. Hadot, SC 69, 854 f.) ... descensio enim vita ... veluti deficit a potentia patris ... in cupiditate insita ad vivefaciendum geht die vita nach außen; vivefecit corruptionem, 1,56:37 f. All dies kommt ebenso der Seele zu: potentia vivificandi 1,61:15 ff., petulantia; vgl. Theiler, Porphyrios 29.

[234] Die vita strebt foras, MVict Ar 3,2:21 ff.; will foras spectare, 3,2:35.44; ist nusquam requiescens, 1,51:12; vgl. Hadot, Porphyre 1, 300 „un désir illimité, éternellement insatisfait". Vgl. Damask dub et sol 60 (1,128,4–6 R., nach Hadot 307 A. 8) χυθεῖσα ἐπ' ἄπειρον καὶ οὐδαμοῦ στῆναι (vgl. oben A. 195!) δυνηθεῖσα μᾶλλον δὲ οὐκ ἀνασχομένη πόθῳ (vgl. oben A. 191.193) τῆς ἀπείρου φύσεως; vgl. auch Dodds, Proclus 215.

[235] Neben den obigen Anmerkungen (231 ff.) vgl. ⟨Porph⟩ in Parm 14,25 f. ἐκ τῆς ὑπάρξεως ἐκνεύσασα; MVict Ar 1,51:40 nutus = νεῦσις: „indem sich seine ursprüngliche Neigung zum Niederen in eine Hinwendung zum Höheren, d. h. Inneren, verwandelt hat" (bei der Epistrophe), übers. von Hadot – Brenke, Christlicher Platonismus 194; zu nutus vgl. Christi „gnädige Herablassung" in Ar 1,60:30 f.; endlich 4,11:12 currit ac labitur.

[236] Porph hist phil frg 18 p 15,2 N. ὡρμημένος; vgl. oben zu ὁρμή A. 67.88.90.193 und deutlich negativ vom Fall des Attis Julian matr deor 8:168c ὥσπερ ἐπὶ γῆν ὁρμώμενος sowie die Zuordnung von Dyas, Tolma und ὁρμή bei PsJambl theol arithm 2 p 8,1; 9,6 de F.; Lydos mens 2,7 p 24,13 f. W.

[237] Macrob somn Scip 1,14 p 56,6–10 W.: hic (der höchste Gott) superabundanti maiestatis fecunditate de se mentem (νοῦν) creavit; Syn Aeg 1,9 p 79,13 f. vom Göttlichen ἐκεῖνο μὲν τῷ παρ' ἑαυτῷ μένειν ὑπερπλῆρές (vgl. Plot 5,2,1:9) ἐστιν ἀγαθῶν, ὑπερπλῆρες ὂν ἑαυτοῦ; vom Einen und Geist als πλήρωμα ⟨Porph⟩ in Parm 4,9 p 74 H. (mit Anm. z. St.); vgl. 6,33 p 84.

[238] κόρος (vgl. oben bei A. 115), Porph sent 40 p 48,3; 49,5 f.; 51,6 L. von der ewig in sich selbst gründenden Sattheit. Hingegen ist sent 37 p 45,8 trotz Plot 3,6,14:16 πόρος zu lesen in Entgegensetzung zu πενία (Plat symp 203b; Porph abst 3,27,4, dazu Bouffartigue, 2, 254 f.) mit Theiler, Porphyrios 27; Hadot, Porphyre 1, 90 A. 1; H. R. Schwyzer, Plotinisches und Unplotinisches in den ΑΦΟΡΜΑΙ des Porphyrios, in: Plotino e il neoplatonismo, (221–252) 234 A. 43.

[239] Zur „Mutter" vgl. Plat Tim 50d und oben A. 209; zum „Drang" vgl. Krämer, Ursprung 80 von der untern Weltseele, 95 f. von der obern, 322 A. 488 und 327 f. vom Materieprinzip. Zu

(4) Diese Bewegung nach außen, die auf eigenes Sein bedacht ist, um in der Abtrennung zu sich selbst zu gelangen, erreicht ihr Ziel erst mit der Rückwendung, worin der Nus zugleich auf sich selbst und auf seinen Ursprung stößt[240]. In dieser Begrenzung uranfänglicher Fülle[241] kommt es allererst zu Erkenntnis – Erkenntnis eigenen Seins wie des Höchsten –, worin die ins Unendliche verströmende Bewegung ihre Wende findet und darin das Sein vor dem Nichts bewahrt[242]. Deutlich wie selten sonst erweist sich σώζεσθαι, σωτηρία als in „Rettung" gründende „Bewahrung"[243]. Es erstaunt nicht, daß Porphyrios gerade diese Epistrophe nun auf der Seelenebene betont als Wille konzipiert[244], wie er ja den Abstieg auch stärker voluntaristisch deutet.

2. Transzendenz des Einen

(1) Wie für Plotin entspringt auch für Porphyrios die negative Qualität des ersten Hervorgangs einer ausschließlich im Gegenüber zum transzendenten Einen aufklaffenden Minderung, die als solche noch nicht selbst übel und böse ist, wenn sie auch bereits dorthin weist[245].

Das Höchste selbst, und, in charakteristischer Zusammenschau[246] der obern Hypostasen, auch Geist und Seele, verhalten sich in gar keiner Weise nach unten[247], selbst die Seele hat nur ein akzidentielles Verhältnis zum Körper[248].

---

letzterem als „Streben des Unvollkommenen zum Vollkommenen, des Ungeordneten zur Ordnung" bes. Happ, Hyle 107.199–208.806; ferner oben A. 236. – Zur Zeichnung der obern Dynamis in Farben der Weltseele s. oben bei A. 207.

[240] Vgl. Hadot, Porphyre 1, 314: „La pensée provoque l'extériorisation de la vie"; MVict Ar 1,57:9 ff.; ⟨Porph⟩ in Parm 14,1: Nur im Herausgang (14,25 f.) kommt der Nus zu sich selbst, er braucht hierzu eine Dynamis, 13,34 f. und 14,12 f.; MVict Ar 1,31:20 f.

[241] Bei Marius Victorinus (vgl. Benz 78–103; Ziegenaus 219–234) in Phil 2,6 p 85,15–18 L.; Ar 1,31:19 ff. (mit Hadot, SC 69, 795 f.); 4,18:60–21:18; 23:13 ff.; 29:9–23; hy 3,172–4 u. ö. Vgl. oben zu „Form" S. 82 und A. 81; ähnlich versteht Gregor von Nazianz den Logos als Horos, Eikon, Sphragis (s. oben A. 82).

[242] ⟨Porph⟩ in Parm 1,14–16 das Eine bewahrt das Seiende, auf daß es nicht unendlich, unbegrenzt, nichtseiend wäre. Vgl. Jambl myst 8,3 p 265,3–6 das Unendliche wird vom Maß und vom Einen begrenzt.

[243] Vgl. oben S. 51 und bes. MVict Ar 1,56:32: In Hervorgang und Rückwendung erweist sich die vita als ewige, indem sie nicht unendlich wird, salvans et salvata a semet ipsa (Hadot, SC 69, 870: „La connaissance la [sc. vitam] ,sauve', c'est-à-dire la détermine, l'arrête dans son écoulement"); der Heilige Geist ist (als dritter!) salvatio, definitio, hy 3,127. Vgl. ferner die bei Theiler, Porphyrios 32 f. genannten Augustinstellen ver rel 55,113:311 (CCL 32,260) omnia ... suis finibus salva; gen litt 4,18 (CSEL 28/1,117,13–16).

[244] Theiler, Porphyrios 24.35; Beutler, Porphyrios 306 f.; vgl. Syn ins 8 p 158,15 f.

[245] ὕφεσις, kennzeichnender Ausdruck für das Mindersein (Theiler, Porphyrios 12.15): ⟨Porph⟩ in Parm 12,15 f., = δευτέρως γεγονέναι 12,20 f.; bei Prokl in remp 1,34,2–17: Nicht die ὕφεσις selbst ist schon übel, sonst wäre alles außer dem Einen übel, sondern erst, wo sie παρὰ φύσιν wird, im Seelenfall; vgl. Prokl in Tim 1,365,2 f. Zum Gegensatz von Homousios und Hyphesis s. unten A. 319.

[246] Vgl. unten S. 173 f.

[247] Porph sent 30 p 20,7 f. L.; in Parm 3,1–6,35, bes. 3,35–4,19 (ἄσχετος); 4,11.28–32 H. Ja,

Gott verhält sich zu dem nach ihm, als wäre es ein Nichts[249]; umgekehrt kann jede affirmative Prädikation letztlich nur als Projektion des Untern aufs Obere gelten[250] und trifft ihn, den Einen, Einsamen, unbekannten Gott nicht[251] – und doch ist diese seine Einfachheit welterhaltend, ja weltbegründend[252]! Dementsprechend impliziert all sein Hervorbringen, Zeugen ein Mindersein des Erzeugten[253] und ist insofern, als es nicht auf einem Entschluß einer Zuwendung nach unten, sondern auf wesensmäßig begründeter Derivation beruht, notwendig[254]. Da kein eigentlicher Abstieg des Obern ins Untere statthat[255], ist dies Obere beim Untern nur in einer von immer noch größerer Abwesenheit bestimmten Anwesenheit[256].

(2) Während Plotin das Eine so vom Nus und seinem Entstehen absetzt, daß von einer Trias gerade nicht die Rede sein kann, *transponiert Porphyrios die Spannung von Jenseitigkeit und Herausgang in das Eine selbst, derart, daß dieses seine eigene Entfaltung übersteigt und zugleich in sich begreift*[257]. Indes erweist sich auch dieses erste Moment der Nichtzugeordnetheit des Einen zur Trias als bedroht durch die Präexistenz der zwei andern Momente der Trias im Einen. Denn diesem wohnt immer schon in verborgener, uranfänglicher Weise der Zug in die Tiefe und die Rückwendung inne, worin die spätern Kritiker des Porphyrios nicht zu Unrecht eine Verwischung der Grenzscheide zwischen höchstem Einem und intelligibler Welt konstatierten. Auf die in dieser Kritik zu neuer

---

überhaupt hat im Reiche der Asomata die Relation keinen Platz, sent 40 p 48,4–7; vgl. Lloyd, Cambridge history 288 f.

[248] κατὰ σχέσιν ib. 3 p 2,4; 29 p 18,9; 19,2; vgl. Syn ins 11 p 167,3 f. von der „herabsteigend nicht herabgestiegenen Seele" (ἀσχέτως) und Dörrie, Symmikta Zetemata 87.

[249] ⟨Porph⟩ in Parm 3,3–9; tatsächlich sind wir auch „nichts" im Verhältnis zu ihm, wie ihm denn alles „nichts" ist, 4,19 ff.

[250] σχέσεις in Parm 4,1–4.35 ff. (wohl von Plot 6,9,3:49–54 angeregt). Zur negativen Theologie s. bes. 9,27; 10,8 f.

[251] ἑνάς, μόνωσις in Parm 4,10; vgl. abst 4,20 p 262,14; 264,14 N.; sodann in Parm 9,25 f.; hist phil frg 15 p 13,11 f. N.; vgl. Numenios frg 17 und 56 des Pl.; Plut Is 62:376c.

[252] In Parm 5,3–7; 4,11 f.

[253] Sent 13 p 5,10 L. πᾶν τὸ γεννῶν τῇ οὐσίᾳ αὐτοῦ χεῖρον ἑαυτοῦ γεννᾷ, vgl. Theiler, Porphyrios 12; Schwyzer, Aphormai 244; Lamberz z. St. Augustin läßt die Regel nur für das facere, nicht aber für das gignere gelten, imm an 8,14,4 p 230,22 f. F.-M.; ver rel 18,35:94; trin 15,16,26:23 f. (CCL 50A,501).

[254] MVict Ar 1,58:7–9 „necesse fuit"; 32:5 f.; auch Porph sent 36 p 42,4 L.

[255] Vgl. sent 4 p 2,5–9 und oben A. 128 zu Plotin. Lediglich eine derivierte Dynamis wirkt nach unten, vgl. Plot 4,8,2:38 und Hadot, Porphyre 1, 399–402; ferner unten Kap. IV A. 189.

[256] Sent 35 p 40,13–15 von den Asomata καὶ οὐ πάρεστι ... καὶ πάρεστι, vom wahren Selbst 40 p 49,6–51,16 (Plot 6,5,12:24–29). Die Formel πανταχοῦ καὶ οὐδαμοῦ 38 p 46,7 f.; 27 p 16,21 f.; 31 p 21,9 f., immer von *allen* oberen Hypostasen. Vgl. ferner Marc 11 p 16,26 f. P.; abst 1,39,2 vom Geist; ⟨Porph⟩ ad Gaur 12,3 p 50,21 f. Kalbfleisch (Berlin 1895); bei Nemes nat hom 3 p 135,9–11 Matthaei (Halle 1802): Gott ist in uns wie die Seele im Körper. Vgl. dazu Theiler, Porphyrios 44–46 und bes. Dörrie, Symmikta Zetemata 72 f.

[257] ⟨Porph⟩ in Parm 9,1–4. Vgl. die prägnante Analyse von Hadot, Métaphysique 146–155 (= WdF 436, 227–235); Porphyre 1, 286 f. und 320 f.

Ehre gebrachte Unterscheidung des Einen von der Dreiheit ist im folgenden einzugehen.

§ 4 DIE TRIAS IM SPÄTEREN NEUPLATONISMUS

1. Eines und Trias

Die spätern neuplatonischen Philosophen verdanken zwar ihre Konzeption der Dreiheit weitgehend der Orakelexegese des Porphyrios[258], bestreiten aber die Identität deren ersten Moments mit dem Urprinzip und übergipfeln so die Trias durch das höchste Eine, das grundsätzlich von der als Dreiheit geschauten Weltstruktur abgehoben wird[259]. Um seine absolute Jenseitigkeit zu wahren, deuten Jamblichos und der ihm folgende Damaskios gar ein noch darüber wesendes Eines an[260], während Syrian und Proklos zwischen Einem und erster Monas die Henaden ansiedeln[261]. *Dieser Verjenseitigung des ersten Urgrunds entspricht der Verzicht darauf, den Urakt, das Werden aus diesem noch irgendwie genauer darzulegen*[262], das Modell der abwärtsfließenden Ausströmung und ihrer Rückbindung an den Ursprung greift erst auf den unteren, triadischen Seinsebenen Platz, wohingegen es für die Genesis aus dem Höchsten bei allgemeinen Ableitungen etwa aus der Fülle[263] oder der Güte[264] bleibt. Letztere wird allerdings zumeist auch nur auf der Götterebene[265] zum Erweis ihrer die Weltewigkeit garantierenden Pronoia expliziert[266].

---

[258] Vgl. Hadot, Porphyre 1, 322–326.

[259] Seit Jamblichos und Theodor von Asine, test 6 Deuse, vgl. ders., S. 3; sodann Prokl theol Plat 2,12 p 67,25f. S.-W. ἁπάσης τῆς τριαδικῆς διακοσμήσεως ἐπέκεινα τὸ ἕν (dazu Saffrey – Westerink, 1,LXVIIIf.; 2,128f.); in Parm 1110,20ff., bes. 31–34 die Trias als τάξεως ... ὑφειμένης, polemisch gegen Porphyrios 1114,1–10; endlich Damask dub et sol 106 (1,275,3f. R.).

[260] Jambl frg 29 Dillon (= Damask dub et sol 43: 1,86,3–10 R.); vgl. Saffrey – Westerink, 3, XXXIIf.; Dillon 29–33. Unklar ist das Verhältnis dieser Konzeption zu myst 8,2 p 261,10–262,2, vgl. E. de Places, Entretiens 21 (1975) 75–77 = Etudes platoniciennes 335–337.

[261] Zu den Henaden Dodds, Proclus XXIV; Saffrey – Westerink, 3, IX–LXXVII; Hoffmann, Platonismus und Mystik 142–144.

[262] Vgl. auch oben S. 101. J. M. P. Lowry, The logical principles of Proclus' ΣΤΟΙΧΕΙΩΣΙΣ ΘΕΟΛΟΓΙΚΗ as systematic ground of the cosmos, Amsterdam 1980, 43–46 ordnet das höchste Eine recht einseitig ausschließlich als μονή *in* die Trias ein.

[263] Von den Göttern Prokl inst 131 p 116,22 u.ö.; auch gern mit der Dynamis – Zoe zusammengestellt, in Tim 1,371,18 und Julian matr deor 11:170d1.

[264] Im Anschluß an Plat Tim 29e; 30a; vgl. Plot 2,9,3:8–12; Salustios 5,2 „aufgrund ihrer Güte bleibt die erste Ursache nicht bei sich"; zum Motiv vgl. Kobusch, Hierokles 73–76; schief Kremer, Seinsphilosophie 321–323; ders., Das Warum der Schöpfung, in: Parusia, FS J. Hirschberger, Frankfurt 1965, 241–264; dagegen richtig Wacht, Aeneas 76–78; ferner Armstrong, Studies IX, 109–111.117; X, 204–206. Vgl. oben A. 130 und unten A. 343ff.

[265] Prokl in Tim 1,372f., bes. 372,33–373,1; vgl. dazu J. Trouillard, La MONH selon Proclos, in: Le néoplatonisme, (229–240) 232; inst 122 p 108,1–24; 120 p 106,1–9.

[266] Das Argument erweist als porphyrianisch M. Baltes, Die Weltentstehung des platonischen Timaios nach den antiken Interpreten, PhAnt 30 und 35, Leiden 1976/78, 1, 143–5. 159–161. 169.

(2) So überragt das *Eine* jede Methexis[267] und Relation[268], welch letztere erst im intelligiblen Reich waltet. Hinsichtlich der Abstiegsbewegung kommt auch den Göttern völlige Freiheit von jeglicher Relation zum Untern zu trotz all ihrer Sorge (Pronoia) für dasselbe[269]. Alle Zeugung, sowohl die ewige[270] im Geisterreich wie die der untern Welten, impliziert Mindersein des Erzeugten[271]. Die Dialektik von Anwesenheit und Abwesenheit Gottes[272] löst sich derhalben trotz seiner allerfüllenden providentiellen Anwesenheit[273] auf in eine immer noch größere Abwesenheit.

(3) Die vom Einen zu unterscheidende *Trias* bildet ihrerseits die alldurchdringende Weltformel[274]. So läßt sich auf dem Weg der Analogie das Obere aus dem Untern erschließen, „die Lehre von der Natur scheint selbst Gotteslehre, Theologie zu sein"[275]. Systematisch wird die Trias spätestens seit Jamblichos als Ineinander von *Verharren* (μονή), *Hervorgang* (πρόοδος) und *Rückkehr* (ἐπιστροφή) gedacht[276]; als Trias ist sie zugleich Monas, denn „Einheit, die aus sich herausgegangen ist, also Zweiheit in sich begreift, ist nicht anders zu denken

---

215; 2, 73–76.132.134 f.; vgl. Salustios 7,2 mit Nock LX–LXIII; Prokl in Tim 1,371,3–372,19; theol Plat 1,15 p 73,27 ff.; Hierokl in CA 1,12 f.·p 11,15 ff. K. – Vgl. unten Kap. V A. 83.

[267] Prokl inst 116 p 102; 123 p 108,27 f., denn als Partizipierbares wäre das Eine schon τινὸς ὤν καὶ οὐ πάντων (genau dies behaupten die Christen von Gottvater und Sohn, s. unten A. 354 f.); vgl. auch 181 p 158,26 f.; theol Plat 2,12 p 66,10; 73,19–21.

[268] Prokl theol Plat 2,9 p 59,8 f. ὑπεροχή, ἄσχετον, ἀσύντακτον; 3,8 p 31,17 ἄσχετον πρὸς πάντα καὶ ἀμέθεκτον ἀπὸ πάντων ἐξῃρημένον; in Parm 1187,24 f.; 1076,36 ff. πάσης ὑπερήπλωται σχέσεως, mit charakteristischem Bezug der Relation zu ἀντίθεσις, δυάς, πλῆθος; vgl. auch Beierwaltes, Proklos 68–71.79 f.346 f.

[269] Prokl inst 122 p 108,13–17 ἀσχέτως ποιεῖ, denn σχέσις ist πρόθεσις und παρὰ φύσιν (!); 140 p 124,6 f.; 142 p 124,34 ff.; theol Plat 1,15 p 76,10–24; in Alc 53,17 ff.

[270] Julian Hel reg 24:145ab τόκος ἀγέννητος; vgl. Mau 67 f.; Prokl inst 172 p 150,20; 174 p 152,8–18; Dodds, Proclus 290 f.

[271] Prokl inst 7 p 8,1–28, bes. 1 f. πᾶν τὸ παρακτικὸν ἄλλου κρεῖττόν ἐστιν τῆς τοῦ παραγομένου φύσεως (dazu Dodds, Proclus 194); 11 p 12,19 f.; 18 p 20,8–10; 28 p 32,12 f.; 36 p 38,30 f.; theol Plat 3,2 p 7,6 f.; in Tim 1,373,2.

[272] Vgl. Jambl myst 7,2 p 251,6–16; Prokl inst 98 p 86–88 πανταχοῦ καὶ οὐδαμοῦ; Beierwaltes, Proklos 316; Hadot, Storia della filosofia 376 f. (2 Grundprinzipien: „il principio di trascendenza e quello di mediazione"); J. Trouillard, L'antithèse fondamentale de la procession selon Proclos, ArPh 34 (1971) 433–449 (continuité et rupture); ders., Mystagogie 71 ff. Das von diesem behauptete Übergewicht der Anwesenheit über die Abwesenheit („La transcendance néoplatonicienne n'est pas une absence, mais un excès de présence", L'un et l'âme 5, vgl. 85) gilt strenggenommen nur für die höchste unio mystica, vgl. oben S. 99 ff. mit A. 179.

[273] Prokl inst 140 p 124; 142 p 124,27 ff.; in Tim 1,209,13 ff.; theol Plat 1,15 p 73,9 und 71,13.

[274] Prokl inst 118 p 104,8 … εἰ τριχῶς ἕκαστον ὑφέστηκεν …, vgl. 140 p 124,17 f.; 148 p 130,4; in Tim 1,371,20–30; Beutler, Proklos, PWK 23/1 (1957) (186–247) 212 „die gesamte Wirklichkeit ist von diesem triadischen Gesetz beherrscht"; Beierwaltes, Entfaltung der Einheit 127.

[275] Prokl in Tim 1,217,25 f. ἡ φυσιολογία φαίνεται θεολογία τις οὖσα; vgl. Dodds, Proclus 187; Trouillard, Übereinstimmung 310–312; Beierwaltes, Proklos 156–158.

[276] Jambl in Tim frg 53 Dillon (= Prokl in Tim 2,215,5 ff.); vgl. Dillon 331–335 und schon Dodds, Proclus XIX f. Zu frühern Belegen Theiler, Antike und christliche Rückkehr zu Gott, Forschungen 319–321; ders., Porphyrios 33; für Plotin verweist Beierwaltes in Le néoplatonisme 240 auf 6,8,16:25 und 1,7,1:18 H.-S.².

denn als Dreiheit, als in sich zurückkehrende oder zurückgekehrte Einheit"[277]. Als Einheit von Sein, Leben und Denken eignet der Trias wie bei Porphyrios ein gegenseitiges Enthaltensein all ihrer Momente in jedem einzelnen Moment[278]. Indem sie aber so Abstieg und Aufstieg in sich schließt, ist sie grundsätzlich *subordinativ* strukturiert[279].

(4) Dies wird vor allem darin deutlich, wie Proklos allen Hervorgang als in Ähnlichkeit statthabende *Minderung* begreift. Das *homoios* konstituiert geradezu die neuplatonische Trias[280] und hebt sie vom christlichen *homousios* schärfstens ab. Die alldurchwaltende Analogie des Seienden läßt in der Rückwendung des Hervorgegangenen zum Ursprung das letzte Glied dem ersten als in Ähnlichkeit geringeres entsprechen[281]. Dergestalt erweist sich das Abstiegsmotiv als Grundelement der Trias, das freilich erst auf den unteren Seinsebenen zum „Bösen" wird[282]. Während dem ersten *und* letzten Glied der Trias Männliches, Einheit, Selbstand zugeschrieben wird, ist das zweite als Dynamis, Leben, Weibliches[283] und Unbegrenztheit auch von Dyas, Zerteilung, Chaos und Unvollkommenheit überschattet[284]. Der Gang in die Vielheit ist ja denn immer schon im Grunde ein Abirren, selbst in den geistigen Sphären[285], und wird erst wieder in der Rückwendung zum Ursprung „gerettet". Die auch bei Synesios oft genannten „Geburtswehen" (ὠδίς) meinen im Neuplatonismus genau dies Hinabströmen ins Untere[286], welchem antitypisch die hinaufdrängenden Geburtswehen der Seele als Epistrophe entsprechen[287].

---

[277] Beierwaltes, Proklos 27; vgl. Prokl theol Plat 4,21 p 63,4–6.

[278] Prokl theol Plat 3,2 p 8,9–9,11; 3,9 p 35,8 ff.; 39,20–22; inst 103 p 92,13 ff.; 197 p 172,15–22; alles gemäß der Regel πάντα ἐν πᾶσιν, οἰκείως δὲ ἐν ἑκάστῳ 103 p 92,13; vgl. schon Porph sent 10 p 4,7 L.

[279] Betont von Beierwaltes, Proklos 34.91.98.113; Kremer, Seinsphilosophie 251. Vgl. die deutliche Reihe in Tim 1,372,17 f.: Hen – Henas – Monas – Trias.

[280] Prokl inst 28 f.; 55 p 52,17 αἱ πρόοδοι πᾶσαι δι' ὁμοιότητός εἰσι, vgl. 166 p 144,16; theol Plat 3,2 p 6,15–7,27. Vgl. Zeller 847 f.; Beutler, Proklos 214.

[281] Prokl in Tim 2,16,19–21; 223,31–224,3; Beierwaltes, Proklos 153 und 133.

[282] Prokl theol Plat 3,10 p 41,2–4 die Regel, vgl. 2,12 p 71,5–9; das Böse erst auf der Seelenebene, 3,6 p 22,6–11; 1,18 p 87,20–88,10; aber nicht plotinisch mit der Materie zu identifizieren, mal 10,9–14 p 34 Boese; Hager, Materie und Böses 466 f.; den doxographischen Gegensatz von Plotin und Proklos relativiert indes richtig Beierwaltes, Entfaltung 152–161.

[283] Das Weibliche ist für die Antike traditionell unvollkommen, vgl. MVict in Gal 4,4 p 42,24 f. L. mit Verweis auf Gen 3 und Sir 25,24 (p 43,9 f., vgl. auch oben A. 233.190.196).

[284] Z. B. Prokl in Crat 149 p 85,2 f. P.; in Tim 1,46,23–27; in Parm 711,41 f.; Theiler, Orakel 12; Hadot, SC 69, 854; Porphyre 1, 307. Vgl. oben A. 190.

[285] Beierwaltes, Proklos 244: „Irrgang ist ... die Struktur all dessen, was in Vielfalt hervorgeht", vgl. Prokl in Parm 996,5 f. πᾶν γὰρ τὸ εἰς πλῆθος προιὸν πλανᾶσθαι λέγουσιν, was hier für die intellektuellen Götter gilt.

[286] S. oben A. 33 und unten Kap. IV A. 93. Plot 5,8,12:3–6 redet in der Allegorese des Uranosmythos von den leidlosen Geburtswehen des Höchsten, worin er das Untere zeugt. So wird ὠδίς zum „Schwangergehen mit der Vielheit", Beierwaltes, Identität und Differenz 34 A. 46; vgl. Plot 3,8,5:4 und 7:19 f.; ὠδὶς διακρίσεως bei Damask dub et sol 54 (1,110,18 R.); in Phileb 240,2 f. p 115

2. Die Trias und die Dyas von Peras und Apeiron

(1) Die Charakterisierung der Noogenese durch Motive des Seelenfalls bei Plotin und Porphyrios erinnert an eine interessante umgekehrte Übertragung der kosmogonen Prinzipien *Apeiron* und *Peras* auf den Seelenfallmythos von Attis bei Julian[288]. Ein unbegrenzter Drang[289] in die Tiefe, ein Strömen ins Unendliche läßt die in Attis geschaute Seele[290] ihre angestammte obere Sphäre verlieren, bis sie in einer als Kastration beschriebenen *Begrenzung* und Wendung[291] wieder in ihre alte Heimat zurückfindet. Wie immer die bisher kaum beachtete Traditionsgeschichte dieses Texts im einzelnen verlaufen sein mag, so ist doch deutlich, wie sehr das oberste Werden und der Hinabstieg der Seele in die Materie vom gleichen Strukturprinzip beherrscht sind und auch entsprechend bewertet werden.

(2) Wohl seit Jamblichos[292] bedient sich das neuplatonische Denken explizit der traditionellen Dyas von *Peras*, „Grenze", und *Apeiron*, „Unbegrenztes", um die grundlegende, alles Sein durchwaltende Polarität zu bestimmen[293]. Peras und Apeiron lassen sich als die regulierenden Prinzipien auch der Trias verstehen, insofern dem Unbegrenzten der Hervorgang, der Grenze aber sowohl das Verharren wie auch die Epistrophe entsprechen[294]. Damit ragen aber Peras und Apeiron über die Monas-Trias hinaus und reichen bis unter das höchste Eine[295] – der traditionellen pythagoreischen Vorstellung, wonach dem Einen eine Dyas von Prinzipien entspringt[296], durchaus entsprechend –, sie scheinen bei Proklos

Westerink (Amsterdam 1959, vgl. den Index p 149); ferner R. Klibansky – C. Labowsky, Plato Latinus 3, London 1953, 87 f.; G. Bertram, ThWNT 9, 669.

[287] Plat rep 6:490b; Plot 5,2,17:16–18; Prokl theol Plat 1,1 p 8,12 f.; 2,8 p 56,27–57,3; Syn hy 9,11.51; 3,57.

[288] Julian matr deor 7 ff. Rochefort; vgl. Salustios 4,9 und unten S. 158.

[289] Zum ὁϱμώμενος 8:168c3 s. oben A. 193.

[290] 9:169c! Vgl. unten Kap. IV A. 208.203.

[291] 7:167b3 ἔχϱην παύσασθαί ποτε καὶ στῆναι (vgl. A. 195.234.341) τὴν ἀπειϱίαν (vgl. Salustios 4,9 ἔδει στῆναι τὴν γένεσιν); ἐποχὴ τῆς ἀπειϱίας 167c7; 9:168cd στάσις τῆς ἀπειϱίας; 11:171c1 f.; d2 f.; 13:173d2 f. τῆς ἐπ' ἄπειϱον πϱοόδου...; 15:175b2–6. – Ähnlich deutet Plotin die Entmannung des Uranos als Epistrophe, 5,8,13:5–7.

[292] Von Dodds, Proclus XXIV; 246–8 auf Syrian zurückgeführt; vgl. aber bereits Jambl in Tim frg 7 p 110 Dillon = test 200 Larsen (Aarhus 1972); dazu Dillon 30–32.270; B. D. Larsen, La place de Jamblique dans la philosophie antique tardive, Entretiens 21 (1975) (1–26) 18 f.; es könnte auch an myst 8,3 p 265,3–6 erinnert werden („Ägypterlehre").

[293] Vgl. Zeller 858–860; Trouillard, Übereinstimmung 310–312; ders., L'un et l'âme 69–77; ders., Néoplatonisme 920–923; ders., Mystagogie 243–248; Beierwaltes, Proklos 50–71.104–108; Wallis 148 f.; F. Brunner, FZPhTh 24 (1977) 116–127.

[294] Prokl theol Plat 3,7 f. p 30,10–34,19; 2,12 p 71,5–9; 3,10 p 42,3 f.; in Tim 1,17,28–18,3; 440,26–441,15; 3,328,4–6; in remp 2,45,27–46,1.

[295] Prokl in Tim 1,176,5–177,2 (mit Festugière, Traduction 1,232); 385,18 f.; in remp 2,46,8 f.; theol Plat 3,7 p 30,10–13.

[296] Festugière, Révélation 4,32–53; Proklos (oben A. 295) nennt Philolaos FVS 44 B 1 f.; vgl. Orph frg 66 p 147 f. K. und Prokl in Parm 1121,26 f.: Das Autoapeiron ist mit Orpheus das Chaos.

selbst die Henaden zu übergreifen[297]. Es versteht sich indes, daß er den Graben zwischen dem Einen und dem aus ihm Kommenden nun doch nicht so überbrückt, daß auch jenem selbst das Peras, dem Urentströmen aber das Apeiron zugesprochen würde. Vielmehr wird dies primäre Werden mit Schweigen verhüllt, und erst auf der Ebene der Analogien läßt sich fragen, welchem dieser Urprinzipien denn das Eine eher entspricht[298]. Hier scheint sich Proklos, ganz im Sinne der ältern Tradition, für das Peras entschieden zu haben[299], worin sich noch einmal der griechische Geist mit seiner Bevorzugung des Lichten und Geformten vor allem Abgründigen und Grenzenlosen behauptet[300]. Es ist aber ebenso diese Sicht, die in allem Werden als Weg nach unten ein chaotisch-

---

[297] Prokl inst 159 p 138,30–140,4: Die Henaden schon ἐκ τῶν πρώτων ἀρχῶν, πέρατος καὶ ἀπειρίας gebildet, vgl. Beutler, Proklos 22 f.; von Rist, Otherness 85 f. übersehen, der die proklischen Henaden als Versuch, die mystische Einheit von Einem und Seele zu denken, kritisiert. Proklos will die Henaden gar nicht über die mit Peras und Apeiron gesetzte Andersheit setzen (so auch pointiert Trouillard, Mystagogie 244, wonach Peras und Apeiron die zwei höchsten Henaden sind). Auch Dodds' Erstaunen (281) ist insofern unbegründet, als ja schon mit den Henaden der Abstieg und die diesen konstituierenden Momente einsetzen. – Die theologische Problematik scharf umrissen bei Ph. Merlan, Monismus und Dualismus bei einigen Platonikern, in: FS J. Hirschberger, 1965, (143–154) (= Kleine philosophische Schriften, Hildesheim 1976, 419–430) 151 und bes. 153; Trouillard, Néoplatonisme 920.

[298] Gegenüber Merlan (oben A. 297) 151 (vgl. auch seinen dichten Proklosartikel im Lexikon der Alten Welt, Zürich 1965, 2441 f.), der bei Proklos im Einen selbst Urgrenze und Urgrenzenloses angesiedelt haben will, ist die Enthobenheit des Einen über Peras und Apeiron festzuhalten. Auch L. J. Rosán, The philosophy of Proclus, New York 1949, 102.127 rückt die zwei Prinzipien dem Einen zu nahe; vorsichtiger Trouillard, L'un et l'âme 75.85.

[299] Es ist freilich wiederum nötig, das „Apeiron" zu differenzieren, vgl. oben S. 96 f. zu Plotin. Strenggenommen sind Peras und Apeiron letztlich nie ein einander in Schach haltendes, gleichwertiges Paar (so Charles aaO. 156–161), sondern je nach Bedeutungsnuance schwingt eines von ihnen obenaus (richtig Trouillard, L'un et l'âme 76). Als „Unbegrenztheit und Mächtigkeit" übersteigt das Apeiron das Peras (vgl. in Parm 1124,14 ff.), wie die apophatische die kataphatische Theologie übersteigt (vgl. Beierwaltes, Proklos 58–60). Mindestens auf den Ebenen unterhalb des Einen erweist sich dieses apophatische Apeiron als im Grunde nur für das Untere, nicht aber für sich selbst als Unendliches, inst 93 p 84; dub 11,6–16 B., vgl. schon Porphyrios bei MVict Ar 1,49:20 f.; 4,19:13 f.; 24:28 f.; hy 3,172–174 vom die Formung in sich bergenden Einen. – Wo aber das Apeiron von seinem Gegensatz, dem Peras, her qualifiziert wird und nicht mehr rein apophatische Übersteigung in sich begreift, wird es negativ im Sinne der „unbegrenzten Zweiheit" bewertet und vom Peras übertroffen (vgl. die folgende Anm.). – Der Unterschied wird etwa auch bei Mühlenberg, Unendlichkeit 131 f. und H. Deku, Infinitum prius finito, PhJ 62 (1953) (267–284) 270–72 zu wenig beachtet.

[300] Letztlich ist das Peras besser als das Apeiron, Prokl theol Plat 3,8 p 32,28–33,2 und bes. in Parm 1124,1–6: „Wenn denn das Peras besser (κρεῖττον) ist als das Apeiron, werden wir das höchste Eine nicht vom Apeiron her benennen. Denn dies wäre nicht recht, es vom Schlechteren her zu benennen, sondern ... vom Besseren." Das Apeiron muß als immer schon von Vielheit umschattetes vom höchsten Einen getrennt werden, inst 149 p 130,23; 152 p 134,6 ff.; 179 p 158,10; theol Plat 2,1 p 4,22–6,2 und schon Plot 6,6,1:1 f. Richtig Dodds, Proclus 247, gegen diesen m. E. unbegründet J. Whittaker, Philological comments on the neoplatonic notion of infinity, in: Significance of Neoplatonism, (155–172) 161. Auch Augustin faßt das formatum im Verhältnis zu Gott als similitudo, das informe aber als dissimilitudo, conf 12,28,38 p 323,1–5; 13,2,3 p 330,7–11 Sk.

grenzenloses Wesen wahrnimmt und dasselbe entsprechend negativ qualifiziert[301]. Letztlich bleibt es trotz dieser eindeutigeren Entsprechung von Hen
und Peras bei der plotinischen Ambivalenz des Gottesgedankens.

(3) Endlich bringt die von doppeltem Peras bestimmte Trias eindringlich zu
Bewußtsein, wie sehr die gegenüber christlicher Eschatologie hochgehaltene
Ewigkeit der Welt in der Seinsstruktur selbst gründet, indem Anfang und Ende
der triadischen Bewegung jenseits aller Zeit sich derart in Ähnlichkeit entsprechen[302], daß hier wahrhaft gilt: „Nichts Neues unter der Sonne".

§ 5 Die christliche Trias

Die folgenden Darlegungen wollen ausschließlich die Problematik der bei
Synesios vorliegenden Identifizierung der chaldäisch-neuplatonischen Trias mit
der christlichen Trinität umreißen und beschränken sich deshalb auf einige
markante, um diese Thematik kreisende Denkansätze in der Ende des vierten
Jahrhunderts maßgeblich gewordenen kappadokischen Theologie.

1. Nähe zum neuplatonischen Gottesbegriff

(1) Neuplatonisches und christliches Denken über Gott teilen vorzüglich ein
radikales Bemühen um die Trennung von Gott (im prägnanten Sinne) und Welt.
So wird auch christlicher Theologie die Unterscheidung von Gottes weltenthо-
benem Wesen und seiner weltimmanenten Wirksamkeit, die ihn nur vermittelt
offenbart, indem sie seine Existenz, nicht aber seine Essenz erschließt, ein
zentrales Anliegen[303]. Diese seine Weltzugewandtheit läßt sich ebenso in der
Dialektik von Anwesenheit und Abwesenheit begreifen[304].

(2) Konsequenter als die hierin zögernde pagane Theologie formuliert der via
negationis folgendes christliches Denken[305] das Wesen Gottes als schlechthinnige *Unendlichkeit*[306]. Schreckte die genuin griechische Spekulation immer wie-

---

[301] Beierwaltes, Identität und Differenz 40: „Letztlich verantwortet Andersheit aufgrund ontologischer und logischer Negativität das Böse ... und die Materie."
[302] Prokl inst 42 p 44,13 ἀφ' οὗ γὰρ ἡ πρόοδος ἑκάστοις ..., εἰς τοῦτο καὶ ἡ τῇ προόδῳ
σύστοιχος ἐπιστροφή; vgl. in Tim 2,223,32–224,2 τὸ γὰρ ἐπιστραφὲν γέγονεν οἷον τὸ μεῖναν,
ἀντὶ μὲν ἑνὸς πᾶν γενόμενον, ἀντὶ δὲ ὅλου τοῦ πρὸ τῶν μερῶν τὸ ἐκ τῶν μερῶν ὅλον. „Anfang
und Ende sind in dieser Bewegtheit das Selbe.", Beierwaltes, Proklos 120.
[303] Z.B. Basil ep 234,1f. p 42 C.; spir 8,17:30f. (SC 17,304); 8,16:9–17 p 298; vgl. Holl,
Amphilochius 151; GregNyss trin, op 3/1,10,22–11,3; tres dii p 46,17; 47,4f.; 52,13ff.; 56,11–57,7;
comm not p 21,20–22,1; Maced p 114,21ff.; vgl. Athan inc 17,5–7 p 174 Th. vom Logos.
[304] Vgl. Athan aaO.; JChrys incompr 2,191–3 (SC 28) καὶ πανταχοῦ παρόντα καὶ πάντα
ὑπερβαίνοντα καὶ ἀνωτέρω τῆς κτίσεως ἁπάσης ὄντα; Aug conf 8,3,8 p 159,22f. Sk. et nusquam
recedis, et vix redimus ad te; vgl. 7,1,1 p 125,18f.; 10,27,38.
[305] Gegen Mühlenberg, Unendlichkeit 27f.142–147.166f. muß betont werden, daß auch Gregors Unendlichkeitsbegriff als „sich selbst aufhebende Erkenntnis" im Rahmen der via negativa
verbleibt, die in der negatio negationis gipfelt.

der vor der in der Apeiria Gottes implizierten Denkunmöglichkeit und Irrationalität zurück – so etwa auch noch Origenes[307] –, so fiel es einem im *Schutz* der
gültigen Selbstoffenbarung Gottes in Christus operierenden Denken leichter,
im Unendlichkeitsbegriff die negative Theologie zu vollenden[308] und analog
dazu das Göttliche als mystische Finsternis zu feiern[309].

(3) Endlich konnte spätestens seit der Orakelexegese des Porphyrios von
Heiden wie Christen die göttliche Lebensfülle als in *Dreiheit* sich entfaltende
Einheit begriffen[310] und dementsprechend als natürlicher Theologie sich er-
schließende Wahrheit dargetan werden[311].

2. Kritik am neuplatonischen Gottesbegriff

(1) Erstaunlicherweise hat sich die christliche Theologie recht selten einer
ausdrücklichen Kritik des neuplatonischen Gottesbegriffes zugewandt und ging
über eine Polemik gegen die traditionellen Lehrsätze des Mittleren Platonismus
und die von diesem „inkonsequenterweise" geschützte Vielgötterei kaum hinaus[312]. Indes läßt sich die ausgeführte Widerlegung der arianischen Häresie im
vierten Jahrhundert zu guten Teilen auch als Auseinandersetzung mit dem
neuplatonischen Gottesverständnis deuten. Zwar zeigen erst die Eunomianer
direkte neuplatonische Beeinflussung[313], während der frühe Arianismus allen-

---

[306] Vgl. Elert, Ausgang 37–70; Armstrong, Infinite 54–58; ders. mit R. A. Markus, Christian
faith and greek philosophy, London 1960, 8–15. S. bes. GregNaz or 28,10:16–22 (SC 250,120) und
7:5 p 112; 38,7 (PG 36,317BC); trinitarisch aufgegliedert, aber mit subordinatianischer Färbung or
31,5:9–23 p 284; korrigierend wäre 40,41 (417B) τριῶν ἀπείρων ἄπειρον, mit H. Althaus, Die
Heilslehre des hlg. Gregor von Nazianz, MBTh 34, Münster 1972, 42f. gegen Mühlenberg 117
kaum vom Nyssener abhängig; GregNyss Mos 1,7f., op 7/1,4,5–5,4; 2,236 p 115,14–116,23; etc.

[307] Orig princ 2,9,1 p 164,3–8 G.-K.; vgl. 4,4,8 frg 38 p 359,16–19; Cels 4,63:4f. (SC 136,340);
Elert 39f.; Nemeshegyi, Paternité 43–48.

[308] In bezeichnendem Unterschied zur neuplatonischen Mystik! – Derselbe Schutz durch das
Offenbarsein Gottes im Gesetz dürfte m. E. auch in der mystischen Theologie des Judentums, der
Kabbala, die Prädizierung des Höchsten als Unendliches ('En-sof) erleichtert haben, vgl. hierzu
Scholem, Grundbegriffe 22–28.76ff.

[309] Vgl. H. Puech, La ténèbre mystique chez le Ps.-Denys l'Ar. et dans la trad. patr., EtCarm 23/
2 (1938) 33–53; E. v. Ivánka, Dunkelheit (mystische), RAC 4 (1959) 350–358.

[310] Vgl. oben A.63.218; ferner GregNaz or 25,17:4f. (SC 284,198) μονάδα ἐν τριάδι καὶ
τριάδα ἐν μονάδι; 39,11 (PG 36,345C) ἐν γὰρ ἐν τρισὶν ἡ θεότης καὶ τὰ τρία ἕν, vgl. 12 (348C);
carm 1,1,3:60 (PG 37,413) ἐκ μονάδος τριάς ἐστι καὶ ἐκ τριάδος μονὰς αὖθις; ib. 71 (413);
1,1,4:65 (421) τρισσοφαοῦς θεότητος ... σέλας; 2,1,14:42 (1228) τρισσὴ μονάς.

[311] Vgl. oben S. 69 und die ersten Kapitel der Großen katechetischen Rede Gregors von Nyssa.

[312] Vgl. Dörrie, Andere Theologie 20f.45f.; er vermutet sogar eine bewußte Verhüllung der
Gegensätze, 28ff.

[313] Vgl. J. Daniélou, Eunome l'arien et l'exégèse platonicienne du Cratyle, REG 69 (1956) 412–
432, diesem zustimmend L. Abramowski, RAC 6 (1966) 943f.; Hadot, Storia della filosofia
347f.355; kritisch Rist, Basil 185–188. – Deutlich ist bes. GregNyss Eunom 3,5,59, op 2,286,13–26,
wo Neuplatoniker und Eunomianer subordinatianisch denken: θεὸν ὑπερανεστηκότα τῶν ἄλλων

falls aus dem ältern Platonismus Denkformen entlehnt[314]. Indes geraten Neuplatoniker und Arianer in eine *sachlich* größte Nähe zueinander, insofern sie
beide im Unterschied zur jeweiligen frühern Lehrentwicklung – Mittelplatonismus[315] bzw. Origenismus – nun auf eine exaktere Unterscheidung zwischen
Einem und nachfolgendem Sein, zwischen Gott und Welt drängen und so
prägnanter die Frage nach der Göttlichkeit der Trias stellen. Diese strengere
theologisch-ontologische Problemstellung teilen auch die dem Nicänum verpflichteten kappadokischen Theologen, die damit selten direkt[316], durchgehend
aber indirekt just auch den neuplatonischen Gottesbegriff kritisch überwinden[317].

(2) Treffen sich christliche und neuplatonische Denkbewegungen um ein
rechtes Verständnis des Göttlichen noch in der Abwehr aller Zerteilung und
Trennung der von unvermischter Einheit durchwalteten obern Welt[318], so
unterscheiden sie sich grundlegend in ihrem Verständnis der *Dreiheit*. Als von
Hervorgang und Rückwendung konstituierte Form eignet sie für die Neuplatoniker nur den Seinssphären *nach* dem Einen, während christliche Theologie
dieselbe als der Gottheit im strengen Sinn zukommend versteht. Insofern darf
eben gerade in der Trinität keine Minderung (ὕφεσις) walten[319], wohingegen

καὶ ὑποχειρίους τινὰς δυνάμεις ὁμολογοῦσι, διά τινος τάξεως καὶ ἀκολουθίας ἀλλήλων μὲν
πρὸς τὸ μεῖζον ἢ καταδεέστερον διαφερούσας, ὑπεζευγμένας δὲ πάσας ἐπίσης τῷ ὑπερέχοντι.

[314] Vgl. Arnou, Platonisme 2322f.2389; F. Ricken, Das Homousios von Nikaia als Krisis des
altchristlichen Platonismus, in: Zur Frühgeschichte der Christologie, hg. B. Welte, QD 51, Freiburg 1970, 74–99; G. C. Stead, The platonism of Arius, JThS 15 (1964) 16–31; kritisch Lorenz,
Arius 62–66; Rist, Basil 170–173.

[315] Für den Mittelplatonismus hat Dörrie die Scheu, das Obere explizit zu differenzieren,
hervorgehoben, Platonica minora 226f.295.366; Andere Theologie 23 A. 68.

[316] Eine gewisse Kenntnis der Neuplatoniker ist gesichert, vgl. neben den Arbeiten von Henry,
Etats 159–196 und Dehnhard auch J. Daniélou, Grégoire de Nysse et le néoplatonisme de l'école
d'Athènes, REG 80 (1967) 395–401; P. Courcelle, Grégoire de Nysse lecteur de Porphyre, ib. 402–
406 und die Sammelbände „Ecriture et culture antique dans la pensée de Grégoire de Nysse", hg. M.
Harl, Leiden 1971, bes. 3–6, und „Gregor von Nyssa und die Philosophie", hg. H. Dörrie u.a.,
Leiden 1976, bes. 3–39. – Vor einer Überschätzung neuplatonischen Einflusses warnt indes mit
Recht Rist, Basil 190–220, bes. 207ff.215ff.

[317] Vgl. P. Henry, JThS 1 (1950) 55: „Arianism was, consciously or unconsciously, a crude
transposition of neoplatonic thought"; E. von Ivánka, Hellenisches und Christliches im frühbyzan-
tinischen Geistesleben, Wien 1948, 17–23. – Anders als Ricken 99 wird man aber nicht mit dem
gerade für die Kappadokier ungeeigneten Harnackschen Gegensatz von Kosmologie und Soteriologie operieren dürfen.

[318] Vgl. oben A. 29–31; GregNaz or 31,30:16f. (SC 250,338); etc. Die Formel ἀσύγχυτος
ἕνωσις verwenden die Neuplatoniker von der intelligiblen Welt, die Christen von der Trias und von
Christus, vgl. Abramowski, Untersuchungen 63–109.

[319] GregNaz or 40,41 (PG 36,417B) ... τὴν μίαν θεότητά τε καὶ δύναμιν ἐν τοῖς τρισὶν
εὑρισκομένην ἑνικῶς καὶ τὰ τρία συλλαμβάνουσαν μεριστῶς, ... οὔτε αὐξομένην ἢ μειουμένην
ὑπερβολαῖς καὶ ὑφέσεσι πάντοθεν ἴσην τὴν αὐτὴν πάντοθεν, ὡς ἐν οὐρανοῦ κάλλος καὶ
μέγεθος; GregNyss Maced, op 3/1,91,1 keine Zunahme oder Verringerung; Didym trin 1,15,39 H.
die göttliche Natur ohne Minderung, vgl. 1,18,21. In or 37,3 (PG 36,285B) faßt Gregor von
Nazianz die Minderung in Christi Abstieg positiv als Kenosis *für uns* auf, vgl. unten Kap. IV A. 221.

neuplatonisches und arianisches Denken diese als wesentliches Strukturmoment der von der Gottheit abzusetzenden Trias begreift[320]. Wo Gott aber streng als Dreiheit in Einheit erfaßt wird, muß alles Mindersein oder Mehrsein abgewehrt werden.

(3) Folgerichtig wendet sich die orthodoxe Theologie gegen die Konzeption eines Vater und Sohn verbindenden *„Mittleren"*, worin deren Unterschiedenheit in subordinatianischem Sinne begründet wäre[321]. Vielmehr gilt es, die Grenzen zwischen Gottheit und Schöpfung unter Ausschluß aller „Vermittlung" streng zu bewahren[322]. In größte Nähe zu chaldäisch-neuplatonischen Vorstellungen führt insbesondere jene arianische Position, worin sich zwischen Vater und Sohn der „Wille" des Vaters zum Sohn als „Mittleres" und „Mutter" schiebt und die Vorrangstellung des ersteren deutlich herausstreicht. Der hierin intendierten Destruktion der Homousie setzen die orthodoxen Kirchenväter die Bestreitung aller Vorstellungen eines „Zwischen" und einer im Willen implizierten Mutterschaft innerhalb des göttlichen Bereichs entgegen[323]. Der Sohn ist der Natur, nicht dem Willen nach gezeugt[324] und kann derhalben selbst als Wille des Vaters begriffen werden[325]. Insofern ist die göttliche Zeugung grundsätzlich von der untern zu unterscheiden[326].

Demgegenüber weisen die Väteraussagen, die von einer Mittelstellung des Geistes wissen[327], in eine sehr andere Richtung als die bei Synesios wirksame

---

[320] So reden die Arianer z. B. bei Basil ep 236,1:6 p 47 C. von der τὴν ἀξίαν ὕφεσις des Sohns im Verhältnis zum Vater. Zum Neuplatonismus s. oben A. 245.259.

[321] Athan Ar 2,24 (PG 26,200A); vgl. PGL 846f. s. v. μεσίτης, μέσος. Die Bedeutung von μέσον als „Abstand" ist hierin wirksam (vgl. z. B. JChrys incompr 5,232). Gegen ein solches „Mittleres" GregNaz or 20,7:12–14 (SC 270,72); GregNyss Maced p 103,21–104,26; diff ess (= Basil ep 38,7:38f. p 91 C.); aber auch Plotin, s. oben A. 87. Anders Synesios, A. 23; Orakel, A. 203; Neuplatoniker, A. 223.

[322] Basil Eunom 3,2 (PG 29,660A).

[323] Athan Ar 3,59ff. (PG 26,445ff.) mit Orbe, Procesión, bes. 465–473; GregNaz or 28,6:7–9 (SC 250,186): Wäre der Wille (θέλησις) dazwischen, so wäre der Sohn „Sohn des Willens" und der Wille „Mutter". Dies Zwischen ist abzulehnen (Z. 32f. p 188). Vgl. ders., carm 1,1,2:24–27 (PG 37,403); or 31,14:5f. p 302 keine Zerteilung der Trias durch Bulesis oder Dynamis (!); 42,15 (476B) zwischen Vater und Sohn keine Zeit, Willen, Dynamis; GregNyss comm not, op 3/1,25,9f. keine Zeit, Ort, Wille, Energeia, Pathos. So darf Gott nicht androgyn gedacht werden, als ob er mittels des Willens den Sohn erzeuge, GregNaz or 31,8:1f. p 290. Vielmehr ist der Sohn „mutterlos" (Hb 7,3) hinsichtlich seiner göttlichen Natur, 29,19:12 p 218 (ἀπάτωρ ἐντεῦθεν, ἀμήτωρ ἐκεῖθεν); 30,21:26–28 p 274; Theodoret eranist dial 2 p 124,26 Ettlinger (Oxford 1975); PsChrys ascens 5 (PG 52,801), vgl. unten Kap. IV A. 98.

[324] Z. B. Didym trin 1,9,13–37 H., vgl. 1,15,35 ἀμέσως.

[325] Vgl. PGL s. v. βουλή C 5a: 303; bes. Athan Ar 2,31 (PG 26,213A); 3,63 (457); ferner Prestige 121–123.

[326] Z. B. Didym trin 1,15,54. Jede μεταβολή ist auszuschließen, 1,10,5–8; die göttliche Zeugung ist θεϊκῶς, 1,15,14, ἀπαθῶς, 54. Auch Gregor von Nazianz unterscheidet die göttliche Erzeugung des Sohns von einem äußerlichen „Drang", carm 1,2,1:21 (PG 37,523).

[327] Vgl. Th. Schermann, Die Gottheit des Heiligen Geistes nach den griechischen Vätern des 4. Jh., StrThS 4/4f., Freiburg 1901, 241; PGL s. v. Syndesmos 1310b; vgl. 1099a s. v. Pneuma IX A. V.

neuplatonische Tradition[328]. Bei Epiphanios erklärt sich die Verbindungsfunktion des Geistes aus der Identität von „Geist des Vaters" und „Geist Christi"[329], bei Gregor von Nyssa entstammt sie der Exegese der johanneischen Doxavorstellung[330], während nur Gregor von Nazianz in eine mehr formale denn sachliche Nähe zu Synesios gerät[331]. Es ist im übrigen sonst eher der Sohn, dem eine innertrinitarische, von der Wesensgleichheit der Hypostasen bestimmte Mittelstellung zukommen kann[332].

(4) Ebenso verfehlt die neuplatonische Konzeption der *Emanation* mit ihrer Wertung des Hervorgangs als Abstieg in die Minderung das rechte Verständnis der christlichen Trias. In äußerster Schärfe, aber der Sache nach nicht völlig abwegig, kann Gregor von Nazianz das plotinische Ausströmen des Einen in all seiner Notwendigkeit gar als Fäkation schmähen und so als des Göttlichen wahrhaft unwürdig dartun[333]. Desgleichen ist in seiner Kritik der ältern trinitarischen Bilder[334] von Quelle und Strom, Sonne und Strahlen, Hervorgang aus Gott und Rückwendung zu ihm als Urquell[335], die neuplatonische Vorstellungswelt mitbetroffen. Überall da scheint die völlige Transzendenz und Wesenseinheit Gottes bedroht. Vor allem darf die Schöpfung selbst nicht mehr unter dem Vorzeichen einer Emanation oder Zeugung betrachtet werden, derart, daß die Trias sich zur Tetras erweiterte[336]. Die ältern Theologumena vom

---

[328] Gegen Hawkins 139–141, die Synesios zum Orthodoxen machen möchte.

[329] Epiphan haer 62,4,2 (GCS 31,392,27) der Geist ist σύνδεσμος τῆς τριάδος, aber nichtsdestoweniger das dritte (Mt 28,19), als Geist von Vater *und* Sohn (Mt 10,20; Hag 2,5). Vgl. 74,11,7 p 329,23; ancor 7,1 (GCS 25,13,20); 8,6 p 15,13 f.; vgl. 70,4 p 87,22 f. – Anders meint dagegen in haer 76,46,4 p 400,5 das „Band" die trinitarische Verbundenheit, nicht den Geist.

[330] GregNyss hom 15 in Cant, op 6,467,5 f. (vgl. 466,20) in Exegese von Joh 17,22; 20,22 τὸ δὲ συνδετικὸν τῆς ἑνότητος ταύτης ἡ δόξα ἐστίν. δόξαν δὲ λέγεσθαι τὸ πνεῦμα ἅγιον ...

[331] GregNaz or 31,8:3 f. (SC 250,290) der Geist καθ'ὅσον δὲ ἀγεννήτου καὶ γεννητοῦ μέσον, θεός; vgl. Syn hy 1,229 f.; 2,98 f. (s. oben A. 21.23).

[332] GregNyss Maced, op 3/1,93,3–6 und tres dii p 56,8; vgl. Holl 215; faktisch ist nur die oft betonte Funktion des διά gemeint, z. B. 48,23; 100,10.

[333] GregNaz or 29,2:18–24 (SC 250,180), vgl. dazu Holl 175 und J. Dräseke, Neuplatonisches in des Gregorios von Nazianz Trinitätslehre, ByZ 15 (1906) (141–160) 142 f. Die plotinische ὑπέρχυσις wird geschmäht als ἀκούσιος γέννησις und οἷον περίττωμά τι φυσικὸν καὶ δυσκάθεκτον (zum Ausdruck Exkrement vgl. z. B. Basil ep 236,4:3 p 52 C.). – Wahrscheinlich setzt sich auch MVict Ar 4,21:7–10 von der plotinischen (und porphyrianischen?) Idee ab, daß der Geist „unbemerkt" dem Einen entströmt (Plot 3,8,8:33, vgl. oben A. 101 f.): inscio patre an iubente? Der biblische Zusammenhang (est ergo aliquid quod non potentia dei fiat?) spricht dagegen, die Stelle dem Porphyrios zuzuschreiben (so Hadot, Porphyre 2, 48 = § 73).

[334] GregNaz or 31,32 f. (SC 250,338–340); 25,15:31 f. (SC 284,194); carm 1,1,3:61–69 (PG 37,413).

[335] So in der letztgenannten Stelle, πάλιν εἰς ἓν ἰοῦσα, ... ἔνδοθι μίμνων; vgl. Just dial 128,4 (als jüdisch!); Novat trin 31,20 f.:192 (CCL 4,78); MarkellAnc bei Epiphan haer 76,6,7 (GCS 37,346,33).

[336] GregNyss comm not, op 3/1,24,15–24, vgl. auch Mühlenberg, Unendlichkeit 141. Auch Augustin verwehrt sich dagegen, daß die Welt aus Gott als sein Sohn erzeugt wäre, ench 12,38:27–30 (CCL 46,71).

Logos, der erst im Vater als endiathetos geborgen ist, dann aber als prophorikos die Welt aus sich erzeugt, sind damit verworfen[337].

(5) Gleichwohl hatte die Aufnahme griechischen Denkens in der christlichen Theologie auch zur Folge, daß das christliche Gottesverständnis nur ungenügend vom philosophischen abgehoben wurde. Die Verwendung der Emanationsmetaphern für die innertrinitarischen Verhältnisse[338] verführte leicht dazu, auch die hierin implizierte Abstiegs- und Rückwendungsidee zur Erhellung der hypostatischen Relationen aufzugreifen[339] und damit das innere Sein Gottes nicht mehr ausreichend gegen die Schöpfungswelt abzugrenzen. Gregor von Nazianz interpretiert an dunkler Stelle[340] das Dogma der Trias als Vermeiden von jüdisch armseliger Monas und dualistisch gefärbter Dyas, gerät aber dabei unversehens von einer nur logischen Operation in die Nähe einer ontologischen Vorstellung, wonach sich die Monas in einer als Dyas geschauten Entfaltung zur Trias ergießt und darin ihre Begrenzung findet[341]. Weiterhin sprechen einzelne

---

[337] Athan Ar 2,35 (PG 26,221B); Basil hom 24,1 (PG 31,601AB); GregNaz or 20,9:31–35 (SC 270,76); vgl. M. Mühl, ABG 7 (1962) 52–56; Prestige 123–128; PGL 809b.

[338] Der bei Synesios häufige Begriff des „Vergießens" etwa auch Didym trin 1,15,35 H.: Im Vergleich mit der Sonne und ihrem Licht ist der Sohn τῆς τοῦ προέντος οὐσίας τὸ ... προχεόμε-νον; Kyrill adorat (PG 68,148A) der Geist als ἐκ πατρὸς δι' υἱοῦ προχεόμενον πνεῦμα; vgl. ep 55,30 (ACO 1,1,4 p 60,23 = PG 77,316D) der Geist προχεῖται μὲν ἤγουν ἐκπορεύεται.

[339] GregNaz or 42,15 (PG 36,476B) von der Gottheit: ἕνωσις δὲ ὁ πατήρ ἐξ οὗ καὶ πρὸς ὃν ἀνάγεται τὰ ἑξῆς; PsAthan Ar 4,1 (PG 26,468A) vom Logos: εἰς αὐτόν, οὗ καὶ ἔστιν, ἀναφέρε-ται, und so entsteht die Monas (vgl. z.St. I. Chevalier, S. Augustin et la pensée grecque, Fribourg 1940, 115. 160f. 167); Didym trin 2,12 (PG 39,673B) vom Geist: ἀρρήτως γὰρ προῆλθεν ἐξ αὐτοῦ φύσει, καὶ ἐπέστραπται πρὸς αὐτόν. ἐπιστρέφει δὲ πρὸς τὸν γεννήσαντα προελθόν.

[340] GregNaz or 23,8:8–15 (SC 270,298) „Eine vollkommene Trias aus drei Vollkommenen, indem sich die Monas um ihres Reichtums willen bewegt, die Dyas aber übersprungen wird – denn (Gott) ist jenseits von Materie und Form, aus denen die Körper bestehen – und so sich als Trias begrenzt um ihrer Vollkommenheit willen (μονάδος μὲν κινηθείσης διὰ τὸ πλούσιον, δυάδος δὲ ὑπερβαθείσης ... τριάδος δὲ ὁρισθείσης διὰ τὸ τέλειον); so überspringt (die Trias) als allererste die Zusammengesetztheit der Dyas, damit die Gottheit nicht eng für sich bleibt, noch auch ins Unendliche verströmt (ἵνα μήτε στενὴ μένῃ θεότης, μήτε εἰς ἄπειρον χέηται). Denn das eine wäre lieblos karg, das andere aber chaotisch; das eine ganz jüdisch, das andere hellenisch-polytheistisch." – Die Trias umgeht also jüdische göttliche Einsamkeit und Enge wie auch griechisches Zerströmen ins Unendliche, Vergöttlichung der Weltenfülle. Die Dyas beschreibt er zudem traditionell als hylisches, vom Gegensatz von Form und Stoff bestimmtes Prinzip (vgl. Prokl in Tim 1,384,29f.; theol Plat 3,8 p 34,1–11: Die Hyle ist Apeiria, das Eine Peras). Vgl. z.St. auch Harnack, DG 2, 265 A.5.

[341] „Damit sie sich nicht ins Unendliche vergieße, sondern vielmehr umgrenzte Trias sei." Umgekehrt ereignet sich im Aufstieg das τὸ ὑπὲρ τὴν ὑλικὴν δυάδα γενέσθαι διὰ τὴν ἐν τῇ τριάδι νοουμένην ἑνότητα, or 21,2:7 (SC 270,112). Deutlich 29,2:13f. (SC 250,180) μονὰς ἀπ' ἀρχῆς, εἰς δυάδα κινηθεῖσα, μέχρι τριάδος ἔστη, zum ἔστη vgl. oben A.195.234.291; unten Kap. V A.97 und carm 1,2,2:688f. (PG 37,632) „ein Gott, aus dem Erzeuger durch den Sohn zum großen Geist, indem die vollendete Gottheit im Vollendeten Stand hat (ἱσταμένης θεότητος)". Vgl. Holl 170; Gerlitz 164; sodann GregNyss trin, op 3/1,7,12–14 die Gottheit bleibt nicht beim Sohn (sondern erst beim Geist) stehen. Aber darüber hinaus ergießt sie sich nicht, GregNaz or 38,8 (PG 36,320B) οὔτε ὑπὲρ ταῦτα τῆς θεότητος χεομένης.

Theologen recht ungeschützt von Gottes Emanieren nach außen[342]. Die Problematik spitzt sich insbesondere dort zu, wo aus dem (auch schon emanativ-trinitarisch gedachten) Wesen Gottes unmittelbar die Notwendigkeit der Schöpfung abgeleitet wird. „Es war notwendig, daß das Gute ausströme und seinen Weg nach außen nehme, auf daß mehr Wesen davon beglückt seien", liest man wiederum bei Gregor von Nazianz[343]. Der auch in christlicher Theologie traditionelle Begriff der Güte[344] scheint besonders bedroht durch diese Verwischung der Grenzen von Gottheit und Schöpfung[345], wo er nicht als streng innertrinitarischer Relationsbegriff gefaßt wird. Allein wo die Güte Gottes als im Dreieinigen statthabende, sich selbst genügende Teilgabe gedacht wird, kann sie sowohl als Wesen Gottes – gegenüber der uneigentlichen Güte des neuplatonischen Einen – *und* als kontingente Selbsthingabe nach außen[346] – gegenüber einer aus der Güte deduzierten Notwendigkeit der Schöpfung oder Erlösung – gefaßt werden. Diese Schlußfolgerung wird indes in der griechischen Trinitätstheologie m. W. nirgends explizit gezogen[347].

---

[342] So GregNaz or 40,5 (PG 36,364B): Die Trias ὀλίγα τοῖς ἔξω χεόμενον; 30,13:27f. (SC 250,254): Die „Guten" sind die, ἐφ'οὓς ἡ ἀπόρροια τοῦ πρώτου ... καλοῦ ... ἔφθασεν; zur Seele als göttlichem Ausfluß s. unten Kap. IV A. 21.

[343] GregNaz or 38,9 (320C) ἔδει χυθῆναι τὸ ἀγαθὸν καὶ ὁδεῦσαι, ὡς πλείονα εἶναι τὰ εὐεργετούμενα, so kommt es zur Engel- und Weltschöpfung. Das Problem wird bei Špidlík, Grégoire 18 verharmlost („aucune nécessité de la nature n'imposait la création"), bei Althaus 45–48 immerhin zugestanden, bei Holl 175 überbewertet. – Vgl. das Argument der Valentinianer: Die Liebe muß ein Geliebtes haben, deshalb kommt es zur Welterschaffung, Hippol ref 6,29,5 (GCS 26,156,14f.).

[344] Für Augustin, civ 11,21, stimmen hier Platon ‹Tim 29e› und Bibel ‹Ps 117(118)1 ff.; Mk 10,18› überein. – Das Problem ist kaum berücksichtigt in der Diskussion von H. Dörrie und E. P. Meijering (ThR 36, 1971, 294–6; Dörrie, Platonica minora 516f.316f.; ders., Gregor von Nyssa 34–37). – Zur „Güte" bei Dionysios Areopagita s. Brons, Gott und die Seienden 183. 225–229. 275f.; ferner A. 130.264.365.

[345] Immerhin betont Clem strom 7,7,42:4 οὔτε γὰρ ὁ θεὸς ἄκων ἀγαθός, so wie etwa das Feuer wärmt (also gegen 1,7,86:3 = SVF 2,1184; vgl. aber andrerseits paed 1,9,88:2). In seines Namensvetters Bahnen wandelt der Nyssener, der zwar die Menschenschöpfung nicht einer Ananke zuschreiben will, aber doch der ἀγάπης περιουσία, d.h. einem aus der Güte gefolgerten ἔδει, worin Gott auch andern an seinem Glanz Anteil gibt, or cat 5,3 (PG 45,21B). Bei Dionysios scheint die Wesensnotwendigkeit der Schöpfung zur Gänze den neuplatonischen Vorlagen zu entsprechen, vgl. Brons, Gott und die Seienden 232f.325–327, wohl im Recht gegenüber Autoren wie Ivánka, Plato Christianus 259 und Problem des chr. Neuplatonismus 401f.; Kremer, Seinsphilosophie 304f.322f. – Ähnlich klingt es bei Äneas von Gaza, vgl. Wacht 63 f.77–80.

[346] „Das Handeln Gottes nach außen hin darf nicht als der notwendige Ausfluß seines Wesens mißverstanden werden", G. Ebeling, Dogmatik des christlichen Glaubens, 3, Tübingen 1979, 539. Die opera ad extra sind nur analog den opera ad intra. – Vgl. ferner Armstrong, VC 8 (1954) 236f.; Florovsky, Concept; Th. Roeser, Emanation and creation, N. Schol 19 (1945) 86–116.

[347] Augustin scheint in diese Richtung zu denken: Deus bonitate fecit, nullo quod fecit eguit; ideo omnia quaecumque voluit, fecit, EnarrPs 134,10 (CCL 40, 1945), vgl. ep 166,5,15 (CSEL 44,568,5–8); conf 13,2,2; dazu A. Schindler, Augustin, TRE 4 (1979) (646–698) 670: „Gott mußte die Welt nicht schaffen und bedarf ihrer nicht, aber da er sie schaffen wollte, mußte sie so werden, wie sie ist, als Ausstrahlung seiner Güte."

3. Die Trias als innere Bezogenheit

(1) In entscheidendem Unterschied zum neuplatonischen Einen, das gerade seine Wesenheit und Mächtigkeit in seiner Freiheit von aller Beziehung zu den ihm entströmenden Seinssphären gewinnt[348], ist die christliche Trias grundsätzlich durch *Relation* bestimmt. Die Unterschiedenheit von Vater, Sohn und Geist gründet in ihrer gegenseitigen Bezogenheit, ihrer σχέσις πρὸς ἄλληλα[349]. *Es ist demzufolge nicht so sehr der „persönliche" Gott, der Heiden und Christen trennt[350], als vielmehr die „Personalität" allererst konstituierende Konzeption der Trinität als innere Bezogenheit des Seins Gottes in seinen Hypostasen.* Das philosophische, im neuplatonischen Gottesbegriff kulminierende Verständnis der Relation als inferior-akzidentieller Größe[351] wird im christlichen Denken völlig umgewertet. Weil Gottes Sein nicht mehr in der Alternative von Beziehungslosigkeit und in der Beziehung sich ausprägender negativer Minderung, sondern als gerade in den Relationen sich vollziehende Lebendigkeit gedacht wird, kann es nun auch zu einer positiven Wertung des Werdens, der in die Tiefe strömenden Liebe kommen, der die Schöpfung entgegenjubelt. Umgekehrt verdankt sich indes dies neue Gottesverständnis selbst der unendlich positiv zu wertenden Herabkunft Gottes in Christus zur Welt, worin sich sein inneres Sein als wesenhafte Teilgabe offenbart[352]: Die innertrinitarische Bewegung des Vaters zum Sohn ist nicht mehr negativ zu qualifizierende Minderung, sondern umgekehrt gerade erst in dieser Hingabe – die in kappadokischem Sinne durchaus „Abstieg" ist[353], ist doch der Vater Ursache des Sohns und insofern größer – aufstrahlende Verherrlichung.

Sowohl Basilios[354] wie Gregor von Nazianz[355] verwenden den Begriff der

---

[348] Vgl. oben S. 93 f., 111 f., 114 und A. Dahl, Augustin und Plotin, Philosophische Untersuchungen zum Trinitätsproblem und zur Nuslehre, Lund 1945, 44–46.

[349] Vgl. PGL s.v. 7ci: 1357b; Chevalier, Augustin, bes. 127–163. – Der Gesichtspunkt ist bei Aubin, Conversion 197f. nicht beachtet, weil der Autor zu sehr am Terminus der Epistrophe orientiert ist.

[350] Gegen die gängige Entgegensetzung (z.B. auch Dörrie, Andere Theologie 20f.; Beierwaltes, Proklos 113–118.143; Kobusch 33.76 A. 47; E. König, Augustinus Philosophus, München 1970, bes. 17) erheben richtig Bedenken Armstrong, Salvation 131f.; Rist, Eros 72f.86.110–112; Früchtel, Weltentwurf 59 A.209; auch Ch. Parma, Pronoia und Providentia. Der Vorsehungsbegriff Plotins und Augustins, SPGAP 6, Leiden 1971, 34f.155. Tatsächlich weiß Porphyrios im Brief an Markella sehr persönlich von Gott zu reden, wohingegen trinitarische Ausführungen etwa Gregors von Nyssa von äußerster Abstraktion geprägt sein können.

[351] Vgl. oben bei A. 127.190.247–250.268.

[352] Den Aspekt von Gottes Offenbarsein betont J. P. Atherton, The neoplatonic „One" and the trinitarian „APXH", in: Significance of neoplatonism, (173–185) 180.

[353] Von E. P. Meijering, The doctrine of will and of trinity in the orations of Gregory of Nazianzus, NedThT 27 (1973) 224–234 zu Unrecht als inkonsequent abgetan.

[354] Basil Eunom 1,5:69 (SC 299,176) „Vater" schließt „Sohn" ein aufgrund ihrer σχέσις. Vgl. spir 6,14:8 (SC 17,288); 6,15:17 p 292 ἀπὸ τῆς πρὸς τὸ ἴσον σχέσεως; 6,15:73 p 296. – Daß Vater und Sohn sich gegenseitig implizieren (Aristot met △ 15:1021a23f.), ist seit Tertullian, Prax 10,3 (CCL 2,1169) in der trinitarischen Diskussion geläufig, vgl. G. C. Stead, JThS 15 (1964) 28.

σχέσις mehrfach in diesem neuen Sinn. Insbesondere aber faßt Gregor von
Nyssa die trinitarischen Unterschiede ausschließlich als Relationen, worin die
eine Person immer schon auf die andern verweist[356]. Was Porphyrios mit seinem
triadischen Konzept der wechselseitigen Implikationen zu begreifen suchte, ist
orthodoxer Theologie im Relationsbegriff beschlossen, nämlich Gottes Sein als
Leben oder Liebe nicht zum Widerspruch, sondern vielmehr gerade zur Vollendung seiner Transzendenz werden zu lassen.

(2) Das hier skizzierte Verständnis der christlichen Dreieinigkeit erhellt weit
anschaulicher aus der in der Trinität statthabenden *Verherrlichung* (im johanneischen Sinn) denn aus den recht abstrakten Relationsbestimmungen. Basilios
läßt den Lobpreis der Geschöpfe ganz aus der Gottheit selbst gewirkt sein[357],
worin Sohn und Geist den Vater verherrlichen und ihre Doxa wiederum von
ihm empfangen[358]. Noch mehr hat Gregor von Nazianz die väterliche Würde als
Ursprung-sein von Sohn und Geist gepriesen, diese Bezogenheit gereicht sowohl dem Sohn und Geist als auch gerade dem Vater zur Ehre[359]. Die im
Verhältnis von Vater und Sohn wirksame Abstiegsbewegung – der Vater ist
Ursache, Quell, Erzeuger – macht eben zugleich die Herrlichkeit eines jeden

---

[355] GregNaz or 29,16:13 f. (SC 250,210); 31,9:3–5 p 290–2, wo neben der σχέσις auch ἔκφανσις
gesagt wird, aber nicht, wie z. B. bei Prokl inst 125 p 112,7 f.; DionAr (PGL s. v.) subordinativ zu
verstehen ist. Vgl. auch or 20,6:18 f. (SC 270,70) der Vater ist immer πατήρ τινος (vgl. A. 354;
Chevalier 162; anders der Neuplatonismus, s. A. 267); 23,8:7 p 298 die σχέσις von Vater und Sohn
ist hoch zu loben. Hingegen gilt für das Verhältnis zur Welt in or 30,17:6 ff. p 260–2 streng die
Transzendenz Gottes: δέον ... ἀκοινώνητον εἶναι ... τὸ θεῖον τοῖς ἡμετέροις; zum Begriff
ἀκοινώνητος s. des Places, Etudes platoniciennes 300–304.
[356] GregNyss tres dii, op 3/1,56, bes. 56,9 f.; Maced p 110,24–30; 113,24–114,5, auch 98,32 f.;
diff ess = Basil ep 38,7 p 90–92 C., bes. 7:10. „Vater" und „Sohn" sind Beziehungswörter und
unterscheiden sich nur τῷ σχετικῷ τῆς σημασίας, ib. 7:48; or cat 1,10 (PG 45,16B). Vgl. auch
Didym trin 1,26,21; 1,19,1 H.
[357] Vgl. oben Kap. II A. 87. Den doxologischen Hintergrund hat für Basilios Dörries, De Spiritu
Sancto, bes. 132. 149. 154–156. 181–183 schön aufgezeigt.
[358] Bes. Basil spir 8,19:45–48 (SC 17,314): „Der Vater pflückt sich die Bewunderung der
Geschöpfe nicht aus der Größe seiner Werke, die gemeinsames Werk der Trinität sind (8,19:42–44),
sondern aus dem ihm dargebrachten Preis des Sohns." (Die Übersetzung von M. Blum, Basilius,
über den Hlg. Geist, Sophia 8, Freiburg 1967, 41, ist hier falsch) ἀλλ' ἐκ τῆς προσαγομένης αὐτῷ
παρὰ τοῦ μονογενοῦς δόξης τὸ θαῦμα τῶν γινομένων καρποῦται.
[359] GregNaz or 20,6:23–25 (SC 270,70) (// or 2,38:8–13, SC 247,140); 23,6:19 ff. p 292 μεγάλων
ἀρχή, θεότητος ἀρχή; ebendies ist seine Ehre, Quell von Sohn und Geist zu sein, 23,7:16–18 p 296;
vgl. 23,8:1–4 p 296 „Ich ehre den Ursprung, weil er Ursprung von solchen (Sohn und Geist) ist.
Diese aber ehre ich, weil sie solcherart sind und aus einem solchen." (vgl. auch 40,43; PG
36,420BC). – Etwas anders 29,11:19–26 (SC 250,200): Dem Sohn gereicht die Herkunft vom Vater
zur Größe, wie dem Vater die Ursprungslosigkeit, vgl. 30,7:10–12 p 240 mit gefährlichem Methe-
xis-Schema; sodann carm 1,1,2:28.31 (PG 37,404); 1,1,2:9 (402) „Denn der Ruhm des Vaters ist der
große Sohn"; ib. 39 (404) der Sohn ist γεννήτορος ἄξιον εὖχος. – Die Trias als in gegenseitiger
Verherrlichung begriffen auch or 41,13 (448A) nach Joh 16,14; vgl. bes. auch GregNyss Maced, op
3/1,108,30–109,15, bes. 109,7 f. ὁρᾷς τὴν ἐγκύκλιον τῆς δόξης διὰ τῶν ὁμοίων περιφοράν, zu
beachten die Kreis- und Chormotive. Vgl. ferner Didym trin 1,26,21–28; 1,32 f. H.

von beiden, von Vater und Sohn, aus und qualifiziert diesen „Abstieg" selbst positiv, „wesenhaft"[360]. Demgegenüber bringt die arianisch-neuplatonische Konzeption „Neid" und „Streit", „Andersheit" und „Vielherrschaft" in die Trias[361], die ihre Vollkommenheit und Herrlichkeit zerstört[362]. Deshalb ist es unerläßlich, um nicht die polaren Ordnungen der Welt, Hervorgang und Rückwendung, in die Gottheit zu verlegen, Gottes opera ad intra und seine opera ad extra strengstens zu unterscheiden[363], um so das Wunder der Herabkunft Gottes zu wahren.

§ 6 Rückblick auf Synesios

(1) Synesios hängt weitgehend ohne Reserve dem neuplatonischen Gottesverständnis an. Wie die Philosophen denkt er das Göttliche in der Dialektik von Anwesenheit und Abwesenheit[364]; er wandelt in den Bahnen der negativen Theologie und bestimmt so Gottes Sein als letztlich nur uneigentlich diesem zuzuschreibende Güte[365]. Die sich als Trias entfaltende Gottheit deutet er vor allem aus der porphyrianischen Exegese der Chaldäischen Orakel. Freilich steht die diese Dreiheit prägende Abstiegs- und Rückwendungsthematik mit ihrer negativen Wertung des Werdens in entscheidendem Gegensatz zur christlichen Trinität, deren Wesen doch der Dichter gerade zu verherrlichen sucht. Die in. dieser Identifizierung ruhende Spannung verschärft sich zusätzlich dadurch, daß sowohl das zweite wie das dritte Moment der chaldäisch-neuplatonischen Trias bei Synesios nun eindeutig in die höchste Sphäre der Gottheit verlegt sind: Damit verstärkt sich die bei Porphyrios latent wirksame Problematik des Betroffenseins des Ersten von dem ihm Entströmenden[366]. Zugleich formt Syn-

---

[360] Holl 175 deutet den Gedankengang umgekehrt, als wolle Gregor Sohn und Geist zu Zwischengliedern für die Welterschaffung machen. Dies gilt nur beschränkt – eher paßt dazu Didym trin 1,8,3 H. εἰ δὲ καὶ μέγα τοῖς κτιζομένοις τὸ ὑπὸ τοῦ μείζονος παραφέρεσθαι –, v. a. ist der Doxa-Aspekt nicht berücksichtigt.

[361] GregNaz or 42,15 (PG 36,476B); 2,37:13 f. (SC 247,138) (vgl. 36:12 p 136); 23,6:15–22 (SC 270,292–294); 25,16 (SC 284,194); GregNyss tres dii, op 3/1,55,13–15; PsAthan Ar 4,1 (PG 26,468A).

[362] GregNaz or 41,9 (PG 36,441B).

[363] Und entsprechend sind immanente und ökonomische Trinität grundsätzlich zu unterscheiden, nicht nur distinctione rationis (so E. Jüngel, Entsprechungen, BEvTh 88, München 1980, 275, = ZThK 72, 1975, 364; ders., Gott als Geheimnis der Welt 514). Ruft nicht Jüngels konsequente Folgerung, Gott wäre remota creatione „sublimster Egoist" (Geheimnis 513) nach einer Entgegnung?! Man wird es wohl eher mit dem alten Karl Barth halten, in einem Brief an Moltmann: „Wäre es nicht weise, die Lehre von der immanenten Trinität Gottes gelten zu lassen ...?", Briefe 1961–68, GA 5, Zürich ²1979, 276.

[364] Syn Aeg 1,9 p 81,7–9; vgl. 110 p 82,9; im Traum aber πάρεστιν ὁ πόρρω θεός, ins 12 p 167,12 f.!

[365] Syn regn 9 p 19,3 ff. Das ἀγαθόν kommt ihm nur uneigentlich zu (ἠράνισται δὲ ἀπὸ τῶν ὑστέρων), nicht aber „absolut" (ἀπόλυτον, zum Begriff s. PGL s. v.; LSJ s. v.; Theiler, Plotins Schriften, 4b, 393 zu Plot 6,8,20:6).

esios die bei Porphyrios eher als dynamische Strukturmomente des Nus konzipierten triadischen Glieder zu Hypostasen um[367], der auch den spätern Neuplatonikern eigenen Tendenz zur Hypostasierung entsprechend. Hat Synesios die
Weltordnungen in die trinitarische Gottheit projiziert, wenn er die kosmische
Trias auf den Namen des Vaters, des Sohnes und des Heiligen Geistes tauft?

(2) Angesichts der auch bei den „orthodoxen" Kirchenlehrern offenbaren
Spannung zwischen dem philosophisch-theologischen Interpretationsapparat
und dem zu denkenden Kerygma des Kommens Gottes in Christus, dem sie sich
doch verpflichtet wissen, wird man auch bei Synesios behutsamer urteilen
müssen. Eine eindeutig christlichem Gottesverständnis entsprechende Tendenz
gerade auch in seiner Auffassung von der Trias ist unverkennbar[368]. Teilt er in
seinen frühen Werken[369], dem „Lob der Glatze" und dem neunten Hymnus,
noch weitgehend die neuplatonische Konzeption, so tritt in seinen großen
Hymnen immer stärker eine Tendenz heraus, die Trias als ganze vom Kosmos
abzuheben[370] und die *Negativität des Abstiegs vom Vater zum Sohn innerhalb
der Trias zu eliminieren*. Darin nähert er sich der christlichen Trinität an. Vor
allem verliert die zweite Hypostase, der „Heilige Geist", die „Mutter", der
„Wille", ihren traditionell zweideutigen Charakter und ist ausschließlich nur
noch als Wille zum Sohn verstanden. Es hat nicht mehr ein suchender, selbstver-
gessener, verströmender Irrgang in die Tiefe statt, sondern vielmehr ein zu
verherrlichendes Offenbarwerden-lassen des Gottessohns. Alle Tragik des
Werdens ist ausgeschieden. Der „Hervorgang" ist seiner dunklen, negativen
Wesensart ledig und völlig auf die Epiphanie der dritten Hypostase zentriert.
Auch im folgenden Weltenwerden hat dieses zweite Moment der Trias keine

---

[366] An Dionysios Areopagita richteten schon die Antiken einen ähnlichen Vorwurf, vgl. die
Abwehr bei JohSkyth (PG 4,289A–C) und I. P. Sheldon-Williams in der Cambridge history 475 f.

[367] Vgl. Wilamowitz 285 A.2; Hadot, Porphyre 1, 20 f.329 f.; ders., Fragments 415; Smith,
Porphyry 17 f. – Allerdings wird man Porphyrios nicht schlechthin ein hypostatisches Verständnis
von Hervorgang und Rückwendung absprechen dürfen (so Hadot, Smith), wo schon die von ihm
gedeuteten Orakel von Göttern sprachen, wo weiterhin in der intelligiblen Welt alles wenn nicht
Hypostasie, so doch Selbst-stand hat, und wo endlich Arnobius 2,25 p 95,11–14 Marchesi (Turin
²1953) von den „mentes geminae" nach dem obersten Gott spricht. – Zu Porphyrios, Orakeln und
Arnobius s. Kroll, De oraculis 28 A.2; Festugière, Révélation 3,58; Bidez, Vie de Porphyre zu regr
frg 8 p 36*,18 ff.; P. Courcelle, REL 31 (1953) 257–271; E. des Places, StPatr 11 (1972) 28; E. L.
Fortin, The viri novi of Arnobius, in: The heritage of the early church, hg. D. Neiman – M.
Schatkin, OrChrA 195, Rom 1973, 197–226; H. le Bonniec, Arnobe, 1, CUF, 1982, 44 f.; ableh-
nend Rist, Basil 145 f. Andrerseits ist zu beachten, daß auch bei Proklos die Trias von Verharren,
Hervorgang und Rückwendung noch immer dynamischen Charakter hat, vgl. S. E. Gersh, ΚΙΝΗ-
ΣΙΣ ΑΚΙΝΗΤΟΣ, A study of spiritual motion in the philosophy of Proclus, PhAnt 26, Leiden
1973, 49–80, bes. 78 ff.

[368] Indessen urteilt Lacombrade, Approche 19 zu einseitig: „il rompt avec le néoplatonisme".

[369] Calv 8 p 205,5–7 Vater – ⟨Nus⟩ – Weltseele als „dritter Gott". Zur Frühdatierung dieser
Schrift Lacombrade, Synésios 78 f. (gegen Grützmacher 84); zustimmend A. Garzya, Gnomon 32
(1960) 505 f. Zu hy 9 s. oben S. 81 f.

[370] Vgl. oben A.76. Derselbe Befund bei MVict Ar 1,25:39–44.

selbständige Funktion mehr[371], sondern eignet ganz dem Sohn, der fortan allein die weltdurchwaltenden Kräfte in sich birgt und aus sich entläßt. Typischerweise wird der Heilige Geist in den Briefen fast nie genannt[372].

Entsprechend verändert sich nun auch das Wesen des dritten Moments, der „Rückwendung". Die Epistrophe[373] hat in der Trias des Synesios nurmehr die Bedeutung des Bleibens des Sohnes in der Gottessphäre trotz allen Hervorgangs, aber nicht mehr diejenige der „Rettung" und Bewahrung vor dem Zerströmen im Unendlichen, im Chaos. *Wo kein „Fall" mehr statthat, bedarf es auch der „Rettung" nicht mehr; die dreieinige Gottheit west in einer Sphäre von seliger Vollkommenheit.*

Wie der Heilige Geist, so ist nun auch der Vater ganz auf den Sohn ausgerichtet, seine abgründige Jenseitigkeit zielt immer schon auf diesen. Betont preist Synesios den Sohn als Ruhm und Herrlichkeit des Vaters, als seine lichtvolle Epiphanie[374], wie es uns besonders bei Gregor von Nazianz begegnet. *In der Trias des Synesios weist alles auf den Sohn in geradezu christozentrischer Weise[375]*, wie in diesem wiederum auch Kosmos und Seele ihre sie beseligende Wurzel haben.

Freilich droht auf der andern Seite eine Vermischung von Gott und Welt, wo der Sohn weiter in die untern Seinsebenen emaniert. Tatsächlich entspricht der Trias des Synesios exakt die (ein Gottesattribut beanspruchende!) Ewigkeit der Welt, wie er sie ausdrücklich festhält[376]. Wo der Heilige Geist innerhalb der Trias als zweites, nicht als drittes, Neues allererst ermöglichendes, gedacht wird, kann auch der Kosmos nicht der eschatologischen Neuwerdung, die in der Dreieinigkeit Gottes selbst gründet, teilhaftig werden. Synesios bleibt insofern in seiner so sehr von christlichem Geist angehauchten Trias dennoch Hellene.

---

[371] Auch wenn im chaldäisierenden Neuplatonismus der Demiurg (bzw. das dritte) die Dynamis (das zweite) aufnimmt (Theiler, Orakel 26), so bleibt diese hier doch auf allen Ebenen neu wirksames selbständiges Prinzip.

[372] Außer der Sakramentsbetrachtung ep 66 p 114,7f. (= 213a) nur in ep 41 p 59,4f. (= 195a), wo der Heilige Geist den Amtsinhabern gnädig sein soll – ein Satz, der dem Synesios von „heiligen Greisen" als Aufmunterung gesagt wird und den er selbst kaum zu glauben vermag! Solches entspricht übrigens dem ebenfalls extrem platonisierenden Dionysios, der mit dem Heiligen Geist auch nur wenig anzufangen weiß, vgl. Brons, Gott und die Seienden 26.105f.109. 125 A. 208; 128. – Zum Heiligen Geist in hy 3 s. oben S. 88.

[373] Vgl. oben S. 76, 80, 82 und A. 70; unten S. 175f.

[374] Hy 3,52 der Sohn μήκιστον πατϱὸς κῦδος; vgl. hy 5,41 der Sohn γενετήϱιον ... κῦδος; 7,48 zum Sohn (v. 4f.) gesprochen ἐπὶ κύδεϊ σοῦ πατϱός; 9,68 durch die Schönheit der Paides wird die Quelle gekrönt, verherrlicht. – Vgl. M. Vict in Phil 2,11 p 90,23 L. der wiederaufgestiegene Sohn ist gloria patris: haec ergo gloria (Phil 2,11) ei data est, ut gloria sit ipse patris, quoniam et pater eum genuit ... Zu Gregor von Nazianz s. oben bei A. 359.

[375] Vergleichbar ist die von Ziegenaus, Seinsfülle 304f. beobachtete „christologische Engführung der Geistlehre" bei Victorinus.

[376] S. unten S. 187–189 und oben zu Proklos bei A. 302.

IV. Der Abstieg des Gottessohns: Weltdurchwaltung

Neuplatonischer wie christlicher Theologie entscheidet sich bereits in der Konzeption der göttlichen Trias, wie der in Schöpfung und Welterhaltung geschaute göttliche Abstieg in den Kosmos zu werten ist[1]. Die neuplatonische Trias als das höchste Prinzip nur deriviert offenbarende und von diesem streng zu unterscheidende ist geradezu das Paradigma des göttlichen Abstiegs, der vermittelten Wirksamkeit des Obern im Untern. Umgekehrt versucht das christliche Denken schon in der Relation von Vater und Sohn das Wesen des göttlichen Abstiegs zu erfassen, sei es nun in der Weise älterer Theologie, wonach die Erzeugung des Sohns sich in der Welterschaffung fortsetzt und gleichsam in der Inkarnation Christi zum Ziel kommt, sei es in der spätern engsten Verklammerung von Trinitätslehre und Christologie bis hinein in die Einzelterminologie.

Während auf neuplatonischer Seite die ambivalente Wertung von Götterabstieg und Seelenabstieg sich bereits in der Ambivalenz des ersten Hervorgangs ausdrückt, scheint den Christen die positive Sicht der obern Erzeugung dem zu preisenden Abstieg des Gottessohns in die Welt zu entsprechen[2]. Die Frage erhebt sich, ob auch bei Synesios eine derartige Entsprechung von Trias und Abstieg in die Welt wirksam ist.

A. Der Abstieg in den Hymnen

1. Hymnus 9

(1) Dem Preis der „dreigipfligen" Gottheit (52–70) schließt sich die Schilderung des Abstiegs und Wiederaufstiegs des Geistes beziehungsweise der Seele an (76–134). Der Abstieg des Geistes in die Tiefe[3] führte die Welten ins Sein (76–92)[4] und geht völlig bruchlos über in den Seelenfall (93–99). Überhaupt scheint

---

[1] Die faktische Entwicklung des Denkens ging natürlich den umgekehrten Weg: Das irdische Christusmysterium führte zum trinitarischen Dogma; die platonische Seelenfalltradition färbte den obern Hervorgang.

[2] Vgl. z.B. unten A. 98 f. zur Analogie von „oberer" und „unterer" Erzeugung.

[3] V. 90 f. ὁ καταιβάτας ἐς ὕλαν νόος.

[4] V. 76 f. gehen mit Theiler, Orakel 21.28 nicht auf des Dichters Geist (so Terzaghi 285), sondern auf den kosmogonen Abstieg. In 77 ist entweder νοοῦσι (= νοεροῖσι) κόσμοις (Mariotti 1942, 23; Dell'Era) oder νέοισι κόσμοις (Theiler, Lacombrade) zu lesen.

Synesios in diesem Text den Geist in den Farben der Weltseele[5] mit ihrer unteilbaren Teilung[6] und Weltdurchwaltung zu zeichnen; der Geist kommt doch üblicherweise gerade nicht als Absteigender in Betracht[7]. Dieser Zusammenschau der obern Hypostasen[8] entspricht das scheinbar „vorneuplatonische", einfache Weltbild des Dichters[9], wonach über den Gestirnsphären sich unmittelbar die geistig-göttliche Welt erhebt und der Seelenaufstieg wie -abstieg vom räumlichen Kosmos direkt in den noetischen führt[10]. Indes weiß Synesios sonst die obern Welten wohl zu differenzieren[11], er schaut sie aber aufgrund ihrer durchgehenden Abbildhaftigkeit gern zusammen und erfüllt so seine Hymnen mit einer anschaulichen Plastizität: Der Abstieg und Aufstieg durch die Sphären ist zugleich ein Weg durch die höhern Welten[12].

(2) Der Abstieg des Geistes ist deutlich als Verringerung gezeichnet und mündet schließlich in den unseligen Abfall der Seele von ihren „Eltern" ein[13]. Vergessen und Fesseln umgarnen die göttliche Seele, wie sie die Erdentiefen zu beleben strebt[14]. Indes bleibt sie doch göttlichen Wesens[15], und diese ihre wesenhafte Lichthaftigkeit ermöglicht ihr auch den Wiederaufstieg:

---

[5] Hoffmann, Platonismus und Mystik 148: „Weltseele und Gottesgeist sind für S. identisch geworden." Indes kennt er in calv 8 p 205,14f. die Weltseele sehr wohl als „dritten Gott", 205,5–7.

[6] Plat Tim 35ab; vgl. Terzaghi 287f.; Lacombrade, Synésios 185 A. 63 und Hymnes 103 A. 4; weiteres unten A. 88f.

[7] Immerhin läßt Plotin 6,7,9:36–46 den Geist absteigen, aber, wie 13:34f. klarstellt, nur innerhalb des noetischen Reiches, vgl. 13:44–47. Späterer Systematik „steigt *alles* bis zur Materie ab. Denn es ist ein Grundsatz, daß wo immer ein Abstieg anhebt, er sich bis ins Unterste fortsetzt.", Jambl in Alc frg 8 Dillon, vgl. denselben z.St. 236f. und Deuse, WdF 436, 268 mit A. 62. – Am vergleichbarsten mit Synesios ist die im Dionysosschicksal geschaute Zerteilung des νοῦς ὑλικός bei Macrob somn Scip 1,12,12 p 50,3–11 W., die auf Porphyrios zurückgeht (vgl. Courcelle, Lettres 30; ders., REL 43, 1965, 409; M. A. Elferink, La descente de l'âme d'après Macrobe, PhAnt 16, Leiden 1968, 30–32 sowie unten S.157f.). Vielleicht steht Porphyrios auch hinter der Deutung von Persephone auf den „ungeteilt-zerteilten Nus" bei FirmMat err 7,8:71 p 51 Ziegler (München 1953). Ähnlich redet Julian von Attis als demiurgischem Nus, matr deor 13:161c, vgl. unten A. 209.

[8] Vgl. unten S. 173f. und Crawford 73: „S. seems to confuse the Intelligence with the One", „S. seems to confuse the Soul with the Intelligence".

[9] Vgl. zum ältern räumlichen Abstieg F. Cumont, Lux perpetua, Paris 1949, 355 (Numenios) und H. Dörrie, Der Mythos und seine Funktion in der antiken Philosophie, Innsbruck 1972, 18f.; ders., Platonica minora 289f. (Plutarch).

[10] Bes. auffällig in hy 8; vgl. unten A. 143f.

[11] Vgl. hy 2,78f.; 5,49f. von zwei Kosmen, ferner oben Kap. I A. 16.

[12] Hy 1,312–315, „wie oben, so unten", vgl. oben Kap. III A. 220. – Es ist demnach verfehlt, die zwei Hypostasen in hy 9 doch zu trennen, wie es Hawkins 116f. und Lacombrade, Synésios 185 versuchen; besser Grützmacher 107 A. 5: S. schweigt von der Seele. Im übrigen warnen Terzaghi 285 und Lacombrade (ib.) selbst vor zu genauem Ausdeuten.

[13] Verringerung v. 82–84. Zu den hier genannten „Eltern", die vielleicht Vater und Mutter / Wille sind, vgl. oben Kap. III A. 61; zu ἀπορρώξ Hawkins 122f.; Terzaghi 289; Lacombrade, Hymnes 103 A. 3. – Die Umstellung von v. 95 und 96 (Wilamowitz 294f.; Terzaghi) scheint unnötig: Der Abstieg selbst ist bereits – v. 93 „hinabwendende Fessel" – zum Fall geworden.

[14] Zum Seelenfall vgl. oben Kap. II A. 176; unten A. 235; sodann Porph Marc 5 p 10,8f. P.; abst 3,27,5; antr 11 p 14,13f.; sent 30 p 20,17ff.; 37 p 45,1–9 L. (45,6 κένωσις, vgl. Plot 6,4,16:8f.24f.);

„Aber noch strahlt (drinnen) Licht
den umhüllten Augen,
noch ist eine Kraft, die hinaufführt
die hienieden Gefallenen." (100–103)

Diese göttliche Kraft der Seele, wie sie in den traditionellen Bildern des *Seelenfunkens*[16] und des *Seelenauges*[17] geschildert wird, vermag – nicht ohne Hilfe von oben[18] – wieder in die verlorene Heimat zu führen. Synesios hat die Göttlichkeit und damit die *Präexistenz der Seele* auch noch in seinem berühmten Brief vor der Bischofswahl bekannt[19], wie sie sich folgerichtig aus dem neuplatonischen Emanationsmodell herleitet – an origenistische Einflüsse ist hierbei nicht zu denken[20]. Immerhin schimmert bisweilen auch bei orthodoxeren Christen wie etwa Gregor von Nazianz[21] die Vorstellung der Seele als eines Emanats aus Gott durch, ganz zu schweigen von der doch recht verbreiteten Präexistenzidee[22].

(3) Dieser frühe Hymnus des Synesios schaut also den Abstieg des göttlichen Geistes[23] als eine zunehmende Verringerung (82–84) und Zerteilung

---

MVict Ar 1,61:15ff. (die Weltbelebung führt zum Fall); 4,11:13ff.; Theiler, Porphyrios 23.28f.; Dörrie, Platonica minora 449f.; Bouffartigue, 1, XLV.

[15] Vgl. unten Kap. V A. 149.

[16] Vgl. Syn hy 1,577–581 (597); Dion 9 p 255,18f. (// hy 1,561); 256,1; 10 p 260,8; Plot 1,4,8:3–5; MVict Ar 1,61:22f.; Theiler, Orakel 30.34; Treu, Dion 80; Hadot, Porphyre 1, 183–5. 343; Beierwaltes, Proklos 376f.; Geudtner, Seelenlehre 50–53 und v.a. M. Tardieu, ΨΥΧΑΙΟΣ ΣΠΙΝ-ΘΗΡ, Histoire d'une métaphore dans la tradition platonicienne jusqu'à Eckhart, REAug 21 (1975) 225–255, bes. 243–245.

[17] Seit Emped FVS 31 B 17,21; Parmen 28 B 4,1; Plat rep 7:527d; 533d; Syn hy 1,578f.; Dion passim; ep 154 p 275,16f.; 137 p 239,9f.; Aeg 1,9 p 81,14–17. Berühmt ist Plot 1,6,9: 24–34 „Wär' das Aug nicht sonnenhaft...", dazu Theiler, Forschungen 125 A. 4; ferner Porph Plot 10,29f.; abst 1,43,1f.; 47,4; sent 43 p 55,14 L.; Treu, Dion 73.86; Lacombrade, Synésios 60 A. 86; P. Wilpert, Auge, RAC 1 (1950) 961.966–8; und bes. A. S. Pease zu Cic nat deor 1,18,19, Cambridge 1955 = Darmstadt 1968, 1, 179f.

[18] Vgl. oben S. 50–52.

[19] Ep 105 p 188,5f. (= 249b) „Ich werde niemals zustimmen, daß die Seele später denn der Leib entstehe." ἀμέλει τὴν ψυχὴν οὐκ ἀξιώσω ποτὲ σώματος ὑστερογενῆ νομίζειν.

[20] Gerade die Origenisten scheinen die Vorstellung einer *emanierten* Seele zu vermeiden, sogar Euagrios Pontikos, s. F. Refoulé, Immortalité de l'âme et resurrection de la chair, RHR 163 (1963) (11–52) 25f.

[21] GregNaz carm 1,1,4:32f. (PG 37,418) die Seele als θεότητος ἀπορρώξ, wie Syn v. 83; vgl. 91f. (423), 1,1,8:72f. (452); 1,2,10:60f. (685) die Geistseele als θεία τις μεταρροή, ἄνωθεν ἡμῖν ἐρχομένη; 1,2,1:56 (534); 2,1,88:15–163 (1441); or 14,7 (PG 35,865C). – Harmloser ist die von Gen 2,7 inspirierte Rede von der Seele als Hauch Gottes (ἄημα θεοῦ), carm 1,1,8:1–3 (446); fragend 1,2,14:75f. (761) und 82. Vgl. auch Holl 163; oben A. 13 und Philon op 135. 144. 146.

[22] Marrou, Conversion 481f. und Synesius 146, verweist auf Nemesios nat hom 2 p 105 M. und Augustin; vgl. auch Benz, Marius Victorinus 123f. Hingegen wehrt Äneas von Gaza die Präexistenz ab, vgl. Wacht 48.124.129. – Einen eigentümlichen „Seelenabstieg" lehrt Gregor von Nyssa, hom opif 16–18 (PG 44,185A–192A), vgl. Sheldon-Williams in der Cambridge history 449–451.

[23] Hawkins 117–120 möchte darin ein persönliches Wesen, Christus sehen. Eben gerade nicht!

(80.85 ff.)[24], die sich nahezu bruchlos im Fall der Seele vollendet und an diesem Punkt die Rückwendung einleitet. Wir haben das leicht vereinfachte, aber klassische neuplatonische Derivationsschema vor uns.

2. Hymnus 5

(1) Wie in der Mehrzahl der Hymnen, so schließt sich auch hier der Abstieg (34–58) der Schilderung der Trias (25–33) an, wobei der Sohn, der nach unten drängt, den Übergang vollzieht (34–36)[25]. Die Weltdurchwaltung freilich wird diesem im folgenden nur noch indirekt zugeeignet, es sind vielmehr die in diesem wurzelnden[26] *Mittelwesenhierarchien,* die den Kosmos beleben (37–58). Was im Aufstieg als Sphären erschien (9–24), sind nun im Abstieg geistige Wesenheiten. Im einzelnen sind die Hierarchien nicht sauber zu klassifizieren, den „Seligen", Göttern (37–43)[27] folgen die Engel (44–51), nach oben kontemplierend[28], nach unten die Tiefen durchwaltend, dann die Dämonen (52–54)[29], die Heroen (55)[30] und endlich die unpersönliche, um die Erde gesäte Lebenshauchkraft (56)[31].

(2) Diese Geistwesenhierarchie, die bei Synesios die Welten zwischen Gottheit und Erde erfüllt[32], ist traditionell neuplatonisch-chaldäisch[33]. Die volle Reihe Götter-Engel-Dämonen-Heroen-Menschen findet sich spätestens seit Kelsos und Porphyrios[34], welch letzterer zumindest die Engel[35] den vom Judentum beeinflußten Orakeln verdankt[36]. Der uralte Glaube an die Göttlichkeit

---

[24] Vgl. unten zur Dionysosallegorese S. 157f.

[25] Vgl. oben Kap. III A. 66f.

[26] Vgl. v. 59ff.

[27] Mit Theiler, Orakel 21 sind die „Seligen" als Götter anzusehen.

[28] V. 46f., zum Ausdruck Theiler, Orakel 28f.

[29] Zu diesen vgl. unten S. 178f.

[30] ἥρως ist mit Theiler, Orakel 29 A. 2 Plural und somit nicht auf Christus zu beziehen (so Terzaghi 227f.239; Dell'Era 132 A. 1), trotz des homerisch gern verwendeten artikellosen ἥρως, z.B. Il 10,179.

[31] Nicht mit dem Hlg. Geist zu verwechseln, s. oben Kap. III A. 46. 66.

[32] Vgl. hy 1,270–308 (auch eher unklar gegliedert), 102–107. 459–465. 628–635 („Schlüsselträger", zum Motiv vgl. Keyssner, Gottesvorstellung 81); 4,17–20; 9,91; Aeg 1,10 p 83,9f. und oben S. 66f. – Die Engel entsprechen den Planeten.

[33] Vgl. Theiler, Orakel 29f.25 A. 2; Forschungen 11 A. 16; Hadot, Porphyre 1, 390–398; Cremer, Orakel 38–101; I. Hadot, Problème 92–98.

[34] Kelsos bei Orig 7,68:8f. (SC 150,170); Porph Aneb 1,2b p 3,3 + 1,4a p 7,10f. Sodano (Neapel 1958); Jambl de anima bei Stob 1,49,39 p 378,3f. W.; 65 p 455,3f.; myst 2,3ff.; Julian Hel reg 24:145c; 36:151bc; vgl. Mau 68–76; Salustios 13,5; etc. Altakademisch ist die Reihe Götter – Dämonen – Heroen – Menschen, vgl. Nilsson, Geschichte 2, 255f. und Plut def or 10:414b (mit Verweis auf Hesiod Erga 109–201).

[35] Zu den genuin heidnischen Engeln vgl. Cumont, Anges; M. Dibelius, Die Geisterwelt im Glauben des Paulus, Göttingen 1909, 209–221; Michl, Engel 53–60; s. oben Kap. II A. 291.

[36] S. Lewy 161–164; Cremer 63–68; ferner Porph regr 6 p 33 B.; aber adv Christ frg 76 p 92 H.: Eure Engel sind unsere Götter.

der Gestirne, den auch Synesios wahrt[37], eroberte die Philosophie[38] und ist jüdischerseits in der Idee der Gestirnengel lebendig[39]. All diese Geistwesen durchwalten bestimmte Weltbereiche[40], Vorstellungen, die auch über die jüdische Angelologie bei Christen wirksam sind[41]. Gerade bei Gregor von Nazianz finden sich ähnliche Hierarchien wie bei Synesios[42].

(3) Diese Geistwesen formieren sich zu ihrem Lobpreis in *Chören*. Götter und Engel[43], Sphären und Sterne[44], die aufsteigenden Mysten[45], ja selbst die vernunftlose Natur[46], sie alle tanzen den Chorreigen. Das alte Mysterienbild Platons hat ungemein auf Heiden wie Christen gewirkt[47] und fand im neuplatonischen Konzept vom sich in Hervorgang und Rückwendung bildenden Kreis seine metaphysische Begründung[48]. Wie unten zu zeigen ist, hat Synesios das Chormotiv mit dem kosmischen Lobpreis eng verschmolzen[49].

---

[37] Hy 1,274 νόες ἀστέριοι; calv 8 p 204,20–205,4 θεῖον ἐμφανές; 11 p 210,9–211,3; etc.

[38] Z. B. Plat Tim 39e ff. (40d „sichtbare Götter"); epinom 983e; PsAristot de mundo 2:391b15 f.; Plot 2,9,8:30–32 (vgl. 9:30 f.); 5,8,3:21–23; Porph abst 2,36,3; 37,1–3; Jambl myst 1,17 p 50,14–52,16; 1,19 p 57,16 ff.; de anima bei Stob p 379,18–20 W.; Salustios 9,4; etc.; vgl. Cumont, Anges 175; ders., Or. Religionen 277 A. 118.

[39] Jubil 8,3; ae Hen 43,2; als gefallene Engelsterne 18,11–16; 21,1–10; sl Hen 4; 19; hb Hen 14,4b; 17; sodann Apc Joh 9,1; Clem strom 6,16,143:1; eclog 55,1; etc. Augustin ist unentschieden, ench 15,58:62–65 (CCL 46,81). – Natürlich lehnte man dagegen die Gestirne als Götter ab, z. B. Clem protr 4,63:1, 5,66:2. – Zu den jüdischen Vorstellungen vgl. W. Bousset – H. Gressmann, Die Religion des Judentums, HNT 21, Tübingen ⁴1966, 322.

[40] Neben Syn hy 1,459–465; ins 7 p 155,18–156,1 (Dämonen, vgl. 156,9 f.) s. Plot 3,2,3:28 f. (gute Seelen); Porph abst 2,38,2 (gute Dämonen); Jambl myst 2,1 p 67,1–68,2 (Dämonen); Julian Hel reg 36:151bc (Engel, Dämonen, Heroen); Salustios 21,1 (gute Seelen); Prokl in Crat 117 p 68,15–69,3 (Heroen).

[41] Vgl. Bousset – Gressmann, aaO. 323 f.; Cumont, Anges 177; Michl 71 f. 86 f.135–138; PGL II H 9a: 12b. Jüdisch z. B. Jubil 2,2; Test Ad 4,7 f.; christlich Just 2 apol 5,2; Athenag leg 24,3 f.; Diogn 7,2.

[42] Vgl. bes. GregNaz carm 1,1,34:4–11 (PG 37,515) Gott – feuriger Engelchor – Sternenchor – Gerechte; vgl. ferner 40,5 (PG 36,364BC). Zur Weltverwaltung der Engel or 28,31:27–32 (SC 250,174); carm 1,1,7:23–26 (440); weiteres bei J. Barbel, Gregor von Nazianz, Fünf theologische Reden, Test 3, Düsseldorf 1963, 79 f. A. 26.

[43] Syn hy 5,40; 9,92; 1,277.723; 4,18.

[44] Hy 5,8.(19); 8,35.

[45] Hy 5,91 (vgl. 76); 9,134; 1,190; 7,46; 8,25.

[46] Hy 1,324.334.

[47] Z. B. Plat Phaidr 247d–248a; 250b; Tim 40c und epinom 92c vom Sternenchor; Dion Chrys or 36,20 (Sterne); Porph abst 2,61,8; Julian Hel reg 26:146d; 9:135a (Sterne); Prokl in Alc 32,3–7 W. (Geistwesen, als erosgewirkte Epistrophe); Clem protr 1,2:2 (Dämonen und Propheten, vgl. 1,8:1); 4,63:1 (Sterne); 12,119:1 f. (himmlischer Chor von Gerechten und Engeln); GregNaz carm 2,1,54:19 f. (PG 37,1399) (Seelen); GregNyss nativ (PG 46,1129B); JChrys incompr 4,410–42 (Menschen- und Engelchor); von großen Alten Euseb HE 4,22,9.

[48] Vgl. oben S. 82 f.; ferner Beierwaltes, Proklos 141.153 und bes. 212–217 („Das Phänomen des intelligiblen Tanzes"); J. Trouillard, La figure du choeur de danse dans l'oeuvre de Proclos, in: Permanence de la philosophie, Mélanges à J. Moreau, Neuchâtel 1977, 162–174.

[49] S. unten S. 171–173.

(4) So findet sich die im 9. Hymnus entfaltete Thematik des Abstiegs als Minderung im fünften nur abgeleitet in den hierarchisch gegliederten Chören der Geistwesen, die den Kosmos bis in die Tiefen der Materie hinab durchwalten (v. 51).

3. Hymnus 1

(1) Der Preis der Monas-Trias (144–253) ist eingerahmt von die Überweltlichkeit der Gottheit und die Schwäche menschlicher Rede einschärfenden Sätzen (113–143.254–258). Angemessenes Reden vom Göttlichen kann sich demgegenüber nur in dessen eigenem Lichte (259–265) als Hymnus, als Lobpreis vollziehen[50], der nun im Abstieg laut wird.

> „Vater der Welten,
> Vater der Äonen,
> Schöpfer der Götter,
> dich zu preisen ist heilig.
> 270 Dich besingen, Herr,
> die Geistwesen,
> die Weltenlenker
> mit ihrem leuchtenden Blick,
> die Sternengeister,
> 275 dich preisen sie, Seliger,
> um die der Sternenleib
> seinen Reigen tanzt.
> Das ganze Geschlecht
> der Seligen besingt dich,
> 280 die um die Welt,
> die in der Welt,
> die innerhalb des Himmelsgürtels,
> die außerhalb des Himmelsgürtels,
> weise Wächter,
> 285 Weltenschicksale
> verwaltend;
> auch der hochberühmten Steuermänner
> Gefolgscharen[51],
> welche die Engelreihe
> 290 aus sich strömen ließ,
> und das berühmte
> Geschlecht der Heroen,
> auf verborgenen Pfaden

---

[50] Zum Übergang von der Gotteserkenntnis in das Gotteslob vgl. J. Hochstaffl, Negative Theologie, ein Versuch zur Vermittlung des patristischen Begriffs, München 1976, 108f. (freilich stammt der hier zitierte Hymnus kaum von Gregor von Nazianz).

[51] Anders übersetzten FitzGerald 378; Terzaghi 108 und Levêque (s. unten A. 55) 61 A. 3 „die Steuermänner".

in den Werken der Sterblichen
295 wirksam; (dir singt)
     die Seele, die beharrende,
     und die zu dunkel glimmender
     irdischer Schwere
300 hinabgewandte;
     auch die selige Natur
     und ihre Abkömmlinge,
     sie preisen dich, Seliger,
     die du durchströmst
305 mit lebensspendendem Hauchen,
     herabfließend,
     voranwogend
     in deinen Kanälen."

Die im Aufstieg zum Schweigen aufgerufene Schöpfung (72 ff.)[52] bringt nun im Lichte der Gottheit ihr wahres Tönen, ihren *Lobpreis* zu Gehör[53]. In diesen Chor der himmlischen und irdischen Hierarchien reiht sich auch der Dichter ein[54]:

     „Dir bringt alles
     ewigen Preis dar,
345 Morgenröte und Nacht,
     Blitze und Schnee,
     der flammende Himmel,
     der Erde Wurzelgeflecht,
     Wasser und Luft,
350 alle Leiber,
     alle Geister,
     Samen und Früchte,
     Bäume und Gräser,
355 Tiere und Vögel,
     und die Schwärme
     der Fische des Meeres.
     Sieh auch (meine) Seele,
     die schwache,
360 die kraftlose;
     in deinem Libyen,
     in deinem heiligen

---

[52] Vgl. oben S. 41 ff.

[53] Vgl. Proklos (oben Kap. II A. 113), Augustin (oben Kap. II A. 140) und die Hymnentraditionen (oben Kap. II A. 105.163).

[54] Vgl. v. 12–36; hy 2,1–7 vom dauernden Gottespreis, wozu Terzaghi 165 f. auf Clem strom 7,7,49:3; 7,12,80:3 verweist. – Keydell 1956, 157 A. 4 möchte in hy 1 mit v. 358 einen neuen Abschnitt beginnen lassen, aber so geht das Einverwobensein des Hymnendichters in den Lobgesang des Alls verloren. V. 358–374 leiten vielmehr von der Abstiegsbewegung über zum Aufstieg, der ab 375 als Bitte formuliert wird.

          Priesterdienst
          besingt sie (dich)
365   mit frommen Gebeten,
          doch Materienebel
          umhüllt sie.
          Dein Blick aber, Vater,
          bricht durch den Stoff.
370   Nun ist erfüllt
          von Hymnen zu dir
          mein Herz,
          entfacht meinen Geist
          mit feurigem Drängen."

(2) Wiederum üben die Geistwesen die Weltdurchwaltung aus (284 ff.). Der
Begriff der „Reihe", genauer *„Kette"* (289), leitet sich her aus der allegorischen
Deutung der homerischen „goldenen Kette"[55] auf die Hierarchien der Zwi-
schenwesen[56]. Bis in die untersten Tiefen[57] beziehungsweise die äußersten
„Schwingen"[58] des Kosmos strömen die göttlichen Kräfte und beleben die
Materie. In v. 402 ff. ist die Weltdurchwaltung indes nicht mehr in den Geistwe-
sen, sondern im Gottessohn selbst geschaut, ohne daß dieser von einer Zertei-
lung betroffen wäre:

          „In dir verbleibt er,
          wie er dir entspringt,
          auf daß er alles belebt
          mit weisem Geisteshauchen,
410   durchwaltet den Abgrund
          altersgrauer Äonen,
          durchwaltet die Schwingen
          der getürmten Welt,
          auch bis zum letzten Grund[59]
415   alles Seienden,
          zum Erdenlos,
          damit er leuchte

---

[55] Il 8,19f.; vgl. Terzaghi 108.185f.; Theiler, Orakel 27 A. 4; P. Levêque, Aurea catena Homeri,
une étude sur l'allégorie grecque, Paris 1959; Beierwaltes, Proklos 150f.; Cremer, Orakel 151f.;
Esser, Gebet 64f.83–88.

[56] Vgl. Syn hy 2,192; Lukrez 2,1153f.; Or Chald (?) frg 203 mit des Places z.St.; Porph bei
Macrob somn Scip 1,14,15 p 58,8–11 W.; MVict Ar 1,25:39–44; häufig bei Proklos, z.B. hy 1,18;
2,1; 7,2; endlich GregNaz or 31,28:12 (SC 250,332), auf unsere im Hlg. Geist gründende Gottwerdung gedeutet.

[57] Syn hy 1,414–416 μέχρι καὶ νεάτου / πυθμένος ὄντων / χθονίας μοίρας; vgl. 316–318; 2,204
μέχρι γᾶς; 5,55–58 μέχρι ὕλας und christologisch 8,13. Vgl. unten zur neuplatonischen „Eschatologie" A. 190f.

[58] ταρσοί hy 1,40a.412; 3,28; 5,21; vgl. unten A. 144.

[59] Zur Formulierung (s. oben A. 57) vgl. Test Abr A 19 p 101,21 James πυθμὴν ᾅδου; 1 Apc
PsJoh 20 p 88 Tischendorf, vgl. die v. l. p 94.

> frommen Seelen
> und löse Leiden
> 420   und Sorgen
> unseliger Sterblicher[60],
> als Spender von Gutem,
> Vertreiber von Schmerzen.
> Was wäre es ein Wunder
> 425   daß Gott, der Weltenschöpfer,
> von seinen eigenen Geschöpfen
> die verderblichen Mächte fernhält!"

Der Abstieg des Gottessohns in die letzten Tiefen[61] läßt die Weltdurchwaltung unmittelbar in ein Erlösungswerk übergehen. Das Licht, das der Sohn in die Welt bringt, wandelt sich aus einem kosmischen Lebensspender zu einer Erleuchtung, die wieder nach oben führt[62]. *Schöpfung und Erlösung sind untrennbar ineinander verschlungen.* Diese schöne, aber gefährliche Unschärfe[63] entspringt unmittelbar dem neuplatonischen Pronoiabegriff, worin „Schöpfung" als unzeitliches Geschehen immer schon Besorgung und Bewahrung (soteria!) des Untern durch das Obere impliziert[64]. Letztlich gründet diese Einheit von Schöpfung und Erlösung auf dem nur als *eine* Bewegung[65] zu denkenden *Hervorgang* des Geistes aus dem Einen, der sich selbst und zugleich seinen eigenen Ursprung sucht und sein eigenes Sein endlich in der *Rückwendung* zum Urprinzip findet[66]. In Entsprechung hierzu sendet die Gottheit auch die Seelen in die Welt, auf daß sie wiederum zu ihr zurückkehren[67]. Marius

---

[60] Vgl. Lacombrade, Hymnes 54 A. 3 z. St.

[61] Zur Interpretation dieser Weltdurchwaltung als Hadesfahrt Christi s. unten S. 146 f. sowie die Bemerkungen von Festugière, Hymnes 269 und Strohm, Hymnendichtung 52.

[62] Hy 1,417 f. ὁσίαις πραπίσιν ἐλλαμπόμενος; vgl. 3,8 f. 15 vom „Lichtfährmann", der „heilige Seelen erleuchtet"; ferner M. Vict in Eph 4,10 p 179,1 f. L. (= 1274D) descensus enim eius (sc Christi) et ascensus illuminavit universa. Die Vorstellung ist gut neuplatonisch, vgl. Plot 2,9,3:1 ff.; Prokl in Tim 2,284,5: Die Weltdurchwaltung der Seele bringt Licht ins Untere; vgl. mal 21,11 f. p 200 B.

[63] Dieser Unschärfe entspricht die Verwischung von innergöttlichem Hervorgang und Welterschaffung, s. oben Kap. III A. 73; S. 76, 80 f. und auch S. 51.

[64] Vgl. Prokl theol Plat 1,15 p 72,23–5 S.-W. (παράγειν und προνοεῖν).

[65] Beierwaltes, Proklos 124: „Hervorgang ist als simultaner Akt gefaßt, immer schon Rückkehr in den Ursprung", vgl. 133 und insbesondere MVict Ar 3,8:25–53 (... idem ... motus *duo* officia complens ...).

[66] Zu Plotin vgl. oben S. 90 und Trouillard, Procession 3. 85; ders., Purification 106 („implication de la procession et de la conversion"); Armstrong, Salvation 128 („and what the One gives is first and foremost a power of return"); Rist, Eros 181 („The power to return to higher realms is itself the ‚gift' of the procession from the One"). Zu Porphyrios vgl. S. 111; zu Proklos Trouillard, L'un et l'âme 84 f.

[67] Jambl myst 8,8 p 272,8–15 „Gott sandte die Seelen dazu hinab, daß sie wieder zu ihm zurückkehren" (ἐπὶ τούτῳ κατέπεμψεν ὁ θεὸς τὰς ψυχάς, ἵνα πάλιν εἰς αὐτὸν ἐπανέλθωσιν), von des Places, Jamblique et les Oracles Chaldaïques (1964), dt. WdF 436, (294–303) 296 f. in chaldäische Zusammenhänge gestellt (frg 110, vgl. Theiler, Orakel 32). – Die Sendung dient der

Victorinus hat ähnlich wie Synesios dieses Schema christologisiert[68], während christliche Theologie im allgemeinen die Einheit von Schöpfung und Erlösung nicht im Sein von Geschaffenem selbst, sondern im Schöpfung wie Erlösung allererst qualifizierenden und damit einenden Erbarmen Gottes ortet[69]. Synesios selbst scheint das bei ihm bewahrte neuplatonische Muster gleichwohl von Christlichem durchleuchten zu lassen[70].

(3) Diese Verwobenheit von Schöpfung und Erlösung kommt insbesondere in der Bezeichnung der *Seele als Gottes Tochter* zutage.

> „Deiner Tochter
> erbarme dich, Seliger!"   (1,569f.)

> „Erbarme dich, Vater,
> der bittenden Tochter!"   (1,586f.)[71]

Die Erlösung gründet hier wiederum in der schon mit der Psychogenese gegebenen Vaterschaft Gottes beziehungsweise Christi (hy 3,31). Die durchaus auch neuplatonische Vorstellung von Gott als Vater und der Seele als seiner Tochter[72] gewinnt hier eine um Gottes wesenhafte Herabkunft ahnende, christliche Färbung, wonach zwischen Erzeuger und Erzeugtem eine nicht nur einseitige Liebe waltet[73]. Freilich droht wiederum die Gotteskindschaft zu einer nicht mehr gnadenhaften, sondern naturhaften Beziehung zu geraten[74].

Besorgung der Genesis, die Rückkehr ist Theurgie (p 272,6f.), in alledem sind Hervorgang und Rückwendung eines (1,19 p 58,16f.). Nach Proklos gibt der Demiurg den Seelen schon bei ihrem Ausgang die Synthemata von „Verharren" und „Rückwendung" mit und gewährt ihnen so die Heimkehr, in Tim 1,210,11–30.

[68] MVict hy 1,66–73 u.ö., vgl. Hadot, SC 69, 1070 und Benz 110: „der descensus selbst ist in seinem Endpunkt Anfangspunkt des universellen recessus". Zur Identität von Schöpfung, Providenz und Erlösung bei Dionysios Areopagita vgl. Brons, Gott und die Seienden 322–328. 207ff.; ders., Pronoia und das Verhältnis von Metaphysik und Geschichte bei Dionysius Areopagita, FZPhTh 24 (1977) (165–186) 177ff.; zur Kabbala Scholem, Schechina 171.

[69] Z.B. GregNaz or 45,12 (PG 36,640A): Der Zusammenhang von Schöpfung und Erlösung gründet im Erbarmen Gottes, διὰ σπλάγχνα ἐλέους θεοῦ πατρὸς ἡμῶν, weil er sein Werk nicht verlorengehen lassen wollte (wie Syn v. 424–7!), „wir bedurften Gottes, der Fleisch wurde und starb, auf daß wir leben", ib. 28 (661C). Vgl. ferner Althaus, Gregor 43.57.

[70] Vgl. auch hy 3, wo Welterhaltung (16–18.20–30) und Errettung (14f.19) ineinander verschlungen sind.

[71] τὰν σὰν κούραν / ἐλέαιρε, μάκαρ ... ἐλέαιρε, πάτερ, / κούραν ἱκέτιν ...

[72] Plotin nennt das Eine oft Vater, vgl. 5,1,1:1f., wonach die Seele den Vater vergißt, der „nähere" Vater ist freilich der Nus (3:20f.); vgl. 6,9,9:33–38 und (vom Nus) 5:13f. Von der *Seele* als *Tochter* hat offenbar Porphyrios gesprochen, wie die Lehre der viri novi bei Arnobius beweist (vgl. oben Kap. III A. 367), bes. 2,15 p 83,3f. M. animas ... genitore illo ac patre prolatas; 2,36 p 108,15f. esse animas regis maximi filias, vgl. Festugière, Révélation 3,51. – Für die christliche Mystik wird die Seele erst im Zusammenspiel von göttlicher Gnade und eigenem Mühen Gottes Tochter, Makarios-Symeon, Logos B 3,3,9; 40,2,4 (GCS, 1973, I 34,10f.; II 64,17f.).

[73] Vgl. oben Kap. III A. 126.

[74] Immerhin werden die Verse 424–427 durch 113ff. auf das *Wunder* göttlicher Hilfe hin offengehalten, vgl. oben S. 50ff.

4. Hymnus 2

(1) Der weithin dem ersten parallele Hymnus steigt mit dem Sohn als „gesä-
tem Samen des Alls" (142–144) von der Trias in die Weltentiefen ab (141–226).
Der Gottessohn durchwaltet alle Reiche, von den Himmelssphären bis hinab zu
den Unterirdischen.

„Du bist's, der den Himmlischen,
du, der den Luftbewohnenden,
du, der den Erdenwesen,
du, der den Unterirdischen
die Werke zuteilst,
das Leben gewährst." (2,175–180)

(2) Richtete der Dichter im ersten Hymnus seinen direkten, in der zweiten
Person gehaltenen Anruf vornehmlich an den Vater[75], der freilich den Sohn
immer auch in sich birgt[76], so rückt im zweiten Hymnus der Sohn als angerufe-
nes Subjekt der Weltdurchwaltung weit mehr ins Zentrum (132–226)[77]. Weder
trifft diesen eine Zerteilung, noch sind es die Geistwesen, die hier den Kosmos
beleben. Obwohl das All derart weit mehr als vom Sohn selbst durchdrungen
erscheint, von seinem Willen (163, 225), so sind es gleichwohl nur Kräfte, die
ihn selbst vermittelt zur Welt kommen lassen, insbesondere die Sonnenstrah-
lung (213–224)[78], der herabströmende unsterbliche Hauch (74 f.)[79], auf „Kanälen" (203)[80] in die Tiefe geleitet. Die Bilder der Bewässerung[81] und der Kanäle[82]
sind traditionell.

---

[75] Der Sohn und der Geist werden nur *innerhalb* der triadischen Partie direkt angerufen (hy
1,236–244 bzw. 227–231), wohingegen sonst der die Monas-Trias repräsentierende Vater (145 ff.)
auch als im und durch den Sohn die Welt Durchwaltender gepriesen wird (266 ff.406 ff.).

[76] V. 402–407!

[77] Zuvor gehen 1–86 an die im Vater zentrierte Gottheit, 90–95 innertriadisch an den Sohn (der
Geist wird dagegen nicht direkt angerufen), 117–119 wieder an den Vater, und auch 227 ff. werden
sich an diesen richten (226 γόνε κύδιστε – 227 πάτερ ἄγνωστε).

[78] Vgl. hy 3,27 und unten zu Julian A. 207.

[79] ἀμβροσία σταλάοισα πνοά.

[80] Ebenso 1,306; 4,36 ὀχετοί.

[81] Zu ἄρδειν vgl. oben S. 87 und Syn hom 1 p 280,12 f. (durch Gottes Wort als Trank wird die
Seele bewässert). – Vgl. ferner Arnob 2,2 p 67,13 f. M. Gott, a quo omnia terrena cunctaque caelestia
animantur motu irriganturque vitali …; Aug conf 13,17,21 p 343,25 occulto et dulci fonte irrigas;
M. Vict gern vom Sohn als Fluß, vom Vater als Quelle (vgl. Hadot, SC 69, 1080; Christlicher
Platonismus 386 A. 245; oben A. 54), Ar 1,47:20–31; 4,31:34 f.; hy 1,47–49; 1,59 inrigans; 3,30–33;
auch von unpersönlichen Kräften, Ar 4,11:8.15.37. – Weiteres bei Theiler, Orakel 26–29; Hadot,
Porphyre 1, 398–408.

[82] Die „Kanäle" entstammen den Orakeln, frg 110; 2,4; 65,2; 66; vgl. auch das Apollonorakel bei
Porph Plot 22,49–51; ferner Porph phil or v.153 p 144 W. „in ewigen Kanälen stillend den
ebenbürtigen Geist". Weiteres bei Theiler, Orakel 26 f.; Lewy 155 A. 329; Hadot, Porphyre 1, 440–
442; Geudtner 53–56; zur Kabbala Scholem, Schechina 172.

5. Hymnus 4

(1) Recht ähnlich wie der zweite redet auch der vierte Hymnus von der Weltdurchwaltung des Gottessohns, die sich als Welterzeugung unmittelbar aus der Erzeugung des Sohns selbst herleitet (v. 12–14)[83].

> „Du bist der verborgene Same des Vaters, hervorstrahlend[84],
> denn dich gab der Erzeuger den Welten zum Ursprung,
> 15 herabzuführen den Körpern Formen aus dem Geistigen,
> du lenkst des Himmels weisheitserfülltes Gewölbe,
> die Herde der Sterne weidest du immerdar,
> du, Herr, führst den Chor der Engel
> und der Dämonen Schlachtreihe,
> 20 du umtanzest auch die vergängliche Natur,
> verteilst um die Erde deinen unteilbaren Hauch,
> und vereinst wieder mit der Quelle, was sie gegeben,
> die Toten aus Todes Zwängen erlösend."

(2) Wiederum sind Weltdurchwaltung und Erlösung ineinander verquickt (bes. 22f.). Es ist aber der Sohn allein, der in diesem Hymnus als Weltenherr und Retter angerufen wird. Die *„ungeteilte Zerteilung"*[85] trifft diesen nun nicht als Abstiegsschicksal[86], sondern ist vielmehr sein am Kosmos vollzogenes Werk, worin er diesem die Lebenskräfte spendet[87]. Darin wirkt vornehmlich die platonische kosmologische Tradition der Weltseele nach[88], vielleicht aber auch die in ähnlichen Begriffen formulierte christliche, mehr soteriologisch gefaßte Pfingstüberlieferung von der Verteilung des Heiligen Geistes[89].

---

[83] Vgl. oben Kap. III A. 73.

[84] προλάμπον ist gegen Lacombrade, Hymnes 74 A. 2 nicht transitiv („la semence qui en révèle avec éclat le mystère"). Das Sperma hat keine „fonction révélatrice", sondern ist die Schöpfungs- und Erhaltungskraft, die aus dem obersten Bereich herausstrahlt (vgl. 1,183 und bes. 2,70. 142f.), das γάρ in v. 14 erläutert diese kosmogone Funktion.

[85] ἀμέριστον περὶ γᾶν πνεῦμα μερίζεις.

[86] So in hy 9,80, vgl. oben A. 3 und unten zu Dionysos. Zur trinitarischen Verwendung der Formel s. oben Kap. III A. 29, ferner Theiler, Orakel 28 f.

[87] Zum unpersönlichen Pneuma vgl. hy 5,56 und oben Kap. III A. 46.

[88] Plat Tim 35ab, von der Stoa aufgenommen, z.B. Dion Chrys or 36,30: Das All διῄρηται καὶ μεμέρισται … εἰς πολλάς τινας μορφάς (vgl. Syn hy 4,15; 5,58; 9,88) und ist doch von einer Seele, einer Kraft durchwaltet.

[89] Nach Apg 2,3f.; Hb 2,4; 1 Kor 12,4–11 platonisch formulierend z.B. Clem strom 6,16,138:2 ἀμερῶς μεριζόμενον πνεῦμα κυρίου εἰς τοὺς διὰ πίστεως ἡγιασμένους; Basil spir 9,22:34 (SC 17,326) der Hlg. Geist ἀπαθῶς μεριζόμενον; hom 15,3 (PG 31,469B) der alles belebende Geist εἰς πᾶσαν κτίσιν μεριζόμενον.

6. Hymnus 3

(1) Wie der vierte Hymnus richtet sich auch der dritte ausschließlich an den Gottessohn, an Christus[90], er läßt nun aber darüber hinaus seine Inkarnation auf Erden, wie sie in den Hymnen 6–8 entfaltet wird, anklingen.

> „Der unsagbare Wille des Vaters
> säte die Erzeugung Christi,
> die heiligen Geburtswehen der Jungfrau
> ließen erscheinen eines Menschen Gestalt,
> der zu den Sterblichen kam
> als Offenbarer des Lichts vom Urquell." (4–9)

Gottheit und Menschheit Christi[91] werden in dieser Passage je von ihrem Ursprung her geschaut, derart, daß *zwei Geburten* beziehungsweise Zeugungen ins Blickfeld treten, die in einem Entsprechungsverhältnis zueinander stehen. Der obern Zeugung aus dem Vater und dem im „Willen" mitzuhörenden Geist (4f.) entspricht die untere Geburt aus Maria (6f.)[92]. Ihr „Geburtsschmerz" bildet die obern „Geburtswehen" ab, wie sie sich im Heiligen Geist, dem Willen, der Mutter ereignen[93]. Diese Analogie von oberer und unterer Geburt begegnet ausgeführter auch bei Marius Victorinus[94]: das göttliche Ursprungsgeschehen, worin die Mutter Heiliger Geist den Gottessohn hervorbringt, entspricht der untern, ökonomischen Geburt Jesu aus der vom Heiligen Geist heimgesuchten Maria (Lk 1,35); der Heilige Geist ist so oben (unmittelbar) *und* unten (vermittelt) Mutter Jesu[95]. Eine derartige Parallelisierung ergab sich beiden, gewiß voneinander unabhängigen Theologen einerseits aus dem neuplatonischen Analogiedenken, wonach sich alle Seinssphären im Verhältnis vom Urbild und Abbild entsprechen[96], andrerseits aus dem einem ähnlichen Triebe entspringenden, aber an der strengen Unterscheidung von Oberem und Unterem stärker interessierten christlichen Theologumenon von der *duplex genera-*

---

[90] Lediglich in v. 10 wird der Vater angerufen, vgl. Lacombrade, Hymnes 70 A. 3.

[91] Die ἀνθρώπου μορφά läßt an Phil 2,7 denken.

[92] Bei Bregman, Synesius 89 f. (= 1982, 99) bemerkt, aber wenig glücklich auch zur Hekate / Weltseele in Analogie gesetzt, womit die prägnante, christozentrische Zweipoligkeit von oberer und unterer Zeugung verwischt wird.

[93] S. oben Kap. III A. 20.33.286, zu Marias „Geburtswehen" ferner PGL s. v. ὠδίν. Auch in hy 6,18 klingt im Geborenwerden Christi aus Maria ein Emanationsterminus der obern Erzeugung mit: ἐχύθης ὅτ᾽ἐπὶ χθονί.

[94] Vgl. Hadot, SC 69, 855–857 „Si toute chose sensible est le signe de l'intelligible, la naissance charnelle de Jésus révèle le mode de sa génération éternelle", „Pour V., la génération éternelle est le modèle de la génération temporelle", vgl. auch 87f.; ders., Porphyre 1, 55. 298 A. 4; Chr. Platonismus 17 f.; ferner Ziegenaus, Seinsfülle 303 f.

[95] MVict Ar 1,56:36–58:36, der prima motio (51:29–31) entspricht das ökonomische Geschehen (51:38–43), so wird der Geist zur Mutter des Logos (57:7ff.); s. bes. 58:12 ... sanctum spiritum matrem esse Iesu et supra et deorsum.

[96] Vgl. oben Kap. III A. 220 und Hadot, Porphyre 1, 344.

tio Christi[97], das die obere, ewige Zeugung Christi aus dem Vater mit der untern, zeitlichen Geburt aus Maria kontrastiert[98], dabei aber im Unterschied zu Victorinus und Synesios jegliche obere Mutterschaft verwirft[99].

(2) Christus, der das göttliche Licht als „Fährmann" in die untern Welten bringt[100], ist zugleich der Weltdurchwaltende (16–18) und der Erlöser (14f.19). Alles Leben des Kosmos ist von ihm gewirkt und wiederum auf ihn hin zurückgewandt:

> 20 „In dir zügelt die Sonne ihr Gespann,
> der Morgenröte unauslöschliche Quelle,
> in dir verscheucht der stiergehörnte Mond
> das Dunkel der Nacht,
> in dir wachsen die Früchte,
> 25 in dir nähren sich die Herden,
> aus deiner unsagbaren Quelle
> sendest du lebenschaffendes Licht,
> belebst du die Schwingen des Kosmos,
> aus deinem Schoße sprossen
> 30 Licht und Geist und Seele."

Das hier mit „in dir" übersetzte σοί schillert zwischen der eigentlich weltdurchwaltenden Funktion („durch dich"), wie v. 26.29 deutlich machen, und einer mehr vom Geschöpf auf den Gottessohn hin gerichteten Bewegung im Sinne eines „dir", „für dich", „auf dich hin"[101], wie sie in der Epistrophe und insbesondere im Lobpreis statthat[102]. Die spätantike Hymnentradition kennt beide Bedeutungsspielarten dieses σοί und läßt sie gern ineinander übergehen[103]. Letztlich ist ja denn auch für Synesios der Lobpreis von der Gottheit selbst gewirkt[104].

---

[97] Vgl. MVict Ar 1,24:1–18, bes. 2–4: Duplex enim generatio eius, una quidem in divinitatem et in filietatem, occulta, divina et quae fide intellegatur, alia autem in carnem venire et ferre carnem.

[98] Vgl. z. B. Didym trin 1,15,48–51 H.; 1,27,56; Basil Chr generat 1 (PG 31,1457C); PsAthan ⟨MarkellAnc⟩ inc et cAr 8 (PG 26,996A); PsChrys nativ (PG 56,385.387f.); zu Laktanz A. Grillmeier, Jesus der Christus im Glauben der Kirche, 1, Freiburg 1979, 343f., vgl. ferner PGL 312a s. v. Gennesis.

[99] Vgl. oben Kap. III A. 323 vom „unten vaterlos, oben mutterlos".

[100] Vgl. oben Kap. II A. 293.

[101] Auch von Lacombrade, Hymnes 71 A. 1 festgestellt: „Quant à σοί, il peut être pris dans la double acception de complément d'agent et d'attribution." „Dir" übersetzen Wolters, Grützmacher 129, FitzGerald 387 („for Thee"), „durch dich" Meunier, Dell' Era.

[102] Vgl. 1,333 + 343, ferner 5,50; 1,23–27; hingegen 2,151 „durch dich bewegt die nie alternde Himmelssphäre ihr Wagenrund ohne Mühe".

[103] *„Durch dich":* Orph hy 27,8, vergleichbar MVict Ar 1,8:19f. propter ipsum (sc Christum) enim vivit mundus („durch ihn" übersetzt Hadot, Chr. Platonismus 120); *„dir":* Mesomed hy in Helium 17, Heitsch Nr. 2/2 (Bd. 1 p 25) „dir tanzt der heitere Sternenchor"; PsGregNaz carm 1,1,29:9 (PG 37,507) „zu dir betet alles", vgl. 11; *„dir" und „durch dich"* im Merkurhymnus 14, Heitsch Nr. 59,8 (Bd. 1 p 187) = PGM 17b (Bd. 2 p 139) „Dir ging die Morgenröte auf, und heran kam dir die schnelle Nacht"; GregNaz carm 2,1,38:11ff. (1326f.) „durch dich ist alles" (11); „dir

7. Hymnus 8

(1) Der großartige Hymnus auf die Himmelfahrt Christi gibt sich schon in der Einleitung (1–3), die im folgenden als Refrain wiederholt wird (10–12. 28–30), als Siegeslied zu erkennen, das nicht nur der Dichter, sondern überhaupt der Kosmos dem „kranzgeschmückten, hochberühmten Jungfrauensohn aus Solyma" entgegenschallen läßt (v. 40)[105]. In 4–9 wird die Anaklese relativisch fortgesetzt[106] und Christi Heilswerk als Sieg über die Erdenschlange gepriesen. Es ist hier nicht an einen der Inkarnation vorangehenden Kampf im Himmel – etwa in Anlehnung an Offenbarung 12,7–9 – zu denken, sondern vielmehr an ein den Inhalt des gesamten Hymnus antizipierendes Bild, worin im Sinne des Protoevangeliums von Gen 3,15 Christus antitypisch zum Urmenschen verherrlicht wird[107]. Das Motiv der „listigen Falle" ist traditionell[108], und der Sieg über die Schlange wird gern als Formel für die Erlösungstat Christi verwendet[109].

(2) Die folgenden Verse zeichnen den Abstieg des Gottessohns:

„Du stiegst hinab in Erdentiefen,
Besucher den Eintagswesen,
15   in sterblicher Gestalt[110],
stiegst hinab in den Tartaros,
wo der Tod weidet
Myriaden von Seelenvölkern[111].
Da schauderte vor dir der Greis,
20   Hades, der Uralte;
und der völkerverschlingende Hund,
der an Kraft furchtbare Dämon[112],

---

verbirgt, Herr, die hochlaufende Sonne die Sterne" 815); „dir lebe ich, dir rede ich, dir bin ich ein lebendiges Opfer" (29); etc. – Vgl. auch Terzaghi 213.

[104] S. oben S. 39.

[105] Im στεφανηφόρε ist sicher nicht die paradoxe Kreuzeskrone Christi (Mk 15,17 parr; vgl. PGL 1258a) gemeint, sondern der Siegeskranz. – Zum „Vater / Sohn" (πάτερ πάι) s. oben S. 71. – Solyma ist die an Homer, Il 6,184; Od 5,283, angelehnte Gräzisierung von Jerusalem, das als Hierosolyma gehört wurde, vgl. Tac hist 5,2; E. Lohse, ThWNT 7, 318; Terzaghi 247; Lacombrade, Synésios 196 A. 137.

[106] Zur Form s. Norden, Agnostos Theos 168–76.

[107] V. 9 ist wohl mit Ferrua, Dell' Era, Lacombrade ἀρχεγόνῳ κόρᾳ zu lesen, obgleich Synesios sonst immer κούρᾳ bzw. κοῦρος schreibt und ἀρχέγονος offenbar nur für Adam, nicht für Eva bezeugt ist (PGL 233a).

[108] Die „Falle des Teufels" 1 Tim 3,7; 2 Tim 2,26; vgl. J. Schneider, ThWNT 5,593–595; später z.B. JChrys incompr 2,535f.; 3,442; aber auch Porphyrios kennt die Falle, abst 1,33,6; Marc 33 p 36,13f. P.; vgl. oben Kap. II A. 176.

[109] Z.B. Clem protr 11,111:2; GregNyss nativ (PG 46,1132C.1133B); in Verbindung mit der Auffahrt PsChrys 3 ascens 9f., ed. Ch. Baur, Traditio 9 (1953) 122.

[110] Gegen Terzaghi ist v. 15 nicht auszuscheiden.

[111] Vgl. Hom Od 10,526 ἔθνεα νεκρῶν.

[112] Der Vers ist verdorben.

wich zurück von der Schwelle.
Da befreitest du vom Verderben
25 reine Seelenchöre
und ließest mit unbefleckten Scharen
Hymnen zum Vater hinansteigen. "

Christi irdische Existenz, seine Epidemia[113], wird in nur drei Versen angedeutet[114], sein Abstieg zielt ganz auf die *Hadesfahrt* und vollendet sich erst in dieser[115]. Im Brennpunkt steht die Errettung der Seelen vor der Todesmacht und ihre Rückführung in himmlische Gefilde[116]. Aber diese soteriologische Qualifizierung der Hadesfahrt[117] läßt zugleich – in Entsprechung zur mehrfach schon beobachteten Einheit von Schöpfung und Erlösung – die kosmologische Tradition, die Weltdurchwaltung bis in die letzten Tiefen, durchschimmern. In Hymnus 1 und 2 schlägt diese Weltdurchdringung ebenfalls in eine Erlösung des Untern von den Verderbensmächten um[118]. Die Unterwelt, der Tartaros, die „unterirdischen Schluchten"[119] sind ja denn in der neuplatonischen Allegorese nichts anderes als die niederste, vom hylischen Prinzip beherrschte Welt der Genesis[120]. Synesios schaut demnach die Hadesfahrt Christi als seinen den Kosmos immer schon durchwaltenden und errettenden Abstieg, darin wieder-

---

[113] ἐπιδημία, Gottes Anwesendsein in hymnischer Tradition (z.B. Kallim hy Apoll 13; Himer or 48,10f. = Alkaios hy Apoll frg 307 L.-P.) wird gern von Christi Ankunft verwendet, z.B. Orig hom 9,1 in Jer (SC 232,376–380); Basil ep 210,3:19 p 192 C.; GregNaz or 38,4 (PG 36,316); vgl. PGL s.v.

[114] Vgl. Grützmacher 165: Der Opfertod Christi und die Versöhnung der sündigen Menschheit entfällt gänzlich.

[115] Zur *Hadesfahrt* vgl. J. Kroll, Gott und Hölle, SBW 20, Leipzig 1932 (zu Synesios 113f.); Bousset, Kyrios Christos 26–33; A. Grillmeier, Der Gottessohn im Totenreich, in: Mit ihm und in ihm, Freiburg 1975, 76–174; H. J. Vogels, Christi Abstieg ins Totenreich und das Läuterungsgericht an den Toten, FThSt 102, Freiburg 1976, 183–235; W. Maas, Gott und die Hölle. Studien zum Descensus Christi, Horizonte NF 14, Einsiedeln 1979; A. Spira, Der Descensus ad Inferos in der Osterpredigt Gregors von Nyssa De triduo spatio, in: A. Spira – Ch. Klock (Hg.), The easter sermons of Gr. of N., Patristic monograph series 9 (Proceedings of the 4th int. coll. on Gr.), Cambridge Mass. 1981, 195–259.

[116] Vgl. Syn hy 6,17.37–39.

[117] Vgl. die Unterscheidung Grillmeiers, Gottessohn 77f., von älterer, soteriologischer und jüngerer, christologischer Sichtweise.

[118] Hy 1,412–418 (vgl. oben A. 61f.) hat manche Parallelen zu hy 8: Neben der „eschatologischen" Formel (8,13+16 μέχρι καὶ χθονός, vgl. z.B. Julian matr deor 3:161d6 μέχρι γῆς und unten A. 189ff.) bes. 8,24 „lösend von Verderben // 1,149f. „daß er löse Mühen und Sorgen"; 8,25 „heilige Seelenchöre" // 1,417 „heilige Herzen"; die „elenden Sterblichen" von 1,421 sind die „todgeweihten Seelen" von 8,17 bzw. die „Hingeschwundenen" von 6,38; die Unterirdischen von 2,178 auch in 6,17.

[119] νερτέριοι μυχοί hy 6,37; μυχοί aus Hes theog 119; Aisch Prom 433.

[120] Porphyrios deutete die μυχοί auf die Genesiswelt, antr 31 p 30,8; vgl. sent 29 p 19,16f. L.; Marc 6 p 12,10f. P.; in Tim frg 79 p 68,9f. Sodano (Neapel 1964); vgl. Proki in Tim 2,284,4f. die Seele durchwaltet die Welt ἄχρι τῶν ἐσχάτων μυχῶν τῆς γῆς und bringt Licht dahin (s. oben A. 62). – Zum „Tod" der Seele beim Eintritt in die Genesis vgl. Porph bei Macrob somn Scip 1,10,7ff. und Elferink, Descente 40. 59 A. 82. 63 A. 110.

um mit Marius Victorinus vergleichbar[121], und gar nicht allzu fern vom christlichen Verständnis des descensus ad inferos, worin es ebenso um eine – freilich ausschließlich soteriologisch charakterisierte – Heimsuchung auch der untersten Welten durch die göttliche Herabkunft geht[122].

Der zurückweichende Höllenhund läßt ferner an Herakles' Unterweltsfahrt denken[123]. Furcht und Zittern sind überhaupt traditionelle Charakteristika der Hadesfahrt[124], paradox ist hier bei Synesios insbesondere, wie der Hades, der sonst selber doch Schrecken erregt[125], nun vor Christus erschaudert.

(3) Die Höllenfahrt des Gottessohns wendet sich mit v. 31 zur *Himmelfahrt*[126], zum Aufstieg durch den stellaren Kosmos (31–54). in die göttliche Sphäre (55–71). In dieser Aufeinanderfolge von Abstieg und Aufstieg entspricht dies Siegeslied durchaus dem Aufbauschema der übrigen Hymnen, worin sich der Seelenaufstieg (beziehungsweise die Bitte darum) dem Abstieg von der Gottheit in die Welten anschließt[127].

> „Wie du aufstiegst, Herr,
> erschauderten die unermeßlichen
> Dämonenvölker der Lüfte,
> es staunte der reinen
> Gestirne unsterblicher Chor,
> der Äther lachte,
> der weise Vater der Harmonie,

---

[121] M. Vict in Eph 4,10 p 178,9–11 L. (= 1274 B) ita nihil vacuum Christo erit, si quidem et descendit in inferiora terrae et ascendit super caelos, vgl. p 177,31–178,3 (= 1274A); dazu Benz, Marius Victorinus 117 und Hadot, SC 69, 964.

[122] Z. B. PsHippol pasch 56 (SC 27,185,6 f.) „damit alles gerettet werde, damit auch der unterste Ort von der göttlichen Ankunft nicht ausgeschlossen sei" ἵνα μηδὲ ὁ κάτω τόπος τῆς θείας ἐπιδημίας ἀμύητος ᾖ; vgl. Grillmeier, Gottessohn 113–115. S. auch Athan inc 16:12–15 und 45:18–29 Th. von der selbst die Unterwelt erfüllenden Präsenz des Fleischgewordenen, ähnlich GregNyss res 5, op 9,315,5 f. – Besonders im Symbol des kosmischen Kreuzes fließen Weltdurchwaltung und Hadesfahrt ineinander über, vgl. dazu H. Rahner, Griechische Mythen in christlicher Deutung, Zürich 1957, 73–100; M. Spanneut, Le stoïcisme des pères de l'église, PatSor 1, Paris 1957 (²1969) 420.

[123] S. unten S. 154, zum Dämonenhund unten Kap. V A. 9.

[124] Vgl. Kroll, Gott und Hölle 10.46f.56f., der auf Athan virg 16 p 51 Goltz (TU 29,1905) verweist; ferner PsChrys 2 ascens 21 f. p 117 Baur (aaO. A. 109) mit Zitat von Ps 23,8; Symb Sirm 3 (§ 163 Hahn).

[125] Hades wirkt Schrecken (φρίττειν): Julian Hel reg 10:136b1; vgl. GregNaz carm 2,1,56:7 (PG 37,1401) vom Teufel.

[126] Zum Übergang von Hadesfahrt in Himmelfahrt vgl. Kroll, Gott und Hölle 444 ff. (Herakles). Zur *Himmelfahrt* vgl. ders., Die Himmelfahrt der Seele in der Antike, Kölner Universitätsreden 27 (1931); W. Bousset, Die Himmelsreise der Seele, ARW 4 (1901) 136–169. 229–273 (= Darmstadt 1960); Lewy 413–417; J. Daniélou, Liturgie und Bibel, dt. München 1963, 306–321; A. F. Segal, Heavenly ascent in hellenistic judaism, early christianity and their environment, ANRW 23/2 (1980) 1333–94. – Eine sorgfältige Kommentierung von Syn hy 8,31–54 bietet K. Smolak, Zur Himmelfahrt Christi bei Synesios von Kyrene, JÖB 20 (1971) 7–30.

[127] Vgl. oben S. 30f.

und ließ die Musik der sieben Saiten
seiner Lyra zusammenklingen
in ein Siegeslied." (31–40)[128]

Christi Aufstieg, in den Farben der Götterepiphanie gemalt[129], erschüttert alle Sphären des Kosmos, dies heilige Geschehen erweckt in den gotteswidrigen Dämonen[130] Schauder vor dem tremendum (32 f.), in den höhern Wesen dagegen von Verehrung und Freude erfülltes Staunen angesichts des mirum (34 ff.)[131]. Insofern führen v. 32 f. das Thema von „Furcht und Zittern" bei der Hadesfahrt weiter. Die griechischen Götterepiphanien lassen oft den Kosmos und die Geistwesen erzittern vor der Macht des Gepriesenen[132], aus diesen und aus biblischen Anschauungen speist sich auch die Vorstellung von Christi Begegnung mit dem darin erschütterten Kosmos[133].

Das Staunen der Sterne hingegen ist von Freude erfüllt und läßt an den Jubel denken, welcher in den griechischen Epiphanien der Geburt oder den Großtaten der Götter antwortet[134]. Auch das Judentum weiß von der Freude der Schöpfung ob Gottes Wirken[135]; die christlichen Texte lassen vor allem die Engel, die darin den Sterngeistern des Synesios entsprechen, die Auffahrt[136]

---

128 In Anlehnung an die Übersetzung von Wilamowitz 289 f.

129 Geffcken, Ausgang 220; vgl. Keyssner, Gottesvorstellung 33 f.

130 Zur Dämonologie s. unten S. 178 f., zu Christus als Dämonensieger unten A. 167.324.

131 Vgl. R. Otto, Das Heilige, München 1971 u. ö., bes. 38 ff. Die Antithetik von v. 32 f. und 34 ff. bei Smolak 27 richtig hervorgehoben.

132 Vgl. Smolak 14 f.; ferner unten A. 170. In Hom Il 13,18 f. erzittern (τρέμε) Berge und Hügel angesichts des einherfahrenden Poseidon, die Perikope scheint auch sonst in hy 8 anzuklingen, s. unten A. 134.142. Sogar die Götter erschaudern vor Apollon, Hom hy Apoll 2, vgl. 47, ferner Orph hy 38,10 ff.; hy in Lunam 30, Heitsch Nr. 59,10 (Bd. 1 p 192) = PGM 4,2829 f. (Bd. 1 p 162), vgl. PGM 4,2541 f. p 152 φρίσσουσι καὶ … τρομέουσιν; hy in Pantocrat 7–10, Heitsch Nr. 59,1 (Bd. 1 p 180) = PGM 12,247–9 (Bd. 2 p 75); Apul met 11,25,4, wo die Weltdurchwaltung zur Epiphanie wird: „Vor deiner Hoheit erbeben (tuam maiestatem perhorrescunt) Vögel am Himmel ziehend, Tiere auf den Bergen schweifend, Schlangen am Boden lauernd, Wale im Meere schwimmend."

133 Vgl. Ps 29; 114; das Orakelfragment bei Porph phil orac v. 141 f. p 142 W., wohl jüdischer Herkunft (Aug civ 19,23:7, CCL 48,691, vgl. Nauck bei Wolff 143.148): „Gott, den Erzeuger und König, der allem vorangeht, / vor ihm erzittern (τρομέει) Erde, Himmel, Meer und Unterweltstiefen, / und die Dämonen erschaudern (ἐκφρίσσουσιν)." – Zu erinnern ist sodann an die neutestamentlichen Exorzismen mit ihrem Erschaudern der Dämonen, dazu Jak 2,19. – Beim Tod Christi „erschauderte das All, wurden die Himmel erschüttert" und stürzten beinahe zusammen vor lauter Furcht, PsHippol pasch 55,2 f. (SC 27,183); vgl. PsChrys ascens 3 (PG 52,797) in Verbindung mit der Hadesfahrt.

134 Bei Hom Il 13,29 tritt das Meer freudig auseinander angesichts des Poseidon, charakteristisch in Nachbarschaft zu „Furcht und Zittern" (oben A. 132). Vgl. die staunende Freude ob Apollons Epiphanie, Hom hy 135 (θάμβεον, wie Syn v. 34), vgl. Hom hy Demeter 14 f. Es freut sich (μείδησε, wie Syn v. 41) die Erde ob der Gottesgeburt und alle Göttinnen jubelten, Hom hy Apoll 118 f., ähnlich Theognis 8 ff. Vgl. Terzaghi 267; Smolak 11 ff. und unten A. 340.

135 Die Sterne freuen sich bei der Schöpfung, Hiob 38,7; Bar 3,34 f.; die Schöpfung jubelt ob Gottes Kommen, Ps 95,11–13, vgl. unten zum Lobpreis S. 171 ff. Ob des künftigen Messias jubeln die Himmel, freuen sich Erde, Wolken, Engel, Test Lev 18,5.

136 Das freudige Staunen ob der Auffahrt z. B. Diad ascens 3 (SC 5bis,166,22–24); PsChrys

und, in Entsprechung hierzu[137], die Geburt Christi preisen[138]. Für Synesios wird die Sphärenharmonie selbst zum Siegeslied auf den Gottessohn (38–40), die Schöpfung läßt immer schon den Lobpreis auf die Erlösung erklingen[139]. Die Himmelfahrt ist folgerichtig trotz allen Staunens ob des Wunders kein kosmosdurchbrechendes Ereignis wie in gnostisierender Tradition, worin die Macht der Planeten- und Engelarchonten zerschlagen wird[140], sondern ein kosmosgemäßes, nur die untern Dämonen vernichtendes Geschehen.

(4) Der Aufstieg durch die Sphären[141] führt den Gottessohn endlich über Titan, die Sonne, die in ihm „den Gottessohn, den guten Schöpfergeist, ihres eigenen Feuers Quelle" erkennt[142], in das noetische Reich hinein[143].

> „Du schwangest deinen Fuß[144],
> des tiefblauen Himmels Rücken

---

ascens Ac 15 (PG 52,789), mit Ps 23 (24) verbunden (dazu Kroll, Gott und Hölle 46f., auch 56f.). Speziell von den Engeln (vgl. auch Daniélou, Anges 50–61) Asc Jes 11 (bes. 23) mit G. Stählin, ThWNT 5,34 (xenos); JChrys ascens 4 (PG 50,448f.) die Engel freuen sich ob des παράδοξον θέαμα; hom 2,1 in Acta (PG 60,26C); PsChrys ascens 1 (PG 52,791f.); 3 (797); 4 (802), auch mit Ps 23; PsChrys 2 ascens 24f.55 p 117f. Baur (aaO. A. 109); PsEpiphan hom 4 (PG 43,480 C); Diad ascens 1 p 164,15–20 mit Ps 23.

[137] „Denn überall sind ja Engel; als er geboren wurde, als er erstand, und heute, wie er auffährt", JChrys ascens 4 (PG 50,449); vgl. hom 2,5 in Acta (PG 60,30C).

[138] GregNaz or 38,17 (PG 36,332AB) „Mit den Hirten preise, mit den Engeln singe, mit den Erzengeln tanze, es sei *ein* gemeinsames Fest der Himmlischen und Irdischen!" (hier klingt Phil 2,10, also bereits der Aufstieg mit an); Basil Chr generat 6 (PG 31,1472C) von Engeln und Magiern; vgl. auch Daniélou, Anges 37–49. Zur Engelfreude an Ostern JChrys pasch 3 (PG 52,768).

[139] V. 40 ἐπινίκιον μέλος, vgl. unten S. 173.

[140] Vgl. Plot 2,9,13:6–8 gegen die gnostischen Schreckenstragödien im Himmel: Lieblich sind die Sphären dem Aufsteigenden. Der Unterschied solcher hellenischer, kosmosbejahender Aufstiegssicht zu gnostischen, auch neutestamentlichen (Kol 2,15) und mystisch-jüdischen (vgl. J. Maier, Kairos 5, 1963, 18–40) Auffahrten ist bei Smolak 29 verwischt. Zu den letzteren vgl. auch Kroll, Gott und Hölle 59: Die Himmelfahrt ist hier eine Hadesfahrt mit umgekehrtem Vorzeichen.

[141] Zum Kosmosbild Theiler, Orakel 24 und, diesen teilweise korrigierend (poetische Kontamination, kein eigentliches Weltbild), Smolak 26.

[142] Das Motiv der auf ihren eigenen Ursprung verweisenden Sonne ist traditionell, vgl. Smolak 25f.; Dörrie, in: Kirchengeschichte ... 285–287. Zu verweisen ist bes. auf Syn hom 2 p 281,2–6 (bei Grützmacher 169 wird δημιούργημα fälschlich aktivisch übersetzt); ferner Just dial 121,2; Clem protr 6,67:2; Athan gent 40:37 Th.; Prokl hy 1,34; in Tim 3,82,4–83,4 mit Festugière, Traduction, 4, 109 A.2. Wiederum erinnert Syn hy 8,52 an Hom Il 13,28 (vgl. oben A. 132.134), worin die Meerwesen bei der Epiphanie Poseidons ihren Herrscher erkennen (οὐδ᾽ ἠγνοίησεν ἄνακτα).

[143] Gut Smolak 28: Die Sonne ist Tor zum Noetischen. Vgl. auch oben zum (scheinbar) einfachen Weltbild S. 132; unten S. 173f.

[144] V. 55 σὺ δὲ ταρσὸν ἐλάσσας. ταρσός meint sonst bei Synesios wie bei GregNaz carm 2,1,88:69 (PG 37,1438) zumeist „Flügel, Schwingen", das bekannte platonische Motiv, vgl. dazu P. Courcelle, RAC 8 (1972) 29–65, bes. 46; ders., in: Plotino e il neoplatonismo 265–325, bes. 288; ders., Connais-toi 562–624, bes. 585. Durchwegs bedeutet es bei ihm nie „Wurzelgeflecht" (so FitzGerald 2,387; Terzaghi 126). „Flügel" beim Aufstieg: Hy 1,618.689; 2,285; 3,67 (mit Theiler, Orakel 27 A. 3); 5,89; 9,118; vgl. oben A. 58 von der Weltdurchwaltung. Aber in hy 1,20 schillert ταρσός zwischen „Flügel" und „Fuß" (vgl. Terzaghi 69) und hier in 8,55 legt sich „Fuß" nahe wegen der „Spur" (ἴχνιον) v. 51 und dem „Sprung"-Motiv (s. folg. Anm.).

übersprangest du,
betrachtetest die Sphären,
die geistigen, reinen,
wo die Quelle alles Guten ist,
den in Schweigen gehüllten Himmel." (55–61)

Das Motiv des „*Sprungs*" in die geistige Welt[145] verwendet Synesios sonst gern von der aufsteigenden Seele, die derart das Untere hinter sich läßt[146]. Wiederum sind Seelenaufstieg und Christi Auffahrt in gleichen Bildern gezeichnet, der „Sprung", traditionell der Seele[147], selten auch Christus[148] zugeeignet, erinnert ferner an die umgekehrte Bewegung, den als Sprung aus dem Einen ins Viele geschauten Emanationsabstieg[149]. So führt der Aufstieg wieder in die Regionen zurück, woraus einst der Hervorgang seinen Anfang nahm, in den „schweigenden Himmel"[150]. Das Ende des Hymnus läßt das „Sitzen zur Rechten Gottvaters" vermissen, vielleicht weil diese Wendung für Synesios schon zu sehr auf ein von ihm selbst verworfenes endzeitliches Wiederkommen Christi („*inde* venturus est…") verwiesen hätte.

(5) Rückblickend bleibt noch einmal hervorzuheben, wie sehr der achte Hymnus im *Abstieg und Aufstieg Christi* dieselbe Bewegung wirksam sieht, die sowohl in der ebenfalls als Abstieg und Aufstieg zu schauenden *Weltdurchwaltung* als auch im *Seelenweg* statthat[151]. Die Hadesfahrt qualifiziert die bis ins Tiefste hinabströmende Weltdurchwaltung zu einer eindeutig soteriologischen

---

[145] V. 55–58, bes. 57 ὑπερήλαο νώτων. Treu, Dion 113 und Smolak 28 A. 115 verweisen hingegen auf das Motiv des Schreitens der Götter auf der Außenseite des Kosmos, vgl. Plat Phaidr 247bc.

[146] Hy 1,708–711 ἄλμα; 9,110 Selig, wer ἄλματι κούφῳ / ἴχνος (vgl. 8,51 ἴχνιον) ἐς θεὸν τιταίνει, vgl. 115 „auf Geistes Bahnen schreitend", ins 8 p 160,19 vom die Grenzen der Materie überwindenden Sprung (ἄλμα); und negativ vom zu heftigen Sprung Dion 8 p 254,5f.16f., s. unten Kap. V A. 94.

[147] Corp herm 11,20 p 155,14 N.–F. παντὸς σώματος ἐκπηδήσας καὶ πάντα χρόνον ὑπεράρας…; Plot 6,7,16:2 und 5,5,5:8 ἆξαι πρὸς τὸ ἕν, vgl. Rist, Plotinus 220; Porph Plot 22,31 (vgl. Pfligersdorffer 161 A. 65); Themist or 20 p 3,18 D.-N. αὐτίκα ἤιξας μετέωρος ἄνω πρός τε αἰθέρα καὶ οὐρανόν; Method symp 1,11,15 (SC 95,52) ὑπερηδᾶν vom Jungfräulichen.

[148] GregNaz carm 1,1,3:31 (PG 37,410) ὅτ᾽ ἐκ χθονὸς ἆλτο σωτήρ; Hippol frg 11 in Cant 2,8 (GCS 1,347f., übers. aus dem Slawischen): Christus „springt" vom Himmel auf die Erde, ans Holz, in den Hades, wieder auf die Erde, endlich in den Himmel.

[149] Vgl. oben Kap. III A. 55; Kap. II A. 110; ferner (nicht direkt emanativ) SapSal 18,15 vom Logos; Just dial 128,3 προπηδᾶν (vgl. PGL s. v.!); Tatian 5,1; PsThom 1,41 p 4 Adam (BZNW 24, 1959).

[150] Vgl. oben S. 44. Zu v. 67–71 vgl. die Parallelen bei Theiler, Orakel 19f.; nachzutragen ist die Wendung des „Schleifens" (v. 64 σύρων), neben Or Chald frg 164,2 bes. GregNaz or 20,4:7 (SC 270,64) τῶν κάτω συρομένων; 39,9 (PG 36,344C); JChrys pasch 5 (PG 52,771); scand 10,11 (SC 79,156); bapt Chr 4 (PG 49,370); vgl. PGL s. v.; auch Dtn 32,24; Mich 7,17 LXX.

[151] Die Übereinstimmung der poetischen Gestaltung von Christusweg, Weltdurchwaltung und Seelenweg beruht nicht nur auf einer *formalen* Ähnlichkeit des Motivs, sondern auf einer *sachlichen*, *ontologischen* Verflochtenheit dieser drei Bewegungen.

Heimholung des Untern[152]. Der Abstieg Christi ist überhaupt zum Antityp des Seelenfalls geworden[153] und ermöglicht der Seele die *Teilhabe* an seinem Wiederaufstieg[154] und die Eingliederung in den diesem Heilsgeschehen respondierenden kosmischen Lobpreis.

8. Hymnus 6

(1) Auch dieser Hymnus ist ausschließlich an Christus gerichtet. Das Epiphaniasmotiv umschließt das gesamte irdische Wirken Jesu samt seiner Hadesfahrt. In den einleitenden Versen (1–6) schreibt sich der Dichter zu, als „erster" in dieser „Weise" den Gottessohn aus Jerusalem zu besingen. Damit meint er kaum, überhaupt als erster eine christliche Lyrik zu schöpfen[155], noch auch, ein neues Versmaß einzuführen[156], noch auch, inhaltlich seine frühern Dichtungen durch ein neues, getauftes Lied abzulösen[157], sondern wohl eher das Preisen Christi in dorisch-archaischer Weise, wie er es auch in den Prooemien von Hymnus 7 und 9 ausdrückt[158].

(2) In v. 10–15 wird der alles durchwaltende Gottessohn gepriesen[159]; 16–39 präzisieren dieses Erfüllen des Alls als Paradoxie von „Gott" und „Toter"[160] und bestätigen erneut, wie sehr Synesios die Inkarnation und Hadesfahrt Christi als Ausdruck seiner Weltdurchwaltung verstanden hat (bes. 10–17). Das

---

[152] Vergleichbar z. B. OdSal 42,11–20. – Zur analogen Koinonia von Herakles und Gläubigem s. unten A. 177.

[153] Lacombrade, Synésios 195 kontrastiert zu stark. Das Evageschick (κόρα v. 9) ist für Synesios natürlich das Geschick der Seele (κούρα!).

[154] Vgl. auch noch die Parallele vom Höllenhund, der vor Christus flieht, zu der dem Aufsteigenden „nachkläffenden" Erde in 9,108 f. und den drohenden Hunden von 1,96 f.; 2,245 f.

[155] So Christ, Anthologia IX und, leicht variiert, C. Weyman in FS H. Grauert, hg. M. Jansen, Freiburg 1910, 2–4 (S. hat als erster ein Buch christlicher Hymnodik geschrieben).

[156] So Terzaghi 246 f.; Lacombrade, Synésios 286; Hymnes 24.85.

[157] So Bregman, Synesius 91 f. (= 1982, 100); auch Lacombrade (s. oben) und Placco 259 (alte Form, aber neuer Inhalt). All dies tönt zu sehr nach Bekehrung.

[158] Hy 7,1 und 9,5, zu νόμος in diesem Sinne Dion Chrys or 1,1. Zur Ehrwürdigkeit des Dorischen (das in Synesios' Sprache freilich nicht weit geht, Wilamowitz 277 A. 3) vgl. Syn Aeg 1,18 p 105,19 f.; catast 2,5 p 291,14 f.; ep 41 p 63,16 f.; Pindar frg 67 Snell und die pythagoreische Eidesformel (Carm aur 47 f. p 91 Young, BT, 1961; Jambl Pyth 34,241–243); ferner Hawkins 37 f. Das „Erster" in v. 1 meint dann nicht, daß mit diesem Hymnus ein Neues beginnt, sondern variiert nur die Idee von 7,1 und 9,5. Zum Eingang von hy 9 vgl. außerdem Hawkins 34; U. Schmid, Die Priamel der Werte im Griechischen von Homer bis Paulus, Wiesbaden 1964, 99 f.; Cavalcanti, RSLR 5 (1969) 122–134; Placco 247–252.

[159] Die παντομιγὴς φύσις v. 14 meint nicht direkt die zwei Naturen Christi (so Volkmann), sondern seine alles in sich bergende, alles durchdringende Wesenheit, vgl. Terzaghi 248, *sachlich* durchaus der Zweinaturenlehre entsprechend, vgl. GregNaz or 30,21:7–10 (SC 250,272) Christus ist „alles für alle (1 Kor 9,22) geworden", vgl. 39,13 (PG 36,349A) τὰ ἄμικτα μίγνυται; s. unten Kap. V A. 155.

[160] θεός und νέκυς v. 16 f.24 f.30–32.39; vergleichbar ist bes. Gregor von Nazianz, der gern Leiden und Tod Gottes heraufbeschwört, or 45,28 (PG 36,661C); carm 2,1,60:9 (PG 37,1404) und (mit Terzaghi 249) 1,1,9:48 (460); vgl. auch Holl, Amphilochius 179 f. Freilich würde Synesios vor der gregorianischen Appropriation des Todes auf Gott zurückschrecken.

eigentliche *Epiphaniasmotiv* wird 18–39 entfaltet, der Wesensschau Christi folgt die Erzählung seines Heilswerks.

> „Wie du dich zur Erde hingabst[161]
> aus einer Sterblichen Schoß,
> 20 da staunte die vielersinnende,
> magische Kunst, hilflos,
> angesichts des Aufgangs des Sterns:
> Was ist dies neugeborene Kind,
> wer der verborgene Gott,
> 25 ist er König, Gott oder ein Sterblicher[162]?
>
> Auf, bringt Gaben herzu,
> Totenopfer von Myrrhe,
> Weihgaben von Gold,
> schönes Weihrauchopfer!
> 30 Gott bist du, nimm Weihrauch hin,
> Gold bring ich dem König dar,
> dem Grab entspricht die Myrrhe.
>
> Du reinigtest die Erde
> und die Meereswogen
> 35 und die Pfade der Dämonen,
> die schnellen Strömungen der Luft,
> und die unterirdischen Schluchten,
> den Verstorbenen ein Retter,
> Gott, in den Hades entsandt."

(3) Traditionelle Epiphaniasmotive sind der *Wunderstern*[163] und die Allegorese der *Magiergeschenke* auf Gottheit, Tod und Königtum Christi[164]. Zusätzlich läßt sich fragen, ob Synesios nicht auch im hilflosen Stutzen der doch so ingeniösen *Magierkunst* und ihrem erstaunten Fragen[165] eine Überlieferung mitklingen läßt, die von der im wunderbaren Wandelstern symbolisierten Vernichtung der Magie samt ihren Machtquellen durch Christi Kommen weiß. Diese alte, seit Ignatios belegte Tradition läßt die Magier das Zunichtewerden

---

[161] Vgl. oben A. 93.

[162] Der Vers, verbessert nach Mariotti (bei Dell'Era), ist gegen Terzaghi und Nissen 184 zu halten.

[163] Vgl. W. Bauer, Die Briefe des Ignatius, HNT-Ergänzungsband 2, Tübingen 1923, 217 (zu Eph 19,2); F. Sagnard, SC 23, 197 A. 2f.; ferner die meisten Texte unten in A. 166.

[164] Vgl. Iren 3,9,2 (SC 211,106f.); Clem paed 2,8,63:5; Orig Cels 1,60:31–35 (SC 132,240); frg 29f. in Mt (GCS 41,27f.); Basil Chr generat 6 (PG 31,1472AB); GregNaz or 38,17 (PG 36, 332A); GregNyss nativ (PG 46,1144B); JChrys hom 8 in Mt 1 (PG 57,83A); etc. – Theiler, Orakel 38 A. 2 und sein Rezensent A. Kurfess, Phil Woch 64 (1944) 28 schließen unnötigerweise auf westlichen Einfluß. Vgl. auch Lacombrade, Hymnes 87 A. 2.

[165] V. 20–22 μάγος ἁ πολύφρων τέχνα / ἐξ ἀστέρος ἀνατολᾶς / θάμβησεν ἀμήχανος. – Die erstaunten Fragen hängen sich gern auch an Hades- und Himmelfahrt, vgl. Kroll, Gott und Hölle 56f.

ihrer Kunst erfahren und eröffnet ihnen, die doch von der Sternkunde, der alten Weisheit geleitet, zum Gottessohn fanden, nun einen neuen, der Dämonen ledigen Weg[166]. Synesios könnte das Motiv etwa bei Gregor von Nazianz oder Johannes Chrysostomos, bei denen sich auch die andern Epiphaniastraditionen finden, gelesen beziehungsweise gehört haben. Immerhin schaut auch unser Dichter, wie die Verse 33 ff. zeigen, das Werk Christi als Sieg über die dämonischen Gewalten[167], und seine Einstellung zur Magie ist überhaupt recht kritisch[168]. Insbesondere ist ihm der Seelenaufstieg ein Freiwerden von der üblen Zauberei der Materie und ihren Dämonen, welche er in ähnlichen Wendungen wie hier in v. 20 beschreibt[169]. Das „hilflose Staunen" könnte im Lichte von „Furcht und Zittern" gedeutet werden[170], und Synesios hätte dann, einmal mehr Seelenaufstieg und Christusweg verschmelzend, die Epiphaniastradition vom Ende der Magie mit der porphyrianischen Idee von der Befreiung aus der magischen Umgarnung der Materie kombiniert. An eine eigentlich *geschichtliche* Ablösung der älteren, heidnischen Magie durch Christi Kommen braucht dabei ebensowenig wie bei den übrigen christlichen Themata des Synesios gedacht zu werden. Sollte aber doch eher eine harmonischere Sicht der Magiergeschichte bei ihm vorliegen – die planetaren Mächte sind ihm ja keine bösen Gewalten –, so hätten wir es mit dem gleichfalls wohlbekannten Motiv des *freudigen* Staunens der Magier angesichts des Christuskindes zu tun[171], zu welchem sie der allen astronomischen Gesetzen Hohn sprechende Wunderstern geführt hat.

---

[166] Ign Eph 19,3 ὅθεν ἐλύετο πᾶσα μαγεία; vgl. H. Lietzmann, Geschichte der Alten Kirche, 1, Berlin ³1953, 260 f. Sodann Just dial 78,9; Tert idol 9,3–5 (CCL 1,1108); Clem exc Theod 74,2 (SC 23,196); Orig Cels 1,60:11–13 (SC 132,238), der die allgemeine Regel, daß bei einer göttlichen Epiphanie die Dämonen weichen müssen, beibringt (Z. 6 f.); frg 24,5 f. und 29,1 f. in Mt (GCS 41,26 f.); Athan inc 37:34–37 Th.; Basil Chr generat 5 (PG 31, 1469B); GregNaz or 2,24:11 f. (SC 247,122) ἵν᾽ εἰδωλολατρεία καταλυθῇ; carm 1,1,5:53–65 (PG 37,428 f.) „Alsdann zerronnen zumal den Astrologen die sinnigen Künste, nun verehrten sie mit den Himmlischen den Herrn" (die μήδεα τέχνης klingen an Syn v. 20 an); TheophAlex frg ep pasch 7 (PG 65,60D); Ambros in Luc 2,46–48 (CCL 14,52); etc.

[167] Vgl. auch hy 8,31–33 und 19–25, ferner die Bitten um Bewahrung vor Dämonen, vgl. unten Kap. V A. 128.

[168] S. unten Kap. V A. 115 f.

[169] „Magie" kommt in den Hymnen nur noch 1,575 f. vor: „die Materie fesselte mich mit magischen Künsten" ὕλα με μάγοις / ἐπέδησε τέχναις // hy 6,20 μάγος ἁ πολύφρων τέχνα. Vgl. ins 8 p 159,17 f. und oben Kap. II A. 176, Porphyrios steht dahinter.

[170] θαμβεῖν ist ambivalent, vgl. G. Bertram, ThWNT 3,3–7; in hy 8,34 ist es positiv (der Sternenchor staunt beim Aufstieg Christi), als „Furcht und Zittern" etwa Hom Il 8,77, vgl. auch oben A. 132 f. – μηχανή in Zusammenhang mit Magie Plot 4,4,40:4; Prokl in remp 2,123,14 ff. – πολύφρων, gern für Odysseus und Hephaistos verwendet; positiv in Or Chald frg 182 ἡ πολύφρων ἀτρέκεια, worin Lewy 50 astrale (!) Zusammenhänge vermutet.

[171] Zur Freude der Magier, die nun Gott anbeten, vgl. (neben A. 166) Basil Chr generat 6 (PG 31,1472C); JChrys hom 7 in Mt 4 f. (PG 57,77C.79B); sie werden nun gar zu Priestern (ib. 77C). – Zur Engelfreude ob Christi Geburt oben A. 138; zu θαμβεῖν im positiven Sinn A. 134.

(4) Der Geburt Christi und seiner Ehrung durch die Magier schließt sich v. 33–39 sein Werk, die *Reinigung der Welt,* der Elemente Erde, Wasser und Luft, an, die sich in der Hadesfahrt vollendet – ähnlich wie im achten Hymnus die Inkarnation auf die Höllenfahrt zielte. Alle von Dämonen erfüllten kosmischen Bereiche, insbesondere die Luft, werden von Christus gesäubert[172]. Wahrscheinlich wirkt hier noch ein weiteres Epiphaniasmotiv nach, das von der Reinigung der Wasser, natürlich des Taufwassers, in der Taufe Christi am Jordan weiß[173]. Daneben konnte sein Heilswerk überhaupt in der Reinigung des Kosmos gesehen werden[174]. Die Unterweltsfahrt endlich entmachtet wie auch im achten Hymnus die Todesherrscher und führt die Seelen wieder ans Licht.

Neben dieser christlichen Überlieferung hat Synesios aber auch *Heraklesmotive* miteinverwoben[175]. Unterweltsfahrt[176] – samt Teilhabe am siegenden Herakles, insbesondere seiner Apotheose[177] –, Weltreinigung[178] und Heilandsfunktion[179] kommen auch diesem zu. Insbesondere dort könnte Herakles für Synesios nicht nur eine Analogie, sondern ein Deutungsmuster des Wirkens Christi bieten, wo er als ein göttliches, kosmische Weltdurchwaltung vollziehendes Wesen betrachtet wird. Tatsächlich wird aber Herakles trotz einiger in diese Richtung weisender Ansätze[180] nie zu einer die höchste Gottheit verwirk-

---

[172] Vgl. Athan inc 25:17–39 Th. und unten Kap. V A. 11 f.

[173] Ign Eph 18,2; Clem eclog 7,1 (GCS 17,138,28 f.); Tert bapt 4,4 (CCL 1,280); advJud 8,14 (CCL 2,1362); Orig frg 56 in Mt (GCS 41,37); Method symp 8,9,3 (SC 95,222); Kyrill cat 3,11 p 78 Reischel – Rupp (München 1848) (= PG 33,441AB); GregNaz or 29,20:1 f. (SC 250,220) mit Barbel 165 A. 48; 38,16 (PG 36,329B); 39,15 (352B); JChrys bapt 2 (PG 49,365 f.); pasch 5 (PG 52,771); PsChrys nativ (PG 56,39) antitypisch vom Nil. Zum Motiv vgl. ferner K. Holl, Der Ursprung des Epiphanienfestes, Ges. Aufsätze zur Kirchengeschichte, 2, Tübingen 1928, (123–154) 125; Lietzmann, GAK 3, 328. – Eine magisch-jüdische Idee mochte hier hineinspielen, Test Ad 2,10 p 141 James: Das Wasser wird gereinigt von Dämonen durch das herabsteigende Pneuma Gottes.

[174] Vgl. GregNaz or 30,20:45 f. (SC 250,270) Christus als τῆς οἰκουμένης καθάρσιον; 40,29 (PG 36,400C) Christus als αὐτοκάθαρσις; carm 1,1,2:76 (PG 37,407, nach Terzaghi 250); 1,1,9:77 f. (462 f.); GregNyss Mos 2,273, op 7/1,127,3–6; ferner Test Sal 15,10 f.; 17,4; PGL 682 ff. 330b und oben Kap. II A. 65–68.

[175] Darauf verwiesen schon Wilamowitz 288 und Terzaghi 250, fälschlicherweise auch 227 f.

[176] Vgl. Kroll, Gott und Hölle 398–447 und bes. M. Simon, Hercule et le christianisme, Straßburg – Paris 1955, 112–115.

[177] Vgl. auch Cumont, Lux perpetua 233; Kroll, Gott und Hölle 431. 442; Simon, Hercule 155–159.

[178] Vgl. Kroll, Gott und Hölle 400 ff.; Simon 106–111; Syn ep 150 p 268,11 f. „auf des Herakles' Weise die Heimat von Übeltätern reinigen". Vgl. neben den Stellen bei Terzaghi 250 Eurip Herakl 225 f. 20. 1252; Epikt 3,26,32; 2,16,44 f.; Dion Chrys or 1,84; 5,21–23; Cic fin 3,20,66 (= SVF 3,342); Themist or 20 p 14,1 D.-N.

[179] Zu Syn v. 38 φθιμένοισι βοηθός vgl. von *Herakles* Dion Chrys or 1,84 βοηθός; 8,30 τοῖς ἀγαθοῖς βοηθῶν, und ironisch Arist apol 10,9 πῶς ἄλλοις βοηθήσει ἑαυτῷ βοηθῆσαι μὴ δυνηθείς;. – Überhaupt wurde Herakles als äffische Nachahmung Christi geschmäht, z. B. Just dial 69,3; Athenag leg 29,1. – βοηθός von Christus: Vgl. 1 Clem 36,1; PGL s. v.

[180] So Cornutus nat deor 31 p 62,23 f. Lang (BT, 1881) als All-Logos (vgl. Simon 95.108.141 ff.); Macrob Sat 1,20,11 p 114,2 W. (= Porphyrios, s. Courcelle, Lettres 20) und bes. Orph hy 12.

lichenden, kosmogon-kosmologischen Allgottheit, die Synesios zu seiner Christusdeutung hätte inspirieren können. Der als Gegenchristus[181] gezeichnete Herakles des Julian, der als ein göttliches Wesen mit reiner Seele und mit zwar fleischlichem, aber gleichwohl „göttlichem" Leib von höchsten Göttern als Heiland und Reiniger in die Welt gesandt wird und nachher wieder zum Vater aufsteigt, zu dem sich gar beten läßt, ist nur eine ad hoc entworfene Göttergestalt[182]; dem kosmoserzeugenden und weltdurchwaltenden Christus des Synesios vergleichbar sind dagegen vielmehr der Attis oder Helios Julians[183]. Immerhin ist festzuhalten, daß Synesios den Seelenaufstieg gelegentlich als „herakleische" Mühen[184] bezeichnet und so wiederum Seelenweg und Christusweg parallelisiert.

B. Der Abstieg der Götter und der Seelen

Synesios preist das Sein des Gottessohns in der Welt, seinen Abstieg und Aufstieg, sowohl neuplatonischerweise als Weltdurchwaltung wie christologisch als Inkarnation. Im Folgenden sind die Gedankenbewegungen nachzuzeichnen, die es ihm erlauben, die zwei entgegengesetzten Sichtweisen dennoch zusammenzuschauen.

1. Weltdurchwaltung und Götterabstieg

(1) Der den Kosmos bis in seine letzten Tiefen durchdringende Gottessohn des Synesios verbildlicht die klassisch spätantike Auffassung von der das All erhaltenden und dieses gleichwohl überragenden Gottheit[185]. Die göttliche Weltdurchwaltung der Stoa[186] ist hier in der Schau des transzendenten Gottes, der in seinen Kräften oder seinen ihn deriviert vermittelnden Hypostasen das

---

181 So Simon 149, überhaupt 143–150 („héracléologie"). Julians Herakles wird wunderbar geboren, wirkt Wunder, geht auf dem Wasser, usw.

182 Reine Seele Julian or 7,14:219df.; matr deor 6:166df; Fleischleib or 7,14:219b; matr 6:167a4 σαρκία φορῶν; göttlicher Leib or 7,14:219cd; matr 6:166d6; Heiland or 7,14:220a τῷ κόσμῳ σωτήρ; Reiniger or 6,1:253cd; Entsandter or 7,14:220a; Wiederaufstieg matr 6:167a; Gebet or 7,14:220a: Herakles möge ἵλεως sein. Nach 219b ist Herakles uns „ähnlich" ob seines Erdenlebens.

183 Im allgemeinen ist im Neuplatonismus Herakles nur einer des (niederen!) Heroengeschlechts, der herabsteigt, um der Welt Gutes zu erweisen, Prokl in Crat 117 p 68,19.27 P. – Zu Attis und Helios s. unten S. 158.

184 Syn ins 8 p 160,16f., abhängig (mit Lang, Traumbuch 79) von Porph Marc 7 p 14,1, vgl. Pötscher z. St.; ferner Epikt 1,6,30–36; Basil iuv 5,75f. B.; s. auch J. Buffière, Les mythes d'Homère et la pensée grecque, Paris 1956 = 1973, 376f.

185 Vgl. Strohm, Hymnendichtung 51.

186 Z.B. SVF 1,87.159; 2,416 τὸ διῆκον διὰ πάντων πνεῦμα, ὑφ' οὗ τὰ πάντα συνέχεσθαι καὶ διοικεῖσθαι; M. Aurel 5,21,1; 5,32; 8,54,2; „Pythagoras" bei Clem protr 6,72:4; in biblische Gerechtigkeitsbegrifflichkeit umformuliert in SapSal 9,3.

Universum im Sein erhält, lebendig, aber kritisch in ein hierarchisches System umgeformt. Spätestens seit der Platon, Aristoteles und Stoa zusammenwebenden Schrift „Über die Welt" begegnet dies Konzept eines überweltlichen Gottes und seiner ihn dem Kosmos vermittelnden *Dynamis*[187], das sowohl im hellenistischen Judentum und frühen Christentum[188] wie auch im spätern Platonismus[189], nun gar als auf allen Seinsebenen wirksames Strukturprinzip, das Verhältnis von Transzendenz und Immanenz des Göttlichen in der Welt bestimmt. Die derart bereits in der obersten Trias wirksame Abstiegsbewegung, die sich freilich nur als größte Anwesenheit in immer noch größerer Abwesenheit charakterisieren läßt, kommt erst im Durchdringen auch des Untersten, Mindersten zu ihrem Ende. Diese *neuplatonische „Eschatologie"* prägt sich in charakteristischen Formeln aus[190], die bei Synesios sowohl in den kosmologischen Abstiegsschilderungen wie bei der Hadesfahrt Christi begegnen[191]. Überall strömen die göttlichen Energien bis in die untersten Tiefen, ἕως εἰς ἔσχατον, um in solcher Parusia Gottes der Welt Sein und Leben zu gewähren[192]. In dieser Bewegung, die endlich wieder vom Abstieg zum Aufstieg umschlägt und sich damit als Trias von Verharren, Hervorgang und Rückwendung konstituiert[193], ist der Kosmos „der Gottheit voll"[194].

(2) Trotz dieser Weltzugewandtheit verharrt in neuplatonischer Sicht das Göttliche in grundsätzlicher Weltenthobenheit; es kommt nicht zu einer eigent-

---

[187] PsArist de mundo 6:397b19f.; 398b6–8; 400b11f.; schon angedeutet bei Plat soph 247de. Die Rückführung auf den mantischen Dynamisbegriff bei Strohm, Aristoteles 268 ist unbefriedigend. Überhaupt geht ders., Hymnendichtung 50 A.2, zu weit, Stoisches gänzlich ausschließen zu wollen.

[188] Aristobul bei Euseb praep 8,10,15 (= p 220 Denis = frg 2 Walter); Philon sacr 60; vgl. bes. M. Pohlenz, Philon von Alexandreia, NAWG 1942, (409–487) (= Kleine Schriften, Hildesheim 1965, 305–383) 442–4. 483–5. Sodann Just dial 61,1; 128,3f.; Tatian 5,1; Orig princ 2,1,3 p 108,27–31 G.-K.; Cels 4,5:4.30 (SC 136,196. 200); 6,71:12 (SC 147, 358); vgl. auch PGL δύναμις VI b 11.12; E. Fascher, RAC 4, 446f.; zu Origenes Nemeshegyi, Paternité 38f.

[189] Vgl. oben Kap. III A. 106.202.255 und unten A. 207; ferner Jambl myst 7,3 p 253,5–8 κατιοῦσαι δυνάμεις; Syn Dion 5 p 247,13 von der Seele: διαδόσιμον ἔχει μέχρι τῶν ἔξω τὴν δύναμιν.

[190] Schon PGM 4,1120 (Bd. 1 p 110, nach Terzaghi 181) vom „Geist, der vom Himmel bis auf die Erde dringt, und von der Erde ... bis zu den Grenzen des Abgrunds" ἄχρι τῶν περάτων τῆς ἀβύσσου; Plot 4,8,6:12–18 ἕως εἰς ἔσχατον; 5,2,2:1; in 3,2,2:41f. und 3,7,13:47f. auf die Parusia der Seele beim Seienden zurückgeführt; Porph bei Macrob somn Scip 1,14,15 p 58,9f. W. usque ad ultimam rerum faecem; Jambl in Alc frg 8 p 32 Dillon; Julian matr deor 7:167b2 Attis steigt hinab ἄχρι τῶν ἐσχάτων τῆς ὕλης; Prokl inst 129 p 114,20f.; 145 p 128,13; theol Plat 1,15 p 70,15; etc.; vgl. auch Theiler, Orakel 27.

[191] Vgl. oben A. 57.118; ferner ins 6 p 155,7ff. vom Pneuma, welches das Göttliche mit dem Letzten verbindet.

[192] Augustin redet neuplatonisierend von Gott als Lebenslicht und Weisheit, „wodurch die Welt verwaltet wird bis zu den von Bäumen abfallenden Blättern", conf 7,6,8 p 132,5f. Sk.; vgl. trin 3,8,15:113f. (CCL 50,143) ... pervenit usque ad extrema atque terrena.

[193] Prokl in Parm 1091,2f. τὸ τριαδικὸν ἄνωθεν πρόεισι μέχρι τῶν ἐσχάτων.

[194] Prokl in Tim 3,4,23–31; vgl. inst 145 p 128,18f.; theol Plat 1,15 p 71,13; 73,9; überall klingt das Thaleswort (FVS 11 A 22) mit.

lichen Herabkunft Gottes[195], wie sie Synesios im Christusgeschehen sich ereignen sieht. Obwohl die Götter alles erfüllen und so die Erde ihrer nicht bar ist[196], impliziert dies keineswegs ihren Herabstieg[197]. So erhebt sich die Frage, wie Synesios dennoch sein christliches Anliegen im Rahmen der platonischen Theologie zu denken versuchte[198]. Wohl sprachen auch Neuplatoniker von den großen Männern der Vorzeit, in denen Götter selbst agierten, so etwa Apollon in Pythagoras, aber sie meinten im Grunde nur derivierte Wesenheiten der jeweiligen „Götterkette", nur „Gefolgswesen" der betreffenden Gottheit, die als jene göttlichen Männer wirkten[199]. Eine wirkliche Analogie zum Abstieg des Gottessohns bei Synesios bieten hingegen nur die Götterabstiege, die durchaus unter kosmogon-kosmologischem Vorzeichen statthaben, derart, daß der Gottesabstieg und -wiederaufstieg Weltschöpfungs- und Erlösungscharakter hat. Eine solche Konzeption treffen wir allein in den allegorischen Auslegungen des Dionysos- und Attisabstiegs an.

(3) In der neuplatonischen, aber wohl auf die alte Orphik zurückgehenden und in der Platonschule überlieferten Deutung des von den Titanen zerrissenen *Dionysos*[200] wird der transzendenten apollinischen Gottheit, der geistigen Sonne, die sich in die Welt verwandelnde, ihr immanent werdende Dionysoswesenheit gegenübergestellt[201]. Im von den Titanen zerrissenen Dionysos, im „*zerteilten Gott*"[202], läßt sich das metaphysische Schicksal der Seele schauen[203].

---

[195] Vgl. Volkmann 178 f.; Aubin, Conversion 191 f.

[196] So Jambl myst 1,8 f. p 27,8 ff. gegen Porph Aneb 1,2b p 4,1 f. S., der befürchtete, daß man zu den allein im Himmel weilenden Göttern nicht beten könne, 1,3b p 6,1–8.

[197] Vgl. Prokl theol Plat 1,15 p 76,10–18; in Alc 53,17–54,10; in Tim 1,323,8 f. und oben Kap. III A. 269. Die Götter *wollen* nicht absteigen, Julian matr deor 11:171b. – Hingegen wird sich die von Bregman, Synesius 86 (= 1982, 96) genannte Passage Corp herm 10,25 p 126,3 f., wonach keiner der himmlischen Götter je den Himmel verlassen und auf die Erde kommen werde, mit Scott z.St. 283 nur auf die Gestirne beziehen, was auch durch das mitklingende Heraklitwort (FVS 22 B 94; Plut Is 48:370d) bestärkt wird.

[198] Bregman, Synesius 98–107.122 (= 1982, 95 f. 103–110. 120) bemüht wenig glücklich und selbst nur zögernd die „göttlichen Männer" und gar den Anthroposmythos (90 f. 122. 238 f.).

[199] Porphyrios und Jamblichos überliefern zwar Ansichten, daß Apollon selbst in Pythagoras erschienen sei, lassen aber die Uneigentlichkeit der Aussage immer deutlich werden, Porph Pyth 2 p 18,10 f. N.; Jambl Pyth 2,7; 6,31; in 6,30 wird nur gefragt, ob Apollon als Gott ἐν ἀνθρωπίνῃ μορφῇ φανῆναι τοῖς τότε, vgl. 19,91–93; und 2,7 relativiert die Tradition durch die Synopados-Idee.

[200] Vgl. P Boyancé, Xénocrate et les orphiques, REA 50 (1948) 218–231; P. Courcelle, Tradition platonicienne et traditions chrétiennes du corps-prison, REL 43 (1965) (406–443) 408 f. 441; ders., Connais-toi 347 f.; J. Pépin, Plotin et le miroir de Dionysos, RIPh 24 (1970) (304–320) 304–312.

[201] Plut de E ap Delph 9:388e f (vgl. 21:393d); Julian Hel reg 22:144a.

[202] μεριζόμενος θεός, θεὸς διακεκριμένος: Prokl in Tim 2,145,4–146,22 = Orph frg 210 p 228 K. (bes. p 146,3; 197,25); Damask dub et sol 123 p 317,13 R. = Orph frg 60 p 144,7 f.; ferner Prokl in Tim 2,80,22–24 = Orph frg 210 p 229; Olymp in Phaed p 4,1–9 N. = Orph frg 107 p 172 f.; Jamblich und Amelios bei Prokl in Crat 106 p 56,15–19 P.

[203] Vgl. Plat Tim 35ab von der Weltseele und bes. Orig Cels 4,17:6 f. (SC 136,222) εἰς τὸν περὶ ψυχῆς ἀνάγειν λόγον καὶ τροπολογεῖν; vgl. unten A. 208.

Während Dionysos gerade diese Abstiegsbewegung des Göttlichen ins Untere symbolisiert, eignet Apollon der Wiederaufstieg, die im Dionysosherzen bewahrte Einheitskraft[204]. Es ist tatsächlich diese Zerteilung, aufgrund derer die in die Materie absteigende Geistseele die Aufgabe der Weltdurchwaltung vollzieht[205].

(4) In noch größere Nähe zu Synesios' Hymnen führt die Deutung des *Attismythos* durch Julian[206]. Während König Helios nur deriviert in seinen herabsteigenden Kräften, also höchst uneigentlich, in den Kosmos kommt[207], vollzieht sich im Herabstieg des Attis, der in die Nymphengrotte gelangt und nach seiner Kastration wieder himmelwärts geführt wird, das Seelenschicksal[208]: Attis, die Welt durchwaltender Gott und Ausstrahlung des Helios[209], steigt in die Tiefen des Kosmos ab, hält aber nicht göttlicher Ordnung gemäß oberhalb der Galaxie inne[210], sondern versinkt in der Materie, fällt in unendlicher Bewegung und wendet sich erst wieder im Hinblick auf die Göttermutter, die den wahren, leidenschaftslosen Eros versinnbildlicht, ins Obere zurück[211]. Obwohl dieser Abstieg nicht unfreiwillig statthat[212], ist er dennoch ein widernatürlicher, Göttlichem widersprechender Gang[213]; die Weltdurchwaltung der notwendig aus göttlicher Überfülle entsprungenen untern Welten[214] ist zugleich positiver Dienst[215] *und* negativer Fall samt Verlust der Bezogenheit zum Obern[216].

---

[204] Vgl. Olymp in Phaed p 111,14–19 N. = Orph frg 209 p 227 K.; ders., p. 43,14–18 = Orph frg 211 p 232; 88,5–13 = Orph frg 212 p 232; Prokl in Tim 2,198,12 f.; hy 7,11–15 mit Vogt 78 z. St. (das Herz bleibt unzerstückelt).

[205] Mundi implet officia, Porph bei Macrob somn Scip 1,12,12 p 50,3–11 W. = Orph frg 240 p 252 K., s. oben A. 7; vgl. Julian Hel reg 23:144c4–6; 30:149a4 f.; matr deor 19:179b (ἐπιτροπεύων).

[206] Julian matr deor, bes. 11:170c–171d Rochefort; vgl. den eher exoterischen Bericht von Salustios 4,9 f. (mit Nock LIII). Zur Thematik von Peras und Apeiron oben S. 116 und 102 f. Zu Attis auch H. Leisegang, Die Gnosis, Leipzig ²1936, 120–122.

[207] Julian Hel reg 12:138a1–3 (δυνάμεις καθήκουσιν εἰς τὸν κόσμον, vgl. oben A. 189); 13:138b3 f.; 15:140a1–3; 16:140a6 f.

[208] Julian matr deor 9:169c; Salustios 4,9 f.; vgl. A. 203.220.

[209] Julian matr deor 3:161cd ... τοῦ γονίμου καὶ δημιουργικοῦ νοῦ τὴν ἄχρι τῆς ἐσχάτης ὕλης ἅπαντα γεννῶσαν οὐσίαν ...; Heliosausstrahlung 161d; Hel reg 140a; vgl. Mau 93; insofern mit Dionysos gleichzusetzen, Hel reg 22:144a6–8; 23:144c4–6; Mau 64–66. So ist er (wie die Seele!) das „letzte Göttliche", matr deor 8:168a.

[210] Ib. 5:165c; vgl. unten zum Seelenabstieg A. 245.

[211] Ib. 6:166cd; 9:169cd; 11:171c.

[212] οὐκ ἀκουσίως 11:171a7 f., von Mau 106 extrem überbetont („unendliche Liebe der höchsten Gottheit zur Materie").

[213] Ib. 171b2 f.7–9, die Göttermutter zürnt ob des Abstiegs, obwohl er um der Belebung des Untern willen notwendig ist (b4 f.).

[214] Ib. 11:170d.

[215] Ib. 171b4 f.; vorbildlich in der Göttermutter geschaut, 6:166cd, die deshalb als Pronoia bezeichnet wird, 166b4; 180a1; vgl. Mau 101.

[216] Ib. 7:177b ff., bes. 167d1 παραφροσύνη; 168a7 ὅλως ῥέπειν καὶ νεύειν εἰς τὴν ὕλην; 169c3 ἔπτημεν εἰς τὴν γῆν καὶ ἐπέσομεν.

(5) Während in den Gestalten von Dionysos und Attis die Herabkunft des Göttlichen in die Welt das Zerteiltwerden, den Verlust seiner eigenen Wesenheit zeitigt, wie es dem neuplatonischen Derivationsemanationismus exakt entspricht, sind es etwa in Hermes[217] oder Athene[218] wiederum nur die „Ketten", die aus den transzendenten Gottheiten in die Welt strömen. Von direkter Weltdurchwaltung ist hingegen noch bei Persephone-Kore die Rede[219], die als „Walterin alles Gesäten" nun wiederum wie Dionysos und Attis eine Abstiegs- und Aufstiegsbewegung vollzieht und, derart das Seelenschicksal abbildend[220], sich selbst gleichermaßen in der Entraffung durch Hades ans Untere verliert.

(6) Eben diesem Moment der Zerteilung aber, dem Verlust des Göttlichen im Gefolge seines Abstiegs, wie es bei Synesios noch im neunten Hymnus geschildert wird, stellen die Christen den *Abstieg Christi* in die Welt trotz aller Kenose als eine ihn seiner Göttlichkeit nicht beraubende, sondern umgekehrt Gottes Wesen geradezu offenbarende Herabkunft entgegen. Der Abstieg Christi in den Kosmos, seine Menschwerdung, wird grundsätzlich positiv als ein unendlich zu preisendes Ereignis verstanden, gründend in der Freiheit göttlicher Liebe zum Untern[221]. Auch dort, wo des Logos Weltdurchwaltung nicht prinzipiell vom christologischen Geschehen unterschieden wird, prägt sich dieses positive Abstiegsverständnis aus. So kulminiert für *Origenes* die in platonisch-stoischen Termini gezeichnete Weltdurchwaltung des Logos in der Ankunft Christi auch in unserer Welt[222] und unterliegt gerade nicht der derivativen Umwandlung und Zerteilung ins Niederere[223]. Hierin hebt Origenes die Herabkunft Christi sachgemäß vom Dionysosabstieg ab[224], auch wenn bei ihm gerade aufgrund der

---

[217] Hermes ist traditionell der alldurchwaltende Logos, Cornut nat deor 16 p 20,18–20 L.; Porph agalm frg 8 Bidez (= Euseb praep 3,11,42), vgl. Bousset, Kyrios 309–316, von M. Vict in Phil 2,7 p 87,26–31 L. gar mit Christus verglichen. Schön bes. der Hymnus von Hermes Pantokrator, Heitsch Nr. 59,8 (Bd. 1 p 187) = PGM 17b (Bd. 2 p 19) und 5,404 ff. (Bd. 1 p 194): „Dir ging die Morgenröte auf..., Steuerhalter wurdest du des ganzen Alls..., der du den Lauf durch den Äther wendest zu den Tiefen der Erde" (nach Geffcken, Ausgang 318 A. 322).

[218] Prokl in Tim 1,170,23 f.

[219] Porph antr 14 p 16,13 f. = Orph frg 192 p 217 K.; Olymp in Phaed 43,18–21 N. = Orph frg 211 p 232; Prokl in remp 2,62,6–11 = Orph frg 196 p 200; in Crat 171 p 95,11 f. = Orph frg 197 p 221 διακοσμοῦσα τὰ τελευταῖα τοῦ παντός; in Tim 1,457,17 f. = Orph frg 211 p 232; vgl. Orph frg 198 p 221.

[220] Vgl. Salustios 4,11.

[221] Z. B. Basil spir 8,18:9–19 (SC 17,308): Der Abstieg Christi als ein größeres Wunder denn die Schöpfung (die Passage wird später viel zitiert, s. Pruche 308 f. A. 3); GregNaz or 37,3 (PG 36,285B–D): Die „Kenosis" Christi als Minderung gerade „um deinetwillen" höchst preiswert (vgl. oben Kap. III A. 319). Vgl. auch die positive Fassung des Abstiegs als „Synkatabasis" (PGL s. v. 6: 1272b) gegenüber der ambivalenten des Neuplatonismus, z. B. Julian matr deor 11:171b.

[222] Orig Cels 6,71:22–24 (SC 147,358), der die Weltdurchwaltung des Logos (... φϑάνων ... ἕως ... τῶν ἐλαχίστων) von der stoischen (Z. 6–8, = SVF 1,171) abhebt. Vgl. oben Kap. II A. 246.

[223] Orig Cels 4,15:22–27 (SC 136,218–220).

[224] Ib. 4,17:2 ff. p 222, er betont: Christi Abstieg ist μία ἐξαίρετος ἀπὸ πολλῆς φιλανϑρωπίας κατάβασις, für die Untern. Natürlich wirkt die alte apologetische Schmähung des Dionysos als Nachäffung Christi nach.

unscharfen Differenz von Schöpfung und Fleischwerdung die Gottheit sich auch im Inkarnationsgeschehen nur uneigentlich, nur in ihren Kräften und Energien, aber nicht als sich selbst der Welt zugute hält[225]. Indes ist der negative Unterton des Abstiegs ausgeschaltet, der im neuplatonischen descensus immer mitklingt. Bezeichnenderweise läßt gerade die einzige Deutung der Fleischwerdung, die von neuplatonischer Seite, nämlich von *Amelios* her, überliefert ist[226], dies negative Moment auch im Christusereignis wirksam sein, wenn dieses als ein „in die Körperwelt fallen", als eine „Auflösung" interpretiert wird[227], worin das Tragen des Fleisches erst noch geradezu doketisch als nur „vorgestellt" behauptet wird[228]. Amelios interpretiert den johanneischen Logos als Weltseele, die sich in die Körperwelt zerteilt und sich wieder ins Obere zurückführt[229]. Einer solchen Zerteilung Christi in der Schöpfung wehrt christliche Theologie mit Entschiedenheit[230], und Synesios hat tatsächlich die Weltdurchwaltung des Gottessohns außer im frühen neunten Hymnus nicht mehr unter den Kategorien von Fall und Zerteilung geschildert und dementsprechend nicht in der Weise der neuplatonischen Dionysos-/Attisallegorese auf das Seelenschicksal hin gedeutet.

2. Der Abstieg der Seelen

(1) Die Deutung des Götterabstiegs auf den Seelenabstieg schärft erneut ein, daß neuplatonischem Denken zufolge das Göttliche sich im hierarchischen Seinsgefüge nurmehr deriviert im Untern zu offenbaren vermag: die Seele, ihrer ontischen Mittelposition entsprechend[231], ist das „letzte Göttliche", dessen unterste Epiphanie[232]. Kommt es hier zu einer den Abstieg positiv fassenden Denkmöglichkeit? Synesios läßt jedenfalls eine *Differenzierung zwischen Seelenabstieg und Seelenfall* deutlich werden, wenn er die Seele sagen läßt:

---

[225] Orig Cels 6,17:40–44 (SC 147,222), vgl. zum Problem oben Kap. III A. 303.

[226] Amelios bei Euseb praep 11,19,1 (GCS 43/2,45,3–10), vgl. Theodoret aff 2,88 (SC 57,162), dazu H. Dörrie, Une exégèse néoplatonicienne du prologue de l'évangile selon s. Jean, Platonica minora 491–507; vgl. ders., Andere Theologie 39 f.

[227] ... εἰς τὰ σώματα *πίπτειν* ... καὶ ἀναλυθέντα (allerdings wohl vom Tod Christi) πάλιν ἀποθεοῦσθαι καὶ θεὸν εἶναι, οἷος ἦν πρὸ τοῦ εἰς τὸ σῶμα καὶ τὴν σάρκα καὶ τὸν ἄνθρωπον καταχθῆναι (Fallterminus!); vgl. auch Courcelle, Lettres 165; Canivet, SC 57,162 A.2.

[228] ... καὶ σάρκα ἐνδυσάμενον φαντάζεσθαι ἄνθρωπον, vgl. Dörrie aaO. 498.

[229] Dörrie aaO. 500 betont die Replatonisierung, vgl. 505: „Le Logos, certes, se diffuse dans le monde; mais il ne descend pas dans le monde pour sauver les malfaiteurs." Zur Identifizierung mit der Weltseele ib. 495.

[230] Vgl. oben A.224, ferner 1 Kor 1,13 „Ist Christus etwa zerteilt?!" – Lediglich im triduum mortis konnte man in platonisierender Sprache von einer Zerteilung Christi reden, worin sein Pneuma in den Himmel, seine Seele ins Paradies, sein Leib in die Erde geht, PsHippol pasch 56 (SC 27,185) μεμέρισται ὁ ἀμερής; GregNyss Apoll, op 3/1,168,8 f.; auch Orig dial 7,14–17 (SC 67,70); vgl. Grillmeier, Gottessohn im Totenreich 113 f.129.

[231] Vgl. unten Kap. V A. 101 f.

[232] Vgl. z.B. Plot 5,1,7:49; Julian matr deor 8:168a; Syn Dion 5 p 247,14.

„Ich stieg herab, weg von dir,
der Erde als Tagelöhnerin zu dienen;
aber statt Tagelöhnerin
ward ich zur Sklavin:
Die Materie fesselte mich
mit magischen Künsten." (hy 1,571–576)[233]

Auch im Traumbuch gleitet die Seele von ihrem Tagelöhnerdienst, den
Kosmos im Sinne einer Pflichterfüllung zu durchwalten[234], ab in eine zau-
bergewirkte Sklaverei unter der Materie; der Seelenabstieg schlägt in einen
Fall um[235].

(2) Platonische Philosophie läßt die Seele grundsätzlich sowohl nach oben
hin kontemplieren wie nach unten hin die Welt beleben[236]. In dieser letzten
Funktion aber gerät der Seelenabstieg in ein Zwielicht. Besonders *Plotin* sieht
sich mit der exegetischen Schwierigkeit konfrontiert, daß Platon im Timaios
zwar die Weltdurchwaltung der Seele zu loben weiß, in Phaidon und Phai-
dros aber ihre Verkörperung als Einkerkerung beklagt[237]. Die Verwaltung des
Untern ist demnach nicht grundsätzlich negativ zu bewerten, Weltseele und
Sternseelen erweisen eine Pronoia, worin es nicht zu einem eigentlichen Abstieg
kommt[238]. Erst mit den Einzelseelen[239] gerät die Sendung nach unten[240] zum
Verlust der Bezogenheit zum Obern, zum unseligen Fall in Vereinzelung[241],
obwohl auch in diesem Abstieg immerhin noch an Positivem das Kennenlernen

---

[233] κατέβαν ἀπὸ σοῦ / χθονὶ θητεῦσαι, / ἀντὶ δὲ θήσσας / γενόμαν δούλα. / ὕλα με μάγοις /
ἐπέδησε τέχναις; vgl. zur Herkunft von Porphyrios Theiler, Orakel 32; Hadot, Porphyre 1,
186.343 und unten A. 244 ff.

[234] Syn ins 8 p 159,12–160,4; das θητεύειν entstammt Or Chald frg 99. Zu „Leiturgia" p 159,16
vgl. unten Kap. V A. 267 und bes. Porph abst 4,18 p 258,15 N.; Julian or 7:234c1 f. (vgl. b8) „Wisse,
daß dir der Fleischesleib gegeben wurde um dieser Leiturgia willen." Zur guten, Gott nachahmenden Weltdurchwaltung vgl. auch Dion 5 p 247,10–4.

[235] Vgl. hy 1,65 ff.; 9,93–99; oben A. 14 und Kap. II A. 176.

[236] S. bes. Plat Phaidr 246c1; Prokl in Tim 3,271,17–22; Festugière, Révélation 3,63–96; Dodds,
Pagan and christian in an age of anxiety, Cambridge 1965, 21–26.

[237] Plot 4,8,1:27–50; vgl. Bréhier, Plotin 64–69.207; Festugière, Révélation 3, 73; Rist, Plotinus
112–129; Wallis 77–79, richtig gegen Dodds' Behauptung einer immer positiveren Beurteilung des
Seelenabstiegs bei Plotin. Vgl. sodann die ausgewogenen Überlegungen von D. O'Brien, Le
volontaire et la nécessité: Reflexions sur la descente de l'âme dans la philosophie de Plotin, RPFE
167 (1977) 401–422; ferner P. M. Schuhl, Descente métaphysique et ascension de l'âme dans la
philosophie de Plotin, Studi internaz. filos. 5 (1973) 71–84; ders., La descente de l'âme selon Plotin,
Diotima 4 (1976) 65–68; N. C. Banacou-Caragouni, ibid. 58–64.

[238] Plot 4,8,2:24–26 ὅτι μὴ πᾶσα πρόνοια τοῦ χείρονος ἀφαίρει τὸ ἐν τῷ ἀρίστῳ τὸ προνοοῦν
μένειν; zu Weltseele und Sternenseelen s. 4,8,2:35–42; 7:26–31, vgl. unten A. 254.

[239] Plot 4,8,3:21–30.

[240] Plot 6,7,1:1 nach Plat Phaid 113a, vgl. Themist or 20 p 4,7 f. D.-N. Zur Weltdurchwaltung
der Seele ferner J. O'Meara, Structures hiérarchiques dans la pensée de Plotin, PhAnt 27, Leiden
1975, 50.100–102.

[241] Plot 4,8,4:10 ff.

des Bösen zu erwägen wäre[242]. Ähnlich reden die Orakel vom „Dienen unge-
beugten Nackens", ohne der Materie zu verfallen[243]. Bei *Porphyrios* wird diese
Doppelgleisigkeit des Seelenabstiegs kosmologisch präzisiert[244]: Der Seelenabstieg bis zur Fixsternsphäre (Galaxia)[245] ist notwendig zur Welterhaltung[246] und
deshalb gut, mit dem Eintauchen in die Planetensphären aber kommt es zum
Fall und zur Bekleidung mit zunehmend dichteren Leibern. Immerhin kann die
Seele so die Übel der untern Welten kennenlernen[247].

(3) In Abwehr allzu dualistischer, jedweden Seelenabstieg als schlecht abqua-
lifizierender Konzeptionen wie der des Numenios[248] führte die innerplatoni-
sche Diskussion zu Auflistungen *„über die Verschiedenartigkeit des Seelenabstiegs"*, wie sie uns bei *Kelsos*[249] und insbesondere in der Abhandlung des
Jamblichos über die Seele greifbar sind[250]. Die positiv zu wertenden Abstiege,
die dementsprechend in Freiwilligkeit vollzogen werden[251], zielen entweder auf
die Weltdurchwaltung und die Vervollkommnung des Weltalls[252] oder auf die
Offenbarung der obern Herrlichkeit[253]. Solches ereignet sich wohl an reinen
Seelen, insbesondere an den göttliche Leiber belebenden Gestirnseelen[254]. Als
weder gut noch übel wird sodann der Abstieg der Seele zu Reinigung und
Übung bewertet[255], worin aber schon das Moment eines Falls mitschwingt und

---

[242] Plot 4,8,5:27–33; 7:11–17; vgl. unten A. 247 und 258.

[243] Or Chald frg 99 und 110; vgl. Lewy 189 A. 45.

[244] Vgl. oben A. 233 und Macrob somn Scip 1,11,11 p 47,16–21 W.; dazu Lang, Traumbuch
67f.; Beutler, Porphyrios 310; Elferink, Descente passim; Smith, Porphyry 35–39, bes. 36: „He
makes the first descent purely necessary and introduces will as factor only in subsequent descents."

[245] Vgl. Macrob somn Scip 1,9,10 p 41,25–42,2 W.; Julian matr deor 5:165c; nach Macrobius
schon auf Numenios (frg 34 des Pl.) zurückgehend. Vgl. oben A. 210.

[246] Porph abst 4,18 p 258,15 N.; bei Jambl de anima = Stob 1,49,67 p 457,19–22 W.

[247] Porph regr frg 11,1 p 39,4–7; 11,4 p 41,22–25 B.; vgl. A. 242 und 258.

[248] Numenios frg 48,10–14 des Pl. (= Jambl an, Stob 1,49,40 p 380,14–19 W.).

[249] Bei Orig Cels 8,53:2–10 (SC 150,290). Auf Albinos, Plutarch und Philon verweist J. M.
Dillon, The descent of the soul in middle platonism and gnostic theory, SHR 41/1 (1980) 357–364.

[250] Jambl de anima, bei Stob 1,49,39–42 p 377,11–383,14 W., dazu Festugière, Révélation 3, 216–
230. Vgl. bes. den Untertitel p 377,11 f. bzw. 379,11: περὶ διαφορᾶς καθόδου τῶν ψυχῶν.

[251] ἑκούσιοι τρόποι . . . τῆς καθόδου, Jambl p 379,7, im Gegensatz zu den ἀκούσιοι τρόποι p
379,10 (vgl. oben A. 129).

[252] Kelsos; Jambl p 378,28f.; 379,9; 380,8f. (= ἄχραντος κάθοδος); 366,2f.; 457,22; 458,20f.;
vgl. Festugière, Révélation 3, 73–76.

[253] Jambl p 379,1–6 (εἰς θείας ζωῆς ἐπίδειξιν), wofür Festugière, Révélation 3, 77 keine
Parallelen finden konnte. Vgl. aber Hadot, Porphyre 1, 333–335 zu MVict Ar 1,61:2f. Sollte sich
der Ausdruck indes auf die *Offenbarung* des Obern im Untern beziehen, dann vgl. Porph regr frg 6
p 33 B. von den Theurgenengeln, qui in terris ea, quae patris sunt, et altitudinem eius profundita-
temque declarent; MVict Ar 1,56:11f. von der Seele: praemissa est in mundum in testimonium
testimonii (sc Iesu Christi); Amelios bei Euseb praep 11,19,1 (GCS 43/2,45,17f.): Der Logos als
Weltseele kommt in die Welt und zeigt τῆς φύσεως τὸ μεγαλεῖον, wohl vom johanneischen
Doxabegriff her beeinflußt; Prokl mal 21,11f. p 200 B.: Der Seelenabstieg „um Erleuchtung zu
bringen für den göttlichen Geist".

[254] Jambl p 379,18–24; vgl. oben A. 238.

[255] Kelsos; Jambl p 380,10.

in die unfreiwilligen Abstiege hinüberweist. Diese stehen endgültig unter dem negativen Vorzeichen von Gericht und Strafe[256].

Ähnlich bemüht sich auch *Proklos* um eine differenzierte Betrachtung. Der Seelenabstieg zielt primär auf die Weltdurchwaltung, die Besorgung des Untern[257], dann aber auch auf das Kennenlernen des Bösen der untern Welt[258] und auf die Reinigung[259], insofern ist er nicht von Übel[260]. Indes kommt gerade hier die grundsätzliche Problematik des Seelenabstiegs zutage: Der an sich nur als Möglichkeit zu betrachtende Absturz bei dieser fürsorglichen Katabasis[261] erweist sich auf der Ebene der Einzelseelen als durchgehende, empirische Gesetzmäßigkeit[262]. Während es bei den höhern Seelen gar nicht zu einem wirklichen Absteigen kommt, lassen notwendige Schwächung und unumgängliches Vergessen den Abstieg der Einzelseelen zum Fall geraten, „denn welche Seele, die sich des Obern erinnert, möchte sich da noch um die Welt der Körper und des Werdens kümmern, wenn sie das Körperleben mit seinen endlosen Mühen gekostet hat"[263]! Nur im „heilsamen" Vergessen, d. h. im Verlust der Beziehung zum Obern läßt sich die Aufgabe lösen; was gesamtkosmisch als notwendig und deshalb als gut zu beurteilen ist, erweist sich für die einzelne Seele nichtsdestoweniger als Übel[264].

(4) Dieser ambivalenten Sicht des Seelenabstiegs gegenüber wertet christliche Theologie das leibhafte Sein in der Welt trotz aller Schuldüberschattetheit positiv und verwirft eine das Erdenleben so sehr problematisierende Seelenpräexistenz[265]. *Gregor von Nazianz* verschweigt in seiner platonischem Muster folgenden Liste der Gründe für das Verbundensein von Seele und Körper folgerichtig das Fall- und Strafmotiv und redet nur von der Unteres zum Obern hin ausrichtenden Weltdurchwaltung und von der sich das Obere erwerbenden Übung[266]. Während neuplatonischem Denken die Ambivalenz des Seelenab-

---

[256] Kelsos; Jambl p 379,12 ἐπὶ δίκῃ καὶ κρίσει; vgl. Festugière, Révélation 3, 77–96.

[257] Prokl mal 21,9f. p 200 B.; inst 209 p 182,19–23; in Tim 3,324,4–325,13; in Alc 32,9–34,10; vgl. Dodds, Proclus 305.

[258] Prokl dub 38,6–12 p 60 B., vgl. oben A. 242.247.

[259] Prokl mal 21,11.

[260] Prokl mal 21–26 p 200–205 B.; vgl. M. Erler, Proklos Diadochos. Über die Existenz des Bösen, BKP 102, Meisenheim 1978, 75–93.

[261] Prokl in Alc 33,18–34,10; in Tim 3,324,27–325,13, wonach der Tod des obern Lebens zum Leben des untern Sterblichen wird.

[262] Dies ist gegenüber Wallis 158 („On the whole the positive view of the soul's descent predominates in Proclus") hervorzuheben.

[263] Prokl in remp 2,349,27–350,1 τίς γὰρ τῶν ἐκεῖ μεμνημένη ψυχὴ σώματος ἐπιμελεῖσθαι καὶ γενέσεως ἠθέλησεν πειρωμένη τῆς ἐν σώματι ζωῆς, πόνων ἀνηνύτων (vgl. Porph antr 35 p 34,1.4) οὔσης μεστῆς; So ist das Vergessen (Plat rep 10:621a) notwendig, vgl. mal 21,15ff. p 200 B.

[264] Prokl mal 23,22–25 p 202 B.; zur notwendigen Schwächung vgl. 25,15 p 204, wonach das Böse gerade in debilitas et defectus potentiae wirksam ist.

[265] Zur Präexistenzthematik s. oben A. 19 und 22.

[266] GregNaz or 2,17:3–16 (SC 247,112), worin Gregor nur zwei Gründe nennt, aber Gott weit

stiegs letztlich in der Ambivalenz des obersten Hervorgangs aus dem Einen
gründet, bestimmt im christlichen Horizont die zu preisende Herabkunft Gottes in der Menschwerdung Christi auch die positive Wertung des leibhaften
Seins in dieser und in jener Welt. Synesios teilt zwar die neuplatonische Sicht des
Seelenabstiegs, schaut nun aber doch in Christi Kommen einen eindeutig positiven Abstieg, den er mit Hilfe der positiven Kategorie der Weltdurchwaltung,
wie sie im platonischen Seelenabstiegslehrstück gegeben war, interpretiert. Das
Besondere dieses Abstiegs kommt in der nicht von Minderung und Notwendigkeit überschatteten Epiphanie des Göttlichen auf Erden zum Ausdruck.

3. Der Götterabstieg in den „Ägyptischen Erzählungen"

(1) Außer in seinen Hymnen kommt Synesios noch in seinen „Ägyptischen
Erzählungen", einer im Gewand altägyptischer Mythologie die Ereignisse am
konstantinopolitanischen Kaiserhof um 400 schildernden Schrift, auf den Abstieg nun nicht des Gottessohns selbst, wohl aber der Götter zu sprechen. Die
vom alten Hohepriester an den jungen König Osiris gehaltene Rede (1,9–11)
zielt darauf, diesen zur Selbständigkeit, zur aktiven Durchsetzung des Guten
gegenüber den bösen Mächten anzuhalten[267], anstatt die Götter vorschnell
anzurufen[268]. Diese gut platonisch-plotinische Ermahnung zur eigenen Entfaltung der Tugend, hier der politischen[269], wird nun aber mit einer Besinnung
über die *Schwierigkeit des göttlichen Abstiegs* untermauert. Nachdem an das
grundlegende Gesetz der Themis erinnert wird, wonach das Obere nur so
absteigen dürfe, daß es das Untere belebe und ordne, ohne sich aber in ihm zu
verlieren[270], faßt der Redner die Götter in den Blick, die vorzüglich in seliger
Kontemplation nach oben hin verharren, daneben aber mit der Aufgabe der
Durchwaltung des Untern betreut sind[271]. Gerade weil die untern Welten nur
geschwächt den obern entströmen und so viele dämonische Mächte gebären[272],

---

mehr zugesteht. – Allerdings werden Übung und Kampf höchst problematisch begründet: Ohne
diese wäre der Aufstieg „nur Gottes Geschenk" (θεοῦ δῶρον μόνον), womit J. Bernardi 113 A. 4
z. St. carm 1,2,9:90f. (PG 37,674) vergleicht. S. auch or 14,7 (PG 35,865C).

[267] Syn Aeg 1,10f. p 82,6–86,22; 1,11 p 87,13–88,9; vgl. bes. 83,1 πειρᾶσθαι δὲ σαυτὸν
ἀνάγειν, an Plotins letztes Wort erinnernd, vgl. oben Kap. III A. 37.

[268] 1,11 p 86,16f. „Belästige nun nicht länger die Götter!" (μηκέτ᾽ οὖν ἐνόχλει τοῖς θεοῖς);
88,8f. „Bist du indes nachgiebig und weichlich, dann magst du lange der Götter harren!" Vgl. mit
Lacombrade, Synésios 115 A. 19 Plot 3,2,8:36–46; 9:9–15.

[269] Schon hier drängt sich der Vergleich mit Platons Politikos auf: Der Mythos dient auch bei
Platon der Frage nach dem wahren Politiker und hebt wohl auf die Selbstverantwortung des
Menschen hin ab (274d); vgl. die vorsichtigen Bemerkungen bei H. Herter, Gott und die Welt bei
Platon. Eine Studie zum Mythos des Politikos, BoJb 158 (1958) (106–17) 112.114.

[270] 1,1 p 65,4–9; vgl. unten S. 209ff. zu ep 41 p 67,1–13.

[271] 1,9 p 79f.; 81,6–82,5; zum Weltdurchwaltungsterminus ἐπιτροπεύειν (79,18) vgl. Julian
oben A. 205 und Proklin Tim 1,153,6.

[272] 1,9 p 80,1–18.

bedürfen sie einer besondern, von Zeit zu Zeit notwendigen Besorgung durch die Götter, um die chaotischen Gewalten nicht übermächtig werden zu lassen: „Es ist notwendig, daß das Göttliche sich hinabwende und gewisse Anstöße gebe, denen das Untere solange harmonisch folgt, wie die Anregung dauert."[273] Osiris wird nachdrücklich darauf hingewiesen, daß diese Interventionen nur zu bestimmten Zeiten stattfinden können[274], und daß überhaupt solche für den Kosmos notwendige fürsorgliche Götterzuwendung für diese selbst, die fern im Himmel kontemplieren, nicht mühelos ist, gilt es doch, in diesem Abstieg nicht geschwächt zu werden: „Meine nicht, daß dieser Abstieg mühelos sei und immerzu statthaben könne!"[275] Solche Ordnungsfunktion vollzieht sich entweder indirekt als götterbestimmte Entsendung guter reiner Seelen[276], als welche Osiris[277] (= Aurelian[278]) erscheint, oder aber, wo diese Regelung wie bei Osiris scheitert, als direkte, unmittelbare göttliche Intervention. Droht nun aber die gottgewirkte Weltordnung endgültig unterzugehen, so ist es Zeit, daß die Götter wiederum in das Weltgeschehen eingreifen, von neuem den Kosmosbestand gegen die Verderbnis sichern und derart die göttliche Weltdurchwaltung neu befestigen[279].

Der greise Vater aber schaut des Osiris allzu große Milde gegenüber den Bösen voraus und läßt so durchblicken, daß die Götter bereits vor Ablauf der festgesetzten Zeit, wenn die Klagen zum Himmel dröhnen, rettend intervenieren[280] und dies mittels eines Zeichens ankündigen werden: Wenn der uralte Kult freventlich verändert wird[281], dann „werden wir mit Wasser und Feuer die vom Hauch der Gottlosen verpestete Luft um die Erde reinigen" und die Dike „blitzschleudernd und donnernd" wieder errichten[282].

Während Synesios das konkrete Eingreifen der Götter in der wunderbaren Befreiung Konstantinopels von den übermächtig gewordenen Gotensöldnern

---

[273] 1,9 p 80,18ff. ἐπεστράφθαι (nach unten!) ἀνάγκη τὸ θεῖον καὶ ἐνδιδόναι τινὰς ἀρχάς, αἷς ἕπεται τὸ ἐνθάδε καλῶς ἐπὶ χρόνον, ἐφ' ὅσον ἡ ἔνδοσις ἤρκεσεν. Zur musikalischen Begrifflichkeit vgl. Krabinger 204 z. St. und PsAristot de mundo 6:399a19.

[274] 1,10 p 82,10–14 τακτοὶ χρόνοι, vgl. 87,1.

[275] 1,10 p 82,9f. ἐν οὐρανῷ τε οὖσι καὶ πλεῖστον ἀφεστῶσι μήτε ἀπραγμάτευτον ἡγοῦ μήτε ἀιδίαν τὴν κάθοδον γίνεσθαι; vgl. ib. 1,11 p 86,17–19. Zum Fernsein der Götter im Himmel vgl. Porph Aneb 1,2b p 4,1f. S. (oben A. 196).

[276] 1,9 p 81,9–11; 1,10 p 82,14. Vgl. Julian Hel reg 40:154cd, wonach Romulus als von Helios und Selene gesandte göttliche Seele zur Verwirklichung der Pronoia absteigt.

[277] 1,10 p 82,16ff.; 86,15f., wo das platonische μόλις auf 81,9 Bezug nimmt.

[278] Tatsächlich wird Aurelian direkt als „göttliche, hinabgesandte Seele" bezeichnet, ep 35 p 48,1f. (= 179d); vgl. ep 62 p 103,4 vom leider abberufenen Praeses Markellinos.

[279] 1,11 p 87,2ff., zur Wahrung der Weltordnung als φοιτᾶν (87,12; ἐπιφοίτησις 1,18 p 108,14f.) vgl. Prokl inst 129 p 114,20 und in Tim 3,5,32 von der Weltdurchwaltung; zu Leiturgia (87,5) unten Kap. V A. 267 und oben A. 234.

[280] 1,16 p 103,21ff. θεοὶ δὲ ἠλέουν τὸ γένος, vgl. 87,8 τὰ τῇδε σώζεσθαι.

[281] 1,8 p 107,22ff., vgl. oben Kap. I A. 60.

[282] 1,18 p 108,7ff. ὅταν ὕδατι καὶ πυρὶ τὸν περὶ γῆν ἀέρα καθήρωμεν μεμολυσμένον ἐκ τῆς ἀναπνοῆς τῶν ἀθέων ...

wirksam sah[283], wird sich das „Zeichen" auf die von vielen Historikern berichteten Naturerschütterungen[284] samt dem Auftauchen eines großen Kometen[285] beziehen.

(2) Das in diesem Text formulierte *Pronoiaverständnis* läßt sich kaum mehr als neuplatonisch bezeichnen[286]. Die hier allenfalls für die untersten Seelenklassen geltende Qualifizierung der Besorgung des Untern als mühevolle, nur zu bestimmten Zeiten überhaupt vollziehbare Aktivität ist bei Synesios kühn auf die Götter bezogen, zwar wohl nur auf deren untere Klasse, die innerkosmischen[287], aber ohne Interesse an dieser Differenzierung durchaus das Göttliche überhaupt betreffend. Man meint zunächst fast epikureische Töne zu hören[288], wenn die Weltdurchwaltung als eine für die Götter mühevolle Tätigkeit bezeichnet wird[289]. Gegenüber einer solchen Anschauung, die Epikur zu einer Leugnung der providentiellen Wirksamkeit der Götter im Kosmos veranlaßte, führten heidnische wie christliche Theologen[290] das Axiom der mühelosen Pronoia Gottes ins Feld[291], die, obgleich absteigend[292], dem Sein des Göttlichen

---

[283] Diese Errettung wird auch sonst als unerwartetes göttliches Eingreifen gepriesen, Sokr HE 6,6 (PG 67,676A. 677C. 680C).

[284] Erdbeben: Philostorg HE 11,7 (GCS ²21,137,12–14); Claud Eutrop 2,24 ff.; Feuer (Blitze, Brände): Syn p 108,7; Philostorg p 137,16 f.; Claud bell 230 f. 242 und Eutrop 2,33.35.46; Wasser (Gewitter, Überflutungen): Syn p 108,7; Philostorg p 137,15 f.; Schnee und Hagel: Philostorg p 137,18–20. Grützmacher 58 erschloß also richtig allein aus Synesios ein heftiges Gewitter mit Erdbeben. – Es mochte aber auch der Tod des Typhon der griechischen Sage durch den Blitz des Zeus einwirken, vgl. Themist or 2 p 45,15 f. D.

[285] Sokrat HE 6,6 (PG 67,677B); Sozom HE 8,4,10 (GCS 50,355,17 f.); Philostorg p 137,6; Claud bell 243–248; vgl. Seeck, Untergang 5, 321.568. Für Synesios ist der Komet Zeichen großer Unglücksereignisse, calv 10 p 209,16–21. Zudem könnte er den Kometen, insofern dieser „dicke, verschmutzte Luft" verbrennt (Basil Chr generat 6, PG 31,1472B), als reinigend verstanden haben.

[286] Zum neuplatonischen Pronoiabegriff vgl. H. Dörrie, Der Begriff „Pronoia" in Stoa und Platonismus, FZPhTh 24 (1977) 60–87; W. Beierwaltes, Pronoia und Freiheit in der Philosophie des Proklos, ib. 88–111, bes. 90 f.111; M. Baltes, Gott, Welt, Mensch in der Consolatio Philosophiae des Boethius, VC 34 (1980) (313–340) 330 f.

[287] Vgl. die Klassifizierung in 1,9 p 79,6–15 und Krabinger 192–199 z. St.

[288] Dies meint wohl Crawford 78.

[289] 1,10 p 82,9 f. μήτε ἀπραγμάτευτον, vgl. Epikur ep 1 (= Diog Laert 10,77) p 23,3 f. von der Mühll (BT, 1922) = 2 p 69 Arrighetti (Turin 1960) die Götter ohne Pragmata; sent 1 (= Diog Laert 10,39) p 51,3 v.d.M. = 5,1 p 121 A.; frg 363 p 242,6 Usener (Leipzig 1887 = Rom 1963) (= Plut Pyrrh 20) ἀπράγμων βίος.

[290] Gegen Epikurs „Deus nihil curat" z.B. Cic nat deor 1,30 f.,85; 1,19 f.,51 f.; Tert Marc 1,25,3 p 70 Evans (OECT, 1972); Lact ira dei 17,1 f. p 54–56 Kraft – Wlosok (Darmstadt ³1974) (= frg 360 Us.); ib. 4,2 p 8 (= frg 365 Us.); Dion Chrys or 12,37; DionysAl nat frg 8 Feltoe (= Euseb praep 14,27,1–8); vgl. auch Pépin, Théologie cosmique 112.

[291] Die alte Idee (Aisch Hik 100; Soph Oed Col 1585) philosophisch bestärkt durch Plat leg 10:903ef.; Aristot cael 284a29–35; PsAristot de mundo 6:397b22–24 (mit Strohm 336 z.St.); 389b10–22; 400b8–11; Plot 4,8,8:14 von der Weltseele (ἀπόνως); vgl. 2:53; 2,9,2:13 f. ἀπραγμόνως; 4,4,12:40 f.; Salustios 9,3 die Pronoia ἀπόνως, darin haben die Epikureer paradox recht, daß das Göttliche nicht πράγματα ἔχειν, vgl. Nock LXIX z. St.; Prokl theol Plat 1,15 p 74,17–76,9 die Götter haben keinen πραγματειώδης καὶ ἐπίπονος βίος, im Gegensatz zu den Sterblichen, in Alc 32,13–16.

entströmt, ohne dieses selbst zu affizieren. Angesichts dieser antiepikureischen Einheitsfront und Synesios' eigener Verwerfung der epikureischen Theologie[293] wird die Redeweise wohl eher der Seelenabstiegsthematik entspringen[294] und nun infolge der Übertragung auf die Götter mehr zufällig epikureisch klingen, hält ja doch Synesios an der kosmischen Pronoia fest, sei sie noch so mühevoll.

(3) Vielmehr weist das Motiv der zeitweiligen Intervention auf platonisches Gedankengut. In Platons *Politikosmythos*[295] rettet Gott als Steuermann immer wieder die von Verderben bedrohte Weltordnung, auf daß der Kosmos nicht im „Meer der Unähnlichkeit" versinke[296]. Insbesondere entfällt im Rücklauf des kosmischen Spiralwerks die aktive Pronoia Gottes[297], und dieser greift erst aus seiner Zurückgezogenheit ein[298], wie die altgewordene Welt[299] im Chaos zu vergehen droht. Der jeweilige Wechsel der Perioden ist dabei immer von schweren Katastrophen gekennzeichnet, in den zyklischen Weltbränden und Sintfluten wird der Kosmos gereinigt[300] und neuen Lebens teilhaftig – alles Momente, die auch bei Synesios anklingen[301]. Tatsächlich läßt sich aber eine weitere, noch nähere Quelle erweisen, die Synesios zu seinem Götterabstieg inspirierte. In den hermetischen Schriften *Asklepios* und *Kore Kosmu*[302], die ihm sicher bekannt waren[303], spielt sich in der Form einer ägyptischen Apokalypse ein in vielem mit Synesios übereinstimmendes Drama ab. Zunächst wird der Übelzustand der Welt, die trotz allem das wunderbare Kunstwerk Gottes

---

[292] Vgl. unten Kap V A. 237.268; Orig Cels 4,14:18f. (SC 136,216); 5,12:2 (SC 147,42); etc.; vgl. oben zum Götterabstieg.

[293] Syn calv 1 p 191,3f. Im übrigen kennt auch er die mühelose Pronoia, z.B. regn 26 p 57,6f. Gott, Sonne und König durchwalten ohne πόνος ihr Reich; schon Homer sprach ja vom unermüdlichen Helios, Il 18,239.484.

[294] Die Seele „läßt die Theoria" für die Weltbesorgung, Prokl in Tim 3,324,6f., erduldet so die damit gegebenen Mühen (πόνοι), in remp 2,349,29, vgl. oben A. 263.

[295] Plat polit 268d–277c, bes. 283c–e, worauf schon Lacombrade, Synésios 115 A. 18 und Bregman, Synesius 64 (= 1982, 71f.) beiläufig verwiesen; vgl. auch oben A. 269 zum Verhältnis von Mythos und Politiker.

[296] 273d, die Stelle war den Neuplatonikern wichtig, vgl. Harder, Plotins Schriften, 5b, 415; Theiler, Porphyrios 62, und so Synesios sicher wohlbekannt. Zur neuplatonischen Exegese des Politikosmythos s. unten bei A. 320f.

[297] 272e Gott zieht sich zurück, die Götter ἀφίεσαν αὖ τὰ μέρη τοῦ κόσμου τῆς αὐτῶν ἐπιμελείας.

[298] 273d4; e3 κοσμεῖν, wie Syn p 81,13.

[299] 273e3f., vgl. unten A. 301 und 307.

[300] Plat Tim 22cd; Dion Chrys or 36,47–50 von der partiellen Weltvernichtung (vgl. unten Kap. V A. 80); im κυβερνῶν p 14,8 von Arnim klingt der Politikosmythos mit (272e; 273c; etc.).

[301] Feuer und Wasser als Reinigung s. Syn p 108,7f.; Erneuerung p 87,3, vgl. oben Platon und Dion Chrys or 36,55.58f. (freilich eine totale Neuschöpfung).

[302] Ascl 24–26 (Corp herm Bd. 2 p 327–331 N.-F.); Kore Kosmu, Corp herm frg 23,53–69 (Bd. 4 p 18–22 N.-F.).

[303] Hypatias Vater Theon kommentierte die Hermetica, Lacombrade, Synésios 40 A. 3.48 und Treu, Dion 91, aus ihrem Unterricht mochte Synesios so diese Werke kennen; in Dion 10 p 259,19f. erwähnt er Hermes. Vgl. auch Bizzochi, Inni 381–387; Placco 246f. A. 13.

bleibt[304], äußerst plastisch entfaltet: Die verschmutzten Elemente bedürfen der Reinigung[305] und ihre Klage steigt zum Himmel[306]. Überhaupt ist die Welt alt geworden[307], die Barbaren herrschen über Ägypten[308], das offenbar für die Welt steht. Insbesondere die Religion ist völlig pervertiert[309], derart, daß die Götter die Welt verlassen[310]. Erst ein göttliches Eingreifen rettet den Kosmos (Ägypten) vom Verderben. Es kommt in der Kore Kosmu zu einer Intervention göttlicher Wesen, Osiris' (!) und Isis', die wieder Ordnung schaffen[311]. Im Asklepios erfolgt die Weltrettung mit reinigendem Feuer und Wasser[312]. Nun herrscht wieder die gute alte Ordnung, wie sie sich in Religion und Gerechtigkeit ausprägt[313].

Es macht den Anschein, daß Synesios sich von dieser ägyptisch kolorierten, angeblich altmythischer Zeit entstammenden Offenbarung[314], die indes starke platonisch-stoische Einflüsse verrät[315], bei seinen Ägyptischen Erzählungen inspirieren ließ und mit Hilfe von Motiven des Politikosmythos in sein neuplatonisches Weltsystem einverwoben hat. In diesem Verschmelzungsprozeß kommt es freilich zu entscheidend neuen Gesichtspunkten.

(4) Das Erstaunliche an dieser Passage der „Erzählungen" ist weder die Idee eines göttlichen Eingreifens – welche Religion wüßte nicht darum?! – noch auch die Vorstellung der die Welt immer wieder vor dem Chaos bewahrenden Pronoia[316], sondern das *Vorzeichen,* unter welchem solche Götterwirksamkeit

---

[304] Asclep 25 p 328,17ff.; zu Synesios' Dualismus vgl. unten S. 182f. und Lacombrade, Synésios 114f. A. 17, der auf Corp herm 12 und 16, nicht aber auf Asclep verweist.

[305] Asclep p 327,13f.; 328,4–7; 329,18–23; 331,2; KK (= Kore Kosmu) 54–58 (Feuer, Luft, Wasser, Erde) wie Syn p 108,7f.; 87,7.12.

[306] KK ib., wie Syn p 103,21f.

[307] Asclep 26 p 329,24, wie Syn p 87,3 und oben A. 299.301.

[308] Asclep p 327,18, wie Syn Aeg passim. Vgl. aber auch Themist or 2 p 45,13–17 D., wo Typhon die Barbarenherrschaft repräsentiert.

[309] Asclep p 327,1ff.; 329,11–13.24f.; KK 55 p 18,21; 65 p 21,8, wie Syn p 107,22; 108,19f.; 109,1; etc.

[310] Asclep p 327,5; 328,1; 329,14f.; vgl. Plat polit 272e; Hes erga 199f.; das Motiv ist aber auch altägyptisch, s. unten A. 314.

[311] KK 62–64: Osiris als Gottes Ausfluß, p 20,20f., er und Isis als κόσμῳ βοηθοί 21,5 (vgl. Reitzenstein, Poimandres 176f. vom „Weltheiland"). Bei Synesios erscheint Osiris als gute gottgesandte Seele, s. oben A. 277.

[312] Asclep 26, wie Syn p 108,7; vgl. oben A. 300f.

[313] Asclep 26; KK 65–68, wie Syn p 80,18ff.; 82,10–14; 87,8–13.

[314] Auf altägyptisches Material verweisen Kroll, Hermes 168f.; M. Krause, Ägyptisches Gedankengut in der Apokalypse des Asclepius, ZDMG Suppl 1 (1969) 48–57; K. W. Tröger, Die hermetische Gnosis, in: Gnosis und NT, Gütersloh 1973, 117f.

[315] Kroll, Hermes 171f.; Ferguson in Scott, Hermetica 4, 419; Festugière in Corp herm Bd. 2, 288f. – A. D. Nock, „Son of God", Essays 2, Oxford 1972, 937f., vermutet sogar christliche Einflüsse („it is perhaps a counterblast to Christian teaching").

[316] Vgl. z.B. Sen ep 58,29 si (deus?) mundum ipsum, non minus mortalem quam nos sumus, providentia periculis eximit ... Die sublunare Welt erschien providentiell ohnehin nie voll gesichert, vgl. noch Salustios 9,7; Bregman, Synesius 63 (= 1982, 71).

statthat: Synesios schaut den Götterabstieg gerade ausdrücklich im Gefüge der hierarchischen Seinsmetaphysik, wonach alles Obere grundsätzlich nicht unvermittelt ins Untere gelangt[317]. Deshalb ist der providentielle Abstieg für die Götter eine zwar freudig vollzogene[318], aber doch mühevolle Aktion. Die Weltordnung ist nicht mehr selbstverständliche, der ewigen Vermittlung des Obern ans Untere entströmende Wohlordnung des göttlich durchwalteten Alls, sondern allererst in göttlichem Eingreifen immer und immer wieder neu zu errichten[319]. Die welterhaltende Pronoia gründet so in einem göttlichen Herabstieg, der in diesem hierarchisch gestuften Weltgefüge ein zwar notwendiges, aber dennoch außerordentliches Ereignis darstellt. Im deutlichen Unterschied hierzu läßt Proklos in seiner Exegese des Politikosmythos die untere Welt niemals der göttlichen Pronoia ledig sein; den Rückzug der Götter und die nur noch von der Heimarmene bestimmte Rückwendung des kosmischen Umlaufs interpretiert er als mythische Veranschaulichung[320] des ewigen *Zugleich* von urbildhafter Pronoia und abbildhafter Heimarmene[321]. Bei Synesios sind dagegen die Götter wirklich fern, um sodann direkt einzugreifen[322].

Die unmittelbare Epiphanie des weltabgewandten Göttlichen hienieden ist im alles Obere nur deriviert nach unten vermittelnden Stufenbau des Kosmos zum *Besondern* geworden, mit dem so nicht zu rechnen ist. Wir sind damit in größter Nähe zum in den Hymnen gepriesenen Herabstieg des Gottessohns[323], der, ohne sich in Zerteilung zu verlieren, zur Erde kommt, diese rettet und von Dämonen reinigt[324]. Geht es im ägyptischen Götterabstieg auch nicht um ein alle kosmischen Gesetze umstürzendes Wunder[325], so doch wieder um den

---

[317] Syn Aeg 1,9 p 80,1–6, vgl. A. 272.

[318] 1,11 p 87,5 χαίροντες.

[319] Nicolosi, Providentia 171 redet von „una provvidenza dimezzata" und betrachtet sie als Kompromiß zwischen klassisch-antiker und christlicher Providenzlehre.

[320] Prokl in Tim 3,273,26–32; 1,389,10–15; in remp 2,206,24–27; 356,21–24. Zum Mythosverständnis s. unten A. 327 f.

[321] Prokl in Tim 3,273,9 f.; 274,11 f.; prov 14,4 f.10 f. p 120–122 B.

[322] Ähnlich deuteten auch christliche Autoren den Politikosmythos auf ein rettendes Eingreifen Gottes: eschatologisch Euseb praep 11,34 (GCS 43/2,72 f.); von Christus Athan inc 43:34–41 Th., hingegen gent 41:16 ff. von der Welterhaltung des kosmischen Logos, vgl. dazu E. P. Meijering, Orthodoxy and platonism in Athanasius. Synthesis or antithesis? Leiden 1968 (²1974) 35–37.

[323] In diese Richtung interpretierten schon Volkmann 181 f. und Bregman, Synesius 65.94 f. (= 1982, 72 f.).

[324] Reinigung Aeg 1,18 p 108,7–12 und Dämonenvernichtung 1,9 p 80,18 ff.; 1,10 p 85,9 ff.; // hy 6,33 ff.; 2,245 ff.; etc.

[325] Ch. Lacombrade, Le discours sur la royauté de Synésios, Paris 1951, 59 A. 109 betont richtig, daß die Verwerfung äußerer Wunder in regn 17 p 40,1–6 (οὐ γὰρ σκηνοβατῶν οὐδὲ τερατουργῶν ὁ θεός) nicht Aeg widerspricht. Schief E. Gaiser, Des Synesius von Cyrene ägyptische Erzählungen über die Vorsehung, Diss. Wolfenbüttel 1886, 27, wonach die Götterintervention bei S. nur eine Anpassung an die wundersüchtige Menge sei. Zum christlichen Ansatz vgl. auch Lacombrade, Synésios 120 f.; ders., Hymnes XXI; Bregman, Synesius 63 (= 1982, 71 f.); zum Wunder als Kontroverspunkt W. Nestle, Die Haupteinwände des antiken Denkens gegen das Christentum, ARW 37 (1941 f.) (51–100) 80; Armstrong – Markus, Christian faith 7. In der alexandrinischen

Versuch, einen *positiven* Abstieg zu denken, wie es im neuplatonischen Seelen-
abstiegsschema unter der Kategorie der Weltdurchwaltung angelegt war und
von Synesios, gewiß von christlichen Impulsen geleitet, nun soteriologisch
entfaltet wird.

4. Christi Abstieg als Mythos?

(1) Angesichts der so ungeschichtlich denkenden, platonischen Grundhal-
tung des Synesios erhebt sich mit Recht die kritische Frage an diesen, ob er das
Kommen Christi als rein mythisches Ereignis, das als solches nie Geschichte zu
werden vermag, interpretiert hat[326]. Tatsächlich schaute neuplatonische Philosophie in allen Mythen, gerade auch in den platonischen, ein unzeitliches,
ewiges Geschehen, das sich nur uneigentlich in einer Ereignisfolge, in Zeugungen, Geburten, Abstiegen und Aufstiegen auseinanderfaltet, um menschliches
Verstehen zu befördern[327]. Salustios hat in seiner Exegese des Attismythos die
geltende hermeneutische Regel klassisch formuliert, wenn er sagt, daß all „dies
nie jemals sich ereignet hat, sondern immerzu ‚ist‘"[328]. Schaut auch Synesios in
seinen Hymnen Christus nur als Symbol des ewigen Bewahrtseins des Kosmos
im von Hervorgang und Rückwendung beherrschten Reich des Seienden, wie es
etwa in Amelios' Christusdeutung greifbar ist[329]?

(2) Demgegenüber ist zu beachten, daß gerade auch die neuplatonische My-
thentheorie, insbesondere diejenige des Porphyrios, eine Historizität der zu
allegorisierenden mythischen Begebnisse keineswegs ausschloß[330]. Bei Synesios

---

Schule wurden Wunder unter christlichem Einfluß vorsichtig zugestanden, vgl. (nach Westerink,
Anonymous prolegomena XII A. 26; XXII) Philopon in cat, CAG 13/1,169,19; Elias in cat, CAG
18/1,242,11.

[326] So fragt auch Bregman, Synesius 65.94 (=1982, 72. 102f.); vgl. die Anfrage von Brons, Gott
und die Seienden 322, an Dionysios. – Zum neuplatonischen Mythenverständnis vgl. H. Dörrie,
Spätantike Symbolik und Allegorese, Platonica minora 112–123; ders., Mythos; ferner unten
S. 204f.

[327] Plot 3,5,9:24–29: Mythen (und Logoi!) zerlegen τὰ ὁμοῦ ὄντα in χρόνοι, γενέσεις τῶν
ἀγεννήτων und sind deshalb zu entschlüsseln, 5,8,4:25f.; vgl. Theiler, Plotins Schriften 5b, 401;
Baltes, Weltentstehung 1,125; ferner Zeller 678–681; Arnou, Désir 296–299 und exzellent J. Pépin,
Plotin et les mythes, RPL 53 (1955) 5–27 = Mythe et allégorie 190–209, bes. 190–192; ders., Le
temps et le mythe, ib. 503–516. Vgl. auch oben A. 320.

[328] Salustios 4,9 R. (= p 8,14f. Nock) ταῦτα δὲ ἐγένετο μὲν οὐδέποτε, ἔστι δὲ ἀεί; seine Quelle
ist Julian matr deor 10:169 Ende καὶ μή τις ὑπολάβοι με λέγειν ὡς ταῦτα ἐπράχθη ποτὲ καὶ
γέγονεν, vgl. 11:171cd καὶ οὐδέποτε γέγονεν ὅτε μὴ ταῦτα τοῦτον ἔχει τὸν τρόπον ὄνπερ νῦν ἔχει
...; der verhüllte Mythos ist so zu entschleiern, Salustios 3,2–4. Vgl. das Lob der Sentenz durch B.
Wyss, Scheidewege 3 (1973) 375.

[329] Vgl. Dörrie, Platonica minora 498–500 und oben S. 160.

[330] Vgl. J. Pépin, Porphyre, exégète d'Homère, Entretiens 12 (1966) (231–266) 239f. Zu Porphyrios' Mythenverständnis, das auch von der allegorischen Entschlüsselung ausgeht, vgl. Porph antr
init; 3 p 4,2f.; 21 p 22,1f.; etc.; vgl. Syn in 8 p 161,3f.; Arnob 5,32 p 290,1–10 M.; 5,36 p 295,3–6;
MVict Ar 4,5:26–29; ferner J. H. Waszink, Porphyrios und Numenios, WdF 436, (167–207) (=
Entretiens 12, 35–78) 192. Eigenartig, ja singulär (Pépin, Mythe et allégorie 213f.481f.; Dörrie,

begegnet ja etwa im dritten Hymnus eine Entsprechung von oberer, ewiger und unterer, zeitlicher Geburt[331]. Noch mehr zeigen seine „Ägyptischen Erzählungen, daß sich ihm durchaus gerade ewige Mythen historisch ausprägen können. Der unaufhörliche Kampf von Licht und Finsternis[332] verbildlicht sich in der Auseinandersetzung von Osiris und Typhon, ja historisiert sich in dieser fernen Vorzeit schon ansatzweise und gewinnt endgültig geschichtliche Gestalt, wo er in die Gotenkämpfe um Konstantinopel hineinverwoben wird[333]. „So dürfen wir uns nicht wundern, wenn wir eine uralte Geschichte wieder aufleben sehen!"[334] Es scheint demnach, daß Synesios in der Geschichte Jesu von Nazareth die unmittelbare Epiphanie des den Kosmos immer schon durchdringenden und von den Verderbensmächten befreienden Gottessohns schaute, der seine *ewige* Herabkunft und Auffahrt gleichwohl *ereignishaft* in der Geschichte ausprägt, wie sie sich auch in den Götterabstiegen der „Ägyptischen Erzählungen" verabbildlicht[335]. Wirklich *denkbar* ist ein derartiger Abstieg freilich weder im Rahmen eines solche Kontingenz bestreitenden Platonismus noch auch in einer auf dem eschatologischen Charakter dieser Herabkunft beharrenden christlichen Theologie.

C. Die positive Wertung des Abstiegs

1. Kosmischer Lobpreis

(1) Deutlichen Ausdruck erhält die von uns immer wieder beobachtete positive Sicht des Abstiegs des Gottessohns im Lobpreis aller kosmischen Wesenheiten, der diesem entgegenschlägt. Alle Chöre des Seins, von den höchsten Geistwesen bis hinab zur unvernünftigen Natur, preisen die Gottheit immerdar und drängen den Dichter, selbst miteinzustimmen, den weltdurchwaltenden Abstieg und die triumphale Auffahrt des Gottessohns mit zu besingen[336]. Diese

---

Mythos 19) ist Macrob somn Scip 1,12,14 und 17–21 p 7,1 ff. W., wonach Mythen nur das Untere abzubilden vermögen, vgl. Prokl in remp 2,106,15–108,15.

[331] Hy 3,4–7; auch 6,18; s. oben S. 143 f.

[332] Vgl. unten Kap. V A. 79; den Mythos mochte Synesios v. a. aus Plut Is kennen, vgl. dazu Th. Hopfners Übersetzung, Prag 1940 f. = Darmstadt 1967.

[333] Die konkrete Entschlüsselung bleibt für uns aber schwierig, wie es Synesios übrigens beabsichtigte, Aeg 2,7 p 129,11–18; vgl. O. Seeck, Studien zu Synesios, Ph 52 (1894) 442–483; ders., Untergang 5,314–326; diesen korrigierend Nicolosi, Providentia 56–80; Lacombrade, Hymnes XXVIII.

[334] Syn Aeg 2,7 p 129,6–11 εἰ παμπάλαιον ἱστορίαν ἔμβιον τεθεάμεθα, der Satz fährt fort: „... worin die in der Materie verborgenen Formen den Geheimnissen des Mythos entsprechen", ἐφαρμοσάντων δὲ τῶν ἐγκεκρυμμένων εἰδῶν εἰς τὴν ὕλην τοῖς ἀπορρήτοις τοῦ μύθου.

[335] Vgl. Bregman, Synesius 94 (fehlt leider 1982): „Christ must in some sense be a symbol or epiphany of the universal saving power of the Logos (Nous) who appeared on earth." – Zur betont unzeitlichen Politikosdeutung des Proklos s. oben A. 320 f.

[336] S. oben zu hy 5 (Chöre, Tanz), 1 (Lobpreis) und 8 (Freude der Sterne und Engel).

Sicht des Lobgesangs, der die ganze Schöpfung erfüllt, entspringt sicher christlichen, besonders im Gottesdienst beheimateten Traditionen[337]. Biblisch-christliche Loblieder rufen gern dazu auf, in den kosmischen Lobpreis einzustimmen[338], in den die ganze Natur, die Gestirne in ihrer Sphärenharmonie und die Engelchöre einbegriffen sind[339].

(2) Seltener schaut aber auch das Griechentum in der hymnischen Tradition das All in Lobgesang ausbrechen, so etwa bei der Ankunft des delphischen Apollon aus dem Norden[340]. Im Helioshymnus des Mesomedes läßt der heitere Sternenchor der Sonne auf der Lyra des Phoibos ein Lied erklingen[341]. Im besonderen aber ist es der Mensch, dem der Preis Gottes als Entsprechung zu seiner eigenen Vernünftigkeit aufgetragen ist[342].

Oben im Himmel erklingt der Lobgesang der Seligen[343], der gern – unter jüdischem Einfluß – mit dem Engelpreis zusammen gehört wird[344]. So kommt es ansatzweise auch im Neuplatonismus zu einer Schau des im Lobpreis begriffenen Universums[345]; die Sicht des Kosmos als einer *Harmonia* läßt selbst im

---

[337] Vgl. E. Peterson, Das Buch von den Engeln, Leipzig 1935, 95–97.

[338] Vgl. Ps 148; 65,14; Dan 3,51–90 LXX (Lobgesang der drei Männer im Feuerofen); Jes 44,23; 43,20; etc. Augustin zitiert conf 7,13,19 den erstgenannten Psalm. Vgl. sodann bes. GregNaz or 44,11 (PG 36,620B): Im Frühling preist alles Gott, laßt uns einstimmen. Selbst die Grillen der alten Lyrik singen dem allweisen Weltenschöpfer, Clem protr 1,1:2.

[339] Sphärenharmonie als Gottespreis bei Philon somn 37; vgl. confus ling 56; Porph in Tim frg 68 p 59 S. = Macrob somn Scip 2,3,1 p 103,29–104,3 W.; vgl. Kroll, Hermes 309; Peterson aaO. (A. 337) 63 f.124 von den Engeln. Für Origenes beten Sonne, Mond und Sterne zu Gott durch seinen Sohn, Cels 5,11:23 f. (SC 147,40). Bei GregNaz carm 1,1,34:4–13 (PG 37,515) preisen Engelchor, Geistwesenchor und Sternenchor Gott um seinen Thron.

[340] Hom hy Apoll 20–24 Felsen, Festland, Flüsse, Häfen, Küsten „singen dir"; in Orph hy 38,13 läßt die Erde Blumen sprießen; vgl. auch oben A. 134! – Alkaios hy Apoll frg 307 L.-P. Leier, Nachtigallen, Schwalben, Zikaden, der kastalische Quell, sie alle singen vom herankommenden Gott. O. Stählin in Schmid, GgrL 1400 A. 10 sieht hierin ein Vorbild für Syn hy 8. – Immer ist indes zu beachten, daß es auch in diesen alten Hymnen nie um eine göttliche Liebe zum Untern geht, Keyssner, Gottesvorstellung 23.69.

[341] Mesomed hy in Helium 17–20, Heitsch Nr. 2/2 (Bd. 1 p 25); vgl. Heitsch, Helioshymnen 147 f.

[342] So Kleanthes im Zeushymnus 36–39 (SVF 1,537, verbessert bei G. Zuntz, Zum Kleanthes-Hymnus, HStCPh 63, 1958, 289–308, der v. 3–5 nicht wie Pohlenz, Hermes 75, 1940, 118 auf den Lobpreis deutet); Epikt 1,16,15–21 das Hymnensingen der Menschen in Entsprechung zum Singen von Nachtigall und Schwan (nach Terzaghi 248; Lacombrade, Hymnes 86). Die Passage wird gern von Christen aufgenommen, vgl. das Scholion bei Schenkl p 61 (BT, ²1916) und Basil hom 15,1 (PG 31,464B).

[343] Pindar frg 129,7 Snell; Corp herm 1,31; Or Chald frg 131; Prokl phil Chald 1 p 206,19–24 des Pl.; vgl. Festugière, Révélation 3, 133–137; Geudtner, Seelenlehre 65 f.

[344] Corp herm 13,15–20; Porph phil orac v. 18 f. p 145 Wolff (samt dem Kommentar des Porphyrios) vom dritten Engelgeschlecht: „die dich immerzu tragen und mit Liedern besingen", vgl. Lewy 9–15.

[345] Vgl. den Hymnus ὦ πάντων ἐπέκεινα v. 6–10: „Alles, was reden und nicht reden kann, preist dich ... Zu dir betet alles ... Dir singt alles einen schweigenden Hymnus." (PG 37, 507 f.) – kaum christlicher Herkunft, aber sicher nicht ohne christlichen Einfluß.

Finstersten die bösen Töne zum Schönen geraten[346]. Wo nun die Rückwendung zum Obern als Gebet verstanden wird[347], läßt sich endlich sagen: „Alles betet außer dem Einen."[348] Diesen Gottespreis, der auf der kosmischen Sympathie gründet, nimmt der Eingeweihte selbst bei Blumen und Steinen wahr, so wenn der Heliotrop dem König Helios einen Hymnus singt, wenn sich der Lotos bei der aufgehenden Sonne öffnet und bei ihrem Niedergang wieder schließt[349]. Indes gilt hier durchwegs der Preis nicht eigentlich dem göttlichen *Hervorgang*, sondern vielmehr ausschließlich dem göttlichen *Ursprung*. In solchem Vollzug der Epistrophe tendiert demnach der neuplatonische Lobpreis letztlich auf die Negation allen Hervorgangs, allen so ambivalenten Werdens[350]. Christliche Doxologie hingegen bejubelt gerade dieses unendlich preisenswerte Werden als Kommen Gottes in Schöpfung und Erlösung. Bei Synesios wird der kosmische Lobgesang zur *Responsion* auf den göttlichen Abstieg und Aufstieg. Die platonischen Grundvorstellungen der Rückwendung und der Chöre werden vom christlichen Preis des kommenden Gottes erfüllt und umbewertet; die Sphärenharmonie läßt nun das Siegeslied Christi erklingen (hy 8,34–40).

2. Christozentrik

(1) Wie schon in den triadischen Partien, so steht vollends im Abstiegsgeschehen der Gottessohn, Christus, im Zentrum aller Hymnen. Auch in seinen Briefen und Prosawerken ruft Synesios gern das Göttliche derart in *einer* personhaften Wesenheit an und verzichtet auf differenzierte Hypostasenmetaphysik. Es war nun wohl gerade die in Alexandrien gepflegte Zusammenschau alles Oberen durch Porphyrios[351], die unserm Philosophen die Möglichkeit gab, all dies Göttliche im Gottessohn Christus zu verehren. Porphyrios rückte die obern Hypostasen näher zusammen und gelangte so zu einer dualistischeren

---

[346] Vgl. Plot 3,2,16 und 17:64–70; als Sphärenharmonie bei Jambl myst 3,9 p 119f.

[347] Porph bei Prokl in Tim 1,208,23–25 παντὶ γὰρ ἡ πρὸς τὸ ὅλον ἐπιστροφὴ παρέχεται τὴν σωτηρίαν, worauf schon Wilamowitz 286f. verwiesen hat, vgl. auch Beierwaltes, Proklos 317.

[348] πάντα γὰρ εὔχεται πλὴν τοῦ πρώτου, TheodAs test 7 p 35 Deuse (= Prokl in Tim 1,213,2f.), vgl. Deuse z. St. 96f. und die folg. Anm.

[349] Prokl sacrif et mag, ed J. Bidez, Catalogue des manuscripts alchimiques grecs, 6, Brüssel 1928, p 148–150, vgl. dazu Bidez in Mélanges F. Cumont, Paris 1936, 1, 85–100; Festugière, Révélation 1, 134–136; Esser, Gebet 87f. Die Grundregel ist wieder: εὔχεται γὰρ πάντα κατὰ τὴν οἰκείαν τάξιν καὶ ὑμνεῖ τοὺς ἡγεμόνας τῶν σειρῶν ὅλως ἢ νοερῶς ἢ λογικῶς ἢ φυσικῶς ἢ αἰσθητῶς, p 148,12–14. Dies erkennt freilich erst der „hieratische Kunst", die Theurgie.

[350] In Prokl hy 1,25f. ist es bezeichnenderweise gerade der zerteilte Attis-Adonis, der auch in den letzten Tiefen der Materie gepriesen wird als Ausstrahlung des Helios. – Im übrigen ist es wohl kein Zufall, daß uns keine neuplatonischen Hymnen, die das Urwerden preisen, überliefert sind!

[351] Vgl. nach Dörrie, Symmikta Zetemata 172–178; ders., Platonica minora 446–448 bes. Lloyd, Cambridge history 287–293; ders., ClR 82 (1968) 297f.; ferner auch Theiler, Forschungen 41f. (Ammonios Sakkas); Hadot, Porphyre 1, 97. 484 (Eines und Trias verschmolzen); Deuse, Demiurg 260 (dynamische Einheit von Geist und Seele); Armstrong, Escape 86; Wallis 111. Ob dieser „Vereinfachung" wurde Porphyrios schon früh getadelt, vgl. Larsen, Place de Jamblique 25.

Weltsicht[352] – Eines, Geist und Seele stehen der materiellen Werdenswelt gegenüber –, ohne aber aufgrund dieses vereinheitlichenden „telescoping" (Lloyd) die Differenzierung des noetischen Kosmos zu unterlassen, wie seine Triadenlehre und sein Seinsbegriff erweisen[353]. Recht analog hierzu schaut auch Synesios[354], der sehr wohl im Oberen zu unterscheiden vermag, dennoch all dieses im Gottessohn zentriert und betet denselben als personhafte Gottheit an. Zwar treibt gewiß auch die Form des Hymnus zu solcher persönlichen Gottesanrufung, aber gerade im Vergleich mit den Hymnen des Proklos, in denen eine Vielzahl von Gottheiten als Zwischenwesen und Mittler zum seinerseits gänzlich beschwiegenen Höchsten gepriesen wird, zeigt sich die christozentrische Tendenz des Synesios[355], in deutlicher Entsprechung etwa zu Gregor von Nazianz, Marius Victorinus oder Augustinus, die alle auch neuplatonische Geist- oder Gottesprädikate auf den christlichen Gott hin interpretieren[356]. Für diese wie für Synesios gründet solche unmittelbare Anrufbarkeit Gottes in der Herabkunft Christi[357], worin das Göttliche sich selbst im Untern offenbart und alle neuplatonische Vermittlung durchbrochen wird[358].

(2) Der Abstieg des Gottessohns wird durchwegs positiv gewertet, nicht nur durchwaltet der Sohn den Kosmos und belebt ihn bis in seine letzten Tiefen, sondern er erleuchtet auch die Seelen und führt sie in die göttliche Welt zurück, Schöpfung, Welterhaltung und Erlösung untrennbar in sich einend. In der Parallelisierung von Weltdurchwaltung (Hymnen 1–5) und Inkarnation (Hymnen 3, 6 und 8) wird deutlich, daß das göttliche Wirken im Kosmos nicht mehr nur unter dem Zeichen der Verringerung und geschwächten Teilgabe statthat,

---

[352] Gegen die Betonung des Monismus durch Dörrie, Platonica minora 455 f.; ders., Symmikta Zetemata 196 f.; vgl. auch unten S. 177 und Waszink, Porphyrios 193.

[353] Vgl. die Kritik an Lloyds These durch Smith, Porphyry 47 A. 10; 54; diesem zustimmend Armstrong, Negative theology 180 A. 4; Rist, Entretiens 21 (1975) 34. – Für den alexandrinischen Neuplatonismus hat I. Hadot gezeigt, daß dessen „Einfachheit" nicht auf ontologischer Simplifizierung beruht, Problème, bes. 189–191.

[354] Vgl. oben S. 132; Kraus 583.599; Volkmann 106 f.; Valdenberg 242 f. warfen Synesios Pantheisierung vor, ähnlich auch Lloyd, Cambridge history 314 („Platonism ... of a simple kind"). Aber nicht nur die Hymnen differenzieren, sondern auch die Prosawerke, z. B. regn 9 p 18,12–19. – Auf die Nähe von Porphyrios' „telescoping" und Synesios verweist neben Lloyd auch Bregman, Synesius 71 f. (= 1982, 83); ders., Early life 67.87.

[355] Die Mittelwesen, die auch Synesios anruft, sprechen nicht gegen diese These, s. oben S. 66 f. Zu den Mittelwesen bei Proklos oben Kap. II A. 228–230.

[356] Für Victorinus vgl. bes. hy 2 sowie die Studie von W. Erdt, M. Victorinus Afer, der erste lateinische Pauluskommentator, EHS.T 135, Frankfurt 1980, 249–251.

[357] Strohms Feststellung, „daß der Hymniker zum Arrheton Du sagen kann, macht die innere Spannung der synesianischen Gedichte aus" (51), ist dahingehend zu präzisieren, daß solche Nähe nicht direkt im Hymnus (so 53 f.), sondern allererst im Abstieg des Gottessohns, worin der Ferne nah wird, ermöglicht ist.

[358] Solches wollte Ivánka, Plato Christianus 259–261; ders., Problem 392 ff.402, für Dionysios Areopagita reklamieren, wogegen Brons, Gott und die Seienden 276–278. 324 richtig Einspruch erhebt: Dionysios hätte damit sein System ruiniert. Synesios dagegen systematisiert nicht, sondern lobpreist und kann so trotz seines Neuplatonismus dem Christlichen näher kommen.

wie es sich neuplatonische Philosophen im Bild des „zerteilten Gottes", Dionysos' oder Attis', veranschaulichten und Synesios selbst im neunten Hymnus noch verbildlicht. *Vielmehr kommt es im weltdurchwaltenden und erlösenden Abstieg Christi zu einer Epiphanie Gottes auf Erden, worin die neuplatonische immer größere Abwesenheit bei noch so großer Anwesenheit des Göttlichen umschlägt in seine bei aller Abwesenheit immer noch größere Anwesenheit!* Während sich westlicher Theologie solche rettende Ankunft Gottes in einer todverfallenen Welt der *Sünde* ereignet, ist es für östliche Theologie die Rettung aus der todverfallenen Welt des *Vergehens,* die in Christus statthat und die, wie bei Synesios, nicht im Kreuz, sondern in der Hadesfahrt, dem Gang in die tiefsten Abgründe des Kosmos, der Materie, kulminieren mochte. Dabei kommt es bei Synesios in keiner Weise zu einem eigentlichen christologischen Problembewußtsein, er scheint lediglich in der soteriologischen Charakterisierung der „Weltdurchwaltung bis ins Unterste" der Grundregel des „Was nicht angenommen ist, ist nicht erlöst"[359] nahezukommen und Christus in „Gestalt" einer leibbekleideten Einzelseele[360] die Welt der Genesis betreten zu lassen.

(3) Der Abstieg des Gottessohns als *Paradigma eines positiven Abstiegs* entspricht einerseits gänzlich der Wertung seines Hervorgangs innerhalb der göttlichen Trias und andrerseits der hohen Wertschätzung der Welt des Werdens, wie sie Synesios im Dion und im Traumbuch entfaltet. Deutungsmuster für diesen Abstieg Christi ist ihm die auch neuplatonischerseits positiv gewertete Weltdurchwaltung, die traditionell der Seele eignet. Diese aber fällt, zerteilt und verliert sich, während der Gottessohn sich geradezu als ihr positiver Antityp ausnimmt. Mehr noch, die Seele hat als „Tochter" teil am Gottessohn als ihrem „Vater" und gewinnt in ihm, wenn wir die durchgehende *Parallelisierung von Christusweg und Seelenweg* dahingehend deuten dürfen, auch Anteil an seinem Aufstieg.

Für Synesios ist ja denn einerseits der Seelenaufstieg weit schwieriger und von Verderbensmächten bedrohter als für Plotin und auch noch Porphyrios, andrerseits wertet er gerade das Sein in der Welt der Genesis als Familienvater, Verteidiger der Heimat, Politiker, Redner, Dichter und Bischof positiver denn die Flucht und Askese herausstreichenden Philosophen[361]. So läßt sich fragen, ob er nicht eine „objektivere", in der Teilhabe der Seele am kosmischen Aufstieg des Gottessohns gründende Erlösung erhoffte und just auch in seinen Hymnen lebendig werden ließ. In Christi rettendem, alle Dämonen verscheuchenden Abstieg gewinnt die Seele Teil an seinem Aufstieg und ist so der unseligen Vereinzelung entrissen. Sollte gar das bei ihm merkwürdig fehlende Moment

---

[359] GregNaz carm 1,1,10:36 (PG 37,468) ὃ μὴ προσείληπται γὰρ οὐδὲ σώζεται, vgl. ep 101,32 (SC 208,50) und oben A.122.

[360] Dies sagt Synesios nicht ausdrücklich, aber keine andere Seele denn die Einzelseele zieht einen irdischen Leib an.

[361] Synesios reflektiert im Dion (s. unten S.189ff.) und bes. auch in den Bischofsbriefen über den gottentsprechenden Abstieg (unten S.206ff.), vgl. oben S.55ff. zum Rückfall.

der Epistrophe innerhalb der Trias[362] erst in dieser großen Rückwendung, der Auffahrt Christi, statthaben, derart, daß die Dreieinigkeit immer schon die Rettung des Untern und den diese Erlösung feiernden Lobpreis aller Wesen miteinschließt?

(4) Die letzten Vermutungen mögen deutlich gemacht haben, wie *undenkbar* diese Schau des positiven Abstiegs, wie er sich im Gottessohn ereignet, bleibt, wenn die neuplatonische Ontologie selbst nicht preisgegeben wird. Aber während etwa Dionysios Areopagita trotz allen guten Willens Christi Menschwerdung durch seine am neuplatonischen Derivationsschema orientierte Systematik gänzlich zu einer Anwesenheit Gottes in immer noch größerer Abwesenheit geraten läßt[363], scheint Synesios in seinem hymnischen Lobpreis die Ankunft Christi nicht in solcher abwesenden Anwesenheit aufgehen zu lassen. In diesem Preis stimmt er selbst in den Lobgesang des Alls ein, der dem herabsteigenden und auffahrenden Gottessohn entgegendonnert und der letztlich der in Verherrlichung begriffenen Dreieinigkeit selbst entspringt.

---

[362] S. oben S. 129. Es fehlt auch jede Triadisierung der einzelnen Seinsstufen, wie sie bes. Porphyrios durchgeführt hat, s. oben Kap. III A. 223.

[363] Vgl. zum „speziellen Modus" der Menschwerdung bei Dionysios Brons, Gott und die Seienden 276–178. 324; ders., Pronoia 183–186.

V. Die vom Gottessohn durchwaltete Welt

Synesios' Schau der dreieinigen Gottheit wie der Herabkunft des Gottessohns ließ eine gegenüber der neuplatonischen Sichtweise höhere Wertung
des göttlichen Abstiegs vom Sein in das Werden erkennen. So ist nun noch-
mals zu fragen, inwiefern die Existenz der Seele im Kosmos und insbesondere auch ihr dem göttlichen Abstieg korrespondierender Aufstieg, der schon
im zweiten Kapitel zur Sprache kommen mußte, in diesem helleren Lichte,
das Synesios im Kosmos strahlen sieht, neue Konturen gewinnen. Wiederum
kann es sich hierbei nur um Tendenzen, nicht aber um explizite Reflexionen
handeln.

A. Die Gegenmacht

(1) Unter solcher Fragestellung wird man zunächst erstaunt vom recht extremen *Dualismus*, der die Hymnen und die „Ägyptischen Erzählungen" des
Synesios durchzieht[1], Kenntnis nehmen. Diesbezüglich reiht sich unser Dichter deutlich in den Kreis der ältern Neuplatoniker Plotin und Porphyrios ein,
wohingegen die spätern Philosophen aufgrund ihres ausgebauten Stufenmo-
dells vermehrt monistisch denken[2]. Indes geht Synesios auch über die Erstgenannten weit hinaus, wo er Licht und Finsternis als die zwei Quellen des
Weltenwerdens anspricht und beide als notwendiges Gegensatzpaar aus einer
Urmitte entströmen läßt[3]. Das eigentlich Frappierende ist aber der trotz dieses Dualismus hochgehaltene Hellenismus des Synesios mit all seiner heitern
Harmonie und gelösten Verspieltheit. In diesem Zugleich von traditionsbe-
wußtem Griechentum und orientalisch anmutendem Dualismus erinnert er an

---

[1] Vgl. Nicolosi, Providentia 119–135; Bregman, Synesius 55–58 (= 1982, 67–70); Valdenberg,
Philosophie 242.

[2] Vgl. Dörrie, Symmikta Zetemata 196f.; ders. mit J. Duchesne-Guillemin, Dualismus, RAC
4 (1959) 335f.340; Trouillard, L'un et l'âme 75.184; ders., Mystagogie 247; ferner oben Kap. IV
A. 352.

[3] Syn Aeg 1,1 p 65,1 ff.; 1,8 p 77,16–18 (ἀναγκαία ἀντίθεσις); 2,6 p 125,14 ff. ἐκ μιᾶς ἑστίας
sprossen die zwei Gegensätze, vgl. PsLong subl 5; wie Porphyrios (antr 29, vgl. Lacombrade,
Synésios 116 A. 22) verwendet Synesios das Bild der zwei Fässer Homers, aus welchen die Gottheit
schöpft, p 126,10. In Aeg entsprechen Osiris (und die Hellenenwelt) dem Licht, Typhon aber und
die Barbaren der Finsternis. Vgl. auch ep 77 p 136,1–3 (= 223a) von Licht und Finsternis, die sich
entgegenstehen (ἀντιπεριίσταται). Der Dualismus gilt trotz der Umwandlung des Bösen ins Gute
(„Ein Teil von jener Kraft, die stets das Böse will und stets das Gute schafft"), ep 41 p 52,1–3; 53,13–
54,4 (= 191b. 192b).

Plutarch, scheint diesen aber noch zu überbieten. Die Frage erhebt sich, welchen Stellenwert dieses dualistische Konzept, wie es sich in seiner Anschauung von den Dämonen und der teuflischen Gegenmacht ausprägt, bei ihm innehat.

(2) Von den *Dämonen* redet Synesios im Unterschied zur heidnisch-griechischen Antike recht selten in positivem oder neutralem Sinn[4]. Wenige Male meint er mit δαίμων die Gottheit[5], bereits auf negative Ereignisse weisend nennt er so das Schicksal[6], und in seinem Stufenkosmos bevölkern die Daimones traditionell die den menschlichen Seelen übergeordnete Seinssphäre[7]. Zumeist aber sind ihm die Dämonen die allen Aufstieg hindernde Gegenmacht, eine von der bösen Physis gezeugte Schar, Schlangenbrut[8] und Welpengezücht[9], die sich am Abgrund erfreuen[10], den Kosmos überall bevölkern[11] und den irrenden Seelen gefährliche Fallen stellen[12], sie betrügen und überhaupt alles Üble bewirken[13]. Insbesondere bewohnen sie den Luftraum[14] und verwehren der Seele den Flug in die Sternensphären.

---

[4] Vgl. zu den Daimones Nilsson, Geschichte 2, 255ff. 407–410; Cumont, Lux perpetua 228–230; M. Pohlenz, Vom Zorne Gottes, FRLANT 12, Göttingen 1909, 129–155, bes. 131–139; H. Wey, Die Funktionen der bösen Geister bei den griechischen Apologeten des 2. Jh. n. Chr., Diss Winterthur 1957, bes. 261–273; C. Zintzen, Geister, RAC 9 (1976) 640–668. – Zu den Dämonen bei Synesios s. Lang, Traumbuch 83–85; FitzGerald 2, 485f.; Theiler, Orakel 36; Nicolosi, Providentia 136–161.

[5] Syn calv 6 p 200,9f.; regn 7 p 16,4; Aeg 1,11 p 86,6; Dion 5 p 246,14; bes. ins 14 p 176,6f. die Traummantik als δαίμων ἀγαθὸς οὖσα; ep 31 p 45,8; 40 p 51,4.10; 154 p 272,3 τὰ δαιμόνια „göttliche Dinge". – Hingegen erscheinen hom 1 p 179,12 Gott und Dämonen als direkte Gegensätze. – Auch Plotin verwendete δαίμων noch fast gleichbedeutend mit θεός, Armstrong, Cambridge history 222, vgl. Prokl hy 1,33. Der von Synesios hochverehrte Dion redet gut traditionell von den Göttern als Daimones, z.B. or 36,38. Um so mehr muß die Zurückhaltung unseres Dichters auffallen!

[6] Calv 13 p 216,4; regn 4 p 11,1; ep 5 p 25,10; 10 p 30,13 und 31,3; 38 p 50,5 τὸ δαιμόνιον μήνιμα; 148 p 266,6 δαίμονος ὄρχησις „Reigen des Geschicks". Hingegen meint er ep 81 p 146,9 kaum mehr „Schicksal" (so übersetzt FitzGerald), sondern schon „Dämon".

[7] Hy 4,19 die δαιμονία φάλαγξ neben der ἀγγελικὰ χορεία, die beide vom Sohn beherrscht werden. Indes weist hy 8 mit dem traditionellen Wohnen der Dämonen im Luftraum auch schon auf eine negative Charakteristik dieser Dämonenphalanx. Vgl. auch oben S. 147f.

[8] Hy 5,52–54; 1,86f. In diese Gruppe gehören wohl auch schon die Zucht- und Reinigungsdämonen (anders Salustios 14,2; 19,1f.), ep 43 p 77,19; 41 p 60,4.

[9] Hy 1,92–94 (mit der Konjunktur Wilamowitzens), vgl. den „Hund" in 1,96f.; 2,244–6; 8,21–23. Dahinter stehen die Chaldäischen Orakel, frg 90f.; 135; vgl. Theiler, Orakel 36.

[10] Hy 2,44–50; sie hausen um die Gräber, vgl. Plat Phaid 81cd; Test Sal 17,2f.

[11] Hy 6,33–39; vgl. Jambl myst 6,6 p 147,14; Test Sal 16,3; 18,3; 22,1; Or Chald (?) frg 216 und Lewy 267.

[12] Ins 8 p 159,10f.; die Dämonen wirken über den unvernünftigen Seelenteil, Aeg 1,10 p 83,13ff. (vgl. Porph abst 2,46,2), denn der Dämon hat selbst eine Pathos-Natur, Aeg 1,10 p 84,3f.; 83,4 mit Nicolosi 93.

[13] Ins 10 p 163,17–164,6; Aeg 1,7 p 77,4f.; 1,8 p 78,5–16 und 85,18f.; vgl. Porph abst 2,40,1. Auch die Briefe reden oft von (bösen) Dämonen: Ep 41 p 59,6ff. (= 195ab); 45 p 84,10f.; 70 p 126,5; 79 p 140,1–5 und 145,9; 81 p 146,9; 126 p 215,7f.; 140 p 245,7. Vgl. auch Zintzen, Geister 658.663.666.

[14] Hy 8,31–33 (zu den ἔθνεα δαιμόνων vgl. Plot 3,2,3:24 δαιμόνων δῆμοι; Themist or 20 p

Die Herkunft dieser überwiegend negativen Charakterisierung der Dämonen ist nicht eindeutig. In den Einzelzügen hängt Synesios zwar weitgehend von dem stark der Dämonologie hingegebenen Porphyrios ab, aber dieser kennt neben den bösen ebensosehr die guten Daimones[15]. Dasselbe gilt auch von Jamblichos[16], während Spätere die Existenz böser Dämonen überhaupt bestreiten[17]. Ob die Chaldäischen Orakel, aus denen auch Porphyrios schöpft, unter jüdisch-christlichem Einfluß wirklich nur von *bösen* Dämonen sprachen[18], ist schwer zu sagen. Jedenfalls wäre diese Sprachregelung von sämtlichen neuplatonischen Exegeten, die sich Platons Redeweise verpflichtet wußten, *nicht* übernommen worden und würde so auch bei Synesios kaum wirksam geworden sein. Viel eher dürfte bei ihm die *christliche* Gleichschaltung von „Daimones" und „Dämonen" zur negativen Charakterisierung geführt haben.

(3) Die in den Dämonen wirksame Kraft des Bösen zentriert sich für Synesios in der Gestalt eines *teuflischen Fürsten*, des Herrn aller dunklen Mächte. Wie sein Gott persönlicher gezeichnet ist als bei den Philosophen, so ist es

---

4,5f. D.-N.); 6,35f. (?); auch ins 7 p 155,18–156,1 und 156,9f. (die Dämonen wirken in der Eidola-Pneuma-Welt, wie Porph abst 2,38,2.4). Die Vorstellung ist traditionell, vgl. W. Bauer, Wörterbuch zum NT, Berlin [5]1971, 39; Cumont, Lux perpetua 208–218. 368; H. Schlier, Der Brief an die Epheser, Düsseldorf [7]1971, 103; Smolak 10 A. 17f.: Eph 2,2; 6,12; Asc Jes 10,29; sl Hen 29,5; Test Iob 8,1; Test Sal 20,12–17; 24,4; Test Benj 3,4 (v.l.); ebenso bei den Griechen: Plut def or 13:416e; Is 26:361b (Xenokrates); ferner in den Chaldäischen Orakeln, s. Kroll [2]80f. (= RhM 50, 1895, 637f. A. 4) und bei Porphyrios, Aneb 1,2 p 3,14f. S.; Gaur 6,1 p 42,7–10 Kalbfleisch; regr 2 p 29,2 B. (aeria loca esse daemonorum); bei Aug civ 10,11:5 (CCL 47,284); bei Euseb praep 4,5,2 (GCS 43/1,174,22). Für Augustin selbst vgl. z.B. ench 9,28:1–3 (CCL 46,64); civ 10,21; conf 1,17,27 p 21,17 Sk. (praeda volatilibus), auch bei den Manichäern, ib. 5,10,20 p 93f.; ferner Courcelle, Lettres 166f. A. 8; J. Daniélou, Les démons de l'air dans la „vie d'Antoine", StAns 38 (1956) 136–147.

[15] Vgl. Zeller 726–730; Lang, Traumbuch 84f.; Waszink, Porphyrios 200f.; Hager, Materie 454f.; Nilsson 2, 444f. Die Dämonen sind ihm positiv (abst 2,38,2f. und 40,3f.; Aneb 2,1f. S.; Marc 21 p 26,7 P.) und negativ (in Tim frg 10 p 6f. S. = Numenios frg 37 des Pl.; bei Aug civ 10,11, CCL 47,284); zu den bösen Dämonen vgl. auch abst 2,38–40 mit Bouffartigue 1, XL–XLIV; schillernd sind die zu versöhnenden Geburtsdämonen, die über die Genesis gesetzt sind, antr 12 p 14,18; 35 p 32,27–30.

[16] Negativ Jambl myst 2,5 p 79,10; 2,6 p 82,9–15; 2,7 p 84,18f.; 2,9 p 88,6–8; 4,3 p 198,2–5; deutlich ist hier die innere Spannung der neuplatonischen Dämonologie sichtbar, wonach die Dämonen sowohl höher als auch niedriger denn die Menschenseelen sind, vgl. z.B. 9,8 p 282,10–15.

[17] Gegen böse Dämonen (diese seit Orig Cels 7,6:37, SC 150,28, wonach die Pythagoreer – Numenios? So Theiler, Forschungen 32 A. 59 – die Lehre kennen) Salustios 12,3 mit Nock LXXVIIIf. und Nilsson 2, 460 (Proklos), vgl. G. Rochefort, La démonologie de Saloustios ..., BAGB 4/4 (1957) (53–61) 57; ders., REG 69 (1956) 65; Zintzen, Geister 663.667.

[18] So gegen Kroll, De Oraculis 44f. und [2]80 (nach Psellos): Lewy 263f.; Cremer 69–72. 85f.; Geudtner 57,59; zustimmend auch des Places, Etudes platoniciennes 289; J. G. Griffiths, ClR 85 (1971) 41; Zintzen, Geister 648f. – Tatsächlich weist frg 88 in diese Richtung: „(Die Natur) überredet dazu zu glauben, daß die Dämonen rein und (daß) die Sprößlinge der bösen Materie gütig und edel seien." (Lewy [2]545). Negativ erscheinen die Dämonen auch in frg 149, während das sehr unsichere frg 215 zwei Klassen zuzulassen scheint. Die Orakel hätten die guten Daimones ausschließlich „Iynges" genannt. Mir scheint indes dies nur aus einem Fragment erschlossene Abgehen von der gemeinplatonischen Terminologie (symp 202e f.) zuwenig gesichert.

nun auch der Herrscher der Finsternis[19]. Er ist *der* Dämon, eine verkehrte und hybride Wesenheit, die Materie selbst, Erdgeist, Höllenhund[20] und die „geflügelte Schlange"[21], gegen den Gottes und der Engel Hilfe angerufen wird.

Sind in diesem Bild des Teufels einerseits christliche Einflüsse greifbar[22], so nähert sich auch der Neuplatonismus einer derartigen Vorstellung[23]. Dafür lieferte selbst die abstrakte Metaphysik die Grundlage, indem sie das höchste Eine wie die letzte, unterste Materie mit zum Verwechseln ähnlichen Prädikaten schmückte. Viele der Gottesattribute wie Ewigkeit, Negativität, Unendlichkeit kommen ebenso der Materie zu[24]. Einer religiöseren Weltsicht werden diese unpersönlichen Seinssphären zu personhaft gedachten Wesenheiten. Wiederum treffen wir – allerdings ohne ausdrücklichen Zusammenhang mit der genannten Äquivokation von Gott und Materie – bei Porphyrios auf die Gestalt eines Fürsten der bösen Dämonen, dessen religionsgeschichtliche Herkunft indes unsicher ist[25]. Für Synesios kündeten

---

[19] Vgl. den analogen Befund bei Victorinus, hy 2,48–50.

[20] Aeg 1,9 p 80,11 f. φύσις ἔμπληκτος καὶ θρασεῖα; hy 1,90 δαίμων ὕλας, dazu weiteres bei Lacombrade, Hymnes 39 A. 3; hy 2,247 δαίμων γαίας; 2,246 κύων χθόνιος, vgl. 8,21 f. und oben A. 9.

[21] Neben hy 8,5 χθόνιος ὄφις hy 1,89 πτανὸς ὄφις „geflügelte Schlange". Die Schlange ist traditionelles Symbol der untern Macht, vgl. neben der jüdisch-christlichen Linie auch Corp herm 1,4 mit Festugière z. St. 12 A. 9; R. Merkelbach, Drache, RAC 4 (1959) 226–250, bes. 239 ff. Die Vorstellung der *geflügelten Schlange* begegnet explizit recht selten, das Bild des im Luftraum fliegenden Teufels (Eph 2,2, sl Hen 29,5) spielt hinein. Immerhin erscheint Apc Abr 23,5 der Teufel als Schlange mit 12 Flügeln, Händen und Füßen (vgl. Test Sal 14,1); die Sethianer schreiben dem Wind in Form einer geflügelten Schlange die unreine Zeugung zu, Hippol ref 5,19,18 (GCS 26,120,9, vgl. 271,25); auf Jakob Boehme, Ep theosoph 39,26 (Sämtliche Schriften, 9, 1730, 136) verweist mich J. von Ins. – Umgekehrt weiß gerade Origenes im Anschluß an den platonischen Phaidrosmythos davon, daß der Satan die Seelenschwingen verloren hat, Cels 6,43 f. (SC 147,286–8)! – Vielleicht wirkten auf Synesios ägyptische Bilder von geflügelten Schlangen ein, vgl. noch Herodot 2,75 f.

[22] Vgl. auch noch ep 41 p 56,14 „der Versucher".

[23] Gegen die alte griechische Tradition, so noch Kelsos bei Orig 6,42–44, vgl. Dodds, Pagan and christian 17. Eine Vorstufe der Teufelsvorstellung bildet die böse Weltseele, ausgeführt bei Plut an procr in Tim 5 f.:1014 f. (ed. H. Cherniss, LCL, London 1976). – Ferner hat für Plotin ebenso wie Gott auch die Hyle „persönliche" Züge, vgl. den „Sog" in 1,8,4:20–25 und 14:35 f. (mit Theiler, Plotins Schriften 5b,416): Die Materie bettelt, begehrt Einlaß.

[24] Seit alters war die Hyle Gegenprinzip, Vgl. Happ, Hyle bes. 108; der Stoa ist sie ewig, unentstanden, unvergänglich, SVF 2,408, vgl. Numenios frg 52 des Pl. – Für die Äquivokation von Einem und Hyle bei Plotin s. oben Kap. III A. 152 sowie auch Kap. II A. 181. Vgl. sodann die Negativa bei Porph sent 20 p 10 f. L. (dazu Schwyzer, Aphormai 231); Prokl in Tim 1,385,29–386,3 und insbesondere die Regel bei Proklos, inst 59 p 56,28–58,2: Die Entsprechung von Oberem und Unterem ist derart, daß die Enden als „Einfache" die Mittlern als „Zusammengesetzte" umschließen. Insofern entsprechen sich Eines und Materie exakt, wie ja die Materie allein dem Einen entströmt, 50 p 56,36 f. Vgl. Charles, Apeiron 159; Trouillard, Néoplatonisme 924.

[25] Porph abst 2,40,5 ὁ προεστὼς αὐτῶν; 2,42,2 und 43,4 f., verbunden mit der Idee, daß die Dämonen Götter sein wollen und ihr Fürst der höchste Gott, doch wohl eine jüdische Tradition (Gen 3 + Jes 14), vgl. Pohlenz aaO. (A. 4) 145 ff. Für jüdische Herkunft plädieren auch Zeller 728;

demnach philosophische wie christliche Texte vom selben Herrscher der bösen Materie.

Neben dieser personifizierten Hyle begegnet bei Synesios insbesondere die „Natur", *Physis*, als Inbegriff allen Übels. Erstaunlich häufig wird die Physis von ihm äußerst negativ qualifiziert[26], indem sie als des Menschen beschränkte Natur diesen selbst dämonisch in den Fesseln der Materie hält. Aufstieg heißt folglich geradezu, der Macht der Physis zu entrinnen[27]. Bezeichnete Physis seit alters die sublunare Wachstumswelt oder Elementarwelt[28], so wurde sie zunehmend negativer charakterisiert[29]. Die bei Synesios greifbare extreme Sicht, wonach Physis und teuflische Materie ineins gesehen werden, scheint sich aus den Chaldäischen Orakeln[30] und Porphyrios[31] herzuleiten.

Nilsson 2, 446f.; für iranische W. Bousset, Zur Dämonologie der spätern Antike, ARW 18 (1915) (134–172) 162ff.; Cumont, Or. Religionen 287f. A. 51.53; Lewy 283. – Vgl. weiterhin Marc 19 p 24,18f. und 21 p 24,27–29; 26,1–4 vom ὁ κακὸς δαίμων; in 33 p 36,11–16 erscheint ein geheimnisvoller „Bindender", den der Aufsteigende seinerseits binden muß, ἐδήσαμεν τὸν δήσαντα, an Mk 3,27 parr erinnernd („den Starken fesseln", dazu W. Grundmann, ThWNT 3, 403f.). In phil orac sprach Porphyrios von Sarapis-Pluton als Fürst der bösen Dämonen, p 147 W. = Euseb praep p 214,2, vgl. p 150 W. – Die Tradition wirkt weiter: Jambl myst 3,30 p 175,8 ὁ μέγας ἡγεμὼν τῶν δαιμόνων. Ob die Chaldäischen Orakel wirklich von Hades als herausragendem Dämonenfürst sprachen (vgl. Lewy 279–293, bes. 283), muß unsicher bleiben.

[26] Während diese negative Charakteristik in calv noch kaum begegnet (vgl. aber 7 p 203,1; 9 p 207,8–10), ist in regn *Physis* schon mit dem Sterben-müssen (5 p 12,8f.), mit Mangel (11 p 24,7–10) und Fehlen (14 p 30,11) verknüpft. Aeg 1,9 p 80,11f. redet von der dämonischen φύσις ἔμπληκτος καὶ θρασεῖα; und der Dion weiß um das „Herunterziehen der Physis" (7 p 251,12f.) und qualifiziert ihre ποικιλία sehr negativ (6 p 249,19; vgl. calv 7 p 202,11). In ins 1 p 144,11 ist Physis die menschliche Beschränktheit (vgl. ep 41 p 54,20; 67,12f.), so auch 10 p 165,14; 12 p 169,3; 171,9+13. Insbesondere benennen die Hymnen die Physis als negative Macht, 1,603. 611. 705 δολόεσσα φύσις (vgl. die listige Schlange von Gen 3,1!); 5,52–54 die „tiefsitzende Physis" gebiert die Dämonenbrut. Daneben ist aber die neutrale oder positive Bedeutung von Physis als „Wesen, Art und Weise" nicht zu übersehen, regn 25 p 55,10; 27 p 58,7 (als Hand Gottes, wodurch er wirkt); Aeg 2,7 p 127,15–19; ins 5 p 153,4f.; 6 p 154,17; als „göttliche Natur" ep 41 p 68,1f.; hy 1,185. 221. 229. 311; als irdische Natur 1,301f. 312. 335 μάτειρα φύσις, wie Mesomed hy in Physin v. 2, Heitsch Nr. 4 (Bd. 1 p 26); Orph hy 10,1; Clem paed 2,10,85:3; GregNaz carm 1,2,2:534 (PG 37,620), vgl. Terzaghi 117f.

[27] Dion 7 p 250,17 und 251,2f. (vgl. 256,21); ins 4 p 151,9 φύσεως ὑπερκύψαι; 8 p 160,18f. „den Händen der Physis entfliehen", vgl. oben Kap. II A. 176.

[28] Aristot met △ 4:1014b26–35; 1015a7; M. Aurel 10,2,1; 33,3.

[29] So Corp herm 1,14 κατωφερὴς φύσις als Hyle, vgl. Reitzenstein, Poimandres 111; Numenios frg 43,11f. des Pl. (= Jambl de anima bei Stob 1,49,37 p 375,17f. W.): Die Physis ist Einfallstor des Bösen. Bei Plotin meint Physis zunächst wertneutral die Erden- und Pflanzenwelt, 3,8,1:18–4:47; 6,7,11:28; verknüpft mit der Zeit 6,8,8:18; vgl. Deck, Nature 64–72. 124–126; H. F. Müller, Physis bei Plotinos, RhM 71 (1916) (232–245) 236ff.; sie gewinnt aber eine negative Färbung in 4,4,44:15 und 29f., wo von der „Gewalt der Physis" und ihrer üblen „Zauberei" die Rede ist, in 40:29 mit der Bezauberung der Schlange (!) verglichen.

[30] Vgl. Theiler, Orakel 32f.; Lewy 277 A. 76; Geudtner 33f. Frg 102 warnt: „Schau Natur nicht an; ihr Name ist schicksalsmächtig!" (Lewy ²546); ferner frg 101; 88 (die Physis lügt, s. oben A. 18); 106 („Mensch, du Gebilde leichtfertiger Natur"); Proklos bei Kroll 52 („Zwänge der Physis").

[31] In Porph sent ist die Physis die Erdenwelt, 8 p 3,6–4,2; 12 p 5,7; 29 p 20,2 L., in abst aber eine äußerst negative Macht: 1,30,4 θνητὴ φύσις; 43,1 γοητεύματα τῆς φύσεως; 2,49,1 „Zwänge der

Endlich redet Synesios von der Materie als einer unpersönlichen Macht auch in den Bildern des *Ozeans* oder des *Flusses*. Die „tieffließende Materie"[32], die „großen obenhin brandenden Wogen"[33]lassen an das Chaos, die Urflut denken, während der „Fluß" mehr die Vergänglichkeit alles Körperlichen veranschaulicht[34]. Leben heißt demzufolge, die „Fahrt über die See" gut zu überstehen[35]. All diese Bilder sind traditionell und insbesondere auch in der neuplatonischen Philosophie aufgegriffen worden[36].

(4) Halten wir diesem ausgeprägten Dualismus die ästhetische Betrachtung von Kultur und Menschenwesen im Dion einerseits, die idyllische Schilderung der bunten Natur von Südkyrene in den Briefen[37] andrerseits entgegen, so genügt es nicht, nur die traditionellen „zwei Sichtweisen" des Platonismus zur

---

Physis"; 3,27,3 „Minderwert unserer Natur"; in 1,28,3 f. wird der κατὰ φύσιν βίος gegenüber dem θεωρητικὸς βίος abgewertet. Positiv hingegen 2,53,2. Vgl. Bouffartigue, 2, 223 f. („le mot est déterminé de manière négative", wo es nicht einfach um „manière d'être, genre" geht). Endlich Marc 33 p 36,11–16 Befreiung von den „Fesseln der Natur". – Von den Orakeln und Porphyrios scheint besonders auch Jamblichos beeinflußt, vgl. das „Hinabziehen" in myst 2,5 p 79,10; die empfohlene Flucht vor der Physis 5,18 p 223,11–224,6; die Abwertung des κατὰ φύσιν p 224,10; 223,16; „Fesseln der Physis" 5,18 p 225,2 f.; vgl. 10,4 p 289,16. – Ansonsten bleibt es in der zeitgenössischen Literatur bei der Beschränktheit der *menschlichen* Natur, z. B. JChrys virg 9,1:13 (SC 125,120); incompr 2,117; 3,204; sac 3,12:22 f. (SC 272,212).

[32] Syn hy 8,66; vgl. von der Zeit 1,245 f.; 8,62 f.

[33] Hy 1,582 f. κέχυται δὲ πολὺς / ἐφύπερθε κλύδων; vgl. hy 4,27 κλύδωνας ὕλας; 9,104; ins 14 p 176,9; 179,1.

[34] Aeg 1,9 p 80,11 ff. von der fließenden, nicht wirklich seienden, vom Dämon beherrschten Wogenmacht der Materie.

[35] Hy 4,25–27 „Gewähre dem Hymnensänger eine ruhige Seefahrt durch das Leben (βιωτᾶς ... γαλάναν), / gebiete Einhalt den unstet irrenden Strömungen, / laß versiegen die verderblichen Wogen der Materie." Vgl. dazu Thilo, Commentarius 1, 8–11; Syn ins 16 p 178,14 f. γαλήνη παθῶν. Zur Symbolik der Seefahrt ferner ep 5 (= 4); Plat leg 7:803b; Epikt 2,18,29 f.; H. Rahner, Griechische Mythen in christlicher Deutung, Zürich 1957, 414–492 (bes. 430–444); ders., Symbole der Kirche, Salzburg 1964, 239 ff.; B. Lorenz, Zur Seefahrt des Lebens in den Gedichten Gregors von Nazianz, VC 33 (1979) 234–241 (mit Lit.).

[36] Vgl. Platons „Meer der Unähnlichkeit", polit 273d; Tim 43a der „Fluß". Insbesondere Xenokrates sprach von der ewig fließenden Materie, frg 28 H., vgl. Happ, Hyle 206.245. Für M. Aurel 12,14,4 f. ist der Klydon die materielle Welt, vgl. 2,3,3, ferner Numenios frg 3 des Pl. (Materie als Fluß); frg 18 (der Demiurg fährt über der Hyle einher wie der Steuermann über dem Meer); 33,8 f. (= Porph antr 34 p 32,20 f.) πόντος δὲ καὶ θάλασσα καὶ κλύδων καὶ παρὰ Πλάτωνι ἡ ὑλικὴ σύστασις. Auch Plotin nennt die Materiewelt „Klydon" (5,1,2:15 f. mit Parallelen bei H.-S.[2]) oder „Fluß" (2,1,1:24, vgl. 2,6; 3:1 f.; Macrob somn Scip 2,12,14). Die Chaldäischen Orakel verwenden nur das Bild des Flusses (frg 186, vgl. Kroll 48). Porphyrios greift dieselben Bilder auf, Plot 22,31–34 (Apollonorakel); antr passim, bes. 5 p 8,3 die Materie fließt; 17 p 18,23 Genesis und Wasser, vgl. dazu E. Peterson, Frühkirche, Judentum und Gnosis, Freiburg 1959, 284 A. 47; das Ende aller „odysseischen Mühen" ist erst mit der Befreiung von der „ozeanischen" Welt erreicht, 35 p 34,4 f. Vgl. ferner Jambl myst 7,2 p 251,1 f. (Fluß der Genesis); Themist or 20 p 14,16–18 D.-N.; Prokl hy 1,20 „die große Woge der tiefrauschenden Geburt"; JChrys sac 1,2:42 (SC 272,66) „Klydon" als Lebenswelt; etc. Auch Augustin deutet das Meer gern auf das saeculum, conf 13,17,20 ff.

[37] Vgl. oben Kap. II A. 21.

Erklärung der vorfindlichen Gegensätzlichkeiten in Anschlag zu bringen[38]. Vielmehr scheint es, als sei bei Synesios der kosmologisch-mythologische Dualismus nur der *Horizont,* innerhalb dessen sich das Göttliche, Lichte im Kosmos durchsetzt[39]. Sowohl die Götterintervention der Ägyptischen Erzählungen als auch die Christushymnen bezeugen ja gerade das Zunichtewerden der dämonisch-teuflischen Gewalten, den Sieg des Göttlichen über das Finstere. *Insofern ist der Kosmos immer schon dem Dualismus entrissen* und gewährt dem beschränkten menschlichen Sein Raum, läßt hellenischer Bildung und Hochschätzung auch des Irdischen ihr Recht. Zugespitzt formuliert, ist *das Griechentum in Christus gerettet* und bewahrt vor dem radikale Weltentsagung und „stählernen" Weg[40] implizierenden Dualismus. Freilich ist hiermit nicht so sehr ein historisch fixierbares Heilsereignis anvisiert wie in der jüdisch-christlichen Theologie, sondern vielmehr ein im Mythos Ereignis werdendes Immer-schon des Siegs des Obern über das Untere[41]. In diesem bewahrten Kosmos, den der Gottessohn bis ins Tiefste durchwaltet, ist nun Raum geschaffen für die vielfältigen, der menschlichen Beschränktheit und Weltzugewandtheit entsprechenden Wege, wie sie der Dion umreißt[42].

B. Auferstehung und Weltewigkeit

Auferstehung und kosmische Eschatologie sind von Synesios ausdrücklich als Kontroversartikel neuplatonischer und christlicher Theologie genannt worden[43]. Deshalb ist nun auf seine verstreuten Gedanken zu diesen zwei Themen einzugehen.

1. Auferstehung

(1) „Die allgemein verbreitete Idee der Auferstehung halte ich für ein heiliges und unsagbares Geheimnis, und ich bin weit entfernt davon, den Vorstellungen der Menge beizupflichten."[44] So stellt Synesios den Sachverhalt in seinem programmatischen Brief vor der Bischofswahl klar. Als Priester aber wird er das

---

[38] So Bregman, Synesius 57–61 (= 1982, 68ff.), der auch von einem „irreconciliable dualism as an integral part of his thought" spricht, 55 (= 1982, 67). Zu den „zwei Sichtweisen" s. oben S. 96.

[39] Damit gehe ich über Nicolosi 127 hinaus, der im Sinne des nichtsdestoweniger Gutes wirkenden Bösen (oben A. 3 am Ende) in Aeg eine „visione ottimistica del ‚cosmo'" wahrnimmt, worin die Gegensätze „tendono a comporsi in un'armonia".

[40] Dion 8 p 254,1.

[41] Vgl. aber oben S. 170f.

[42] S. unten S. 189ff.

[43] Zur Frage der Seelenpräexistenz s. oben Kap. IV bei A. 19 und 22.

[44] Ep 105 p 188,7–9 (= 249b) τὴν καθωμιλημένην ἀνάστασιν ἱερόν τι καὶ ἀπόρρητον ἥγημαι, καὶ πολλοῦ δέω ταῖς τοῦ πλήθους ὑπολήψεσιν ὁμολογῆσαι.

„Auferstehungsgeheimnis" gleichwohl feiern[45]. Meint er mit diesem „Geheimnis" eine Auferstehung zwar nicht des Fleisches, wohl aber eines pneumatischen Leibes[46]?

(2) Tatsächlich kommt Synesios in seinem Traumbuch (Kap. 7 und 9) auf einen *Aufstieg des Pneumaleibs* zu sprechen. Die der göttlichen Welt entstammende unkörperliche Seele kleidet sich bei ihrem Abstieg zur Erdenwelt zunächst in einen aus den Gestirnssphären gebildeten Ätherkörper[47], dann in einen aus den obern Elementen Feuer und Luft bestehenden Elementarkörper[48] und endlich in den schweren Erdenleib[49]. Im Wiederaufstieg geht es nun darum, wie Synesios in der Deutung eines chaldäischen Orakelworts ausführt, neben dem astralen Ätherkörper auch den pneumatischen Elementarleib wieder in die Höhe zu führen, und zwar derart, daß die diesen bildenden Elemente Feuer und Luft über die ihnen eigentlich zukommende Region hinaus Anteilhabe an der obern Gestirnswelt erlangen und in dieser Sphärenkugel aufgehen[50]. Der höhere Astralleib aber löst sich im weitern Aufstieg ebenfalls in den Sternsphären, denen seine Elemente entstammen, auf[51]. Dies ist für Synesios – Auferstehung[52]! Es geht gerade um Entleiblichung, um Rückkehr der Seele in die unkörperliche Welt und nicht um einen erstehenden Pneumaleib!

Für diese Auferstehungsvorstellung, insbesondere für die von ihm persönlich gebildete Vorstellung der Teilhabe der Elemente am Ätherlicht, beruft er sich auf die Chaldäischen Orakel:

„Nicht wirst du den Abschaum der Materie im Abgrund lassen,
sondern es ist auch dem Schattenbild sein Teil im ringsum erleuchteten Ort."[53]

---

[45] Ep 13 p 33,13f. ἀναστάσιμον μυστήριον.

[46] So Lacombrade, Synésios 168f.; Marrou, Conversion 482; ders., Synesius 147.

[47] Syn ins 7 p 157,8–11 (δανείζεται, „geborgt"). Dieser Leib ist das θεσπέσιον σῶμα, p 162,5, aus den Sphären gebildet, 162,1; 163,5 17 p 180,18–181,7, das σῶμα ἀκήρατον, 162,11 (die „Unvergänglichkeit" bezieht sich nicht auf die Leibstruktur, sondern das den Leib bildende Ätherelement), die σωματικὴ οὐσία, 163,3.

[48] ἡ ἐκ τῶν στοιχείων μοῖρα, p 163,1; die μέση φύσις 162,15; das chaldäische ὕλης σκύβαλον 162,4f.; vgl. 161,15. Die Unterscheidung der *zwei* feineren Körper ist in Langs Übersetzung (S. 15) verwischt, weil er das ἐφεξῆς p 162,8 mißversteht. Gemeint ist hier das Feuer, das dem kugelkörperhaften Äther *benachbart* ist (ἐφεξῆς in hierarchischer Bedeutung gern mit Dativ, vgl. Plot 3,5,3:38 und das Lexicon Plotinianum 447). Dazu paßt das Weltbild der Hymnen, z.B. 5,9–13, dazu Theiler, Orakel 23f.

[49] τὸ γήινον κέλυφος, „irdene Hülle", p 162,3.

[50] 9 p 162,15–19 der Elementarleib möge soweit wie möglich (εἰ μὴ μέχρι παντός, vgl. 161,12f. μέχρις οὗ δύναμις) in die Ätherwelt erhoben werden und dadurch die (ihm zukommende) Elementargipfelregion überschreiten (ἀλλά τοι διαβαίνοι τὴν τῶν στοιχείων ἀκρότητα καὶ γεύσαιτ᾽ ἂν τοῦ ἀμφιφαοῦς). Darin werden diese Elemente Teil des κυκλικός, der ätherischen Gestirnsphäre, p 162,19. All dies wird als ureigene Exegese (10 p 163,1f.) aus Or Chald frg 158 herausgesponnen.

[51] 10 p 163,1–6, bes. 5f. ταῖς σφαίραις ἐναρμοσθῆναι, τοῦτ᾽ἔστιν εἰς τὴν οἰκείαν φύσιν ὥσπερ ἀναχυθῆναι. Vgl. unten A. 63.

[52] 10 p 163,5 ἀναστᾶσαν (vom Astralleib).

[53] Or Chald frg 158 (= Syn ins p 161,14–16):

Unklar bleibt, ob Synesios in seiner Deutung des „Abschaums" auf das Pneuma die Meinung der Chaldäer trifft[54]. Um eine eigentliche Auferstehung des materiellen Körpers wird es sich freilich auch bei diesen nicht handeln[55].

(3) Erweist sich derart die Auferstehungspassage des Traumbuches als gut neuplatonische Aufstiegsvorstellung, so entspricht dies ganz der von Synesios ausgeführten *Pneumalehre*[56]. Das Pneuma ist ihm zwischen Seele und Materie vermittelnde Zwischenwelt[57], „zweite Seele"[58] oder der Seele „erstes Gefährt"[59], woraus sich die Phantasie, der Traum, die Bilderwelt der Seele speisen. Mit Hilfe der Philosophie ist dieses Pneuma zu reinigen und dadurch in die Höhe zu führen[60]. Durchwegs stützt sich Synesios hier auf die Pneumatologie des Porphyrios[61], der seinerseits ältere Traditionen, wiederum vorzüglich aus den Chaldäischen Orakeln aufgreift[62]. Insbesondere die Idee der Bildung des Pneumavehikels im Abstieg der Seele durch die Sternsphären und seiner Auflösung im Wiederaufstieg findet sich auch bei diesem[63]. Daß solche Seelenerhe-

---

οὐδὲ τὸ τῆς ὕλης κρημνῷ σκύβαλον καταλείψει⟨ς⟩,
ἀλλὰ καὶ εἰδώλῳ μερὶς εἰς τόπον ἀμφιφαόντα.
Lewy 214 A. 150 und ²549 übersetzt μερίς mit „Ordnung".

[54] Wie Synesios deuten Kroll 61; Geudtner 21 f.; auch Cremer 137 A. 267; an den Körper denkt Lang, Traumbuch 73 f.; Lewy 219 vermutet eine „medizinische" „immunity against demonic infection", eine Sofortauflösung des Körpers.

[55] An eine solche denkt bei frg 128,2 und 129 Kroll 61; dagegen Theiler, Orakel 37; Lewy 213–219; Hadot, Porphyre 1, 344; Cremer 136 f.; Geudtner 20–24. Die Orakel werten den physischen Körper zu negativ, s. Prokl phil Chald 3 p 208,8 des Pl.: ῥίζα τῆς κακίας. Lewy bezieht recht künstlich σκύβαλον auf den Körper, εἴδωλον aber auf die himmelwärts steigende Theurgenseele.

[56] Vgl. zur *Pneuma-OXHMA-Lehre*, die letztlich Platons und Aristoteles' Seelenbegriff vereinen will, R. C. Kissling, The OXHMA-ΠNEYMA of the neoplatonists and the De insomniis of Synesius of Cyrene, AJP 43 (1922) 318–330; Dodds, Proclus 313–321; Beutler, Proklos 235 f.; G. Verbeke, L'évolution de la doctrine du pneuma, du stoïcisme à s. Augustin, Paris – Louvain 1945, 351–358; J. Trouillard, Réflexions sur l'OXHMA dans les „Eléments de Théologie" de Proclus, REG 70 (1957) 102–107; ders., L'un et l'âme 186–189 (im Zusammenhang mit der Theurgie); ders., Mystagogie 219–221.251 f.; P. Moraux, PWK 24 (1963) 1251–56; Wallis 157 f.; I. Hadot, Problème 98–106. 181–187.

[57] Ins 6 p 155,5–7; 7 p 157,2 f.; 9 p 161,9 f.; 163,16 f.; vgl. ep 66 p 114,4 πνεῦμα ἐγκόσμιον.

[58] Ins 4 p 150,10 ff.

[59] Ins 5 p 153,2; 6 p 155,3; 7 p 156,8 ff. Zum neuplatonischen Phantasia-begriff vgl. W. Beierwaltes, Das Problem der Erkenntnis bei Proklos, Entretiens 21 (1975) (153–185) 159 f. von der versinnbildlichenden Einbildungskraft; ferner Trouillard, Mystagogie 44–51.

[60] Ins 10 p 164,10 ff.; vgl. Porph regr 7 p 35,14 ff. B.; Hierokles bei Kobusch 122; Kissling aaO. 327.

[61] Von Lang, Traumbuch 57–80 erkannt; vgl. ferner Bidez, Vie de Porphyre 89; Theiler, Porphyrios 37 f.; Beutler, Porphyrios 308 f.; Dörrie, Symmikta Zetemata 167 f.; Waszink, Porphyrios 205 f.; Hadot, Porphyre 1, 181. 187–189. 341; Smith, Porphyry 65 f. 152–158; Bouffartigue, 1, XLVII f. Die wichtigsten Stellen sind sent 29 p 18,6–20,6 L.; antr 11 p 12 und 14; abst 1,27,4 und 28,2; Gaur 6,1 p 42,7–10 K.; MVict Ar 1,62:35 f.; ferner unten A. 63. – Plotin redet dagegen noch kaum vom Pneumaleib, s. Dodds, Proclus 318; Blumenthal, Plotinus' psychology 139. 56 A. 28.

[62] Or Chald frg 120; 123; 201; vgl. die bei Synesios zitierten Fragmente. Dazu Kroll 47.61.64; Kissling 325; Lewy 122. 178–184; Cremer 136–139; Geudtner 18–24.

[63] Porph in Tim frg 80 p 68 f. S. (= Prokl in Tim 3,234,18–26) die niederen Seelenteile ἀναλύε-

bung[64] nicht mit der christlichen Auferstehung zu verwechseln ist, hat der neuplatonische Philosoph in seinem Werk wider die Christen deutlich herausgestellt[65].

(4) Zielt dieser Seelenaufstieg nun gerade auf ein Ablegen des Pneumaleibes und eine *Entleiblichung*, so kann für Synesios keine Aufnahme eines origenistischen Auferstehungsspiritualismus namhaft gemacht werden[66]. Paradoxerweise nähern sich umgekehrt eher die spätern Neuplatoniker aus rein innerplatonischen Voraussetzungen einer solchen – allerdings nicht eschatologischen – Vorstellung, wonach der Seele immer schon ein höchstes nahezu immaterielles Vehikel zukommt[67]. Synesios aber bleibt der ältern Überlieferung treu und läßt die Seele auch in den Hymnen in ihre körperlose, angestammte Heimat *jenseits* der Sternsphären aufsteigen. Das *„Neue"*, das er in seinem Traumbuch „erstmals unter den Hellenen" zur Darstellung gebracht haben will[68], ist demnach weder eine Verchristlichung der porphyrianischen Pneumalehre[69], noch auch die nur in der Orakelexegese ad hoc formulierte schöne Idee der im Aufstieg den obern Elementen gewährten Teilhabe am Ätherlicht[70], sondern vielmehr seine These, daß die Seele in gleicher Weise die Formen des Werdenden in sich birgt wie der Geist diejenigen des Seienden[71]. Tatsächlich kreist De insomniis insge-

---

σιθαί τινα τϱόπον εἰς τὰς σφαίϱας, ἀφ᾿ ὧν τὴν σύνϑεσιν ἔλαχε; vgl. Macrob in somn Scip 1,11,12 p 47,21–29 mit Elferink, Descente 33f. und oben A. 51. – Im Aufstieg legt man die „Kleider der Seele" ab, abst 1,31,3. Den Abstieg durch die Planetensphären kennen auch die Orakel, Geudtner 16–18.

[64] Vgl. Plot 6,7,22:15 die beflügelte Seele erhebt sich (ἐγείϱεται); ihr gänzlich unkörperliches Zu-sich-Kommen ist allein wahre Auferstehung (ἡ δ᾿ ἀληϑινὴ ἐγϱήγοϱσις ἀληϑινὴ ἀπὸ σώματος, οὐ μετὰ σώματος, ἀνάστασις), 3,6,6:70f., wohl antichristliche Polemik, s. Theiler, Plotins Schriften 2b, 448; Forschungen 154 A. 107. Christen konnten solche Selbstwerdung allenfalls als „erste Auferstehung" (Apc Joh 20,5) bezeichnen, Clem protr 8,80:4.

[65] Porph advChrist frg 92–94 p 100–102 H. Die resurrectio ist bestenfalls ein Mißverständnis der periodischen Apokatastasen, frg 90b. Vgl. zum Kontroversartikel „Auferstehung" P. Labriolle, La réaction païenne, Paris 1934, 276f.; Nestle, Haupteinwände 83f.; Armstrong – Markus, Christian faith 46–49; Wallis 103f.; Pépin, Théologie cosmique 323ff.

[66] Solches gilt eher für Victorinus, in Eph 4,9 p 177,26–28 L. omnia spiritus erunt et totus homo spiritus factus in caelum ascendet; Ar 1,46:11f.; 64:15–22 spiritale corpus; vgl. Benz, Marius Victorinus 120f. – Kritisch zur These von Lacombrade und Marrou auch schon Bregman, Synesius 143. 149–152. 158f. (= 1982, 147. 154. 160f.).

[67] Prokl inst 196 p 178 und 207 p 180,35f. mit Dodds 300; vgl. Trouillard aaO. (A. 56) 102f.

[68] Ep 154 p 276,13 (= 293a) δόγματα τῶν οὔπω φιλοσοφηϑέντων Ἕλλησι.

[69] So Lacombrade, Synésios 168f. Anders will Lang, Traumbuch 91 das Neue in der Verbindung von Pneuma und Träumen sehen, was aber eher schon auf Porphyrios zurückgeht, der auch eine eigene Schrift über Schlaf und Wachen verfaßt hat (Beutler, Porphyrios 290 Nr. 37 = Nr. 72 Romano).

[70] Ins 9 p 162,5–19, das Obere, der Äther ist nicht παντάπασιν ἄσχετα, sondern gibt an seiner Natur Teil (162,6.10 κοινωνία), vgl. oben A. 50.

[71] Ins 4 p 149,18–20 „Der Nus enthält die Formen des Seienden (εἴδη τῶν ὄντων), sagt die alte Philosophie. *Wir möchten aber hinzufügen* (πϱοσϑείημεν δ᾿ ἂν ἡμεῖς), daß die Seele die Formen des Werdenden (τῶν γινομένων) enthält." Dies erschließt er aus der traditionellen Analogie von

samt um dieses Thema. So bleibt es dabei: „Auferstehung" ist für Synesios der alle Körperlichkeit zurücklassende Seelenaufstieg, die Rückwendung zum Göttlichen.

2. Weltewigkeit

(1) „Ich will nicht zugestehen, daß der Kosmos samt all seinen Teilen zusammen vergehe."[72] Von dieser Position ist Synesios nie abgerückt[73]. Im großen Hymnus preist er den ewigen Chor des Seienden:

> „Was denn überhaupt in den Chor
> des Seienden eingefügt ist,
> niemals wird es (ganz) zugrunde gehen[74].
> Alles erfreut sich seines Anteils,
> eines vom andern,
> miteinander.
> Aus dem Vergehenden
> (bildet sich) ein ewiger Kreis[75],
> durch deinen Hauch
> wieder und wieder umhegt."   (hy 1,323–332)

Das Verhältnis von Urbild und Abbild garantiert den ewigen Bestand des Kosmos[76]. Auch die andern Hymnen lassen diesen Grundgedanken des Platonismus oftmals durchschimmern[77]. In den Ägyptischen Erzählungen geht es zwar nicht um eine eigentliche „ewige Wiederkehr"[78], wohl aber um eine

---

Nus : Psyche = Sein : Werden. „So dürfte unsere These bewiesen sein", οὕτως ἂν ἀποδεδειγμένον εἴη τὸ ὑφ'ἡμῶν ἀξιούμενον, 150,3 f.

[72] Ep 105 p 188,6 f. (= 249b) τὸν κόσμον οὐ φήσω καὶ τἄλλα μέρη συνδιαφθείρεσθαι. Vgl. W. Kranz, Kosmos, ABG 2/1 (1955) 118–122; Crawford 75.

[73] Dies ist zu betonen gegenüber Lacombrade, Hymnes 19 f.

[74] τὸ δὲ ταχθὲν ὅλως / ἐς χορὸν ὄντων / οὐκέτ' ὀλεῖται. Vgl. gegen die Stoiker PsAristot de mundo 4:396a30–32 mit Platon Parm 137d; Sen ep 71,13 quidquid est non erit nec peribit sed resolvetur, „Alles, was ist, besteht nicht ewig; es vergeht nicht völlig, aber es löst sich auf." (Glaser); Plot 4,7,14:13 f. οὐδὲν γὰρ ἐκ τοῦ ὄντος ἀπόλειται, „Denn nichts kann aus dem Seienden getilgt werden" (Harder); MVict Ar 4,25:34 nihil funditus interit. So auch Goethes „Kein Wesen kann zu nichts zerfallen …".

[75] ἐξ ὀλλυμένων / κύκλος ἀίδιος; vgl. DionAr div nom 4,14 (PG 3,712D) ἀίδιος κύκλος.

[76] Hy 1,313–315 (verdorbener Text; wegen 8,70 eher τᾶς ἀενάω / ἴνδαλμα μονᾶς – so Canter, Terzaghi, Dell' Era – zu lesen).

[77] Hy 2,152 die Himmelssphäre ἀγήρως, vgl. mit Terzaghi 180 f. Plut Is 10:355a, auch Plot 5,6,6:16 f.; in hy 2,167 umfängt der Sohn den „unvergänglichen Lauf der Äonen" (σὺ γὰρ … δρόμον αἰώνων ἄλυτον συνέχεις); hy 8(!),34 f. vom Chor der Sterne ἀκηράτων χορὸς ἄμβροτος ἀστέρων; ἀκήρατος = „rein", aber auch „ohne Verderben, todenthoben", v. 26 von den Seelenchören, v. 58 f. von den noetischen Sphären (vgl. Wilamowitz 289 A. 2); vom Göttlichen regn 9 p 19,7. Ferner ist hy 2,74 die weltdurchwaltende Hauchkraft unsterblich, ἀμβροσία … πνοά, ebenso die Engel, 5,45.

[78] So Grützmacher 60 f.; Gaiser 30; A. J. Visser, Synesius von Cyrene, NAKG 39 (1952) (67–80) 70 f.; Bregman, Synesius 61 f. (= 1982, 71).

unbegrenzte Aufeinanderfolge ähnlicher Zyklen[79], innerhalb derer Sein und Nichts um den Kosmos streiten, ihn aber als ganzen niemals vom Vergehen bedroht sein lassen[80].

(2) Tatsächlich handelt es sich bei der Weltewigkeit um ein zentrales, in der Gotteslehre selbst verankertes Dogma der neuplatonischen Theologie[81]. Für Plotin ist es gerade die Anwesenheit der obern Welten – insbesondere der Weltseele – im Kosmos, die dessen Unvergänglichkeit impliziert[82]. Porphyrios leitet die Weltewigkeit sogar direkt aus der Güte des göttlichen Wesens ab[83] und verhöhnt die christliche Lehre von den letzten Dingen[84]. Ein Gleiches gilt für die spätern Neuplatoniker und auch für manche diesen stark verpflichteten christlichen Theologen[85]. Selbst eine Eschatologie in der Form eines kosmischen Rückgangs, der nur den höhern, nichtmateriellen Welten ewiges Sein gewährt, wie es wohl Origenes vertreten hat, ist für neuplatonisches Denken unvollziehbar, weil derart die Seelen- oder gar die Geisterwelt als „Letzte" der Zeugungsmächtigkeit und Ausstrahlung beraubt würden und somit einer ihnen

---

[79] Aeg 1,7 p 127,22–129,18, bes. 129,3–9; vgl. calv 10 p 209,3f. in der Sternensphäre οὐδὲν οὐδέποτε νεώτερον γίνεται und Proklos' περιοδικῶς ἀνακυκλεῖσθαι, inst 199 p 174,4–9. Beierwaltes, Proklos 232f. wehrt eine Vorstellung der ewigen Wiederkehr richtig ab, dürfte aber mit dem Bild der Spirale nun umgekehrt wieder zuviel Zielgerichtetheit einbringen.

[80] Vgl. die den Kosmos nur partiell vernichtenden Weltkatastrophen bei Dion Chrys or 36,47–50 (οὐχ ὅλου φθειρομένου τοῦ παντός) und oben Kap. IV A. 300f. Synesios steht mit seiner Ablehnung des Schlusses vom Vergehen der Teile auf das Vergehen der ganzen Welt in einer platonisch-aristotelischen Tradition, gegen Stoiker, Epikureer *und* Christen, vgl. Basil hex 1,3 (SC 26,100 = PG 29,12A) und Pépin, Théologie cosmique 297–303.

[81] Vgl. zum Thema Theiler, Forschungen 24 A. 40; Beierwaltes, Proklos 136–143; Armstrong – Markus 5; Wallis 102f.167f.; Nestle, Haupteinwände 82f.; Pépin, Théologie cosmique 79–99; W. Wieland, Die Ewigkeit der Welt, der Streit zwischen J. Philoponus und Simplicius, FS H. G. Gadamer, Die Gegenwart der Griechen im neueren Denken, Tübingen 1960, 291–316, dessen Behauptung freilich, daß erst Philoponos vom „Fluß der Zeit" rede, durch Syn hy 1,245; 8,62f. (βαθύρροος χρόνος) widerlegt wird.

[82] Plot 4,8,6:25–28 συνέχεται πάντα εἰσαεὶ τά τε νοητῶς τά τε αἰσθητῶς ὄντα; 5,8,12:17–26; 3,7,6:50–57; und bes. Enneade 2,1. Vgl. ferner G. H. Clark, Plotinus on the eternity of the world, PhRev 58 (1949) 130–140; Beierwaltes, Plotin 213.

[83] S. oben Kap. III A. 266! Schon in Corp herm 11,14 und 16,19 gründet die Weltewigkeit in Gottes Ewigkeit. Vgl. ferner Porph in Tim frg 34–39 p 21–26 S., bes. p 26,10f.; Theiler, Porphyrios 16f.; Pépin, Théologie cosmique 86f.

[84] Porph advChrist frg 89f. p 98f. H., wo die Weltewigkeit auf Gott, auf der „göttlichen und unverderblichen Setzung" beruht. Vgl. auch frg 34 mit Baltes, Weltentstehung 1, 198f.; Porph bei Aug civ 20,24:11f. (CCL 48,744).

[85] Vgl. insbesondere den „Katechismus" des Salustios 7,1f. und 13,4: Wer die Weltewigkeit leugnet, leugnet die Gottheit der Götter, ferner 17 und 18,1 gegen die Gottlosigkeit der Christen. Nach 17,10 (vgl. 4,10) ist der Kosmos selbst „Gott". – Sodann Nemes nat hom 2 p 106 M.; zu Boethius vgl. Kranz aaO. (A. 72); ferner Marrou, Conversion 482. Auch bei Dionysios Areopagita spielt die allgemeine Eschatologie gar keine Rolle, Brons, Gott und die Seienden 314–317. 321. „Das ist vom Ansatz des Systems her auch nicht anders zu erwarten.", ib. 314. Vgl. endlich die neuplatonische Tradition bei MVict Ar 4,25:28f.33 (= Hadot, Porphyre 2, 52f. § 83) und Aug conf 4,11,16 p 66,8f. Sk.

niemals zuzuschreibenden Unvollkommenheit verfielen[86]. Die neuplatonische „Eschatologie" mit ihrer Schau der Durchdringung auch des Untersten durch das Göttliche schließt konsequent eine jüdisch-christliche Eschatologie aus. Hierin bleibt Synesios einmal mehr eindeutig auf der Seite des Platonismus.

C. Der Weg des Menschen

Wir kommen abermals auf den *Aufstieg* der Seele zur Gottheit bei Synesios zu sprechen, nun aber nicht mehr unter Zugrundelegung der Hymnen wie im zweiten Kapitel, sondern im Hinblick auf die Ausführungen des Dion und die darin aufgegriffenen philosophisch-theologischen Überlieferungen.

1. Dion 6–11: Der hellenische Weg

(1) Synesios drängt im Dion in Abgrenzung von den alle Bildung verachtenden Philosophen und Mönchen auf ein rechtes *Verständnis des Menschen als eines Mittelwesens* und des ihm entsprechenden Weges zum Geistigen[87]. Dieses Mitte-sein des Menschen zwischen reinem Geist und irdischer Wirrnis ist ihm in all seinen Schriften ein grundlegender anthropologischer Leitsatz[88]. Im besonderen betont er gegenüber dem radikalen Höhenflug des ungebildeten Mönchtums das „Zwischen" des Menschseins und die diesem allein gerecht werdende griechische Paideia[89]. Mensch-sein heißt geradezu, auch dem Untern, der Welt des Werdens, in gelöster, affektfreier Weise zugewandt zu sein[90]. Alle um das Höchste bemühte Kontemplation findet ihre Grenzen in der Beschränktheit der menschlichen Natur und hat dieser Rechnung zu tragen[91]. Der große Vorzug

---

[86] Plot 2,9,3:8–21 folgert aus diesem Argument direkt die Weltewigkeit, vgl. 6,7,8:12–14 und oben S. 95; sodann Prokl inst 204 p 178,19–21; in Tim 1,372,33–373,3 „wo das Schlechtere nicht ‚ist', hat es auch keinen Platz für das Höhere." Synesios pflichtet dieser Regel bei, Dion 5 p 247,14 „Nichts von dem Göttlichen (er meint die Seele) will das Letzte (ἔσχατον) sein", vgl. calv 7 p 202,11. – Zur neuplatonischen „Eschatologie" s. oben S. 156.

[87] Syn Dion 6 p 249,6–8: Wer ‚oben' ist, erinnere sich, daß er Mensch ist und mit einem jeden verkehren können soll, vgl. 13 f.: Wir sind nicht ὁ ἀκήρατος νοῦς (vgl. unten Plot A. 157; Proklos A. 169; MVict A. 171!); 17 p 275,13–16; 6 p 250,7: Wir sind nicht „körperbekleidete Götter" und dürfen deshalb die Physis nicht übergehen. 10 p 259,13 f.: Mitleid ist menschlich, vgl. dazu Lacombrade, Synésios 35 A. 74; Treu, Dion 18. – In vielem trifft sich Synesios mit Themistios, vgl. Treu (oben Kap. I A. 69), Tinnefeld und Piñero Sáenz (unten A. 120).

[88] Calv 5 p 198,5–8; regn 10 p 20,3 ff.; Aeg 1,9 p 82,1–5 und 1,10 p 83,17 ff.; ep 142 p 248,5–7 von seiner persönlichen Mittelmäßigkeit, weit entfernt von jedem Halbgottsein.

[89] Dion 8 p 252,21 ἐν μέσῳ; 9 p 255,3 das „Zwischen" (τὰν μέσῳ) erfaßt der Grieche besser.

[90] 7 p 252,1 f. Auch die Mönche sind ἄνθρωποι, τοῦτ᾿ἔστιν ἐπιστροφὴν πρὸς τὰ τῇδε πεποιημένοι; vgl. p 252,8 f. „etwas in uns muß sich ja auch mit Irdischem abgeben". Vgl. Sen ep 58,25 debemus relaxare et quibusdam oblectamentibus reficere; ep 65,16–18; dial 9,17:4–8 und unten A. 99.

[91] 7 p 251,16–21; 6 p 249,11–13; notwendigerweise kommt es zum Ermüden in der Theoria, 6 p

des „hellenischen" gegenüber dem „barbarischen" Weg ist nun der, daß in jenem sowohl Aufstieg wie Abstieg innerhalb einer alle Extreme vermeidenden Ordnung statthaben und so die suchende Seele langsam, aber sicher ihrem Ziel zuführen. „Freilich, das Ziel, der Ort, den es zu erreichen gilt, ist uns beiden gemeinsam, und wenn wir es erreichen, möchte es wohl keine Unterschiede mehr zwischen uns geben."[92]

Der Weg aber ist verschieden, und im Grunde ist der „barbarische" Weg gar keiner[93]. Aufstieg ist in diesem ein „enthusiastisches Springen"[94], und der infolge menschlicher Beschränktheit nahezu notwendige Abstieg wird zum heftigen Fall[95]. Der Griechenweg aber berücksichtigt die Schwäche der menschlichen Natur. Der Abstieg von der erhabenen Theoria ist mild und kultiviert und führt zu einem dem Noetischen nahen Ort, schon früh kommt der Rückfall zum Stand und erlaubt so einen baldigen Neuaufschwung.

In diesen Ausführungen treffen wir laufend wieder auf das schon im großen Hymnus beobachtete *Rückfallmotiv*[96]. Hier wie dort ist die Rede von einem dem Höchsten benachbarten Ort, worin der Rückfall sein Ende findet und infolge einer Stärkung den Neuaufstieg ermöglicht[97]. Während aber im Dion dieser nächstuntere Ort als die griechische Bildungswelt, als der Logos identifiziert wird[98], ist er im etwa gleichzeitig verfaßten Hymnus – der Gottessohn! Die bekannte Regel der Rhetorik, den Hörer immer wieder sich am Leichten und Bunten von den Mühen des Schweren und des Gedankenflugs erholen zu lassen[99], gewinnt hier ihre mystisch-psychagogische Begründung.

Die in beiden Texten – Hymnus 1 wie Dion – anvisierte *Beschränktheit der menschlichen Natur* gründet in der ontologischen *Mittelstellung der vernünfti-*

249,11 f.; 250,5–7 kein πρὸς θεωρίαν ἀτρύτως ἔχειν – anders Plotin (unten A. 162) und Julian or 7,20:226c2 (ἀτρύτως), dafür aber mit Aristot met Λ 7:1072b14f. und 25, wozu Dodds, Griechen und Irrationales 125. Auch die Mönche sind nicht unermüdlich, 251,4, weshalb sie Körbe basteln.

[92] 8 p 255,1 f. (in Anlehnung an die Übersetzung von Treu); vgl. 7 p 251,3 f. Freilich erreichen nur wenige das Ziel, 7 p 251,9 f.; vgl. 258,20 und 255,6 sowie calv 6 p 202,4 f.

[93] 8 p 254,3, er ist stählern, 254,1, ohne Taxis 254,5.

[94] 8 p 254,5 f. (vgl. 17) βακχεία und ἅλμα μανικόν statt ἀναδρομή; ähnlich Themist or 32 p 197,30 D.-N. οὐ μὴν ὑπερἁλλονταί γε αὐτῆς τὸ μέτρον. – Zum positiven „Sprung" s. oben Kap. IV A. 145 f.

[95] 254,16 πτῶμα statt κάθοδος.

[96] S. oben S. 53 ff., bes. A. 201.

[97] Vom auffangenden Ort in der Nähe 6 p 249,15–19 (πλησίον), auf daß man nicht weiter falle (μὴ πόρρω πεσεῖν), an die Apeiron-thematik erinnernd (oben Kap. II A. 299). So kommt es wieder zum Aufsteigen, 250,1 f. Parallel dazu 8 p 252,21 ff.: Der Hellene findet das höhere „Zwischen" als der Barbar, fallend kommt er eher wieder zu Stand (ἔστη 253,5 f.; vgl. oben Kap. III A. 195!), versinkt weniger in der Hyle (253,3). An diesem Ort erholt (ἀγαπητόν 249,16, γλυκυθυμία 249,18, ἡδονή 249,20) und reinigt er sich (253,14) und wagt sich nun an die höhere Schau (ὥστε θαρσῆσαι ... πρὸς ἥλιον ἀτενίσαντα ... τὴν ἐπιβολὴν γυμνάζει, 253,15–18). All diese Motive begegneten in hy 1,126 ff. und Plotin, oben Kap. II A. 208 f. und 214.

[98] 8 p 253,7–10.

[99] Vgl. Themist or 24 p 99,18 f.; 100,1 f. D.-N.; JChrys virg 27,3:44–51 (SC 125,180).

gen Seele[100]. Dieses wohlbekannte Platonicum wird auch im Neuplatonismus häufig aufgegriffen[101] und hat selbst in der Christologie hohe Bedeutung erlangt[102]. Synesios und, wie unten zu zeigen ist, der nachporphyrianische Neuplatonismus haben das Motiv sehr eng mit der menschlichen Beschränktheit gekoppelt.

Der Grundfehler des Barbarenweges ist demzufolge, dieses Mitte-sein des Menschen zu verfehlen und gerade deshalb überhaupt nicht zu einem wahren Aufstieg *trotz* dieser Beschränktheit zu verhelfen. Demgegenüber erweist sich der hellenische Weg als den Stufen des Seins entsprechende, der *Ordnung der Tugenden* folgende Erhebung[103]. Dieser Einbezug der kathartischen Tugenden in den Weg zu Gott kristallisiert sich vor allem in der hohen Bedeutung, die die *Phronesis* darin gewinnt, heraus[104]. Gerade dieser ermangeln die Mönche, die dadurch nahezu sinnlos Gebote befolgen, ohne zu wissen warum, und so endlich die „Vorbereitung" für das „Ziel" selbst halten[105]. Wieder zeigt sich: Der Barbarenweg, indem er das „Zwischen" verächtlich überspringen will, verbleibt im Untern, nicht einmal des Logos Teilhaftigen[106].

In dieser Gegenüberstellung von Hellenen- und Barbarenweg scheint Synesios von Plotins Auseinandersetzung mit den Gnostikern inspiriert worden zu sein. Ihren Mangel an Methode[107], ihr allzu heftiges, geistloses Empordrängen[108], ihren Verzicht auf den Tugendweg[109], die übersteigerte Askese[110] und

---

[100] 9 p 257,20 die Seele ist μέσην τὴν φύσιν, vgl. 258,2; Lacombrade, Synésios 145 A.19; Treu, Dion 85f. Aber „Mitte" ist die Seele nur, wenn sie wieder aufgestiegen ist! Vgl. Aug conf 7,7,11 p 136,14–16 media regio salutis meae. Anders nennt Synesios im Traumbuch das Pneuma „Mitte", oben A.57.

[101] Plat Tim 35a; vgl. Prokl in Tim 2,127,26–132,3, mit Zitat von Or Chald frg 189. Weiter Numenios frg 39 des Pl.; Plot 4,8,7:5f.; 3,9,3:14f.; 4,4,3:11f.; 2,9,2:4–10; 4,8,4:32; dazu Schlette 161; Beierwaltes, Plotin 51–53; Armstrong, Cambridge history 225; Theiler, Forschungen 153. 43; Porph sent 5 p 2,11; ferner Theiler, Porphyrios 22–24; ders., Die Seele als Mitte bei Augustin und Origenes, Untersuchungen 554–563; Hadot, Porphyre 1, 179; differenziert Dörrie, Symmikta Zetemata 177. 193. Sodann Jambl de anima bei Stob 1,49,32 p 365,28f. W.; Salustios 18,1; Prokl inst 20 p 22,6ff. und 190 p 166,1–25; Hierokl in CA 20,2 p 84,16 K.; MVict Ar 1,61:19f.; Nemes nat hom 1 p 39,7f. M.; Philon op 135; GregNyss hom opif 16 (PG 44,181BC).

[102] Orig princ 2,6,3 p 142,11 substantiā animae inter deum carnemque mediante; GregNaz or 2,23:6 (SC 247,120) διὰ μέσης ψυχῆς; 38,13 (PG 36,325C); carm 1,1,10:57 (PG 37,469).

[103] Dion 9 p 256,19–258,11, vgl. Treu, Dion 83–86. S. bes. 257,6f. ἀντακολούθησις der Tugenden, wie Plot 1,2,7:1; Porph sent 32 p 28,3f. Synesios folgt weitgehend Porphyrios, vgl. Lacombrade, Synésios 61 A.89; Garzya zu ep 140 p 245f.

[104] Dion 9 p 257,3; regn 7 p 16,8f.; ins 15 p 176,18; ep 137 p 239,11 und 240,8 θεῖα φρονεῖν.

[105] Dion 9 p 256f., bes. 257,8.13; ep 137 p 239,10–240,9.

[106] Dion 8 p 254,7f.13; 9 p 257,2; ep 137 p 240,3 σωφροσύνη ἄλογος.

[107] Plot 2,9,15, bes. 15:31–34: Die Gnostiker fordern wohl, sich auf Gott hin auszurichten, aber über das Wie vermögen sie nichts zu sagen.

[108] Plot 2,9,9:45–52. Wie bei Synesios (oben A.106) endet das unvernünftige über den Geist hinaus Wollen im Untergeistigen, τὸ δ'ὑπὲρ νοῦν ἤδη ἐστὶν ἔξω νοῦ πεσεῖν, 51f.

[109] 2,9,15:11ff., bes. 27–40.

[110] 2,9,17:27–31 Plotin lobt zwar ihre Askese, aber tadelt sie ob ihrer Verkennung des Schönen auf Erden.

Absonderung[111] sowie ihre Überheblichkeit[112] kontrastiert Plotin mit dem Weg der alten hellenischen Paideia und ihrer Hochschätzung der Phronesis[113].

(2) Gesellt sich Synesios mit seiner Sicht der menschlichen Beschränktheit zwar mehr dem Kreis der spätern Neuplatoniker zu, so wehrt er umgekehrt mit Plotin und Porphyrios die *Theurgie* als einen *trotz* dieser Begrenztheit des Menschen den Aufstieg ermöglichenden Pfad ab[114]. Magie und Theurgie als Versuche, „das Göttliche hinabzuziehen"[115], verfehlen gerade, da sie nur innerhalb des Kosmos wirksam sind, den über diesen hinausführenden Seelenflug[116]. Es ist vielmehr die Philosophie allein, die solch hohes Ziel erreichen läßt und zur göttlichen Einung emporleitet[117]. Ihre unerläßliche Vorstufe und Propädeutik ist aber die griechische *Bildung* mit ihrer Pflege der Musen und der Tugenden[118], worin sich die Seele an „blühenden Wiesen" und „attischen Leckereien" zu stärken vermag[119]. Hierin geht Synesios nun auch andere Pfade als Plotin und Porphyrios, indem er sich dieser Welt des Werdens, des literarischen Schmucks und all ihrer Schönheiten mehr verbunden weiß. Er ist hierin vielmehr mit

---

[111] 2,9,15:18f. Die Gnostiker haben kein κοινὸν πρὸς ἄλλους ἀνθρώπους, vgl. Syn Dion 6 p 249,6–8, oben A. 87.

[112] 2,9,9:55 αὐθάδεια, 13:2 θράσος, 14:39–43; vgl. Syn Dion 10 p 259,17 τολμηρότατοι, p 261,6 τόλμα; 262,11ff., aber überall wohl eher gegen heidnische Großmäuler, nicht gegen Mönche, vgl. oben S. 19f.

[113] 2,9,15:30f.; 15:39 (nach Platon Theait 176b).

[114] Vgl. Volkmann 143; Gardner 79; Lang, Traumbuch 78.82–85; Lacombrade, Synésios 148; Treu, Dion 24; Bizzochi, Inni 286; Bregman, Synesius 144f. (= 1982, 146).

[115] Calv 10 p 208,13–21 (ἅπαν εἵλκυσεν, ὅσον ἐστὶ τοῦ θείου τὸ πεφυκὸς ὁλκαῖς τισιν ἕπεσθαι, zu ὁλκαί vgl. Plot 4,3,13:11) in noch recht positiver Bewertung (vgl. aber 6 p 199,21–200,7); Aeg 1,10 p 83,2 τοὺς θεοὺς κατάγειν; ep 66 p 114,3 (= 213a) ὥσπερ ὁλκαῖς τισι φυσικαῖς. Gegen ein solches Verständnis der Theurgie wehrt sich Jamblichos, s. unten A. 180.

[116] Ins 2 p 147,11–13; 3 p 148,1ff., wohingegen „das Göttliche außerhalb des Kosmos nicht der Zauberei unterliegt", 148,10f., vgl. unten Plotin A. 175 und Henry, Etats 204f. Sodann Aeg 1,10 p 83,2.

[117] Sie ist „eingeweiht in die höchsten Weihen", Dion 15 p 272,10; vgl. 5 p 246,21 „der Philosoph ist durch die Philosophie mit sich selbst und mit Gott vereint". Ja, sie thront bei Gott, auch wenn die Erdenwelt sich ihr verschließt, regn 29 p 61,5–14 (vgl. die jüdische Sophia, SapSal 9,4 und bes. ae Hen 42), sie ist ein „heiliges und unsagbares Lied", Dion 5 p 246,20. Vgl. ferner A. Casini, Sinesio di Cirene, Mailand 1969, 159–179, bes. 178; F. Sillitti, Prospettive culturali nel De Regno di Sinesio di Cirene, VetChr 16 (1979) 259–271.

[118] Dion 10 p 261,14–17; 11 p 263,20 προτέλειον; die Musen sind der Schwan, die Philosophie aber ist der Adler, 264,5–12 mit Treu, Dion 98f. Wehe, wer τὰ Μουσῶν οὐκ ὠργίακε! 5 p 247,18f.; vgl. 4 p 245,9ff. Auch Dion Chrysostomos schaut die Museninspiration als Mysterienvorstufe, or 36,33f. Später dichtet Proklos einen Hymnus auf die Musen (hy 3), vgl. P. Boyancé, Le culte des Muses chez les philosophes grecs, Paris 1936f., 294–297. – Das *Zweistufenschema* von Propädeutik als allgemeiner Bildung und innerer Philosophie ist traditionell, vgl. Marrou, Erziehung 336f.412; die Christen übertrugen es auf das Verhältnis von heidnischer Literatur (samt der Philosophie) und christlicher Wahrheit, vgl. Clem strom 1,20,100:1f.; Basil iuv 2,44f.; 3,6–11 B.; vgl. Jaeger, Frühes Christentum 60f.; Dörrie, Bildung 260f.; E. Lamberz, Zum Verständnis von Basileios' Schrift ‚Ad adolescentes', ZKG 90 (1979) (221–241) 232ff.

[119] Dion 11 p 263,13–15.

Themistios vergleichbar, der ebenso Philosophie und Musen vereint sehen will[120], aber nicht vom mystischen Drang nach der göttlichen Welt durchpulst ist. Synesios dagegen wahrt der Bildung[121] und Muse ihr Recht durch seine Psychagogie. Die höhere Wertung der Erdenwelt wird auch darin deutlich, wie er die *Askese* recht kritisch beurteilt[122] und sich damit von seinem Meister Porphyrios absetzt. Diesem ist die Askese eine absolut notwendige Bedingung für den Weg nach oben, da ja der Mensch unmöglich in beiden Welten gleichzeitig zu existieren vermag[123]. Ähnlich dachten manche spätern Philosophen[124], nicht zuletzt auch Hypatia[125]. Synesios fühlt sich umgekehrt mehr der Erde und ihren Verhältnissen verpflichtet, so gründet er eine Familie[126] und dient der Heimat bis zu seinem Lebensende, anstatt in die noetischen Sphären zu „flüchten". Der darin sich bekundenden *Diesseitigkeit* entsprechen auch die *Gebetswünsche* seiner Hymnen[127], worin neben der zentralen Bitte um Aufstieg und Erleuchtung[128] auch um Hilfe bei Krankheiten[129], um Erfolg und Ruhm[130],

[120] Themist or 24 p 101,12–17 D.-N. Vgl. A. Piñero Sáenz, La imagen del filósofo y sus relaciones con la literatura. Un estudio sobre el ‚Dion‘ de Sinesio de Cirene y de sus fuentes, CFC 9 (1975) 133–200, der Plotin und Porphyrios von Synesios und Themistios abhebt, bes. 199f.

[121] Zum Bildungsideal des Synesios vgl. bes. Garzya, Dion; Giannattasio, Unità; F. Tinnefeld, Synesios von Kyrene, Philosophie der Freude und Leidensbewältigung, in: Studien zur Literatur der Spätantike, hg. C. Gnilka – W. Schetter, Bonn 1975, (139–179) 141–160; J. R. Asmus, Synesius und Dio Chrysostomus, ByZ 9 (1900) 85–151; Pando, Synesius 57–94.

[122] Dion 9 p 257; ins 20 p 188,9f.; ep 137 p 239,10–240,9.

[123] Porph abst 1,39–48, bes. 41,4f.; 3,26,13; regr 10 p 38,3f. u. ö.: omne corpus esse fugiendum; sent 32 p 32,1; Marc 1 p 6,4f.; 5 p 10,18f. (philosophisches Leben ist Askesis, vgl. auch Syn regn 15 p 31,18f. und Aeg 1,12 p 88,23f.; 90,3; 97,4); 28 p 32,3f.; 33 p 36,20–22; 34 p 36,22–24; 35 p 38,13f. Vgl. Theiler, Porphyrios 41f.; Zeller 718–721; H. Dörrie, La doctrine de l'âme dans le néoplatonisme, RThPh 23 (1973) (116–134) 126f.; F. Cumont, Comment Plotin détourna Porphyre du suicide, REG 23 (1919) (113–120) 113 will gar die Suizidabsichten des Porphyrios auf eine Extremaskese zurückführen. Zu Plotin vgl. Porph Plot 7,31–44; 8,21–23; Plot 1,2,5; 2,9,17:27–31; ferner H. Strathmann, Askese, RAC 1 (1950) 757f.

[124] Vgl. das Pythagorasbild bei Jambl Pyth 31 u.ö.; zu Julian Bidez, Kaiser Julian 211.225.227 sowie Hel reg 39:153b; matr deor 15:175b.

[125] Vgl. die Episode bei Suidas: Lacombrade, Synésios 45 A. 42.

[126] Programmatisch ep 105 p 187,9–18 (= 248d/249a), vgl. Themist or 32 p 200,26–204,8 D.-N. Freilich waren auch viele Neuplatoniker verheiratet, vgl. Bidez, Kaiser Julian 169f.; die pagane Askese war ohnehin nie radikal, Dodds, Pagan and christian 29–35; Wallis 9f. – Zur „Flucht" s. oben Kap. II A. 39.

[127] Die Wünsche sind natürlich alle traditionell, vgl. Keyssner, Gottesvorstellung 135–166, erst im Gefüge des spiritualistischen Platonismus sind sie nicht mehr selbstverständlich. – Theiler, Orakel 37 erinnert zwar mit Recht an die um Irdisches betenden Chaldäer und Proklos, aber die Deutung des Orakelfragments 128 ist umstritten (oben A. 54f.); und hinsichtlich Prokl hy 7 meint Wilamowitz 274, daß es sich hier nicht um Güter handelt, „nach denen Proklos verlangte: das ist ein Gebet für Weltkinder, für die Schüler, die aus der Universität in das Leben treten wollen.", vgl. auch Esser 106–108. – Tatsächlich wird vielerorts das Bitten um irdische Dinge verworfen, vgl. Jambl myst 10,7 p 293,5–8 (die Theurgen beten nicht περὶ σμικρῶν, sondern nur um das Obere, vgl. das Schlußgebet 10,8 p 293,16–294,6; aber untere Mächte, die irdisch Notwendiges gewähren, werden 5,16 p 221,1ff. doch anerkannt, wenn sich auch das Interesse vornehmlich auf die Geistiges spendenden Götter richtet, 5,17 p 222,4ff.). Auch MVict Ar 3,13:15–22 betont: Man soll nicht im

leichtes[131], maßvolles Leben[132] und das Wohl der Familie[133] gebeten wird. Auf der andern Seite fleht er die Gottheit an, diese Sorgen um das Untere[134] nicht übermächtig werden zu lassen, auf daß er sich auch um das Obere zu sorgen vermöge[135]. Wieder stoßen wir auf jenes Verständnis des Menschen als eines Mittelwesens.

Ganz besonders läßt Synesios solches sichtbar werden in der ihm wichtigen Polarität von *Ernst und Spaß*[136]. Beides, strenges Streben nach geistiger Schau *und* spielerische Erholung an Muse und Scherz in aller Muße, konstituiert ihm den Menschenweg durch das Leben[137]. Während die großen Philosophen Spaß und Spiel zeitweise recht abschätzig als „Kindereien" abqualifizieren[138], scheint bei Synesios eine höhere Wertung anzuklingen[139].

Namen Christi um Irdisches beten, sondern um den Aufstieg, vgl. hy 2,39 ff. Vgl. ferner Heiler, Gebet 307–309.

[128] Hy 1,375–380; 2,266–70.281–95; 3,31–33.44–47; 4,26f; 7,42–47; vgl. GregNaz or 26,19:7f. (SC 284,270); carm 2,1,1:632–4 (PG 37,1017); Julian Hel reg 44:158bc; Prokl hy 1,40f.; 3,14–17; 7,32–36. Damit verwandt ist die Bitte um Schutz vor Dämonen und Verderben, Syn hy 2,245–63; 3,40–43; Prokl hy 7,37–42.

[129] Hy 1,507.544–46.271f.; 3,34f.; 4,28; 5,77f.; 7,6–9.12–16.18b; vgl. Prokl hy 1,42; 7,43–46.

[130] Hy 3,36–39; 4,31–33; 7,13f.; vgl. Prokl hy 1,43.

[131] Hy 4,25.34f.; 5,79–88; 9,29–32; 1,384–391.504–48; vgl. Prokl hy 1,48–50; 3,12; 7,47–50; Keyssner 139.

[132] Weder zuviel Reichtum noch zuviel Armut: 1,510–525; 4,30; 5,81f.; 9,36–44; vgl. Sprüche 30,8 und Terzaghi 280. Ähnlich die Bitte um den ἄσημος βίος 9,30f., ähnlich Porph Marc 13 p 20,3–5, worin das „erkannt durch Gott" dem „zum Göttlichen sehend" bei Synesios entspricht. Man fühlt sich an das epikureische λάθε βιώσας erinnert, vgl. auch C. Del Grande, Composizione musiva in Sinesio, Byz 33 (1963) (317–323) 322.

[133] Hy 7,19–41; vgl. Keyssner 154–156.

[134] Hy 1,420f.508; 2,243; 4,35; 5,85; 9,39.97, ferner die Bischofsbriefe.

[135] Hy 9,19 θεοῦ μερίμνας, vgl. auch 1,390f.; ep 4 p 10,20. „Sorge" um das Obere fordert auch Porphyrios, Marc 6 p 12,12 διὰ γὰρ μερίμνης ἡ ὁδός; 10 p 16,13; abst 1,27,4; 1,30,4f. und 31,1; sent 29 p 20,2–5; aber auch Paulus, 1 Kor 7,32–34.

[136] Dion 12 p 264,16–265,5 παιδιά und σπουδή; 14 p 271,17f.; 3 p 244,3; 4 p 245,4–8; regn 25 p 54,10f. (als Gegensatz); Aeg 2,1 p 111,5; ins praef p 143,5; 20 p 187,10f.; vgl. Treu, Dion 52. 114f.; Krabinger, Ägypt. Erzählungen 319, mit Verweis auf Julian; Garzya zu ep 105 p 185,7–17; Tinnefeld, Synesios 147f. Vgl. auch Dion Chrys or 32,1; GregNaz or 43,16 (PG 36,516B) und bes. Aristot eth Nic 10,6:1176b34f.: Der Spaß als Erholung.

[137] Dion 4 p 245,9–14; vgl. Cic Tusc 5,66 cum Musis, id est cum humanitate et cum doctrina. Sodann Dion 12f., bes. 267,12–14 mit Treu, Dion 105f.

[138] Platon nennt das Paar Ernst und Spaß oft (ep 6:323d; symp 197e; leg 643b; etc.), in Phileb 30e wie Synesios (Erholungsmotiv), wertet aber in leg 7:803b–804b die Paidiá deutlich ab, vgl. Aristot eth Nic 10,6:1177a2–4. Ähnlich klingt es bei Plotin 3,2,15:35–62 (milder ist 3,8,1:1ff.); und Jamblichos (myst 3,19 p 146,10–12, vgl. des Places z.St. 26 A. 1) versteht das Motiv des Menschen als „Spielzeug Gottes" (vgl. Syn Aeg 2,2 p 117,6) wie Platon (leg 803c) im Sinne der Nichtigkeit des Menschen. – Eine positivere Sicht ergibt sich, wo der Mythos als Gewebe von Ernst und Spiel erscheint, neben Synesios (s. S. 204f.) vgl. Olymp in Phaed 1, 525,3–5 Westerink (VNAW 93, 1977) und J. Pépin, Le plaisir du mythe, FS Trouillard 275–290.

[139] Vgl. Crawford 299–339 „Synesius the humorist", „a strong sense of humour" (300); zustimmend Schmid, Sophistik 280, vgl. auch G. Misch, Geschichte der Autobiographie, 1/2, Bern ³1950, 608–611. Es sei immerhin noch an Clemens erinnert, der den Spaß (im Zusammenhang der Isaak/

(3) Der solcherart dem menschlichen Wesen entsprechende hellenische Weg ist nun aber ein Weg nicht nur der Elite, sondern gerade auch der „*Vielen*". Trotz seiner esoterischen Grundströmung[140] ist der Aristokrat Synesios außerordentlich an der Frage eines breiten Weges für möglichst alle interessiert. Der barbarische Weg mag zwar die wenigen „von Haus aus Seligen" zum Ziel führen[141], allein erst der Griechenweg eröffnet auch den Vielen eine Bahn[142]. Ist die Frage nach dem Heil der Vielen vorwiegend eine christliche, ekklesiologisch angegangene Fragestellung[143], so erhebt sich aber just auch bei *Porphyrios* das drängende Problem einer universalis via animae liberandae[144], die er freilich weder in der barbarischen Weisheit noch in der griechischen Philosophie gefunden zu haben bekennt[145]. Synesios weist hierin zuversichtlicher auf die *griechische Paideia* hin, während er andrerseits seinem Traumbuch die *Traummantik*[146] als den einem jeden, auch dem geringsten Tagelöhner und Sklaven offenstehenden Weg zum Göttlichen empfiehlt[147]. In seiner Hochschätzung der Traumwelt, woraus sich Mythen, Himmelfahrten und Pathosreden speisen[148], bekundet sich wiederum seine hohe Wertung der Welt der Genesis mit ihren

---

Rebekka-Exegese) als Göttliches preist und die Paidiá dem Kindsein der Gläubigen entsprechen läßt, paed 1,5,21:4; vgl. 22,2 μυστικὴ παιδιά.

[140] Zur Esoterik s. S. 44; 203 f.; zur Spannung bei Synesios vgl. Tinnefeld 156–159.

[141] Dion 9 p 256,2 μόνον τοῖς οἴκοθεν μακαρίοις, ein „sehr seltenes Geschlecht", 256,3; vgl. 265,2 und die Liste der Geistesheroen, 10 p 259,19 f., dazu Treu, Dion 90 f.78 f.; FitzGerald 1, 236. S. auch unten A. 245.

[142] Dion 9, vgl. 17 p 275,9–16.

[143] Vgl. aber doch das Carmen aureum 55–62 p 93 Young mit dem Gebet um die Befreiung aller. Zum christlichen Verständnis unten A. 191–193.

[144] Porph regr frg 12 p 42 f. B. (= Aug civ 10,32); dazu 10 p 37,13 und Aneb 2,18 p 28,12–14 S. Vgl. Smith, Porphyry XVII („interest in a universal way of salvation which might include all men") sowie XIII. 136–141; 139 wird christlicher Einfluß vermutet. S. ferner Hadot, Citations 238 f. und unten A. 188. – Freilich hat man sich zu fragen, ob wir Porphyrios nicht zu sehr christlich-augustinisch verfremden!

[145] Auf die barbarische Philosophie hoffte er noch in phil orac p 141 W. (= Euseb praeb 9,10,3; GCS 43/1,496). – Augustin verweist ihn auf Christus, vgl. Theiler, Porphyrios 8 f. sowie oben Kap. II A. 239 f.

[146] Vgl. hierzu Plot 3,1,3:13–16; 3,3,6:1–3; Porph abst 2,40,3 f.; Jambl myst 3,2 f. p 102,15–109,3, wie Synesios (ins 14 f. p 176,10 ff.) zwei Traumarten unterscheidend, p 103,8 f., vgl. Pyth 15,65 und 25,114. Vgl. auch Dodds, Pagan and christian 38–53; ferner parapsychologisch verzerrend A. Ludwig, Die Schrift ΠΕΡΙ ΕΝΥΠΝΙΩΝ des Synesius von Kyrene, ThGl 7 (1915) 547–558. Eine Würdigung der individuellen Deutungspraxis bei Synesios (17 p 180,10 ff., bes. 18 p 182,17 f.) durch Misch, Autobiographie 558–560.

[147] Ins 12 p 167,11 f., bes. 168,10–13, ein δημοτικόν 168,14–18, vgl. 13 p 170,19 ff. Die Traummantik ist nicht verborgen in Wasser, Fels oder Erdenkluft, 12 p 168,17 f. (vgl. Bar 3,29 f.; Rö 10,6–8; 4 Esr 4,8 und unten A. 192!). – Smith, Porphyry 133 geht zu weit, wenn er all dies Porphyrios zuschreibt. – Die Traummantik als Weg zum Göttlichen: Ins 4 p 150,17–19 (vgl. Jambl myst 3,3 p 107,4 f.); 12 p 167,12–14 (im Traum πάρεστιν ὁ πόρρω θεός, vgl. 14 p 176,1 ff.; der Traum ist ein Pfand Gottes, 13 p 172,2 f.

[148] Ins 19 f., bes. p 186,2–10 (Himmelfahrt) und 186,15–187,3 (Mythen).

bunten Bildern und Gestalten, die den Suchenden in die noetische Sphäre
emporleiten.

(4) Das große Ziel aller Wege aber ist die Einung mit der Gottheit und
insofern selbst *Gottwerdung.* „Es ist zuwenig, nicht schlecht zu sein; man muß
ein Gott sein."[149] In dieser Zielbestimmung der Vergöttlichung wird deutlich,
wie sehr das menschliche Sein als das eines Zwischenwesens aufgrund des
„ordentlichen" Weges zu guter Letzt überwunden wird.

> „Erhebe dich (Seele), säume nicht,
> der Erde laß das Irdische,
> und bald vereinigt mit dem Vater
> magst du tanzen, gottgeworden in Gott."[150]

Die alte Idee der Gottwerdung[151], begründet im griechischen Gottesbegriff[152], priesen nicht nur die Neuplatoniker[153], sondern ebensosehr die Christen[154] als letzte Bestimmung menschlichen Seins. Es ist die Ekstase der „*Vermi-*

---

[149] Syn Dion 9 p 258,9 οὐ γὰρ ἀπόχρη μὴ κακὸν εἶναι, ἀλλὰ δεῖ καὶ θεὸν εἶναι, wofür Henry,
Etats 202 und Treu, Dion 87f. auf Plot 1,2,6:2f. (ἀλλ'ἡ σπουδὴ οὐκ ἔξω ἁμαρτίας εἶναι, ἀλλὰ
θεὸν εἶναι) verweisen; ferner calv 10 p 210,2f.; ins 10 p 163,13f.; hy 9,98f. χθόνα θαυμάσας
ἀτερπῆ / θεὸς ἐς θνητὰ δεδορκώς, ähnlich Plot 1,6,8:14 (σκοτεινὰ καὶ ἀτερπῆ τῷ νῷ βάθη, nach
Emped FVS 31 B 121); Boeth cons 1 m. 2,27 (cogitur, heu stolidam cernere terram; dazu V.
Schmidt-Kohl, Die neuplatonische Seelenlehre in der Cons.Phil. des Boethius, BKP 16, Meisenheim 1965, 6–9 und J. Gruber, Kommentar zu Boethius De Cons.Phil., TK 9, Berlin 1978, 87f.).
Vgl. die Redeweise vom θνητὸς θεός, Corp herm 10,25 p 126, 10 N.-F.; Hierokl in CA 1,5 p 9,8 K.
– Die sprachliche Formulierung der obigen Dionstelle erinnert stark an Themist or 21 p 18,22f. D.-
N.
[150] Hy 9,131–134 (dazu Hawkins 127f.):
ἀνάβαινε, μηδὲ μέλλε
χθονὶ τὰ χθονὸς λιποῖσα.
τάχος ἂν μιγεῖσα πατρὶ
θεὸς ἐν θεῷ χορεύσαις.
Zu lesen ist in v. 133f. vielleicht mit Christ, Wilamowitz, Nissen 186 (der Potenzialis sei zu
schwächlich), Lacombrade, REG 84 (1971) 156, τάχα δ'ἀμμιγεῖσα (oder ἀνμιγεῖσα) ... χορεύ-
σεις. – Zum Motiv „Erde zu Erde" vgl. Ciceros „reddenda terrae est terra", Tusc 3,25,59 (= SVF
3,487), ein „Euripideum carmen" (frg 757,93 N. εἰς γῆν φέροντες γῆν). Vgl. aber auch Mt 8,22 par.
[151] Vgl. zur Thematik D. Roloff, Gottähnlichkeit, Vergöttlichung und Erhöhung zu seligem
Leben, UaLG 4, Berlin 1970; Dodds, Pagan and christian 74–79; Arnou, Platonisme 2379–81; J.
Pépin, Idées grecques sur l'homme et sur Dieu, Paris 1971, 5–51; Texte wie Emped FVS 31 B 112,4;
Orph frg 32c10 p 107 Kern; Carm aur 70f. p 94 Young; Cic somn Scip 24,26 (deum igitur scito
esse; vgl. Macrob z.St. 2,12,5–16 p 131–133 W.); Sen ep 48,11; Corp herm 1,26 p 16,12f.; M. Aurel
12,26,2.
[152] Vgl. U. von Wilamowitz, Platon, Berlin ²1920 (u.ö.), 1, 348 „Gott selbst ist ja zuerst ein
Prädikatsbegriff"; ders., Der Glaube der Hellenen, Darmstadt ³1959, 1, 17–21; und v.a. Prokl in
Tim 2,213,18–20 πολλαχῶς γὰρ ὁ θεός.
[153] Plot 4,8,5:24–26; 6,9,9:58; vgl. Rist, Eros and psyche 186f. 216f.; ders., Theos and the One;
Porph sent 40 p 51,14f. L.; Marc 15f., bes. p 22,1 ὁ δὲ ἄξιος ἄνθρωπος θεοῦ θεὸς ἂν εἴη, „Der
Gottes würdige Mensch ist wohl ein Gott", die Konjektur Pötschers (θεῖος) ist unnötig (vgl. jetzt
des Places, Porphyre 159 und 115,6).
[154] Z.B. Clem protr 1,8:4; paed 1,12,98:3 und G. W. Butterworth, JThS 17 (1915f.) 157–169;

schung mit Gott"[155], von der auch Synesios kündet und die nicht vorschnell als eine die Menschwerdung Gottes selbst eliminierende Entmenschlichung abqualifiziert werden sollte.

2. Philosophisch-theologische Hintergründe

(1) Das bei Synesios ausgeführte *Motiv der menschlichen Beschränktheit* und des Aufstiegs, der dennoch unter dem Vorzeichen einer derselben gerecht werdenden Ordnung statthat, entspringt einer grundsätzlichen Problematik innerhalb des neuplatonischen Denkens[156]. *Plotin* selbst ordnet zwar traditionell den Menschen in die Welt zwischen Geist und Materie ein[157], läßt ihn aber gerade im Aufstieg darüber hinausgehen, derart, daß der Mensch zu einer sich selbst übersteigenden Wesenheit wird[158]. Gilt es hierbei, die Grenzen der Physis einzuhalten[159], so nur, um auf diesem Weg zum obern, wahren Menschen zu werden[160]. Dieser dynamischen[161], den Menschen grundsätzlich als noetische Natur konzipierenden Sicht entspricht die hohe und optimistisch gehaltene Bestimmung seines Wesens als Sein in der Theoria, in der seligen Schau. Ohne Ermüden[162] ist hier der zu sich gekommene Mensch dem Obern verbunden,

---

Athan inc 54,11f. p 268 Th.; Basil spir 9,23:25 (SC 17,328) mit Holl, Amphilochius 124 A.1; GregNyss Maced, op 3/1,113,16, aber sonst selten, vgl. Holl 203 und Mühlenberg, Unendlichkeit 162f.; häufig dagegen bei Gregor von Nazianz, besonders christologisch, z.B. or 29,19:7–10 (SC 250,218); 39,17 (PG 36,353D); carm 1,2,14:91f. (PG 37,762); 1,2,10:141f. (690), vgl. Holl 166. Zum Thema ferner H. Merki, ΟΜΟΙΩΣΙΣ ΘΕΩΙ, Fribourg 1952; J. Gross, La divinisation du chrétien d'après les pères grecs, Thèse Paris 1938; H. I. Marrou, A Diognète, SC 33bis (1965) 213–216 (zu Diogn 10,4–7); A. Theodoru, Die Lehre von der Vergottung des Menschen bei den griechischen Kirchenvätern KuD 7 (1961) 283–310.

155 So die mystische Theologie im Widerspruch zu Plat symp 202d θεὸς ... ἀνθρώπῳ οὐ μίγνυται; vgl. Syn hy 9,133; Plot 6,9,11:7 (trotz 5,4,1:6 und 5,5,10:3, wonach sich das Eine mit nichts Unterem mischt); Jambl de anima bei Stob 1,49,42 p 382,19f. W.; Basil ep 233,1:33 p 40 C.; GregNyss hom 1 in Cant, op 6,22,19f. (nach Mühlenberg, Unendlichkeit 164f. nur uneigentlich gemeint); bes. GregNaz or 28,17:6 (SC 150,134); 16,9 (PG 35,945C); carm 1,1,1:24 (PG 37,400) ὅλῃ θεότητι μιγέντες; 2,1,1:633 (1017); 2,1,54:17f. (1399); mit christologischer Begründung 1,1,11:7–10 (471), zum christologischen Begriff „Krasis" vgl. PGL s.v.; Holl, Amphilochius 189f.; Špidlik, Grégoire 94–96; Barbel 289.

156 Vgl. oben S. 51f.

157 Plot 5,3,3:21–45, bes. 3:31 οὐ γὰρ νοῦς ἡμεῖς (wozu Schwyzer, Plotinos 566f.); 3,2,9:19–21; 6,8,12:7f.

158 5,3,4:10–14 („gänzlich ein Anderer geworden, nicht mehr wie ein Mensch", vgl. 6,9,10:15f.); 5,8,7:28–35 („er hat aufgehört, ein Mensch zu sein, denn er ist nun ein Teil des Alls"); vgl. auch O'Daly, Self 57.65.

159 2,9,9:43–52 und 5:1–8 gegen die Gnostiker, vgl. 13:5f.

160 6,7,6:11f., vgl. Schwyzer, Plotinos 567.

161 Vgl. Trouillard, Purification 207–210 (bes. 209: „Dans la mesure où il devient dieu, il devient davantage homme"); ders., Néoplatonisme 899–903; Hadot, Plotin 21–39, bes. 26–28; ders., Niveaux; Beierwaltes, Plotin 61.87; O'Daly, Self.

162 5,8,4:26–35 von der Schau des noetischen Kosmos ohne Ermüden (κάματος), denn dort ist alles unerschöpflich, ἄτρυτά τε τὰ ἐκεῖ; vgl. 6,5,12:8; 3,7,5:7–12 (das Immer-seiende zu schauen

und ein Ermatten und Zurückfallen ist im Grunde eine ebenso unmögliche Möglichkeit wie der Abstieg des Geistes aus dem Einen. *Porphyrios* bleibt dieser dynamischen Konzeption des Menschen als Geistwesen durchaus treu[163], ja scheint sie sogar zu überbieten durch seine Zusammenschau der obern Welten[164]. Auch sein Schüler Theodor von Asine weiß sich noch dieser Sicht verpflichtet[165], während im *spätern Neuplatonismus* die schon bei Porphyrios anklingende Irritation[166] über den plotinischen Optimismus zu einer grundlegend neuen Wertung des menschlichen Seins führt[167]. Jamblichos wehrt die ältere hohe Einstufung der Seele im Reiche des Seienden ab und hebt deren besonders gegenüber den Göttern empfundene Minderwertigkeit eindringlich hervor[168]. Salustios und Proklos folgen dieser die obern Ebenen stärker differenzierenden Seelenlehre[169] und treffen sich hierin mit recht ähnlich argumentierenden *christlichen Theologen*[170]. Marius Victorinus, Augustinus, Johannes Chrysostomos, Gregor von Nyssa und insbesondere Gregor von Nazianz schärfen im Anschluß an biblische Aussagen die Niedrigkeit und Bedürftigkeit des Menschen im Gegenüber zum ewigen Gott häufig ein[171]. Und doch gewinnt bei ihnen allen der Mensch in seinem Aufstieg Teil an der Gottheit!

ἀτρύτῳ φύσει ... οὐκ ἀποκλίνων οὐδαμῇ, wozu Beierwaltes, Plotin 191). Synesios denkt gerade umgekehrt, oben A. 91.

[163] Vgl. Bouffartigue, 1, XLVIII–LI; Smith 54 („a floating ego or self"); Hadot, Porphyre 1, 91 A. 1; 327 A. 5; Theiler, Porphyrios 43–48.

[164] Dörrie, Symmikta Zetemata 177–198. Der wahre Mensch ist ganz unmateriell, Marc 8 p 14,16–19; zwar ist unser Ebenbild (!) Gottes geschwächt, so daß wir τὸ θεῖον καὶ ἀκήρατον (vgl. Syn Dion p 249,13) infolge unserer πενία (vgl. Syn ep 142 p 248,6) nicht rein zu wahren vermögen (abst 3,27,2–4), aber dennoch ist unser wahres Selbst die Geistseele (3,27,6; 1,29,4; vgl. sent 40 p 50,16–21 L., überhaupt 48,15–51,16). Freilich: Vor Gott sind wir „nichts", in Parm 4,22 u. ö.

[165] TheodAs test 35 f. p 49 f. Deuse, vgl. ib. 96 f.155–157.

[166] Zur pessimistischen Stimmung bei Porphyrios vgl. oben Kap II A. 226.

[167] Vgl. Zeller 887 f.; Dodds, Proclus XX; Dörrie, Symmikta Zetemata 195–197; Wallis 119 f. und bes. C. G. Steel, The changing self, a study on the soul in later neoplatonism, Brüssel 1978.

[168] Jambl de anima bei Stob 1,49,32 p 365 f. W. mit Festugière, Révélation 3, 257; in Tim frg 88 p 202 Dillon. In myst betont er die οὐδένεια, 1,15 p 47,15; 3,18 p 144,12–14; im Gegenüber zur göttlichen Macht, 5,2 p 200,3 f.; 3,20 p 148,12–149,3; 5,4 p 204,11–13; 9,10 p 285,4. Vgl. auch Larsen, Place 20–24 (aber zu Unrecht Dodds kritisierend); Dillon, Iamblichi fragmenta S. 41–47. 383; Steel, Self 21–75, vgl. 155–157.

[169] Salustios 18,2; Prokl phil Chald 4 p 211,1–4 des Pl. οὐ γὰρ ἐσμεν νοῦς μόνον (wie oben A. 87.157!); vgl. in Parm 948,12–38 und in Tim 3,245,19–246,28 (vgl. 231,6–26) gegen die zu hohe Wertung der Seele bei den Frühern. Deshalb verwirft er auch die plotinische Idee des Seelenteils, der oben bleibt, in Tim 3,333,28–334,28; inst 211 p 184,10–20. Zu Proklos vgl. auch Beierwaltes, Entfaltung 145–152, die von ihm 151 festgestellte Diskrepanz löst sich nur durch die Theurgie!

[170] Auch von Steel, Self 157 A. 3 festgestellt.

[171] MVict Ar 1,61:9 von der Seele: non νοῦς est, ad νοῦν quidem respiciens quasi νοῦς est; Aug trin 12,11,16:10–21 (CCL 50,370); J. Chrys nennt die οὐδένεια und ἀσθένεια oft, incompr passim, bes. 2,304–356; scand 2,16–18 (SC 79,70); 3,11 p 78; sac 3,5 (SC 272,146–148), worin das Priestertum genau wie in der neuplatonischen Theurgie dieses menschliche Mindersein übersteigt, 3,5:26 f. p 148; sodann GregNyss Maced, op 3/1,115,5; GregNaz or 32,24 (PG 36,201B); 39,18 (356B); carm 1,1,4:84–92 (PG 37,422 f.) und bes. 1,2,14 (755–765) „Über die menschliche Natur",

(2) Für Plotin ist es der in der Philosophie sich vollendende *Weg der Tugenden*, welcher den Menschen endgültig der göttlichen Welt zurückgibt[172]. Auch Porphyrios teilt noch diese auf das eigene Selbst vertrauende Sicht[173], erwägt aber doch schon den chaldäischen Pfad der Theurgie[174], der freilich nur innerhalb des Kosmos seine Wirksamkeit entfaltet[175] und demzufolge die höhern Seelenteile nicht befreit[176], ja zusätzlich die Gefahr übler Dämonen und staatlicher Häscher mit sich bringt[177]. Erst mit *Jamblichos* löst die *Theurgie* das Primat der Philosophie ab[178] und schafft so dem der Niedrigkeit zugeordneten Menschen dennoch die Möglichkeit, dies Menschliche aufgrund göttlicher Wirksamkeit weit hinter sich zu lassen und sich in Engels-, ja Göttersphären aufzuschwingen[179]. Nun leisten die Götter, was menschlichem Sein versagt ist[180],

dazu Wyss, Gregor 200–203; vgl. auch H. Musurillo, The poetry of Gregory of Nazianzus, Thought 45 (1970) (45–55) 46f.54f. – Die Alternative Sünde (christlich) – Verhängnis (griechisch), wie sie Meunier 130 zeichnet, scheint mir zu sehr von der abendländischen Sicht her bestimmt.

[172] Plot 1,2; vgl. Hadot, Plotin 87–101 (bes. 93: „la vertu plotinienne naît de la contemplation et ramène à la contemplation"); Trouillard, Purification 186–203 (bes. 189ff); Rist, Eros 169–191; Esser, Gebet 16–18; Theiler, Gnomon 5 (1929) 310–314.

[173] Vgl. die Tugendtafel sent 32 p 22–35 L., dazu Beutler, Porphyrios 311f.; Lloyd, Cambridge history 293f.; Schwyzer, Aphormai 224–228; Hadot, Porphyre 1, 89 A. 4; ferner Marc 16 p 22,3–5 „Neben Gott ist nichts größer als die Tugend".

[174] Vgl. bes. Dörrie, Porphyrios' Lehre von der Seele, Platonica minora 453; Dodds, Griechen und Irrationales 154; Hadot, Porphyre 1, 476; Smith 128–139; Wallis 105–110; Esser 51–54.

[175] Dies betonte Plotin, 4,4,40:17–19 (vgl. 43:1; 44:1.33; 2,9,14:1ff.), wie Synesios (A. 116); vgl. GregNyss Mos 2,291–296, op 7/1,133,12–135,21 in der Bileamexegese. Zur magiekritischen Haltung Plotins s. Dodds, Griechen und Irrationales 152–154; Armstrong, Was Plotinus a magician? Studies III; ders., Cambridge history 207–209; P. Boyancé, Théurgie et télestique néoplatoniciennes, RHR 147 (1955) (189–209) 194ff.; Smith, Porphyry 122–125; Rist, Plotinus 204–209.

[176] Porph regr frg 2 p 27–31 B.; 4 p 32; ferner abst 2,47,3 und 52,4 mit Bouffartigue 2, 221 und 45; Aneb 1,2c p 4,9–5,3 S. und 2,8a p 18f.

[177] Dämonen: regr 2 p 27,27–28,2; vgl. abst 2,49,2; Häscher: regr 2 p 28,1 (legibus prohibita); vgl. zum Verbot Syn ins 12 p 170,11–18 (Traummantik nicht verboten, s. Lang z.St. 78); Aug civ 7,35:11–15 (CCL 47,215); A. A. Barb, The survival of magic arts, in: Momigliano, Conflict 100–125.

[178] Bes. Jambl myst 2,11 p 96,11–97,2. Vgl. J. Bidez, Der Philosoph Jamblich und seine Schule, dt. WdF 436, 281–293 (= REG 32, 1919, 29–40); Zintzen, Mystik 391–426. Zur Theurgie ferner Dodds, Griechen und Irrationales, Appendix 2; Cumont, Religionen 300 A.74; Nilsson 2, 450–453; Hadot, Porphyre 1, 93; Wallis 120–123 und 153–155; Cremer, Orakel 19–36; Dörrie, Entretiens 21 (1975) 264f.; des Places ib. 78–90; A. J. Festugière, Etudes de philosophie grecque, Paris 1971, 585–596; Pépin, Idées 13–15; Trouillard, L'un et l'âme 171–189.

[179] Dies geschieht im ordo der Theurgie: myst 5,14 p 217,8–11; 5,21 p 229,12–230,14, worin der an den Kosmos gebundene Mensch (5,20 p 227,6–13) denselben überschreitet (228,5f.), indem er Mut faßt (θαρρεῖν ἐφ'ἑαυτοῖς προσήκει, 5,25 p 236,15–17; vgl. oben Kap. II A.214) und zum Götterwesen wird (6,6 p 246,17ff.): Der Theurg ist so nicht mehr ὡς ἄνθρωπος, sondern ὡς ἐν τῇ τῶν θεῶν τάξει, vgl. θεωτὸς ἄνθρωπος (10,5 p 290,11; vgl. 1,12 p 41,15f.). – In 5,22 p 230,15–231,17 hilft die Theurgieordnung den „einer Regel Bedürftigen", vgl. dazu Hadot, Storia 340, der die Theurgie offenbar auch als eine Antwort auf den „Rückfall" versteht; vgl. aber unten A.189 zur Frage der „Vielen". – Die chaldäische Engelwerdung in myst 2,2 p 69,7–14 (trotz 68,8f.); vgl. 8,6 p 269,9ff.: θεοπτικὴ ψυχή – τοῖς θεοῖς ἑνοῦσθαι – τῆς κοσμικῆς τάξεως ὑπερέχειν.

[180] „Theurgie" ist recht eigentlich Tun Gottes, unsere Werke sind nur συναίτια, 2,11 p 97,13–17

wobei freilich die so verstandene Theurgie von der gewöhnlichen Magie weit abgerückt wird[181]. Auch Proklos hält an dieser Überordnung der theurgischen Tugenden über die praktischen und theoretischen fest[182], woraus sich ihm gar eine Prävalenz der Pistis über die Gnosis ergibt[183]. Unklar bleibt hingegen die Wegvorstellung der alexandrinischen Schule, die einerseits das Mindersein des Menschen betont, andrerseits aber keine Theurgie zu treiben scheint[184]. Die christliche Theologie endlich ortet das Zueinander von göttlichem und menschlichem Sein in der *Christologie* und eröffnet in der Kirche mit ihren Sakramenten einen Stufenweg zur Gottheit.

Synesios selbst teilt mit den spätern Neuplatonikern zwar nicht die ontologische Systemdifferenzierung mit ihrer Abwertung des Seinsgrades der menschlichen Seele – hierin verbleibt er durchaus bei Plotin und Porphyrios –, wohl aber die für diese Modifizierung der Seelenlehre den Anstoß gebende *Existenzerfahrung der Schwäche und Beschränktheit* des Menschen. Andrerseits hält er mit Plotin und Porphyrios am Aufstieg allein durch Philosophie und Tugend fest. Diesen Aufstieg aber schaut er paradigmatisch im Aufstieg des Gottessohns. *Erst ein göttlicher Abstieg und Aufstieg läßt derart den Menschen ins Noetische zurückfinden.* Insofern kann Synesios wiederum den spätern Neuplatonikern zugezählt werden, denen auch erst das in der Theurgie statthabende Abstiegsgeschehen der Götter zwischen Göttlichem und schwachem Seelenreich vermittelt[185].

(3) Die Frage des Porphyrios nach dem Heil der *Vielen* ist im gesamten der spätantiken Philosophie eher eine Ausnahmeerscheinung[186]. Klar und eindeutig

---

und 4,3 p 185,7–9. Deshalb ist ihm Theurgie kein „Götterzwang", wie Porph Aneb 2,8a p 18f. S. und Synesios (A. 115) meinen, myst 1,12 p 40,20 πόρρω . . . τοῦ καθέλκεσθαι ἀφέστηκε; 42,9–17; 2,11 p 97,9–11; 3,18 p 145,5–146,6 κρείττων γὰρ ἀνάγκης ἐστὶν ὁ θεός. Immerhin redet aber 5,21 p 229,17 doch von einem „Herabkommen und Bewegtwerden der Götter" durch Theurgie. – Von „Gnade" sollte man freilich nicht sprechen (so z. B. Wallis 90.122), wo sich der Mensch derart der Götter als Vehikel bedient, um seiner Endlichkeit zu entrinnen. – Der Zusammenhang von menschlicher Niedrigkeit und kompensierender Theurgie ist klar gesehen bei Dodds, Proclus XX, vgl. auch Cremer, Orakel 23; Deuse, Theodor 157 und oben A. 168.

[181] Jambl myst 3,25 p 158,17ff. (bes. 160,16); vgl. 4,2 p 184,1–13 und 10,3f. p 287,19ff.; dazu Smith, Porphyry 130–132; Hadot in Lewy ²717.

[182] Vgl. J. Bidez, Note sur les mystères néoplaoniciennes, RBPH 7 (1928) 1477–81; Cremer, Orakel 139–141.

[183] Prokl theol Plat 1,25 p 109,24–112,24 (bes. 113,6–8), vgl. oben Kap. II A. 127.

[184] Hierokl in CA kontrastiert oft die Beschränktheit des Menschen mit seiner Vergöttlichung (freilich: „nur soweit ein Mensch eben Gott werden kann", 20,4 p 85,12–14), vgl. Kobusch 122–125; er empfiehlt einen Stufenweg, prooem 3f. p 6; 20,1 p 84,1–16. – Der τελεστικὸς νοῦς ist in der Tugendtafel zuunterst, 25,25–27 p 118; dieser Sachverhalt ist bei I. Hadot, Problème zuwenig berücksichtigt.

[185] Vgl. z.B. Jambl myst 5,21 p 228,16–19; 229,17–230,6.

[186] Zu Porphyrios s. oben A. 144. – Von dieser soteriologischen Fragestellung ist das allein an ethischer Belehrung der „Vielen" orientierte Interesse etwa des Themistios (or 17 p 306,12; 26 p 143,6; 146,18–20; 151,8–10 D.-N.) zu unterscheiden; vgl. auch or 31 p 188,10–18 und unten A. 242f. zur Forderung nach Verwirklichung der Philosophie im Gemeinwesen.

läßt die platonische Tradition nur die „Wenigen" das hohe Ziel erreichen und kümmert sich nicht um der „Herde" Geschick[187]. Im Unterschied zu Porphyrios[188] will Jamblichos gerade auch in der Theurgie nicht einen Weg für die Vielen[189], sondern eine esoterische Disziplin für eine Elite eröffnen[190]. Davon hebt sich das christliche Interesse an einer möglichst alle umgreifenden Heilsvermittlung[191], wie es etwa bei *Gregor von Nazianz*[192] und dem jungen *Augustin*[193] sichtbar wird, deutlich ab. In dieses Suchen nach einem Weg für die

---

[187] Plat ep 7:341e; 343e; epinom 973c; Kelsos bei Orig 7,42 (SC 150,110–2). Vgl. bes. Dörrie, Bildung 256–258; ders., Platonica minora 191 f.238 f.265 f.366 f.; Theiler, Vorbereitung 136 f.; Arnou, Platonisme 2366 f.; Dodds, Pagan and christian 134; H. D. Voigtländer, Der Philosoph und die Vielen, Wiesbaden 1980. – Übrigens teilt diese Ansicht auch Hierokles im Anschluß an Carm aur 61 f., in CA 25 p 106,25 ff., bes. 107,18–20; 109,3 f.10 f.23–26 (Selbsterlösung, Gott rettet *nicht*). Auch dies läßt am „christlichen Neuplatonismus" des Hierokles zweifeln!

[188] Vgl. Nilsson 2, 442 f.; Bidez, Vie de Porphyre 91 f.; Cumont, Lux perpetua 368; Hadot, Citations 238 f. Die Philosophie nützt nach Porphyrios nur wenigen, während die theurgischen Rituale der Chaldäer den Massen helfen könnten.

[189] So Zintzen, WdF 436, XIX; Smith, Porphyry 139.141 („popular Neoplatonism"). Auch Hadot, Storia 340 scheint mir Porphyrios und Jamblichos zu nahe zu rücken. Für die proklische Theurgie betont Trouillard, L'un et l'âme 177: „Elle n'est pas la liturgie des imparfaits, mais des parfaits."

[190] Jambl myst 5,12 p 219,14 f. (im Anschluß an Heraklit, FVS 22 B 69 und 49); 5,18 p 223,10 ff.; 5,20 p 228,2–7 die hohe Theurgiestufe wird nur sehr selten erreicht; 5,22 p 230,18 f. Theurgie ist *grundsätzlich* esoterisch! Vgl. auch E. des Places, Jamblich und die chaldäischen Orakel, dt. WdF 436, (294–303) 299.

[191] Vgl. z. B. Just 2 apol 10,8; Orig Cels 7,41; 59 f. (SC 150,110. 152–156); Harnack, DG 1, 656 f.

[192] GregNaz or 32 (PG 36): Gregor folgert aus der Pistis, die alles Heilsnotwendige enthält, das Bestehen zweier Wege, wovon der eine als schwer gangbarer (ὁδὸς ἀτριβὴς καὶ ἀπρόσιτος) den philosophisch-mystischen Pfad darstellt (ἡ διὰ λόγου καὶ θεωρίας), der nun aber aufgrund von Rö 10,6–8 (vgl. A. 147!) nicht mehr notwendig ist, weil der neue vielbegangene Weg die Vielen rettet (ὁδὸς τετριμμένη – πολλοὺς ἔσωσεν) (25:201CD und 204A). Gott ehrt eben nicht nur die Wenigen, sondern gerade die Vielen (204AB). Demnach gibt es wohl *einen* Herrn, aber *nicht* nur *einen* Weg der Rettung (μία τῆς σωτηρίας ὁδός, ἡ διὰ λόγου καὶ θεωρίας), sondern wie im menschlichen Leben gibt es viele Wege (κἂν τοῖς θείοις οὐχ ἕν τι τὸ σῷζόν ἐστιν οὐδὲ μία τῆς ἀρετῆς ὁδὸς ἀλλὰ πλείονες). – Zum Thema „Wenige" und „Viele" vgl. auch Plagnieux, Grégoire 131–141 (trotz zwei Stufen „aucune disqualification", 132).

[193] Augustin (wohl in Auseinandersetzung mit Porphyrios) stellt die allein kaum jemand befreiende Philosophie (ord 2,5,16:3, CCL 29,115: vix paucissimos liberat) der in der Kirche geschauten auctoritas als Ausdruck der göttlichen Barmherzigkeit gegenüber, Acad 3,19,42:14 f., ib. p 60: ... nisi summus deus populari quadam clementia divini intellectūs auctoritatem usque ad ipsum corpus humanum declinaret atque summitteret (also christologisch!); vgl. ord 2,10,29 p 123 f.: es sind aufgrund des divinum auxilium, des officium clementiae suae so wenige nicht, die gerettet werden. Im übrigen betont der junge Augustin wie die Philosophen die Notwendigkeit des ordentlichen Stufenaufstiegs gegenüber allem Vorprellen (solil 1,13 f.,23 f. p 98–104 F.-M. ordine quodam ...) und hält *viele* Wege offen (sed non ad eam [sc sapientiam] una via pervenitur; vgl. oben A. 192 und Symmachus rel 3,10:77 f. p 104–106 Klein), was er retr 1,4,3 wegen Joh 14,6 zurücknimmt. – Vgl. ferner J. O'Meara, The young Augustine, London 1954, 131–142 (Neoplatonism for the few). 145–155 (Neoplatonism for the many); P. Hadot, La présentation du platonisme par Augustin, in: Kerygma und Logos, FS C. Andresen, Göttingen 1979, (272–279) 278. Grundsätzlich reflektiert die Ablösung der „Wenigen" durch die Kirche J. Ritter, Mundus intelligibilis, eine Untersuchung zur

Vielen dürften auch Synesios' Dion und Traumbuch, sein politisches und kirchliches Wirken einzuordnen sein.

3. Humanismus

Synesios' Sicht des Menschen als Wesen der Mitte, zwischen Hingabe ans Göttliche und Leben im Irdischen, entspricht durchwegs einer bei ihm wirksamen hohen Wertung der Welt des Werdens, der Genesis, der Bilder, Mythen und Träume, des verspielten Schmucks und Spaßes, der Kultur und Bildung. Unvermindert aber bleibt die grundsätzliche Ausrichtung alles irdischen Seins auf das Noetische hin gewahrt, wie es in der stark dualistischen Weltschau und der mystischen Erlösungssehnsucht des Synesios zutage tritt; dies unterscheidet ihn grundlegend von Themistios, der die Beschränktheit des Menschen, den Wert des Untern und die Fürsorge für dieses ebenso stark hervorhebt[194]. *Diese Spannung zwischen Wertschätzung des Untern und zum Göttlichen strebender Mystik scheint geradezu erst im Christusgeschehen ihre Lösung zu finden.* Wie in der Trias des Synesios eine positive Wertung der Emanation sich ausprägt, wie folgerichtig der Abstieg des Gottessohns in den Kosmos ein unendlich zu preisendes Geschehen darstellt, so scheint nun auch im Untern ein helleres Licht. Diese Sphäre zwischen Geist und Materie gründet ja gerade im Gottessohn und empfängt hierin ihre besondere Würde, ist derart dem kosmischen Kampf zwischen Licht und Finsternis, Gott und Materie immer schon entrissen[195]. Obwohl er nie so formuliert[196], scheint die griechische Paideia geradezu in Christus, in seinem Abstieg und Aufstieg allererst gerettet, scheint der Mensch trotz all seiner Schwäche, die Synesios mehr fühlt als etwa Plotin oder Porphyrios, wahrhaft seiner göttlichen Heimat zurückverbunden zu sein. In einem Brief läßt der Bischof die Würde des Menschen gar in Christi Tod aufstrahlen[197], „ein würdiges Lebewesen ist der Mensch, denn würdig ist er, wenn um seinetwillen Christus gekreuzigt wurde"[198]. Wir stoßen hier auf einen

---

Aufnahme und Umwandlung der neuplatonischen Ontologie bei Augustin, PhA 6, Frankfurt 1937, 141–153.

[194] Vgl. Themist or 32 p 197,25–199,13 D.-N.; 34 p 232,18f. (wir sind nur manchmal „oben", dann wieder „unten"); zur Politik s. unten A. 242f.

[195] Vgl. oben S. 182f.

[196] Clemens ist deutlicher mit seinem schillernden Logosbegriff, vgl. H. I. Marrou, Humanisme et christianisme chez Clément d'Alexandrie d'après le pédagogue, Entretiens 3 (1955) (183–200) 192f.

[197] Ep 41 p 57,19f. (= 194b) τίμιον ζῷον ὁ ἄνθρωπος. τίμιον γὰρ εἰ δι'αὐτὸν ἐσταυρώθη Χριστός (zum διά „um-willen, für" vgl. Fritz, Briefe 147; die rhetorische Figur ist eine Palinlogia, Simeon 48). Vergleichbar ist J. Chrys incompr 4,143–145, dem die Würde (τιμή) des Menschen darin aufleuchtet, daß diesem viele Mysterien *vor* den Engeln offenbart wurden (Eph 3,9f.); vgl. ascens 3f. (PG 50,446–448).

[198] Aufgegriffen ist die neutestamentliche Vorstellung vom Blut Christi als τιμή, 1 Kor 6,20; 7,23; vgl. 1 Petr 1,18f. Freilich eignet diesen Texten eine allem Humanismus gegenüberzustellende

platonisch-christlichen Humanismus, der Vergöttlichung und Menschlichkeit gerade nicht gegeneinander ausspielen, sondern vielmehr zusammenschauen will. In dieser humanistischen Gesamthaltung des Synesios[199] dürfte sich seine unverwechselbare χάρις ausprägen, die er selbst in der hellenischen Bildungswelt verehrt[200]. Es ist dieselbe hohe Wertschätzung des Untern, die ihn nun aber in seinem Bemühen auch um das Heil der Vielen, um das Wohl der Heimat, auf einen Weg führt, der zur Krise ebendieses Humanismus wird.

D. Das Priesteramt des Bischofs

1. Das Problem der Esoterik

(1) Synesios stellt in seinem programmatischen Brief[201] vor der Bischofswahl neben seinen anderweitigen Bedenken unzweideutig fest, daß er die gängige christliche Verkündigung nur als ein gegenüber dem Philosophieren abzuwertendes Mythenerzählen, als ein notwendigerweise *Wahrheit* und *Täuschung* vermischendes Reden nachzuvollziehen vermag[202]. „Zu Hause philosophiere ich, nach außen aber lehre ich in Mythen."[203] Die Wahrheit ist so dem Volk als ein überhelles Licht gnädig entzogen[204]. Dieser klassisch esoterischen Lehre[205] fühlte sich der Bischof immer schon verpflichtet und schaute ihre Wurzeln im alten Ägypten und in der Pythagoreerschule[206]. Das Unsagbare ist schlechthin

---

Intention, nämlich den Wert des Menschen nicht an Christi Tod zu *ermessen*, sondern umgekehrt die menschliche Würde im Kreuzesgeschehen allererst *begründet* sein zu lassen!

[199] Zu Synesios als Humanist vgl. Crawford 163 und 154 („the very best type of humanity"); Schmid, Sophistik 282; Norden, Kunstprosa 463 (mit Zitat von Dion 4 p 245,10f., womit 6 p 29,6–8 [s. A. 87] vergleichbar ist); Geffcken, Ausgang 201.221; Bardy 3000; von Campenhausen, Kirchenväter 126; Garzya, Dion 14; Tinnefeld 179 („Synesios ist ganz und gar Mensch; dies ist der Grund, warum wir ihn lieben"); abgelehnt von Gaiser 12 („... kurz gesagt, den Begriff des Menschen und der Humanität kennt S. nicht").

[200] Ep 154 p 272,10 Manche Jüngern schätzen des Synesios (verlorene) „Kynegetika", οἷς Ἑλληνισμοῦ τε καὶ χάριτος ἔμελε. Auch für Themistios ist die allen rhetorischen Schmucks bare Philosophie ohne χάρις, or 24 p 19,18.

[201] Syn ep 105 p 188,9–189,8 (= 249b–d).

[202] „Der philosophische Geist, der die Wahrheit schaut, räumt der Verwendung der Täuschung gleichwohl einen Platz ein.", νοῦς μὲν οὖν φιλόσοφος ἐπόπτης ὢν τἀληθοῦς συγχωρεῖ τῇ χρείᾳ τοῦ ψεύδεσθαι, p 188,9f. – Das Verständnis des Mythos als „Lüge" ist platonisch, rep 2:382, notwendige Lügen ib. 414b8f.; 459c8f.; Wahrheit und Lüge entgegengesetzt auch in Tim 26c; 22cd. Vgl. auch Themist or 26 p 133,1–5 zu Aristoteles. – H. de Lubac, A propos de l'allégorie chrétienne, RSR 47 (1959) (5–43) 28–32, hebt das pagane Wahrheit-Doxa-Schema scharf vom christlichen Allegorieverständnis ab.

[203] τὰ μὲν οἴκοι φιλοσοφῶ τὰ δ'ἔξω φιλόμυθός εἰμι διδάσκων, p 188,17f. (Lesung nach Garzya). Der Satz ist nicht ironisch gemeint, wie Kleffner 75, Koch 769–771 und Stiglmayr 537 A. 2 annehmen.

[204] p 188,13–15 und 189,5–7 δήμῳ γὰρ δὴ καὶ φιλοσοφίᾳ τί πρὸς ἄλληλα;

[205] Vgl. Plat Tim 27c; ep 7:341c–344c; verzerrt in PsPlat ep 2:312d; 314a–c.

[206] Die ἐχεμυθία des Pythagoras (Porph antr 27 p 26,15–17; Jambl Pyth 16,68; 32,226) bei Syn

nicht sagbar und nur in einem dem göttlichen Schweigen entsprechenden Verschweigen rein zu bewahren[207]. Demgegenüber weiß sich christliche Theologie, wie sehr auch immer das Göttliche im Schweigen ehrend[208], doch von einem „Zwang" zur Rede über Gott angegangen, wo es das Bekenntnis, wo es insbesondere die Liebe fordert, wie etwa Basilios[209] und Gregor von Nazianz[210] zu vielen Malen einschärfen.

(2) Synesios erkennt indes ein rechtes Verhüllen des Unsagbaren nicht im hochmütigen, die Neugier nur aufreizenden Verschweigen im Sinne der esoterischen Philosophie, sondern vielmehr im Umkleiden des Geheimnisses durch schöne Gewänder, Reden und *Bilder*[211]. Dies gerade ist ihm auch der Mythos, als Vorstufe zur Philosophie[212] verbirgt *und* offenbart er zugleich die Mysterien. Der Mythos bewahrt mit seiner bunten Bilderwelt die Vielen vor der Überfülle des göttlichen Lichts[213] und läßt es dennoch dem Verständigen transparent werden[214]. Mit dieser Anschauung, die im Dion ausdrücklich mit der streng philosophischen Esoterik konfrontiert wird[215], nimmt Synesios eine

---

ep 137 p 238,9–239,8; 142 p 248,7 f.; 143 p 249 f. (vgl. Jambl Pyth 17,75); bei den Ägyptern Aeg 1,4 p 121,20–122,1; 2,5 p 122,19 ff. (123,9 ἀρρητουργία ἔνθεος); 2,6 p 125,11 f. (vgl. Dion 3 p 242,1); 2,8 p 131,9. Zur Esoterik bei Synesios vgl. Crawford 94 f.; Bizzochi, Inni 362–367 und 381. Lacombrade, Synésios 61–63 und Treu, Dion 60 f. betonen die politischen Gründe für die Geheimhaltung zu stark.

[207] Plot 6,9,10:19 f.; 11:1–4; vgl. 5,3,14:8 ff.; 6,7,34:29. Gute Bemerkungen zum Arrheton bei Dörrie, Mythos 7 f. Zum Ganzen vgl. oben S. 41 ff.

[208] Dabei ist die Esoterik von der Arkandisziplin zu unterscheiden, vgl. O. Perler, RAC 1 (1950) 671.

[209] Basil spir 30,78 f. (SC 17,526–530), bes. 79:1 f. p 528 τούτων μὲν οὖν πάντων ἕνεκεν σιωπᾶν ἔδει, ἀλλ' ἀνθεῖλκε γὰρ ἑτέρωθεν ἡ ἀγάπη, vgl. 17,41:32–34 p 396; ferner (mit Dörries, De Spiritu Sancto 124) cEunom 1,1 (SC 299,140); fid 1 (PG 31,676D); hom 15 (PG 31,464B–472A); ep 223,1 p 8 C. Vgl. ferner oben Kap. II A. 155.

[210] GregNaz or 27,5 (SC 250,82); 32,12–21 (PG 36,188 ff.); bes. or 31,26 f. p 326–330 und 42,13 (473A–C, gegen ein völliges Verschweigen gilt es, καλὴν τόλμαν τολμᾶν, 473D); in or 12,1 (PG 35,844AB) ist es der Hlg. Geist, der zuvor ein Schweigen, nun aber das Reden im Rahmen des Verkündigungsamts gebietet. Vgl. auch oben Kap. II A. 156.

[211] θαυματολογία statt σιγᾶν, Dion 5 p 248,5; ἐπικάλυμμα 6 p 249,11; vgl. calv 6 p 202,7–9; 9 p 207,16–18; 10 p 208,7; 20 p 226,16 f.; Dion 5 p 247,7.14 u. ö.; ins praef p 143,4–7; 3 p 149,13–15. Gegen eine falsche Esoterik s. bes. ep 154 p 272–275 und Dion 10 (dazu oben S. 18 f.).

[212] Dion 4 p 245,14 f. Insofern entspricht der Mythos der φιλόμυθος (s. A. 203!) φύσις der Kinder (ib. und Aeg 1,2 p 66,5 f., vgl. Plat rep 377a; Aristot met A2:982b18 f.) und ist so Philosophie für die „Vielen", vgl. Plat pol 304cd; Aristot met Λ 8:1073b3 ff.; Julian or 7,2:206d; 21:226c.

[213] Dies ist der Nutzen des Mythos, ep 105 p 188,13 f.; im Dion wird der Bilderschmuck gerade mit der Beschränktheit des Menschen begründet, vgl. oben S. 192 ff. J. Vogt, Philosophie und Bischofsamt, der Neuplatoniker Synesios in der Entscheidung, Grazer Beiträge 4 (1975) (295–309) 307 f. denkt zu sehr an den abwertenden Mythosbegriff der antichristlichen Polemik.

[214] Ep 154 p 275,4–7 Das schöne Gewand des Dion läßt ein verborgenes πρόσωπον θεῖον durchschimmern. In der Dichtung ist eine Philosophie versteckt, ins 14 p 144 f. (vgl. oben Kap. IV A. 330).

[215] So ep 154, wo den Schwätzern (p 272,14 f.; 273,1–4; vgl. Dion 10 p 261,9–11) die Verschweigenden gegenübergestellt werden, p 273,5–20; Synesios lehnt beides ab (vgl. oben S. 18 f.!). Freilich schätzen auch die Philosophen der Athener Schule den Mythos als Verhüllung, z. B. Salustios 3,4

Tradition auf, die gerade die symbolische und mythische Verhüllung des Göttlichen hoch zu schätzen weiß und erst noch dem rhetorischen ornatus, dem Schmuck der schönen Rede, sein Recht im Gefüge des mystischen Aufstiegsgeschehens wahrt[216]. Ähnlich deuten die christlichen Theologen die „Schatten und Rätselreden" der Schrift, auch wenn hier die pädagogische Abzweckung auf das Heil und das Verstehen der Vielen sehr viel stärker gewichtet wird[217].

In dieser bei Synesios wirksamen Hochschätzung des bunten Redekleids, des offenbarenden und zugleich verbergenden Bilderschmucks, wie es sich ganz besonders in seinen Hymnen ausdrückt, läßt sich wiederum seine hohe Wertung der Zwischenwelt, der die menschliche Beschränktheit lindernden Kultur- und Bildersphäre, erkennen[218]. Insofern ist seine Bereitschaft, als Bischof seine Mythen weiterzuspinnen, weder ein Verrat an der reinen Wahrheit noch eine von Verachtung und Täuschung bestimmte Herablassung zum Pöbel. Das Verstehen selbst vermag ohnedies nur Gott zu geben, indem er das geistige Auge mit seinem Licht erleuchtet[219].

2. Philosoph, Priester und König

(1) „Eher hätte ich mir vielfachen Tod erwählt anstatt dieses Priesterdienstes, denn ich bedachte, daß die Würde dieser Sache mein Vermögen übersteigen würde. Da nun aber Gott mir nicht dies, was *ich* wünschte, sondern was *er* wollte, auferlegt hat, bitte ich darum, daß der Zuteiler dieser Lebensform auch der Beschützer des Zugeteilten sein möge."[220]

(προκαλύμματα), vgl. oben Kap. IV A. 327f. und Pépin, Mythe et allégorie 481f.; Beierwaltes, Proklos 171 A. 23; Trouillard, L'un et l'âme 171–173; ders., Mystagogie 47f.139.249. Aber solches gilt nur für altehrwürdige Überlieferung, nicht mehr für eigenes Dichten.

[216] Vgl. MaxTyr phil 4,5 p 45f. Hobein (BT, 1910) εὐσχημονέστερος ἑρμηνεὺς ὁ μῦθος; Clem strom 5,9,56:5 ὅσα διά τινος παρακαλύμματος ὑποφαίνεται, μείζονά τε καὶ σεμνοτέραν δείκνυσι τὴν ἀλήθειαν, vgl. Buffière, Mythes 41–44 („la pénombre du mythe rend plus belle la vérité", „Ni la pleine lumière ni l'obscurité, mais une douce pénombre: tel est l'idéal esthétique cherché dans le mythe par le néoplatonisme", 43); ferner Marrou, Augustin 488–492. – Noch näher zu Synesios führt die Idee, daß die Rätselreden den Toren ablenken, den Weisen aber erleuchten, vgl. Mk 4,11f.; Plut Pyth orac 25f.:406f–407e; PsPlut vitHom 92 (BT, 1896, VII 378,25ff.); Clem strom 5,8,46:1 und 5,4,24:2f. (παρακαλύμματα), Plut und Clem zitieren Soph frg 704 N. (= 771 P.), vgl. Pépin, Mythe et allégorie 179–181.189f.271f.484f. Nach Themist or 26 p 132,12 schrieb Aristoteles exoterische Schriften, ὅπως καὶ ἔχοντες μὴ ἔχωσιν οἱ ἀμύητοι! – Vgl. auch oben A. 138 die Arbeit von Pépin.

[217] Z. B. Basil spir 14,33:28–46 (SC 17,362) Die Schriften verhüllen menschenfreundlich (im Sinne einer Oikonomia) und wollen langsam ans Licht gewöhnen. Diese Unklarheit der Schrift (als ein Genos der σιωπή) nützt dem Leser, 27,66:58 p 484. Vgl. Didym trin 1,18,22f. H. Die Schrift redet in Rätselworten, um weder plötzlich die Uneingeweihten mit der Wahrheit zu konfrontieren noch sie ihnen gänzlich vorzuenthalten. – Freilich kommt es im christlichen Raum nicht zum Schema von Wahrheit und Doxa, s. oben A. 202.

[218] Vgl. Gardner, Synesius 113 („truth embodied").

[219] Syn ep 154 p 275,10–20.

[220] Syn ep 11 p 31,8–12. Der Anklang an Mk 14,36 parr (vgl. aber auch Epikt 4,7:20) ist deutlich. Vgl. ep 96 p 163,6f.; 105 p 190,16.

In solchen Worten umreißt Synesios seine Ehrfurcht vor dem Amt des Priesters, dessen göttliche Würde seiner eigenen Unwürdigkeit und Schwäche Hohn zu sprechen schien[221]. Er habe nicht den erforderlichen Freimut, Gott für das Volk anzurufen[222], noch könne er als selbst im Schmutz Kriechender andere reinigen[223]. Dennoch nimmt er schließlich die Bürde auf sich, denn, „so sagt man, für Gott ist alles möglich"[224], und seiner Heimat gegenüber wird es ihm geradezu zur Verpflichtung, fortan als Metropolit der Kyrenaika zu wirken[225]. Wir fragen danach, wie er dieses Bischofamt zu verstehen suchte, wobei die Kenntnis der Rede Gregors von Nazianz über seine Flucht vor dem Priestertum bei Synesios mit einiger Wahrscheinlichkeit vorauszusetzen ist[226], hingegen kaum eine Bekanntschaft mit dem Traktat des Johannes Chrysostomos über dasselbe Thema[227].

(2) Der Hauptbeweggrund des Synesios zur schließlichen Annahme des Bischofamts scheint die Hoffnung gewesen zu sein, dieses als *Aufstieg*, als Erhebung und damit als Verwirklichung des philosophischen Strebens verste-

---

[221] Würde: θεῖον ep 11 p 31,7; σεμνότης ep 105 p 184,11; Unwürdigkeit: παρ'ἀξίαν ep 41 p 59,13; δειλότατος p 58,9; Schwäche: ep 41 p 67,13 (= 199c); 79 p 144,15; 105 p 184,10f.

[222] Ep 13 p 34,8. παρρησία meint hier die öffentliche Fürbitte, vgl. J. Chrys sac 6,4:26 und 63 (SC 272,314.318); incompr 5,483ff.; PGL s.v., bes. II A 3b iii; e; III B.

[223] Ep 105 p 186,18–20; vgl. unten A. 226; oben Kap. III A. 56 und 63.

[224] Ep 11 p 32,3f. τῷ θεῷ δέ – φασί – πάντα δυνατά, καὶ τὰ ἀδύνατα, nach Mt 19,26, aber mit leisem Zweifel (φασί!) gesprochen (ähnlich wie das Wort vom Hlg. Geist ep 41 p 59,4f., s. oben Kap. III A. 372, oder vom „Weiden" p 59,3). Die Idee selbst war ohnehin umstritten, vgl. die scharfe Polemik des Porphyrios (!) gegen die Christen, advChrist frg 94,19ff. p 102 Harnack; frg bei Didym in Iob 10,13 (s. D. Hagedorn – R. Merkelbach, VC 20, 1966, 86–90) und schon Kelsos, Orig 5,14 und 3,70. Dagegen akzeptiert Jambl Pyth 29,139 und 148 das Wort, während andrerseits die Christen die absolute Omnipotenz einschränken, Orig Cels 3,70 (mit Elert, Ausgang 39f.) und GregNaz or 30,10f. (SC 250,244–6).

[225] Ep 96 p 164,1–11; die Flucht vor dem Amt wäre eine teuflische Versuchung, ep 41 p 56,14 (= 193c); andrerseits kennt er auch das Moment der Ehrbegierde, ep 105 p 185,5.

[226] Vgl. v.a. Syn ep 41 p 58,17 τοῦ θεοῦ ... ἡττώμην mit GregNaz or 2,1:1 (SC 247,84) ἥττημαι καὶ τὴν ἧτταν ὁμολογῶ; auch 103:19 p 222; 116:4 p 238; ep 138,3 (GCS 53,100,19) ἡττήμεθα; ep 8,1 p 10,4 καὶ σὺ ἑάλως; 8,4 p 10,8f. φέρειν ἀνάγκη. Hingegen ist die Amtsbezeichnung „Leiturgia" traditionell (Syn ep 11 p 31,8; 105 p 189,18f.; GregNaz or 2,4:9 p 90; 8:10 p 98; 110:6 p 230; vgl. Isidor Pelus ep 4,219, PG 78,1313B; PGL s.v.). Weitere Parallelen: „Gott weidet": Syn ep 41 p 59,3 θεὸς ποιμαίνει; GregNaz or 2,117:10f. p 240 Gott ποιμαίνων ποιμαίνοντας; „Rein zu Rein": Syn ep 41 p 66,11f.; Greg or 2,71:9f. p 184; 74:8f. p 186; vgl. oben Kap. II A. 63; Selbstrein-sein vor der Reinigung anderer: s. oben A. 223 und Greg or 2,71:9f. p 184; „Schwäche" s. oben A. 221; Greg or 2,90:1f. p 204 u.ö. – Zu Gregor und Synesios vgl. oben Kap. I bei A. 44.

[227] Gegen die Tendenz bei Gardner 107; Kleffner 51; Grützmacher 134; Stiglmayr 535 A.; 539. Die Gemeinsamkeiten sind zu allgemein, so z.B. τελεταί für den Gottesdienst, παρρησία Gebetsfürbitte, „Leiturgia" als Amtsbezeichnung, Betonung der „Schwäche" (JChrys sac 1,3:20; SC 272,74; 2,5:14 p 118; 3,8:30 p 166; 6,12:34 p 344). Zur Chrysostomosschrift vgl. A. M. Ritter, Charisma im Verständnis des Joannes Chrysostomos und seiner Zeit, FKDG 25, Göttingen 1972, 72–74; H. Dörries, Erneuerung des kirchlichen Amts im 4.Jh., in: Bleibendes im Wandel der Kirchengeschichte, hg. B. Moeller – G. Ruhbach, Tübingen 1973, 1–46 und die neue Ausgabe von A. M. Malingrey, SC 272, Paris 1980.

hen zu können[228]. Wie er schon in seinem Dichten den Hymnus als Gott dargebrachtes Opfer gepriesen hatte, suchte er nun das Priestertum als eine Aufstiegsbewegung zu vollziehen[229]. Besonders in der Auseinandersetzung mit dem gewaltsamen Präfekten Andronikos bedachte Synesios die politische Gewalt in der Kategorie des Abstiegs, das Priestertum aber in derjenigen des Aufstiegs[230]. Die politische Gewalt, das Königtum ist zur Materie, zur Lebenswelt hin ausgerichtet[231] und bildet hienieden Gottes in die Weltentiefe strömende Pronoia ab[232]; der Herrscher läßt sich derart mit der die Erde bestrahlenden Sonne vergleichen[233]. Synesios hat bekanntlich den Kaiser Arkadios in mutiger Weise an diesem platonischen Königsurbild gemessen[234]. Umgekehrt ist das Priestertum, die „heilige Lebensform", ein Aufstieg zur Theoria, eine Enthaltung von aller Praxis und irdischer Verstricktheit, eine vollkommene Hingabe an den kosmischen Lobpreis[235].

(3) Dieser Deutung des königlichen und priesterlichen Amts durch die Kategorien von *Abstieg* und *Aufstieg* scheint die *neuplatonische Tugendlehre* zugrunde zu liegen[236]. Insbesondere hat die alexandrinische Schule der Gottheit

---

[228] Syn ep 11 p 32,9f. ... τὴν ἱερωσύνην οὐκ ἀπόβασιν οὖσαν φιλοσοφίας, ἀλλ᾽ εἰς αὐτὴν ἐπανάβασιν; vgl. ep 96 p 163,9f.; ferner ep 41 p 58,18 von der Hoffnung, Gott nahe zu sein, was er nicht so recht glauben kann (vgl. ähnlich oben A. 224). – Vgl. auch D. T. Runia, Repetitions in the letters of Synesios, Antichthon 13 (1979) 103–109.

[229] Auf das neuplatonische Priesterverständnis verweisen Gardner 107; Koch 756; Bizzochi, Inni 348.372; vgl. auch Stiglmayr 526.543 und oben S. 40.

[230] Ep 41 p 65,4–67,18 (= 198c–199d).

[231] Der βίος ἡγεμονικός ist εἰς ὕλην, ἐν τοῖς πράγμασιν, in πρᾶξις und ὁρμή verstrickt, p 65,12–14.

[232] Syn regn 20 p 49,10f.; 23 p 53,7; 27 p 57,19; 58,1ff.; λειτουργία τις τῷ κόσμῳ Aeg 1,10 p 82,18f.; Christus als König hy 6,25.31. Zur Mimesis von Gott und König vgl. J. Straub, Vom Herrscherideal in der Spätantike, Stuttgart 1939, 113–129 (Euseb) und 164–172 (Themistios); K. M. Setton, Christian attitude towards the emperor in the 4th century, New York 1941, 47f.198–201; ferner Geffcken, Ausgang 243; P. Hadot in: Histoire des religions, 2, Encycl. Pléiade, Paris 1972, 82–84.109.

[233] Syn regn 26 p 57,5–8; vgl. unten A. 252 und Straub, Herrscherideal 133: „Der Vergleich mit der Sonne ist zum Topos für jeden Logos basilikos geworden."

[234] Regn, bes. 25. Vgl. Setton aaO. 152–162; Seeck, Untergang 266f.; P. Hadot, Fürstenspiegel, RAC 8 (1972) 606f. – Die Rede wurde sicher etwa so gehalten, wie sie uns vorliegt, vgl. Lacombrade, Discours 79–87. Zu den Parallelen zwischen Synesios und Claudian s. ders., Notes sur deux panégyriques, Pallas 4 (1955) 15–26; E. Demougeot, La théorie du pouvoir impérial au début du 5e siècle, Mélanges de la société toulousaine d'études classiques 1 (1946) 191–206. – Daß die Rede mutig war, weiß Synesios selbst, ins 14 p 176,4–6.

[235] βίος ἱερός – τῷ θεῷ – ἐν εὐχαῖς – θεωρία (höher als Praxis, vgl. ep 103 p 178,4–9), σχολή, p 65,12ff.; 66,7f. – Zum Lobpreis vgl. hy 1,362–5: Die Seele des Synesios reiht sich in den Reigen des kosmischen Lobpreises ein (wie die Engel 1,471; vgl. auch oben Kap. IV A. 54). Das hier gemeinte Priestertum ist symbolisch (vgl. oben S. 40), die Stelle ist nicht später vom Bischof eingefügt (so Wilamowitz 293; Festugière, Hymnes 273; Theiler, Gnomon 25, 1953, 197; Keydell 1956, 161).

[236] Ep 41 p 65,6 πολιτικὴ ἀρετή! W. Cramer, Zur Entwicklung der Zweigewaltenlehre, ein unbeachteter Beitrag des Synesios von Kyrene, RQ 72 (1977) (43–56) 51–53, weist auf die alte Lehre der Bíoi von Theoria und Praxis als Deutekategorien hin. Diese Bíoi sind aber schon längst in die

und per analogiam auch dem Philosophen sowohl die Aufstiegsbewegung der
Theoria als auch die Abstiegsbewegung der Praxis und der Pronoia, welch
letztere sich konkret in der Politik äußert, zugeschrieben[237], wobei der Besitz
der höhern Tugenden potentiell auch denjenigen der niedern impliziert[238]. Der
spätere Neuplatonismus räumte im Unterschied zur verachtungsvollen Haltung
Plotins den politischen Tugenden durchaus einen positiven Wert ein[239], wenn
immer sie von einem wahrhaften Philosophen verwirklicht würden[240]. Aber
diese Besorgung des Untern ist, dem platonischen Höhlengleichnis entsprechend, immer Abstieg[241], auch für Synesios, der sich hierin charakteristisch
vom ebenso Philosophie und Politik verbindenden Themistios[242] unterscheidet.
Dieser schaut in der Politik gerade nicht einen Abstieg, sondern einen Aufstieg,
eine Verwirklichung der Philosophie, die sich demzufolge in den von ihm
verherrlichten Kaisern realisiert[243]. Synesios hält zwar gleichfalls an der platonischen Einheit von Philosophie und Politik fest[244], hebt aber letztere als Abstieg
in die untere Welt von der erstern als zum Göttlichen aufsteigender Kontemplation deutlich ab. Die Einheit beider scheint sich ihm unter den gegenwärtigen

---

Tugendsystematik integriert (Aristoteles!), welch letztere nun ihrerseits im Neuplatonismus in der
Struktur von Abstieg und Aufstieg (vgl. oben S. 29) interpretiert wird. Vgl. auch O. Schissel von
Fleschenberg, Marinos von Neapolis und die neuplatonischen Tugendgrade, Athen 1928, 18 ff.

[237] Hierokl in CA 20,3 p 85,2–4 K. (vgl. auch 26,7 p 112,23–113,1) stellt theoretische Arete,
„oben" und Vergöttlichung (20,4 p 85,12–14) der politischen Arete, dem „unten" und der „Menschwerdung" (20,1 p 84,1–16; prooem 4 p 6,19) gegenüber, vgl. Kobusch 112–115 und gegen seine
„vorneuplatonische" Charakterisierung I. Hadot, Problème 152–158. – Ausgeführt ist die Tugendlehre bei Ammon in Porph isagog prooem, CAG 4/3,3,9–21, und Olymp in Phaed init p 1,10–2,4
N., worin Gott und der diesem gleichwerdende Philosoph sowohl ἐνεργείαι ἀναγωγοί, γνωστι-
καί als auch ἐνεργείαι προνοητικαὶ τῶν καταδεεστέρων, πολιτικαί haben; die Stellen nach K.
Prächter, Zur theoretischen Begründung der Theurgie im Neuplatonismus, ARW 25 (1927) 209–
213.

[238] Plot 1,2,7:10–12; Porph sent 32 p 30,1–5 L.

[239] Gut nachgezeichnet bei C. Zintzen, Römisches und Neuplatonisches bei Macrobius, in:
Politeia und Res Publica, Gedenkschrift R. Stark, Palingenesia 4, Wiesbaden 1969, (357–376)
370 ff., der den Einfluß des Neupythagoreismus betont. – Zu Plotin vgl. auch Theiler, Forschungen
147 und 159 (mit der christlichen Kirche kontrastiert). – Positivere Wertung des politischen
Interesses Plotins bei L. Jerphagnon, Platonopolis ou Plotin entre le siècle et le rêve, FS Trouillard
215–229.

[240] Vgl. Hermias in Phaedr p 10,2–4 Couvreur (Paris 1901; Hildesheim ²1971); Marin Procl 15 p
25,24–28,26 Cousin.

[241] Plat rep 7:520c; 539e; als Pflicht 540b.

[242] Vgl. Themist or 17 p 306,20f. D.; 8 p 162,20ff.; 26 p 121,8–10; 144,17f.; 31 p 188,10–18; or
34,3 p 213f.; etc. Zu seiner Beratung des Julian vgl. Bidez, Kaiser Julian 132f.

[243] Themistios setzt dem Vorwurf des Abstiegs (vgl. Anth Pal 11,292) die Behauptung eines
Aufstiegs entgegen, den er in seiner Stadtpräfektur vollzogen habe, or 34,1 p 212,15–17 D.-N.; ib. 9
p 219,16–20 (οὐ κατέβην ... ἀλλὰ ... ἀναβέβηκα); 19 p 226,5f.; 27 p 231,5f.; relativiert in 30 p
232,11–21; vgl. H. Schneider, Die 34. Rede des Themistios, Winterthur 1966, 13f. So ahmt der
König Gott eher nach denn der Philosoph, weil er aktiv ist, or 2 p 43ff.; 34,6 p 216,13–16; vgl.
Straub, Herrscherideal 172.

[244] Syn ep 103 p 177,1 τὸν αὐτὸν εἶναι καὶ φιλόσοφον καὶ φιλόπολιν, vgl. p 175,7f.; catast 1,1
p 283,2 die Philosophie ist nicht ἀπολίτευτος.

Umständen nur selten, nur in außergewöhnlichen Naturen zu verkörpern[245], abgesehen von diesen besondern Fügungen aber sollen die zwei Lebensformen streng getrennt werden[246]. Gerade auch als Bischof drängt er auf eine klare Unterscheidung von Theoria und Praxis, Philosophie und Politik, Priestertum und Königtum.

Tatsächlich denkt sich Synesios die zwei Ämter von König und Priester nur in der Urzeit noch vereint[247], bevor sie die Gottheit trennte und fürderhin nicht mehr verbunden wissen will[248]. Freilich gibt es Zeiten, wie Synesios im Kampf mit Andronikos erkannte, wo die Verhältnisse dazu zwingen, das *Unvereinbare* dennoch zu *vereinen*. Es wäre dann die Sache außergewöhnlicher Naturen, den königlichen Abstieg und zugleich den priesterlichen Aufstieg in einem zu vollziehen[249]. Im Erwägen dieser Möglichkeiten gelangt nun Synesios zu einem *christologischen* Verständnis der zwei Ämter, dem neuplatonischen Ansatz, wonach die Gottheit beide Tugendklassen in sich schließt, durchaus entsprechend:

„Ich selbst vermag nicht, ‚zwei Herren zu dienen'. Wenn es solche gibt, die auch von der Herablassung zum Irdischen keinen Schaden nehmen, können sie sowohl Priester sein als auch Städten vorstehen. Der Strahl der Sonne bleibt rein und unbefleckt, auch wenn er auf Schmutz trifft. Ich aber werde, wenn ich dasselbe tue, Quellen und das Meer nötig haben, um mich zu reinigen. Wenn es möglich wäre, daß ein Engel mehr als dreißig Jahre unter den Menschen lebte, ohne von dem Bösen der Materie etwas in sein Empfinden aufzunehmen, wozu mußte dann der Sohn Gottes herabsteigen? Doch es ist ein Überschuß an Macht, mit dem Niedrigen zu verkehren und doch seine Natur zu

---

[245] Syn ep 101 p 171,19 f. ... οὐκέτι τῶν πραγμάτων χωρούντων ἐπιμελητὴν πολιτείας φιλόσοφον..., „daß die Verhältnisse einen Philosophen als Gemeinwesenleiter nicht mehr zulassen". Er betont im Sinne Platons „göttlicher Fügung" (ep 7:326b; rep 592a8 f.) die Seltenheit der Vereinigung von Philosophie und Politik, ep 103 p 176,21 (μόλις); vgl. oben A. 141 und unten A. 261. In astrolab 2 f. p 134–136 lobt er Paionios, weil dieser den Syndyasmos der lange Getrennten aufgrund ihrer alten Verwandtschaft (134,6 f.) wieder herzustellen beginnt. Vgl. dasselbe Lob in ep 142 p 249,1–12 sowie Vogt, Planisphaerium 275–277.

[246] Syn ep 103 p 176,1–178,9, bes. 176,21–177,3; 177,24–178,3: Jetzt soll es kein „sich in fremde Dinge einmischen" mehr geben (παραδιοικεῖν, vgl. den Bischofsbrief 41 p 65,17 und Hermelin, Briefe 38–40).

[247] So auch Basil ep 236,3:13–15 und 41–43 p 51 f. C., der das in Christus vereinte Königtum und Priestertum schon im alten Israel abgebildet sieht. Der Vergleich von Priestertum und (geringerem) Königtum ist häufig, vgl. J. Chrys sac 3,1:11–13 (SC 272,136) und (mit Stiglmayr 534 A. 1) Isidor Pelus ep 4,219 (PG 78,1313AB). – Zum altägyptischen Zusammenhang von Königtum und Priestertum vgl. Plat polit 290de; Plut Is 9:354b; Syn Aeg 1,5 p 72,17 f.

[248] Syn ep 121 p 208,6–12; 41 p 65,8–12 (= 198c); vgl. bes. 65,6 f. πολιτικὴν ἀρετὴν ἱερωσύνῃ συνάπτειν συγκλώθειν ἐστὶ τὰ ἀσύγκλωτα, vgl. p 65,16 συνάπτειν ... τὰ κεχωρισμένα παρὰ θεοῦ. Der Grundsatz wird mit Recht hoch gelobt von Stiglmayr 560 f. A.; vgl. auch Cramer, Entwicklung, der aber wohl fehlgeht in der Annahme literarischer Verbindungen zwischen Synesios und Gelasius (so 46.50).

[249] Ep 41 p 67,14–18, s. unten A. 261. Synesios rechnete sich aber gewiß nicht zu diesen außergewöhnlichen Naturen, wie Vogt 1975, 396 argwöhnt, vgl. nur ep 144 p 254,9 f.; 146 p 257,14–17.

bewahren, ohne in Mitleidenschaft gezogen zu werden. Dies ist der hohe Ruhm Gottes. Der Mensch aber muß es vermeiden, indem er sich vor der Schwachheit seiner Natur in acht nimmt."[250]

Der Text, der eine Fülle von Motiven anklingen läßt, kreist insgesamt um das Thema des Abstiegs. Das alte Bild vom Sonnenstrahl, der von allem Finstern rein bleibt[251], hat insbesondere auch christlicher Theologie zur Veranschaulichung des Abstiegs Christi gedient[252]; die Entgegensetzung von Engel und Gottessohn speist sich gleichfalls aus älterer Tradition[253]. Christus allein vollzieht für Synesios den zu preisenden Abstieg, der nicht in eine Verstrickung in die Materie umschlägt, sondern die wesenhafte Verwurzelung im Obern – „Aufstieg" – wahrt[254]. Der menschlichen Schwäche ist solches nicht verstattet, und dennoch kommt es bei Synesios zu einer Entsprechung zwischen Christi Abstieg und Aufstieg und dem Priester[255], der nunmehr auch politische Wirksamkeit entfalten muß:

„Freilich lasse ich es mir nicht nehmen, die Zeiten zu bestimmen, dann, wenn es angeht, ‚absteigend nicht abzusteigen', d.h. in der rechtzeitigen Hinabwendung ein großes Gut zu erwirken; so waltet ja auch Gott."[256]

---

[250] Syn ep 41 p 67,1–13 (= 199bc), in der Übertragung von J. Vogt, Synesios gegen Andronikos, in: Adel und Kirche, FS G. Tellenbach, Freiburg 1968, (15–25) 21 f.:
Ἐμοὶ δύναμις οὐκ ἔστι ʽδυσὶ κυρίοις δουλεύειν'. εἰ δʼ εἰσί τινες οἳ μηδὲ ἀπὸ τῆς συγκαταβάσεως βλάπτονται, δύναιντο ἂν καὶ ἱερᾶσθαι καὶ πόλεων προστατεῖν. ἀκτὶς ἡλίου κἂν ὁμιλήσῃ βορβόρῳ, μένει καθαρὰ καὶ ἀμόλυντος. ἐγὼ δὲ ταὐτὸ τοῦτο παθών, πηγῶν καὶ θαλάττης δεήσομαι. καὶ εἰ δυνατὸν ἦν ἀγγέλῳ πλεῖν ἢ τριάκοντα ἐνιαυτοὺς συνανθρωπεύσαντι μηδὲν ἀπολαῦσαι τῆς ὕλης κακὸν εἰς προσπάθειαν, τί ἔδει καταβῆναι τὸν υἱὸν τοῦ θεοῦ; ἀλλʼ ἔστι περιουσία δυνάμεως ὁμιλοῦντα τοῖς χείροσι μένειν ἐπὶ τῆς φύσεως καὶ μηδένα τρόπον παθαίνεσθαι. τοῦτο θεοῦ μὲν ὕμνος ἐστίν, ἀνθρώπῳ δὲ παραίτησις γίνεται διευλαβουμένῳ τῆς φύσεως αὐτοῦ τὴν ἀσθένειαν.
Neben Mt 6,24 scheint Porphyrios nachzuklingen: Zu παθαίνεσθαι vgl. Porph sent 29 p 19,9 L.; abst 1,42,1; Prokl inst 209 p 182,31; Syn Dion 9 p 257,11; PsSyn ep 158 p 738 Hercher. – Zu „prospatheia" vgl. Syn Dion 8 p 253,2 f.; Porph sent 28 f.; 32, p 17,10; 18,8–10; 32,9 L.

[251] Vgl. Diogenes bei Diog Laert 6,63; auch Sen ep 41,5; von der noetischen Sonne Julian Hel reg 16:140d; von Gottes Pronoia Nemes nat hom 44 p 357,3–7 M.; jüdisch vom Frommen Test Benj 8,3.

[252] Orig Cels 6,73:16 f. (SC 147,362), vgl. H. Chadwick in seiner Übersetzung, Cambridge ³1980, 387 A. 2; Euseb dem ev 4,13,7 f. p 241,21–28 Dindorf (BT, 1867); Athan inc 17:30–36 Th.; Basil Chr generat 6 (PG 31,1473B); JChrys nativ 6 (PG 49,360); Aug civ 9,16:79 f. (CCL 47,265); vgl. M. Aubineau, Le thème du „bourbier" dans la littérature grecque profane et chrétienne, RSR 47 (1959) (185–214) 210–212; ferner oben A. 233.

[253] Diogn 7,2; Tert carn Chr 14 (SC 216,268–272) mit Zitat von Jes 63,9; eventuell auch Apk El 20,2 = 1,7 Rosenstiehl, vgl. denselben 53–55 z.St. (Paris 1972) und zweifelnd Schrage, JSHRZ 5/3, 1980, 232. 205 A. 50. Zum Ganzen s. J. Barbel, Christos Angelos, Theoph 3, Bonn ²1964, bes. 285–288; ferner unten A. 269.

[254] Vgl. ep 41 p 68,1 f. Dieser Abstieg ist θεοῦ ὕμνος, p 67,11, und *das* Thema der Hymnen!

[255] Traditionell ist sonst nur die Analogie von Christus und Priester, z.B. GregNaz or 2 (SC 247) von der Oikonomia (24:4; 29:12; 52:4), vom Hirtenamt (34:12; 117:10–14), vom Priesterdienst selbst (73:12–18; 91:18).

[256] Ep 41 p 67,14–18 (= 199d)
Κατὰ τούτους ὑμῖν ἐγὼ τοὺς ὅρους συνέσομαι. οὐ μὴν τό γε κρίνειν καιροὺς ἐμαυτὸν

Deutlich versucht der Bischof, sein eigenes, einmaliges Eingreifen in die Politik in Analogie zum Abstieg der Gottheit zu stellen, der in den Hymnen als Herabkunft Christi gepriesen wird und in den Ägyptischen Erzählungen als Götterabstieg den Kosmos vom Verderben rettet. Die besonderen Umstände und Zeiten, unter denen ihm schon früher ein Zusammengehen von Philosophie und Politik denkbar erschien[257], riefen nun angesichts der Greueltaten des Andronikos offenbar nach einem solchen „Abstieg".

(4) So waltet bei Synesios eine spannungsvolle Einstellung zu seinem Bischofsamt. Mit seiner starken Neigung, Verantwortung gerade auch für das Untere zu übernehmen und der Heimat zu helfen[258], wie er es in der Abwehr der Nomadeneinfälle und dem Bittgang nach Konstantinopel bewiesen hatte, wird er auch als Bischof ins weltliche Geschehen hineingezogen[259]. Dabei war ihm überdeutlich bewußt, wie sehr diese innere Spannung von Abstieg und Aufstieg sein eigenes Vermögen überschritt[260], da ja die Einheit von Politik und Philosophie, von Stärke und Einsicht nur wenigen herausragenden Naturen gegeben[261], ja wohl überhaupt nur im Gottessohn wirksam war.

Das Bischofsamt indes wird in der faktischen Erfahrung für Synesios dennoch zum *Abstieg,* zur Verstrickung in die Erdenverhältnisse. Dieselben Bedrohun-

---

ἀφαιρήσομαι, ὡς, ὅταν ἐξῇ, 'κατιόντα μὴ κατιέναι', τοῦτ' ἔστι διὰ τῆς τυχούσης ἐπιστροφῆς ἀγαθόν τι μέγα ποιεῖν (οὕτω καὶ ὁ θεὸς πολιτεύεται). Die Lesung κατιόντα μὴ κατιέναι (PG 66,1397A; Garzya; anders Hercher 669; vgl. Lacombrade, Synésios 266 A. 80) ist gestützt durch ins 11 p 167,3 f. τὸ λεγόμενον κατιόντα μὴ κατιέναι, ὅταν ἀσχέτως ὁ κρείττων ἐπιμελῇται τοῦ χείρονος; die Idee dieses guten Abstiegs ist der Sache nach plotinisch (Lang, Traumbuch 83 f. sucht vergeblich nach nähern Parallelen), vgl. von der Weltseele 4,7,13:12–20; 4,8,8:1–23 (wozu H-S¹ Synesios zitieren); 2,9,2:4 f. – Das Tun des „großen Guten" entspricht durchaus der neuplatonischen Sicht des politischen Wirkens (εὐποιΐα), vgl. Zintzen, Macrobius 375. Die Analogie von verhältnislos (ἀσχέτως) nach unten wirkender Gottheit (vgl. oben Kap. III A. 269) und dem diese nachahmenden Philosophen auch bei Marin Procl 18 p 32,19 f. C.; vgl. ferner oben A. 237.

[257] Vgl. bes. ep 103 p 177,20 f. παρούσης μὲν τύχης καὶ καλεσάντων αὐτὴν (die Philosophie) ἐπὶ τὰ πράγματα τῶν καιρῶν ..., freilich dachte er da an besonders gute Zeiten, während nun gerade der Zeiten extreme Ungunst zur Aktion ruft.

[258] Syn ep 96 p 164,1–11. Vgl. neben den Biographien Wilamowitz 286; Pando 95–139; C. M. Coster, Synesios, a curialis of the time of the emperor Arcadius, Byz 15 (1940 f.) 10–38; Nicolosi, Providentia 105–118; J. Vogt, S. von Cyrene, Hellene, Feldherr, Priester, in: Paradoxos Politeia, FS G. Lazzati, SPMed 10, Mailand 1979, 296–307. Der Unterschied etwa zu Plotin ist augenfällig!

[259] Vgl. Desideri, Dione 576.593: Der Dion bildet den Bischof im voraus ab; der Bischof ist zugleich Verwirklichung und Verleugnung des philosophisch-politischen Ideals des Dion. S. auch Vogt 1975, 309.

[260] Ep 144 p 254,9 f.; 146 p 257,14–17 u. ö.

[261] Ep 103 p 176,20 μόλις; nur wo die Umstände (Heimarmene, Tyche) es erlauben, p 177,18–178,3; vgl. oben A. 245.249.141, dazu ep 105 p 186,2–5 (= 248a); 186,7–9 (= 248b): „Ich preise ihre Naturen, und es sind wahrhaft die göttlichen Männer, die der Kontakt mit den menschlichen Verflechtungen nicht vom Göttlichen abschneidet." Vgl. auch Aeg 1,9 p 81,14–17 von den zwei Augenpaaren, die kaum gleichzeitig offen zu sein und damit Oberes *und* Unteres zu schauen vermögen. – Themistios preist or 20 p 4,7–11 seinen Vater ob seines unbefleckten Abstiegs und Aufstiegs.

gen und Umfinsterungen, wie er sie bei seiner politischen Mission in Konstantinopel erdulden mußte – also im Zusammenhang eines Abstiegs, eines politischen Werks –, schrecken ihn bei seinem Priesterdienst erneut, ohne daß nun ein
entsprechendes gnädiges Eingreifen Gottes statthat[262]. In bewegten Worten
kontrastiert der Bischof seine frühern glücklichen Tage als Privatmann mit der
jetzigen Situation[263]. Erfreute er sich zuvor der philosophischen Muße, eines
festlichen Lebens im Geiste ohne Übermaß an Sorgen, schaute er in Heiterkeit
das Wunderwerk des Kosmos[264], so erdrücken ihn nun Sorgen und Geschäfte,
ist er zerteilt in Leidenschaften, ohne doch jemandem wirklich helfen zu können[265]. Die Übernahme des Amts wurde zu einer entsetzlichen Verfinsterung
seines Lebens[266]. In allem wird ihm das Priestertum zum Abstieg, der das Obere
nicht zu wahren vermag, also zum erneut erlittenen *Seelenfall* in die Tiefen der
Materie[267]. Es wird deutlich, daß ein als Aufstieg interpretiertes Priestertum
zugleich einen „ordentlichen", sich im Untern nicht selbstvergessen verlieren-
den Abstieg notwendigerweise voraussetzt oder miteinschließt, wie es die neuplatonische Tugendlehre unmißverständlich klarstellt[268]. Das Priesteramt wür-

---

[262] Vgl. die unten A. 265 genannten Bischofszeugnisse mit hy 1,427–503: Mühen (436.473),
Schmerzen (437f.), das Vaterland auf den Schultern (439f.), das Leben nicht mehr lebenswert (474–
477); zum Weinen (437f.) vgl. Terzaghi 134f. sowie Ps 6,7; GregNaz carm 1,2,14:100 (PG 37,763);
1,1,34:14ff. (516). Der Bischof aber vermißt die Hilfe Gottes, wie er sie zu Konstantinopel erfuhr,
hy 1,476. 482–495.

[263] Zu dieser Innenbetrachtung vgl. Misch, Autobiographie 578.

[264] Muße: ep 11 p 31,13 und 32,1; 41 p 57,1ff.; Geistesleben: ib. und p 57,8; 58,5 (vgl. ins 14 p
175,16f. „Jagd und Bücher"); Dialektik von Spaß und Ernst (vgl. oben A. 136), die nun zerbrochen
ist: ep 105 p 185,7–17; 79 p 144,1–6; Sorgenfreiheit ep 11 p 31,14; Kosmoswunder ep 41 p 58,4f.

[265] Sorgen: ep 11 p 31,16f.; 41 p 57,15f. und 60,19; 105 p 185,19; 186,3; vgl. GregNaz or 42,20
(PG 36,481BC); JChrys sac 3,10:181f. (SC 272,178) das Amt „ein Abyssos so vieler Sorgen";
Zerteilung in Leidenschaften: ep 41 p 61,4f.; 68,17ff.; Hilflosigkeit: ep 79 p 144,14–16; 41 p 62,12–
14; früher dagegen vermochte er zu helfen, ep 41 p 57,10f.

[266] Ep 79 p 144,2 und 41 p 61,9 μεταβολὴ τοῦ βίου (völlig mißgedeutet bei Stiglmayr 563 als eine
Bekehrung). Tinnefeld 179 spricht von einer „tragischen Persönlichkeit".

[267] Zerteiltsein (μεριζόμενος) ep 41 p 61,4f.; dreister Fürwitz (ῥιψοκίνδυνος τόλμα) ep 66 p
121,4 (= 217a); viele Sünden ep 69 p 125,12f.; kein gutes „Absteigen-können" ep 105 p 186,10ff.;
Sorgen s. oben A.265, vom Fall hy 9,97; „Fleck" (κηλίς) ep 105 p 186,12, ein Orakelwort (s.
Theiler, Orakel 32; Geudtner 14f. und ep 43 p 78,3.11). – Als *guter Abstieg* wäre das Bischofsamt
eine λειτουργία (ep 11 p 31,8; 105 p 189,18f.; catast 6 p 293,16, welcher Dienst als „für Gott"
geleisteter der Welt providentiell zugute kommt), und entspricht ‹1› dem ebenso bezeichneten guten
Seelenabstieg (s. oben Kap. IV A. 234 und M. Aurel 5,31,3; 10,22 vom Leben), ‹2› dem Gottes
Pronoia gemäßen Wirken auf Erden (ep 41 p 54,19 = 192d), etwa in der Konstantinopelreise im
Dienste der Heimat (ep 100 p 168,11), und demnach auch ‹3› der Königsfunktion (Aeg 1,10 p 82,18),
die Gottes Pronoia abbildet (ib. 1,11 p 87,5; regn 27 p 58,4); vgl. auch oben A. 232 und Krabinger,
Aeg. Erzählungen 212.

[268] Vgl. oben A.238 und FitzGerald, Letters 137 A.2. – Tatsächlich schrieben die spätern
Neuplatoniker den Theurgen als Nachahmern der Gottheit genau diese doppelte Wirksamkeit nach
oben *und* nach unten (= πρόνοια τῶν δευτέρων θειότερός τις) zu; vgl. Prächter, Theurgie 211f.,
der Marin Procl 28 p 49,8–14 Cousin und Olymp in Phaed p 64,2f. N. zitiert. Die Theurgie hat hier
wieder exakt die Funktion, die bei Synesios Christus innehat.

de somit immer auch schon das Königsamt in sich schließen und wäre wirklich die übermenschliche Aufgabe, wie sie die Kirchenväter schildern[269] und wie sie für Synesios nur in außergewöhnlichen Naturen, ja nur im Gottessohn verwirklicht ist.

Zur innern Drangsal kommen äußere Schicksalsschläge hinzu, Synesios verliert all seine Kinder, fühlt sich von seinen Freunden verlassen und hegt gar Selbstmordgedanken[270]. Nur mühsam hält er sich noch am stoischen Ideal des von allem Äußern unbeeindruckten Weisen fest[271], dem Urtyp eines „ordentlichen" Abstiegs. Gott ist ihm ferne, das Gebet zu ihm ist leer geworden und findet keine Erhörung[272]. All dies Leiden wird ihm nicht zu einem Läuterungsweg nach oben[273], sondern führt eine immer dichtere Nacht der Gottesverlassenheit herauf, in der sich für uns seine Lebensspuren verlieren[274].

In solcher Schicksalsbrandung konnte für Synesios auch Christus, wie er ihn verstand, nicht zu einem tragenden Boden werden, zu sehr blieb ihm doch der Gottessohn dem Obern verbunden, schritt leichthin über die Erde einher und war nur der unangefochtene Sieger, selbst in Höllentiefen, der die bittere Frucht des Seelenfalls niemals gekostet. Daß Christus gerade auch die von Synesios an sich selbst so drückend empfundene Schwäche des Menschen angenommen hätte, lag dem Bischof ferne[275]. Im Dienst am Gekreuzigten ist diese hellenische, Gottes ewige Schönheit im Kosmos betrachtende und preisende Religion, bar aller Hoffnung auf eine erst kommende Schöpfung, zerbrochen.

---

[269] GregNaz or 2,71–78; JChrys sac, bes. 3,10: Das Priestertum wäre eher Sache eines Engels (vgl. oben A. 253) denn eines fleischtragenden Menschen (SC 272,184).

[270] Vgl. die Biographien und Tinnefeld 160–179. Kinderverlust: ep 79 p 143,15–18; 10 p 30f.; 13 p 36,8–10; 126 p 215,5f. Er erträgt den Kindertod nicht wie die Stoiker, Epikt 3,24,86ff.; M. Aurel 9,40,9; 10,34,3 und 35,4; 11,33f. Einsamkeit: ep 8 p 29,2 und 10 p 30f., „ein Gefühl unsäglicher Verlassenheit spricht aus diesem Brief", Grützmacher 161, vgl. Lacombrade, Synésios 272. Suizidgedanken: ep 41 p 61,16f.; 79 p 143,11–16; vgl. 11 p 32,2 βίος ἀβίωτος und für die Konstantinopelmission hy 1,474–477.

[271] Ep 126 p 215,1–6; die Kommentatoren verwundern sich, daß Synesios eher zu Epiktet als zur Bibel greift, Kraus 445; Wilamowitz 288; M. Spanneut, Epiktet, RAC 5 (1962) 655f.; vgl. bes. Marrou, Conversion 484: „les ultima verba de Synésios rendent un son bien humain, trop humain." Vgl. auch ep 132 p 229,4–10 aus früherer Zeit, dazu Wilamowitz 287; Grützmacher 124.

[272] Ep 41 p 61,6ff.; 66 p 121,3; 69 p 125,10f.; 79 p 144,7–9; bes. p 60,20 μακρὰν ὁ θεός, nicht mehr erlebt er Gottes Nähe im Traum (so ins 12 p 167,12).

[273] So noch zuversichtlich ins 8 p 158,14ff.; vgl. Porph Marc 6f.; GregNaz carm 1,2,8:199.201 p 28 Werhahn (KPS 15, Wiesbaden 1953).

[274] Vgl. Lacombrade, Synésios 273; der Dichter weiß mehr: Stefan Andres, Die Versuchung des Synesios, München 1971.

[275] So etwa aufgrund von Stellen wie Jes 53,4 (Mt 8,17); Rö 8,26; 2 Kor 12,9f.; 13,4; Hb 4,15; 5,2: GregNaz or 39,18 (PG 36,356B); 37,2 (284C); Basil spir 8,18:11f. (SC 17,308); hom 15,2 (PG 31,468C); Chr generat 2 (1461A); TheophAl frg ep pasch 7 (PG 65,60D). Auch Tinnefeld 177 konstatiert im Vergleich mit Chrysostomos das Fehlen jeglicher „christologischen Leidensbewältigung".

Beschluß

I

Der neuplatonische Hymnendichter und nachmalige Bischof Synesios von Kyrene gab uns auf den voranstehenden Blättern Anlaß zu allgemeinen Erwägungen über das Thema Neuplatonismus und Christentum. Gerade die eigentümliche Verschmelzung dieser zwei Welten, die in seinem Leben und Werk zutage tritt, ließ danach fragen, ob es hier nicht zu einem „Vereinen des Unvereinbaren" kommt, vergleichbar jenem von ihm selbst so bezeichneten unseligen Verknüpfen von Priestertum und Politik, zu dem sich der Bischof in seinem Kampf gegen den gewalttätigen Präfekten der Kyrenaika gezwungen sah[1].

Die großen Systembildungen des 3. und 4. Jahrhunderts – Neuplatonismus bzw. kappadokische Trinitätslehre – bringen eindrücklich zu Bewußtsein, wie sehr die entscheidenden Denkbewegungen von neuplatonischer und werdender christlicher Theologie in größte Nähe zueinander geraten, wo es darum geht, *Gott und Welt zu unterscheiden.* Sie beide heben sich hierin charakteristisch von ihren jeweiligen Vorläufern – dem kaiserzeitlichen Mittleren Platonismus wie dem Origenismus – ab, worin das Verhältnis des höchsten Prinzips zu dem ihm Nachgeordneten noch nicht zum Brennpunkt aller Gotteslehre geworden war. Die Aufstiegsbewegung sowohl der affirmativen, kataphatischen wie der diese übersteigenden negativen, apophatischen Theologie zielen in neuplatonischer wie entwickelter christlicher Reflexion auf die strenge Trennung von Gott und Welt, Einem und Vielem. In solcher Gott grundsätzlich negativ und jenseitig konzipierender Denkbemühung, die der mystischen Erhebung den Weg bereitet, treffen sich die Theologien der griechischen Spätantike, auch wenn allein in der christlichen via negationis Gott kühn als schlechthinnige Unendlichkeit und überhelle Finsternis ausgesagt wird – Prädikationen also, vor deren Zweideutigkeit griechische Spekulation zurückschreckte. Die christlichen Theologen vermochten dagegen Gottes Überweltlichkeit in derartiger Abhebung von allem Noetischen, Lichten, Umgrenzten, Formhaften zu begreifen, weil seine Offenbarung in Christus gleichwohl seine größere Entsprechung zu allem Lichten und Guten denn zu Finsternis und Formlosigkeit klarstellt. Solche unterschiedliche Prädizierung weist nun aber deutlich genug in die wesentliche Differenz zwischen neuplatonischer und christlicher Theologie ein: Nicht im Verständnis

---

[1] συγκλώθειν τὰ ἀσύγκλωστα, ep 41 p 65,6f. (= 198c), vgl. oben Kap. V, S. 209 A. 248.

der Aufstiegsbewegung (der Geschöpfe und Seelen zu Gott), sondern vielmehr in demjenigen der Abstiegsbewegung (Gottes zur Welt) kommt es zum Kampf der Geister. Tatsächlich entfaltet die griechische christliche Theologie vornehmlich in dem um Gottes Abstieg bemühten trinitarischen und christologischen Dogma eine spezifisch christliche Soteriologie, während das Aufstiegsgeschehen der Kreaturen zum Schöpfer eher synergistisch und von platonischer Psychagogie vielfach ununterscheidbar reflektiert wird. *Im Abstiegsverständnis hingegen, im Denken eines Kommens Gottes zur Welt, klaffen unüberbrückbare Differenzen zwischen Platonismus und Christentum.*

II

Neuplatonisches Denken ortet die Differenz von Gott (im strengen Sinn) und Welt, Einem und Vielem in der Negation jeglichen „Kommens" oder „Absteigens" der Gottheit in die Welt. Gottes Wesen schließt alle derartig mindernde Bewegung ins Untere aus, seine Freiheit und Fülle ist es gerade, nicht abzusteigen, in keinem Verhältnis zum Untern befangen zu sein. Das Eine west oberhalb aller Relation, ins Untere gelangt es nur als vielfach gewordene, der wahren Einheit beraubte Wesenheit, indem es in die von ihm selbst streng zu unterscheidenden untern Hypostasen emaniert. Im Verhältnis zur ihm entströmenden Welt – der noetischen, seelischen und physischen – ist es „überall und nirgends", παντάχου καὶ οὐδαμοῦ, solche vermittelte Anwesenheit (παρουσία!) im Untern läßt sich präzis bestimmen als *größte Anwesenheit in immer noch größerer Abwesenheit,* worin das Höchste das Unterste und Letzte am Sein erhält und allem Seienden gleichwohl in unsäglicher Erhabenheit entzogen ist.

Solche Differenz von Einem und Vielem ereignet sich paradigmatisch im allererster Werden, in der *Noogenese,* dem Entstehen des Geistes aus dem Einen. Plotin bestimmt die unbegrenzte Bewegung des werdenden Geistes aus dem Einen als ein Suchen nach eigenem Sein und somit zugleich nach dem eigenen Ursprung, die erst in einer Rückwendung zum Urgrund ihr Ziel erreicht und sich so als selbständige geformte Hypostase, als Nus konstituiert. Die in diesem Hervorgang aufklaffende Differenz von Einem und Anderem führt zu einer äußerst negativen Qualifizierung des Urwerdens, das schon keimhaft Seelenfall und Seinsarmut der Materie in sich beschließt. In dieser Konzeption des Urausgangs ist die altakademisch-pythagoreische Vorstellung der „unbegrenzten Zweiheit" wirksam: Als selbständiges Prinzip neben der Monas, oder aber irgendwie dieser entstammend, birgt die Dyas alles Dunkle, Schlechte, Chaotische der Welt in sich. Wurde sie bislang ausschließlich als negative Wurzel aller Amphibolie innerhalb der Welt, all ihrer Zweiheit und Widersprüchlichkeit verstanden, so gewinnt sie nun bei Plotin eine eminent theologische Funktion: Im Gefüge seiner strengen Einslehre wahrt die Negativität des Urausgangs die absolute Transzendenz des Einen, die Differenz von Gott und Welt.

Scheidet aber dieses negativ umzirkelte Urwerden, das allererst in der Rück-
wendung des Nus zum Ursprung vor dem Zerströmen im Nichts „gerettet"
wird, Eines und Geist durch eine tiefe Kluft, so gerät das Eine selbst ins
Zwielicht. Seine ersten Entsprechungen im Reich des Seienden sind zugleich
Licht und Form des sich zu ihm hinaufneigenden Geistes wie auch Irrgang ins
Viele und chaotische Unbegrenztheit der von ihm ausgehenden Dynamis. Der
Gott Plotins verbirgt sich hinter dieser Ambivalenz seiner Entsprechungen; in
all seiner Teilgabe an seinem Wesen entzieht er sich gleichwohl wieder und
wieder allem Seienden. Allein dem Mystiker, der die Abwesenheit des Einen in
der via negationis nachvollzieht, schlägt seine Abwesenheit aufblitzend in beseligende größte Anwesenheit um – und doch gerät auch er wieder in den Wirbel
genesiurgischen Werdens und fällt von der hohen Schau ab.

Im Grunde entspricht solche letztwirkliche Ambiguität altem griechischem
Gottesverständnis, wie es im zwiespältigen homerischen Nebeneinander von
lichten olympischen Göttern und dunkler Moira, die beide zugleich die Dimen-
sion des Göttlichen in der Wirklichkeit repräsentieren, zum Ausdruck kommt.
Diese Moira lebt weiter in der Ananke und Chora Platons, im Materieprinzip
der Alten Akademie und endlich im ersten Moment der Noogenese Plotins und
wirft ihren unverkennbaren Schatten auf alle hellenische Zusammenschau von
Gott und Geist, Sein, Licht und Kosmos.

III

Die *christliche Theologie* des späten 4. Jahrhunderts teilt zwar mit der neuplatonischen uneingeschränkt die im Aufstieg vollzogene Unterscheidung von
Gott und Welt, schaut aber dieselbe Differenz im Ereignis göttlichen Abstiegs
unter gänzlich anderem Vorzeichen. Gottes wunderbares Kommen in die Welt
hat durchwegs unter positivem Aspekt statt und gerät nicht in Widerspruch zu
seiner Transzendenz. Explizit oder implizit gründet solche *immer größere
Anwesenheit Gottes in der Welt bei noch so großer Abwesenheit*, die sich
paradigmatisch in Christus ereignet, in seiner *trinitarischen Wesenheit*. Gott als
Trias ist innere Bezogenheit, ist Fülle von Relationalität; der „Abstieg" vom
Vater zum Sohn führt nicht in negativ zu qualifizierende Minderung, sondern
vielmehr in gegenseitige Verherrlichung. Im Unterschied hierzu ist die neuplatonische Trias, wie sie der die plotinische Noogenese systematisierende Porphyrios als Einheit von Verharren, Hervorgang und Rückwendung, von Sein,
Leben und Denken konzipiert und sogar im höchsten Einen präexistieren läßt,
grundsätzlich von der negativen Abstiegsbewegung bestimmt; die späteren
Neuplatoniker heben deshalb die derart Subordination in sich begreifende Trias
streng vom gänzlich beziehungslosen Einen ab.

Der als innere Bezogenheit geschauten christlichen Trinität entspricht die
positive Schau des *Kommens Gottes in die Welt*, wie es in *Christus* statthat und
paradigmatisch innigstes Zueinander wie schärfste Trennung von Gott und

Welt offenbart. Gottes wesenhafter Ankunft in der Welt, worin dieser die
Verheißung eschatologischer Vollendung aufstrahlt, respondiert der *Lobpreis*
der Schöpfung, der himmlischen und irdischen Kirche, der letztlich die innertrinitarische Verherrlichung abbildet. Solches Kommen Gottes läßt der Welt
Neues zuteil werden, während umgekehrt die ewige abwesende Anwesenheit
des neuplatonischen Einen Weltewigkeit in sich beschließt.

IV

Synesios mochte Neuplatonismus und Christentum nicht in dieser Weise
kontrastiert haben! Obwohl er sich der traditionellen Kontroversartikel durchaus bewußt war – er hielt an Weltewigkeit, Seelenpräexistenz und Ablehnung
aller Körperauferstehung fest –, so sah er in beiden Denkrichtungen doch
dasselbe geistige Gottesverständnis walten; sein hergebrachter Neuplatonismus
empfängt hierbei deutlich christliche Akzente, die besonders in der *positiven
Schau des göttlichen Abstiegs* zutage treten. So undenkbar diese Vision des
Synesios in theologischer Hinsicht bleibt, so sehr fasziniert sie doch im Gewand
des Hymnus, des Gotteslobs.

Die neuplatonische Dreiheit des die Chaldäischen Orakel auf die Noogenese
hin auslegenden Porphyrios tauft er auf die Namen des Vaters, des Heiligen
Geistes und des Sohns. Das zweite Moment dieser Trias ist ihm nun aber nicht
mehr eine sich ins Unendliche verlierende, von dumpfem Sehnen nach Selbst-
Sein geleitete Irrbewegung ins Äußere, sondern als weiblicher Heiliger Geist der
allein und ausschließlich auf die Hervorbringung des Sohns gerichtete Wille des
Vaters. So wird auch das dritte Moment, der Sohn, nicht zur „Rettung" eines
sich im Nichts zerströmenden Ausflusses; vielmehr zielen der abgründige,
jenseitige Vater wie der Heilige Geist ganz auf das Offenbarwerden des Sohns,
dieser ist der gepriesene Gott, die Schöpfer- und Erlösermacht. Solcher *christozentrischen Schau der Trinität* entspricht die *positive Wertung des Abstiegs des
Sohns* in die Welten, die aus ihm emanieren. In seiner kosmogonen Epiphanie ist
er nicht der Zerteilung und der Minderung unterworfen, sehr im Unterschied zu
den im Neuplatonismus die göttliche Herabkunft und das Seelenschicksal sym-
bolisierenden Göttern Dionysos und Attis. Die auch das Unterste und Letzte
belebende Weltdurchwaltung Christi wird zum Erlösungswerk, als derart erret-
tende Hadesfahrt wendet sie sich zur Himmelfahrt. So gestaltet sich der Abstieg
und Aufstieg des Gottessohns, der sich im Weg Jesu Christi verbildlicht, zum
positiven Antityp des von Fall und Finsternis umschatteten Seelenwegs und
eröffnet der Seele, Gottes Tochter, Teilhabe an dieser mehr kosmisch denn
geschichtlich geschauten Bewegung.

Die positive Sicht der göttlichen Herabkunft äußert sich sodann in einer
höheren Wertung des Unteren, der Welt zwischen Geist und Materie, worin nun
ein helleres Licht erstrahlt. In Bildung und Redeschmuck, Schönheit und Spiel,
Mythen und Träumen spiegelt sich das Göttliche und gewährt dem von Schwä-

che und Fesseln beschwerten Menschen gleichwohl Teilhabe am Oberen. Derselbe von einer hohen Wertschätzung der Welt des Werdens geprägte *Humanismus* drängte Synesios auch immer wieder zu seinem Einsatz für die Heimat, für die „Vielen"; in solchem „Abstieg" ist er als Bischof schließlich an die Grenzen seiner Kräfte gelangt.

Schönster Ausdruck dieser ein göttliches Kommen im Kosmos schauenden Religiosität des Synesios aber ist der ihn so inspirierende *Lobpreis Gottes*. In seinem Dichten stimmt er selbst ein in den Lobgesang des Alls und seiner Chöre, in den Preis der Herabkunft und Auffahrt des Gottessohns. Seine Hymnen einen auf vollendete Weise die in seinem Leben und Denken so widerstrebig bleibenden Welten der literarischen Kultur, der neuplatonischen Mystik und des Evangeliums.

Zur Zitierung

1. Synesios

hy	Hymnus
regn	De regno
Aeg	Aegyptii = De providentia
astrol	De astrolabio = Ad Paeonium de dono
ins	De insomniis
calv	Calvitii encomium
Dion	Dion
hom	Homilia
catast	Catastasis
ep	Epistula

Die *Hymnen* werden nach der von Terzaghi aufgrund der bessern Handschriftenklasse β eingeführten Zählung zitiert, die sich jetzt eingebürgert hat (Dell'Era; Lacombrade):

Portus, PG 66:	1	2	3	4	5	6	7	8	9
Terzaghi:	9	5	1	2	3	4	6	7	8

Ferner ist für hy 1 zu beachten, daß Terzaghi ab v. 347 immer um einen (von ihm selbst konjizierten!) Vers voranläuft gegenüber der herkömmlichen, bei Dell' Era und Lacombrade bewahrten Zählung, der auch ich folge.

Die *Prosawerke* werden nach Kapitel, Seitenzahl und Zeile von Terzaghi, der die Petaupaginierung am Rand abdruckt, zitiert; die *Briefe* nach der neuen Ausgabe von Garzya, der aber unglücklicherweise die traditionelle Zählung aufgrund der Handschriften verändert hat und darüber hinaus die Petaupaginierung, die auch Herchers Epistolographi Graeci noch bieten, am Rand nicht mehr abdruckt. Ich habe deshalb bei wichtigern Stellen diese noch in Klammern hinzugefügt. Besonders zu beachten ist die neue Zählung bei folgenden Briefen:

PG 66, Hercher:	4	5	44	57	58	66	67
Garzya:	5	4	43	41	42	67	66

2. Die *übrigen Autoren* werden möglichst nach modernen Editionen zitiert, die Kirchenväter meist nach den großen Reihen (der Name des Editors wird der Kürze halber nicht genannt); für die Neuplatoniker sind nützlich die Ausgabenverzeichnisse bei Zintzen, WdF 436, 499–504 und Dörrie, Platonica minora 526–529. Zeilen und Seiten der jeweiligen Editionen nenne ich nur, wo die herkömmliche Zählung zu unscharf ist. Die Autoren- und Buchabkürzungen lehnen sich für die griechischen Kirchenväter an das PGL, für die Nichtchristen an das Lexikon der Alten Welt, Zürich 1965, an.

Abkürzungen

Die Abkürzungen richten sich mit Ausnahme der im folgenden genannten nach dem von S. Schwertner erstellten Verzeichnis in der Theologischen Realenzyklopädie, Berlin – New York 1976.

BT	Bibliotheca Teubneriana, Stuttgart – Leipzig
CAG	Commentaria in Aristotelem Graeca, Berlin
CCL	Corpus Christianorum, Series Latina, Turnhoult
CUF	Collection des Universités de France, Ass. G. Budé, Paris
EtAug	Etudes Augustiniennes, Paris
FS	Festschrift, Festgabe
LSJ	H. G. Liddell – R. Scott – H. Jones, A Greek English Lexicon, Oxford ^{9}1968
NHC	Nag Hammadi Corpus: The Nag Hammadi library in english, hg. J. M. Robinson, Leiden 1977
PGL	G. W. H. Lampe, A Patristic Greek Lexicon, Oxford 1961 ff.
PGM	K. Preisendanz, Papyri Graecae Magicae, BT, ^{2}1973/74
PWK	Pauly – Wissowa – Kroll, Realencyclopädie der class. Altertumswissenschaft
RhM	Rheinisches Museum
SVF	H. von Arnim, Stoicorum Veterum Fragmenta, Leipzig 1903–24 = Stuttgart 1964
VC	Vigiliae Christianae

Literaturverzeichnis

A. Synesios – Ausgaben

Synesii Cyrenensis Hymni, ed N. Terzaghi, Rom 1939 = ²1949.

Synesii Cyrenensis Opuscula, ed. N. Terzaghi, Rom 1944.

Sinesio di Cirene, Inni, ed. A. Dell' Era, Rom 1968.

Synésios de Cyrène, t. 1, Hymnes, ed. Ch. Lacombrade, CUF, Paris 1978.

Synesii Cyrenensis Epistolae, ed. A. Garzya, Rom 1979 (ersetzt die Ausgabe von R. Hercher, Epistolographi Graeci, Paris 1873 = Amsterdam 1965, 638–739).

Übersetzungen (vgl. oben Dell' Era, Lacombrade)

J. G. Krabinger, regn (München 1825); calv (Stuttgart 1834); Aeg (Sulzbach 1835) (jeweils mit Text).

F. Wolters, Hymnen und Lieder der christlichen Zeit, 1, Berlin 1923, 57–106.

A. FitzGerald, The letters of Synesius of Cyrene, Oxford 1926.

–, The essays and hymns of Synesius of Cyrene, 2 Bde., Oxford 1930.

M. Meunier, Synésios de Cyrène, Hymnes, Paris 1947.

K. Treu, Synesios von Kyrene, Dion Chrysostomos oder vom Leben nach seinem Vorbild, Berlin 1959 (mit Text).

A. Garzya, Sinesio di Cirene, Sul Regno, Neapel 1973 (mit Text).

Übersetzungen enthalten auch die unten aufgeführten Werke von Hawkins, Lang, Nicolosi, Stramondo und Vogt.

B. Literatur

Das folgende Verzeichnis führt fast nur mehrfach und deshalb abgekürzt zitierte Literatur auf. Das Werk von H. Druon, Etudes sur la vie et les oeuvres de Synésius, Paris 1859, war mir leider nicht erreichbar. Zum Zeitpunkt des Abschlusses des Manuskriptes sind noch immer nicht erschienen die von F. Chamoux herauszugebenden „Actes du colloque du Centre de rech. sur la Libye antique: Synésios et son temps", 9–11 sept. 1979 à Paris.

Abramowski, L., Drei christologische Untersuchungen, BZNW 45, Berlin 1981.

–, Marius Victorinus, Porphyrius und die römischen Gnostiker, ZNW 74 (1983) 108–128.

Althaus, H., Die Heilslehre des heiligen Gregor von Nazianz, MBTh 34, Münster 1972.

Armstrong, A. H., The architecture of the intelligible universe in the philosophy of Plotinus, Cambridge 1940 = Amsterdam 1967.

–, Hg., The Cambridge history of later greek and early medieval philosophy, Cambridge 1967, ²1970.

–, Plotinian and christian studies, Variorum reprints, London 1979.

–, The plotinian doctrine of ΝΟΥΣ in patristic theology, VC 8 (1954) 234–238.

–, Plotinus' doctrine of the infinite and its significance for christian thought, DR 73 (1954 f.) 47–58 (= Studies V).

–, Salvation, plotinian and christian, DR 75 (1957) 126–139 (= Studies VI).

–, The escape of the One. An investigation of some possibilities of apophatic theology imperfectly realised in the west, StPatr 13 (1975) 77–89 (= Studies XXIII).

–, Negative theology, DR 95 (1977) 176–189 (= Studies XXIV).

– / Markus, R. A., Christian faith and greek philosophy, London 1960.

–, FS 1981, s. „Neoplatonism...".

Arnou, R., Le désir de Dieu dans la philosophie de Plotin, Paris 1921, Rom ²1967.

–, La séparation par simple altérité dans la „Trinité" plotinienne, Greg 11 (1930) 181–193.

–, Platonisme des Pères, DThC 12 (1933) 2258–2392.

Asmus, J. R., Synesius und Dio Chrysostomus, ByZ 9 (1900) 85–151.

Aubin, P. A., Le problème de la „conversion", ThH 1, Paris 1963.

Baladi, N., La pensée de Plotin, Paris 1970.

Baltes, M., Die Weltentstehungslehre des platonischen Timaios nach den antiken Interpreten, 1, PhAnt 30, Leiden 1976; 2, PhAnt 35, 1978.

Barbel, J., Gregor von Nazianz, die fünf theologischen Reden, Text, Übers., Einl., Komm., Test 3, Düsseldorf 1963.

Bardy, G., Synésios, DThC 14 (1941) 2996–3002.

Beierwaltes, W., Proklos, Grundzüge seiner Metaphysik, PhA 24, Frankfurt 1965, ²1979.

–, Plotin über Ewigkeit und Zeit, Enn. 3,7, übers., eingel. und kommentiert, Frankfurt ³1981.

–, Die Entfaltung der Einheit. Zur Differenz plotinischen und proklischen Denkens, Thêta-Pi 2 (1973) 126–161.

–, Identität und Differenz, PhA 49, Frankfurt 1980.

Benz, E., Marius Victorinus und die Entwicklung der abendländischen Willensmetaphysik, FKGG 1, Stuttgart 1932.

Beutler, R., Porphyrios, PWK 22/1 (1953) 275–313.

–, Proklos, PWK 23/1 (1957) 186–247.

Bidez, J., Vie de Porphyre, le philosophe néoplatonicien, Gand 1913 = Hildesheim 1964.

–, Kaiser Julian. Der Untergang der heidnischen Welt, dt. Übers., Hamburg 1956.

Bizzochi, C., Gli inni filosofici di Sinesio interpretati come mistiche celabrazioni, Greg 32 (1951) 347–387.

Blumenthal, H. J., Plotinus' psychology. His doctrine of the embodied soul, Den Haag 1971.

Bouffartigue, J. / Patillon, M., Porphyre, Sur l'abstinence, CUF, Paris 1977 ff.

Bousset, W., Kyrios Christos. Geschichte des Christusglaubens von den Anfängen des Christentums bis Irenäus, Göttingen ²1921 = ⁵1965.

Bregman, J. A., *Synesius* of Cyrene. A case study in the conversion of the graeco-roman aristocracy, Diss. New Haven/Conn. 1974 (Mikrofilm) – jetzt gedruckt: Synesius of Cyrene. Philosopher – bishop, The transformation of the classical heritage 2, Berkeley 1982.

–, Synesius of Cyrene. *Early life* and conversion to philosophy, Calif Stud Class Ant 7 (1974) 55–88.

Bréhier, E., La philosophie de Plotin, Paris ³1968.

Brons, B., Gott und die Seienden, Untersuchungen zum Verhältnis von neuplatonischer Metaphysik und christlicher Tradition bei Dionysius Areopagita FKDG 28, Göttingen 1976.

–, Pronoia und das Verhältnis von Metaphysik und Geschichte bei Dionysius Areopagita, FZPhTh 24 (1977) 165–186.

Buffière, J., Les mythes d'Homère et la pensée grecque, Paris 1956 = 1973.

Burkert, W., Weisheit und Wissenschaft. Studien zu Pythagoras, Philolaos und Platon, Erlanger Beiträge 10, Nürnberg 1962.

Cambridge history, s. Armstrong.

von Campenhausen, H., Griechische Kirchenväter, Stuttgart 1955, ⁶1982.

–, Synesios, PWK 4A/2 (1932) 1362–1365; kritisch dazu Festugière, REG 58 (1945) 268 A. 2.

Canivet, P. Histoire d'une entreprise apologétique au 5e siècle, B. H. Egl, Paris 1957.

Casini, A., Sinesio di Cirene, Mailand 1969.

Cavalcanti, E., Alcune annotazioni su Sinesio di Cirene, RSLR 5 (1969) 122–134.

–, A proposito di due versi difficili del primo inno di Sinesio di Cirene, RSLR 6 (1970) 82–95.

–, Ancora una nota sinesiana, RSLR 9 (1973) 57–61.

–, Y a-t-il des problèmes eunomiens dans la pensée trinitaire de Synésius? StPatr 13 (1975) 138–144.

–, Studi Eunomiani, OrChrA 202, Rom 1976.

Charles, A., Note sur l' ΑΠΕΙΡΟΝ chez Plotin et Proclus, Annales de la faculté de lettres d'Aix 43 (1967) 147–161.

Chevalier, I., S. Augustin et la pensée grecque, les relations trinitaires, Collectanea Friburgensia 33 (NS 24), Fribourg 1940.

Christ, W. / Paranikas, M., Anthologia graeca carminum christianorum, Leipzig 1871 = Hildesheim 1963.

Cocco, M., Neoplatonismo e cristianesimo nel primo inno di Sinesio di Cirene, Sophia 16 (1948) 199–202. 351–356.

Coster, C. M., Synesios, a curialis of the time of the emperor Arcadius, Byz 15 (1940/1) 10–38.

Courcelle, P., Les lettres grecques en occident, de Macrobe à Cassiodore, BEFAR 159, Paris ²1948.

–, Recherches sur les Confessions de s. Augustin, Paris ²1968.

–, Les Confessions de s. Augustin dans la tradition littéraire. Antécédents et postérité, EtAug, Paris 1963.

–, „Connais-toi toi-même“, de Socrate à s. Bernard, 3 Bde., EtAug, Paris 1974/75.

Cramer, W., Zur Entwicklung der Zweigewaltenlehre. Ein bisher unbeachteter Beitrag des Synesios von Kyrene, RQ 72 (1977) 43–56.

Crawford, W. S., Synesius the hellene, London 1901.

Cremer, F. W., Die Chaldäischen Orakel und Jamblich de mysteriis, BKP 26, Meisenheim 1969.

Cumont, Fr., Die orientalischen Religionen im römischen Heidentum, dt. Übers., Leipzig ³1931 = Darmstadt ⁷1975.

–, Les anges du paganisme, RHR 72 (1915) 159–182.

–, Lux perpetua, Paris 1949.

Daniélou, J., Platonisme et théologie mystique. Doctrine spirituelle de s. Grégoire de Nysse, Théol 2, Paris ²1953.

–, Les anges et leur mission, Chevetogne ²1953.

Deck, J. N., Nature, contemplation and the One. A study in the philosophy of Plotinus, Toronto 1967.

Dehnhard, H., Das Problem der Abhängigkeit des Basilius von Plotin. Quellenuntersuchungen zu seinen Schriften De spiritu sancto, PTS 3, Berlin 1964.

Demougeot, E., La théorie du pouvoir impérial au debut du Ve siècle, Mélanges de la société toulousaine d'études classiques 1, Toulouse 1946, 191–206.

Desideri, P., Il Dione e la politica di Sinesio, AAST.M 107 (1973) 551–593.

Deuse, W., Theodor von Asine. Sammlung der Testimonien und Kommentar, Palingenesia 6, Wiesbaden 1973.

–, Der Demiurg bei Porphyrios und Jamblich, WdF 436 (1977) 238–278.

Dillon, J. M., Iamblichi Chalcidensis in Platonis dialogos commentariorum fragmenta, PhAnt 23, Leiden 1973.

–, The middle platonists, a study of platonism 80 B.C. to A.D. 220, London 1977.

Dodds, E. R., Proclus, The elements of theology, Oxford 1933, ²1963.

–, The greeks and the irrational, Berkeley – Los Angeles 1966, dt. Übers. Darmstadt 1970.

–, Tradition und persönliche Leistung in der Philosophie Plotins, dt. Übers. WdF 436, 58–74 (= JRS 50, 1960, 1–7).

–, Pagan and christian in an age of anxiety, Cambridge 1965.

Dörrie, H., Porphyrios' Symmikta Zetemata, Zet 20, München 1959.

–, Der Mythos und seine Funktion in der antiken Philosophie, Innsbrucker Beiträge 2, Innsbruck 1972.

–, Platonica minora, Studia et Testimonia Antiqua 8, München 1976.

–, Porphyrios' Lehre von der Seele, Platonica minora 441–453 (= Entretiens 12, 165–192).

–, Das Christentum und die antike Bildung, in: Kirchengeschichte als Missionsgeschichte, hg. H. Frohnes / U. Knorr, 1, München 1974, 247–292.

–, Die Religiosität des Platonismus im 4. und 5. Jh., Entretiens 21 (1975) 257–281.

–, Die Andere Theologie. Wie stellten die frühchristlichen Theologen des 2.–4. Jh. ihren Lesern die „Griech. Weisheit" (= den Platonismus) dar? ThPh 56 (1981) 1–46.

– / Altenburger, M. / Schramm, U., Hg., Gregor von Nyssa und die Philosophie, 2. intern. Koll. (1972), Leiden 1976.

Dörries, H., De Spiritu Sancto. Der Beitrag des Basilius zum Abschluß des trinitarischen Dogmas, AAWG.PH 3/39, Göttingen 1956.

Elert, W., Der Ausgang der altkirchlichen Christologie. Eine Untersuchung über Theodor von Pharan und seine Zeit als Einführung in die alte Dogmengeschichte, Berlin 1957.

Elferink, M. A., La descente de l'âme d'après Macrobe, PhAnt 16, Leiden 1968.

Entretiens sur l'antiquité classique, Vandoeuvres – Genf, Fondation Hardt:
  – 3 (1955) Recherches sur la tradition platonicienne.
  – 5 (1960) Les sources de Plotin.
  – 12 (1966) Porphyre. Huit exposés.
  – 21 (1975) De Jamblique à Proclus.
Esser, H. P., Untersuchungen zu Gebet und Gottesverehrung der Neuplatoniker, Diss. Köln 1967.

Festugière, A. J., Sur les hymnes de Synésios, REG 58 (1945) 268–277.
–, La révélation d'Hermès Trismégiste, 4 Bde., EtB, Paris 1944–1954.
–, Proclus, Commentaire sur le Timée, traduction et notes, 5 Bde., Paris 1966 –1968.
Florovsky, G., The concept of creation in s. Athanasius, Stud Patr 6 (1962) 36–57.
Fritz, W., Die Briefe des Bischofs Synesius von Kyrene. Ein Beitrag zur Geschichte des Attizismus im 4. und 5. Jh., Leipzig 1898.
Früchtel, E., Weltentwurf und Logos. Zur Metaphysik Plotins, PhA 33, Frankfurt 1970.

Gaiser, E., Des Synesius von Cyrene ägyptische Erzählungen oder über die Vorsehung, Diss. Wolfenbüttel 1886.
de Gandillac, M., La sagesse de Plotin, Paris ²1966.
Gardner, A., Synesius of Cyrene, philosopher and bishop, London 1886.
Garzya, A., Synesios' Dion als Zeugnis des Kampfes um die Bildung im 4. Jh. n. Chr., JÖB 22 (1973) 1–14 (= RFIC 100, 1972, 32–45).
Geffcken, J., Der Ausgang des griechisch-römischen Heidentums, Heidelberg 1920 = Darmstadt 1963.
Gerlitz, P., Außerchristliche Einflüsse auf die Entwicklung des christlichen Trinitätsdogmas. Zugleich ein religionsgeschichtlicher und dogmengeschichtlicher Versuch zur Erklärung der Herkunft der Homousie, Leiden 1963.
Geudtner, O., Die Seelenlehre der chaldäischen Orakel, BKP 35, Meisenheim 1971.
Giannattasio, R., Unità tematica del Dione di Sinesio, Vichiana NS 3 (1974) 82–90.
Grillmeier, A., Der Gottessohn im Totenreich. Soteriologische und christologische Motivierung der Descensuslehre in der ältern christlichen Überlieferung, in: Mit ihm und in ihm, Christologische Forschungen und Perspektiven, Freiburg ²1978, 76–174.
Grützmacher, G., Synesios von Kyrene, ein Charakterbild aus dem Untergang des Hellenismus, Leipzig 1913.

Hadot, I., Le problème du néoplatonisme alexandrin: Hiéroclès et Simplicius, EtAug, Paris 1978.
Hadot, P., Plotin ou la simplicité du regard, EtAug, Paris ²1973.
–, Commentaire à Marius Victorinus, Traités théologiques sur la trinité, SC 69, Paris 1960.
–, Citations de Porphyre chez Augustin, REAug 6 (1960) 205–244.
–, Être, vie et pensée chez Plotin et avant Plotin, Entretiens 5 (1960) 107–141.
–, Fragments d'un commentaire de Porphyre sur le Parménide, REG 74 (1961) 410–438.

–, La métaphysique de Porphyre, Entretiens 12 (1966) 127–157; dt. Übers. WdF 436, 208–237.

–, Marius Victorinus. Christlicher Platonismus, Übers., BAW, Zürich 1967.

–, *Porphyre* et Victorinus, 2 Bde., EtAug, Paris 1968.

–, Il neoplatonismo, in: *Storia* della filosofia, 4, hg. F. Vallardi, Mailand 1975, 329–391.

–, Les niveaux de conscience dans les états mystiques selon Plotin, JPNP 77 (1980) 243–266.

–, Exercices spirituels et philosophie antique, EtAug, Paris 1981.

Hager, F. P., Die Materie und das Böse im antiken Platonismus, WdF 436, 427–474 (// MH 19, 1962, 73–103).

Happ, H., Hyle. Studien zum aristotelischen Materie-Begriff, Berlin 1971.

Harder, R. / Beutler, R. / Theiler, W., Plotins Schriften, 6 Bde., PhB 211–215. 276, Hamburg 1956–1971.

von Harnack, A., Lehrbuch der Dogmengeschichte, 3 Bde., Tübingen [4]1909 = Darmstadt 1964.

Harris, R. B., Hg., The significance of neoplatonism, Norfolk Virg. 1976.

Hawkins, M., Der erste Hymnus des Synesios von Kyrene, Text und Kommentar, Diss. München 1939.

Heiler, Fr., Das Gebet. Eine religionsgeschichtliche und religionspsychologische Untersuchung, München [3]1921 = [5]1923.

Heinemann, Fr., Plotin, Forschungen über die plotinische Frage, Plotins Entwicklung und sein System, Leipzig 1921 = Aalen 1973.

Heitsch, E., Die griechischen Dichterfragmente der römischen Kaiserzeit, AAWG.PH 49 und 58, Göttingen 1961/64.

–, Drei Helioshymnen, Hermes 88 (1960) 139–158.

Henry, P., Les états du texte de Plotin, Etudes plotiniennes 1, MLP 20, Paris – Brüssel 1938 = 1960.

–, La vision d'Ostie. Sa place dans la vie et l'oeuvre de s. Augustin, Paris 1938.

Hermelin, I., Zu den Briefen des Bischofs Synesius, Diss. Uppsala 1934.

Hoffmann, E., Platonismus und Mystik im Altertum, SHAW.PH 1934/35, 2.

Holl, K., Amphilochius von Ikonium in seinem Verhältnis zu den großen Kappadoziern, Tübingen – Leipzig 1904 = Darmstadt 1969.

Huber, G., Das Sein und das Absolute, Studien zur Geschichte der ontologischen Problematik in der spätantiken Philosophie, StPh.S 6, Basel 1955.

von Ivánka, E., Zum Problem des christlichen Neuplatonismus, Schol 31 (1956) 31–40. 384–403.

–, Plato Christianus. Übernahme und Umgestaltung des Platonismus durch die Väter, Einsiedeln 1964.

Jaeger, W., Das frühe Christentum und die griechische Bildung, dt. Übers., Berlin 1963.

Jonas, H., Gnosis und spätantiker Geist, 2 Bde., Göttingen, 1 (FRLANT 51) [3]1964; 2 (FRLANT 63) 1954.

Jüngel, E., Gott als Geheimnis der Welt. Zur Begründung der Theologie des Gekreuzigten im Streit zwischen Theismus und Atheismus, Tübingen [3]1978, [4]1982.

Keydell, R., Rec. Terzaghi, DLZ 62 (1941) 1113–1118.

–, Zu den Hymnen des Synesios, Hermes 93 (1956) 151–162.

Keyssner, K., Gottesvorstellung und Lebensauffassung im griechischen Hymnus, Würzb Stud 2, Stuttgart 1932.

Kissling, R. C., The ΟΧΗΜΑ – ΠΝΕΥΜΑ of the neoplatonists and the De insomniis of Synesius of Cyrene, AJP 43 (1922) 318–330.

Kleffner, A. J., Synesius von Kyrene, der Philosoph und Dichter, und sein angeblicher Vorbehalt bei seiner Wahl und Weihe zum Bischof von Ptolemais, Paderborn 1901.

Kobusch, Th., Studien zur Philosophie des Hierokles von Alexandrien, Epimeleia 27, München 1976.

Koch, H., Synesius von Cyrene bei seiner Wahl und Weihe zum Bischof, Hist Jb 23 (1902) 751–774.

–, Pseudo-Dionysius Areopagita in seinen Beziehungen zum Neuplatonismus und Mysterienwesen, FChLDG 1/2–3, Mainz 1900.

Krabinger, s. Ausgaben.

Krämer, H. J., Der Ursprung der Geistmetaphysik. Untersuchungen zur Geschichte des Platonismus zwischen Platon und Plotin, Amsterdam 1964, [2]1967.

Kraus, Fr. X., Studien über Synesios von Kyrene, ThQ 47 (1865) 381–448. 537–600; 48 (1866) 85–129.

Kremer, K., Die neuplatonische Seinsphilosophie und ihre Wirkung auf Thomas von Aquin, SPGAP 1, Leiden 1966, [2]1971.

Kroll, J., Die Lehren des Hermes Trismegistos, BGPhMA 12/2–4, Münster 1914, [2]1928.

–, Gott und Hölle. Der Mythos vom Descensuskampf, SBW 20, Leipzig 1932 = Darmstadt 1963.

Kroll, W., De Oraculis Chaldaicis, Breslauer philol Abh 7/1, 1894 = Hildesheim [2]1962 (mit Anhang S. 79–83, = RhM 50, 1895, 636–640).

de Labriolle, P., La réaction païenne, étude sur la polémique antichrétienne du 1er au 6e siècle, Paris 1934.

Lackner, W., Zu einer bislang ungeklärten Stelle im „Dion" des Synesios, Byz 39 (1969) 152–154.

Lacombrade, Ch., *Synésios de Cyrène, hellène et chrétien*, Paris 1951.

–, Le discours sur la royauté de Synésios, Paris 1951.

–, Notes sur deux panégyriques, Pallas 4 (1955) 15–26.

–, Sur deux vers controversés de Synésios, REG 69 (1956) 67–72.

–, Perspectives nouvelles sur les hymnes de Synésios, REG 74 (1961) 439–449.

–, Pour une approche des hymnes de Synésios, Bull Soc toulousaine d'études class 173/ 74 (1976) 13–22.

–, *Hymnes*, s. Ausgaben.

Lang, W., Das Traumbuch des Synesios von Kyrene, Heidelberger Abh Philos u. Gesch 10, Tübingen 1926 = Würzburg 1979.

Larsen, B. D., La place de Jamblique dans la philosophie antique tardive, Entretiens 21 (1975) 1–26.

Lewy, H., Chaldaean oracles and theurgy. Mysticism, magic and platonism in the late roman empire, EtAug, Paris [2]1978.

Lietzmann, H., Geschichte der Alten Kirche, 4 Bde., Berlin [4]1961.

Lloyd, A. C., The later neoplatonists, in: Armstrong, Cambridge history 269–325.

Lorenz, R., Arius judaizans? Untersuchungen zur dogmengeschichtlichen Einordnung des Arius, FKDG 31, Göttingen 1979.

Mariotti, S., Note agl'inni di Sinesio, SIFC 19 (1942) 3–24.
–, De Synesii hymnorum memoria, SIFC 22 (1947) 215–230.
Marrou, H. I., La „conversion" de Synésios, REG 65 (1952) 474–484.
–, *Synesius* of Cyrene and alexandrian neoplatonism, in: Momigliano, Conflict 126–150 (= Patristique et humanisme, Mélanges, Patristica Sorbonensia 9, Paris 1976, 295–319).
–, S. Augustin et la fin de la culture antique, Paris 1937/38, ²1949.
–, Geschichte der Erziehung im klassischen Altertum, (Paris ⁷1976) dt. Übers., München 1977.
Mau, G., Die Religionsphilosophie Kaiser Julians, Leipzig 1907.
Meunier, M., s. Ausgaben.
Michl, J., Engel, RAC 5 (1962) 53–258.
Misch, G., Geschichte der Autobiographie, Bd. I/2, Bern 1960.
Momigliano, A., Hg., The conflict between paganism and christianity in the 4th century, Oxford 1963.
Mühlenberg, E., Die Unendlichkeit Gottes bei Gregor von Nyssa. Gregors Kritik am Gottesbegriff der klassischen Metaphysik, FKDG 16, Göttingen 1966.

Nemeshegyi, P., La paternité de Dieu chez Origène, BT.H 2, Paris 1960.
„Neoplatonism and early christian thought", FS A. H. Armstrong, hg. H. J. Blumenthal/R. A. Markus, London 1981.
„Le Néoplatonisme", s. Schuhl.
Nestle, W., Die Haupteinwände des antiken Denkens gegen das Christentum, ARW 37 (1941/42) 51–100.
Nicolosi, S., Il „De providentia" di Sinesio di Cirene, studio critico e traduzione, Padua 1959.
Nilsson, M., Geschichte der griechischen Religion, Bd. 2, HAW 5/2/2, München ³1974.
Nissen, Th., Rec. Terzaghi, ByZ 41 (1941) 176–188.
Nock, A. D., Sallustius – Concerning the gods and the universe, Cambridge 1926 = Hildesheim 1966.
Norden, E., Die antike Kunstprosa, vom 6. Jh. v. Chr. bis in die Zeit der Renaissance, 2 Bde., Leipzig ²1909 = Darmstadt 1961.
–, Agnostos Theos. Untersuchungen zur Formengeschichte religiöser Rede, Berlin 1913 = Darmstadt ⁶1974.

O'Daly, G. J., Plotinus' philosophy of the self, Diss. (Bern) Shannon (Irland) 1973.
–, The presence of the One in Plotinus, in: Plotino e il neoplatonismo 253–264.
Orbe, A., Hacía la primera teología de la procesión del Verbo, Estudios Valentinianos 1/1–2, AnGreg 99f., Rom 1958.
–, La teología del Espíritu Santo, Estudios Valentinianos 4, AnGreg 158, Rom 1966.

Pando, J. C., The life and times of Synesius of Cyrene as revealed in his works, PatSt 63, Washington 1940.

Pépin, J., Mythe et allégorie. Les origines grecques et les contestations judéo-chrétiennes, EtAug, Paris [2]1976.

–, Théologie cosmique et théologie chrétienne (Ambroise, Exam I 1,1–4), Paris 1964.

–, Idées grecques sur l'homme et sur Dieu, CEA, Paris 1971.

Pfligersdorffer, G., Der Schicksalsweg der Menschenseele nach Synesios und nach dem jungen Augustin, Grazer Beiträge 5 (1976) 147–179.

Picavet, F., Hypostases plotiniennes et trinité chrétienne, AEPHE.R 1917, 1–52.

Placco, G., Appunti sulla tradizione classica negli inni di Sinesio. L'inno IX, AFLM 12 (1979) 243–260.

des Places, E., Oracles Chaldaïques, CUF, Paris 1971.

–, Etudes platoniciennes, EPRO 90, Leiden 1981.

–, Porphyre: Vie de Pythagore; lettre à Marcella, CUF, Paris 1982.

Plagnieux, J., Grégoire de Nazianze théologien, ESR 7, Paris 1951.

„Plotino e il neoplatonismo, in oriente e in occidente", Acc Naz dei Lincei, 5–9 ottobre 1970, Quaderno 198, Rom 1974.

Pötscher, W., Porphyrios ad Marcellam, PhAnt 15, Leiden 1969.

Prächter, K., Kleine Schriften, Collectanea 7, hg. H. Dörrie, Hildesheim 1973.

–, Richtungen und Schulen im Neuplatonismus, in: Genethliakon an C. Robert, Berlin 1910, 105–156 (= Kleine Schriften 165–216).

–, Zur theoretischen Begründung der Theurgie im Neuplatonismus, ARW 25 (1927) 209–213 (= Kleine Schriften 217–221).

Prestige, G. L., God in patristic thought, London [2]1952.

Quispel, G., Gnosis als Weltreligion, Zürich 1951.

Reitzenstein, R., Poimandres. Studien zur griechisch-ägyptischen und frühchristlichen Literatur, Leipzig 1904 = Darmstadt 1966.

Ricken, F., Das Homousios von Nikaia als Krisis des altchristlichen Platonismus, in: Zur Frühgeschichte der Christologie, hg. B. Welte, QD 51, Freiburg 1970, 74–99 (= ThPh 44, 1969, 321–341).

Rist, J. M., Theos and the One in some texts of Plotinus, MS 24 (1962) 169–180.

–, The indefinit dyad and intelligible matter in Plotinus, CQ 56 (1962) 99–107.

–, Mystik und Transzendenz im spätern Neuplatonismus, dt. Übers. WdF 436, 373–390 (= Hermes 92, 1964, 213–225).

–, Eros and psyche. Studies in Plato, Plotinus and Origen, Phoenix Suppl vol 6, Toronto 1964 = 1967.

–, Hypatia, Phoenix 19 (1965) 214–225.

–, Plotinus. The road to reality, Cambridge 1967.

–, The problem of „otherness" in the Enneads, in: Le néoplatonisme 77–87.

–, Basil's „neoplatonism": Its background and nature, in: P. J. Fedwick (Hg.), Basil of Caesarea, christian, humanist, ascetic, Toronto 1981, Bd. 1, 137–220.

Roques, D., Une nouvelle édition des lettres de Synésios de Cyrène, REG 93 (1980) 520–528.

Runia, D. T., Repetitions in the letters of Synesius, Antichthon 13 (1979) 103–109.

Sáenz, A. P., La imagen del filósofo y sus relaciones con la literatura. Un estudio sobre el ‚Dion' de Sinesio de Cirene y de sus fuentes, CFC 9 (1975) 133–200.

Saffrey, H. D. / Westerink, L. G., Proclus, Théologie Platonicienne, 1ff., CUF, Paris 1968ff.

Schlette, H. R., Das Eine und das Andere. Studien zur Problematik des Negativen in der Metaphysik Plotins, München 1966.

Schmid, W., Zur zweiten Sophistik, Bursians Jb 34 (1906) 278–283.

– (/ W. von Christ / O. Stählin), Geschichte der griechischen Literatur, HAW 7/2/2, München ⁶1924.

Schmidt, C., Synesii philosophumena eclectica, Diss. Halle 1889.

Scholem, G., Schechina, das passiv-weibliche Moment in der Gottheit, in: Von der mystischen Gestalt der Gottheit, Studien zu Grundbegriffen der Kabbala, Frankfurt 1977, 135–191.

–, Über einige Grundbegriffe des Judentums, Frankfurt ³1980.

Schuhl, P. M. / Hadot, P., Hg., Le néoplatonisme (Royaumont 9–13 juin 1969), Colloques du CNRS, Paris 1971.

Schwyzer, H. R., Plotinos, PWK 21/1 (1951) 471–592; mit Nachtrag: Suppl 15 (1978) 311–328.

–, Zu Plotins Deutung der sogenannten platonischen Materie, in: Zetesis, FS E. de Strycker, Antwerpen – Utrecht 1973, 266–280.

–, Plotinisches und Unplotinisches in den ΑΦΟΡΜΑΙ des Porphyrios, in: „Plotino e il neoplatonismo" 221–252.

Scott, W. / Ferguson, A. S., Hermetica, 4 Bde., Oxford 1924–1936 = London 1968.

Seeck, O., Geschichte des Untergangs der antiken Welt, 6 Bde., Stuttgart ⁴1921 = Darmstadt 1966.

–, Studien zu Synesios, Philologus 52 (1894) 442–483.

Setton, K. M., Christian attitude towards the emperor in the 4th century, New York 1941.

Sheldon-Williams, I. P., The greek christian platonist tradition from the cappadocians to Maximus and Eriugena, in: Armstrong, Cambridge history 425–531.

„Significance of neoplatonism", s. Harris.

Sillitti, F., Prospettive culturali nel De Regno di Sinesio die Cirene, VetChr 16 (1979) 259–271.

Simeon, X. P., Untersuchungen zu den Briefen des Bischofs Synesios von Kyrene, RhetorStud 18, Paderborn 1933.

Simon, M., Hercule et le christianisme, Straßburg – Paris 1955.

Smith, A., Porphyry's place in the neoplatonic tradition. A study in post-plotinian neoplatonism, Den Haag 1974.

Smolak, K., Zur Himmelfahrt Christi bei Synesios von Kyrene (Hymn. 8,31–54), JÖB 20 (1971) 7–30.

Solignac, A., Oeuvres de s. Augustin, Les Confessions, 2 Bde., BAug 13/14, Paris 1962.

Špidlík, Th., Grégoire de Nazianze. Introduction à l'étude de sa doctrine spirituelle, OrChrA 189, Rom 1971.

Steel, C. G., The changing self. A study on the soul in later neoplatonism: Iamblichus, Damascius and Priscianus, Brüssel 1978.

Stiglmayr, J., Synesius von Kyrene, Metropolit der Pentapolis, ZKTh 38 (1914) 509–563.

Stramondo, G., Sinesio, A Peonio sul dono, Catania 1964.

Straub, J., Vom Herrscherideal der Spätantike, FKGG 18, Stuttgart 1939 = Darmstadt 1964.

Strohm, H., Zur Hymnendichtung des Synesios von Kyrene, Hermes 84 (1965) 47–54.

–, Über die Welt. Aristoteles, Werke 12/2, Berlin [2]1979.

Szlezák, Th., Platon und Aristoteles in der Nuslehre Plotins, Basel – Stuttgart 1979.

Tardieu, M., La gnose valentienne et les oracles chaldaïques, in: The rediscovery of gnosticism, 1, Hg. B. Layton, SHR 41/1, Leiden 1980, 194–237.

Terzaghi, s. Ausgaben (Hymni).

Theiler, W., Die Vorbereitung des Neuplatonismus, Berlin – Zürich 1934 = 1964.

–, Forschungen zum Neuplatonismus, QSGP 10, Berlin 1966.

–, Porphyrios und Augustin, SKG.G 10, Halle 1933 (= Forschungen 160–251).

–, Die chaldäischen Orakel und die Hymnen des Synesios, SKG.G 18, Halle 1942 (= Forschungen 252–301).

–, Untersuchungen zur antiken Literatur, Berlin 1970.

–, Einheit und begrenzte Zweiheit von Platon bis Plotin, in: Isonomia. Studien zur Gleichheitsvorstellung im griechischen Denken, Hg. J. Mau / E. G. Schmidt, Berlin 1964, 89–109.

–, Das Unbestimmte, Unbegrenzte bei Plotin, RIPh 24 (1970) 290–298.

–, Von der begrenzten Form zur unbegrenzten Liebe bei Plotin, in: Islamic philosophy and the classical tradition, FS R. Walzer, London 1972, 467–472.

–, Plotins Schriften, s. Harder.

Thilo, J. C., Commentarius in Synesii hymnum secundum, 2 Bde., Halle 1842/43.

Tinnefeld, F., Synesios von Kyrene. Philosophie der Freude und Leidensbewältigung. Zur Problematik einer spätantiken Persönlichkeit, in: Studien zur Literatur der Spätantike, FS W. Schmid, Hg. Ch. Gnilka – W. Schetter, Bonn 1975, 139–179.

Treu, K., Synesios von Kyrene. Ein Kommentar zu seinem „Dion", TU 71, Berlin 1958.

–, Synesios' „Dion" und Themistios, BBA 5 = Aus der byzantinist. Arbeit der DDR, 1 (1957) 82–92.

Trouillard, J., La purification plotinienne, Paris 1955.

–, La procession plotinienne, Paris 1955.

–, Übereinstimmung der Definitionen der Seele bei Proklos, dt. Übers. WdF 436, 307–330 (= RSPhTh 45, 1961, 3–20).

–, Le néoplatonisme, in: Histoire de la philosophie 1, Encyclopédie de la Pléiade, Paris 1969, 886–935.

–, L'un et l'âme selon Proclos, CEA, Paris 1972.

–, La mystagogie de Proclos, CEA, Paris 1982.

–, FS, „Néoplatonisme", Melanges offerts à J.T., Les cahiers de Fontenay, n° 19–22, Fontenay aux Roses 1981.

Valdenberg, V., La philosophie byzantine aux 4e–5e siècles, Byz 4 (1927/28) 237–268.

Vellay, Ch., Etudes sur les hymnes de Synésius de Cyrène, Diss. Paris 1904.

Vogt, J., Synesios gegen Andronikos: Der philosophische Bischof in der Krisis, in: Adel und Kirche, FS G. Tellenbach, Hg. J. Fleckenstein – K. Schmid, Freiburg 1968, 15–25 (mit Übers. von ep 41f. [= 57f.]).

– / Schramm, M., Synesios vor dem Planisphaerium, in: Das Altertum und jedes neue Gute, FS W. Schadewaldt, Stuttgart 1970, 265–311 (mit Übers. von astrolab.).

–, Synesios auf Seefahrt, in: Kyriakon, FS J. Quasten, 1, Münster 1970, 400–408 (mit Übers. von ep 5 [= 4]).

–, Synesios im Glück der ländlichen Einsamkeit, MH 28 (1971) 8–108 (mit Übers. von ep 101.114.148).

–, Das unverletzliche Gut. Synesios an Hypateia, in: ΤΙΜΗΤΙΚΟΝ ΑΦΙΕΡΩΜΑ, FS K. J. Merentitis, Athen 1972, 431–437 (mit Übers. von ep 81.16.10).

–, Philosophie und Bischofsamt. Der Neuplatoniker Synesios in der Entscheidung, Grazer Beiträge 4 (1975) 295–309 (mit Übers. von ep 105.96.11).

–, Synesios von Cyrene, Hellene, Feldherr, Priester, in: Paradoxos Politeia, FS G. Lazzati = SPMed 10, Hg. R. Cantalamessa / L. F. Pizzolato, Mailand 1979, 296–307 (mit Übers. von catast 1 u. 2).

Volkmann, R., Synesius von Cyrene, eine biographische Charakteristik aus den letzten Zeiten des untergehenden Hellenismus, Berlin 1869.

Wacht, M., Äneas von Gaza als Apologet. Seine Kosmologie im Verhältnis zum Platonismus, Theoph 21, Bonn 1969.

Wallis, R. T., Neoplatonism, London 1972.

Waszink, J. H., Porphyrios und Numenios, WdF 436, 167–207 (= Entretiens 12, 35–78).

„Wege der Forschung" (= WdF) 436, s. Zintzen.

Westerink, L. G., Anonymous prolegomena to platonic philosophy, Amsterdam 1962.

von Wilamowitz, U., Die Hymnen des Proklos und Synesios, SPAW.PH 1907/1, 271–295 (= Kleine Schriften, Berlin 1941, 2, 163–191).

Wyss, B., Gregor von Nazianz. Ein griechisch-christlicher Denker des 4. Jh., MH 6 (1949) 177–210 (= Libelli 73, Darmstadt 1962).

Zeller, E., Die Philosophie der Griechen in ihrer geschichtlichen Entwicklung, III/2, Leipzig ⁵1923 u. ö.

Ziegenaus, A., Die trinitarische Ausprägung der göttlichen Seinsfülle nach Marius Victorinus, MThS 41, München 1972.

Zintzen, C., Hg., Die Philosophie des Neuplatonismus, WdF 436, Darmstadt 1977.

–, Die Wertung von Mystik und Magie in der neuplatonischen Philosophie, WdF 436, 391–426 (// RhM 108, 1965, 71–100).

–, Römisches und Neuplatonisches bei Macrobius, in: Politeia und Res Publica, Gedenkschrift R. Stark, Hg. P. Steinmetz, Palingenesia 4, Wiesbaden 1969, 357–376.

–, Geister, RAC 9 (1976) 640–668.

Forschungen zur Kirchen- und Dogmengeschichte

3 Erich Roth · Geschichte des Gottesdienstes der Siebenbürger Sachsen
281 Seiten, kart.

9 Martin Elze · Tatian und seine Theologie
137 Seiten, kart.

10 David Löfgren · Die Theologie der Schöpfung bei Luther
335 Seiten, brosch. und Ln.

11 Hellmut Lieberg · Amt und Ordination bei Luther und Melanchthon
394 Seiten, brosch.

12 Bernhard Lohse · Mönchtum und Reformation
Luthers Auseinandersetzung mit dem Mönchsideal des Mittelalters. 379 Seiten, brosch.

13 Ole Modalsli · Das Gericht nach den Werken
Ein Beitrag zu Luthers Lehre vom Gesetz. 246 Seiten, kart.

14 Günther Metzger · Gelebter Glaube
Die Formierung reformatorischen Denkens in Luthers erster Psalmenvorlesung, dargestellt am Begriff des Affekts. 233 Seiten, brosch.

15 Adolf Martin Ritter · Das Konzil von Konstantinopel und sein Symbol
316 Seiten, brosch.

16 Ekkehard Mühlenberg · Die Unendlichkeit Gottes bei Gregor von Nyssa
215 Seiten, brosch.

17 Kjell O. Nilsson · Simul
Das Miteinander von Göttlichem und Menschlichem in Luthers Theologie. 458 Seiten, brosch.

18 Friedrich Beißer · Claritas scripturae bei Martin Luther
199 Seiten, kart.

19 Hans Martin Barth
Der Teufel und Jesus Christus in der Theologie Martin Luthers
222 Seiten, kart.

20 Matthias Kroeger · Rechtfertigung und Gesetz
Studien zur Entwicklung der Rechtfertigungslehre beim jungen Luther. 246 Seiten, kart.

21 Helmut Roscher · Papst Innocenz III. und die Kreuzzüge
323 Seiten, kart.

Fortsetzung siehe nächste Seite

22 Werner Affeldt · Die weltliche Gewalt in der Paulus-Exegese
Römer 13,1–7 in den Römerbriefkommentaren der lateinischen Kirche bis zum Ende des
13. Jahrhunderts. 317 Seiten, kart.

23 Ekkehard Mühlenberg · Apollinaris von Laodicea
257 Seiten, kart.

24 Oswald Bayer · Promissio
Geschichte der reformatorischen Wende in Luthers Theologie. 376 Seiten, kart.

25 Adolf Martin Ritter
Charisma im Verständnis des Johannes Chrysostomos und seiner Zeit
Ein Beitrag zur Erforschung der griechisch-orientalischen Ekklesiologie in der Frühzeit der
Reichskirche. 232 Seiten, kart.

26 Martin Schloemann · Siegmund Jacob Baumgarten
System und Geschichte in der Theologie des Übergangs zum Neuprotestantismus. 302 Seiten,
kart.

27 Johann Ch. Emmelius · Tendenzkritik und Formengeschichte
Der Beitrag Franz Overbecks zur Auslegung der Apostelgeschichte im 19. Jahrhundert.
321 Seiten, kart.

28 Bernhard Brons · Gott und die Seienden
Untersuchungen zum Verhältnis von neuplatonischer Metaphysik und christlicher Tradition bei
Dionysius Areopagita. 346 Seiten, kart.

29 Henning Paulsen · Studien zur Theologie des Ignatius von Antiochien
226 Seiten, kart.

30 Hennig Graf Reventlow · Bibelautorität und Geist der Moderne
Die Bedeutung des Bibelverständnisses für die geistesgeschichtliche und politische Entwicklung
in England von der Reformation bis zur Aufklärung. 716 Seiten, geb.

31 Rudolf Lorenz · Arius judaizans?
Untersuchungen zur dogmengeschichtlichen Einordnung des Arius. 227 Seiten, kart.

32 Jan Badewien
Geschichtstheologie und Sozialkritik im Werk Salvians von Marseille
211 Seiten, kart.

33 Wilhelm-Ludwig Federlin · Vom Nutzen des Geistlichen Amtes
Ein Beitrag zur Interpretation und Rezeption Johann Gottfried Herders. 281 Seiten, kart.

34 Martin Nicol · Meditation bei Luther
195 Seiten, kart.

Vandenhoeck & Ruprecht · Göttingen und Zürich